Op dood spoor

Peter James

Op dood spoor

De Fontein

Van Peter James verschenen eveneens bij De Fontein:

Doodsimpel
De dood voor ogen

Eerste druk oktober 2007
Tweede druk december 2007

© 2007 Peter James/Really Scary Books
The right of Peter James to be identified as the author of this work has been
asserted by him in accordance with sections 77 and 78 of the Copyright,
Designs and Patents Act 1988.

© 2007 Uitgeverij De Fontein Baarn, voor de Nederlandse vertaling
Oorspronkelijke uitgever: Macmillan Publishers
Oorspronkelijke titel: *Not Dead Enough*
Vertaald uit het Engels door: Ineke de Groot
Omslag: Wil Immink
Zetwerk: ZetSpiegel, Best
ISBN 978 90 261 2313 9
NUR 332

Voor Bertie, Sooty en Phoebe

I

Het duurde lang voordat het donker werd, maar het wachten was de moeite waard. Tijd was trouwens toch geen punt voor hem. Hij was erachter gekomen dat, ook al had je verder niets, je in elk geval meer dan genoeg tijd had. Hij had heel veel tijd. Was bijna een tijdmiljardair.

Vlak voor middernacht verliet de vrouw die hij volgde de dubbele rijbaan en reed de eenzame gloed van een BP-benzinestation in. Hij zette het gestolen bestelbusje op de onverlichte weg ernaast, en hield haar remlichten in het oog. Ze leken steeds feller te worden terwijl hij ernaar keek. Rood licht voor gevaar, rood voor geluk, rood voor seks! Van de mensen die vermoord worden, kent 71 procent hun moordenaar. Dit gegeven tolde rond in zijn hoofd, als een balletje in een flipperkast. Hij verzamelde gegevens, borg ze net zo zorgvuldig op als een eekhoorn zijn nootjes, zodat hij ze na de lange geestelijke winterslaap weer kon gebruiken.

De vraag was: hoeveel van die 71 procent wisten dat ze vermoord gingen worden?

Weet u het, mevrouw?

De koplampen van voorbijrijdende auto's flitsten langs, door de luchtdruk van een grote vrachtwagen wiebelde de kleine blauwe Renault een beetje, waardoor een paar loodgietersspullen achterin rammelden. Er stonden maar twee auto's bij de pompen. Een Toyota-busje dat op het punt stond weg te rijden, en een grote Jaguar. De eigenaar, een gezette man in een slecht zittende smoking, kwam net teruglopen van de kassa en propte zijn portemonnee in zijn zak. Een BP-tankwagen stond wat verderop geparkeerd, de in overall gehesen chauffeur was bezig een lange slang uit te rollen om de tanks van het benzinestation bij te vullen.

Voor zover hij kon zien, hing er maar één beveiligingscamera op het terrein. Dat was een tegenvaller, maar niet onoverkomelijk.

Ze had geen betere plaats kunnen uitzoeken om naartoe te gaan!

Hij gaf haar in gedachten een kushandje.

2

Het was een warme zomeravond en Katie Bishop zwiepte haar verwarde felrode haar uit haar gezicht en gaapte vermoeid. Vermoeid was nog zacht uitgedrukt. Uitgeput, maar wel op een heel fijne manier, jawel! Ze bekeek de benzinepomp alsof het een buitenaards wezen was dat hier op aarde was neergezet om haar te intimideren. Dat gevoel had ze vaak bij een benzinepomp. Haar man had altijd moeite met de handleiding van de vaatwasser en de wasmachine, omdat die volgens hem in onbegrijpelijke vrouwentaal geschreven waren. Nou, wat haar betrof hadden benzinepompen onbegrijpelijke handleidingen die in mannentaal geschreven waren.

Ze stuntelde zoals gewoonlijk met de benzinedop van de BMW, en staarde toen naar de woorden Loodvrij en Super, terwijl ze zich probeerde te herinneren welke ze ook alweer moest nemen, ze deed het nooit goed. Als ze loodvrij nam, zou Brian haar op haar kop geven omdat ze er benzine in had gedaan die niet goed genoeg was; maar nam ze super, dan zou hij weer kwaad zijn omdat ze zo veel geld had verspild. Voorlopig had ze er nog niets in gedaan. Ze had het handvat beet en kneep er hard in, terwijl ze met haar andere hand de aandacht probeerde te trekken van de slome pompbediende aan de balie.

Brian irriteerde haar steeds meer. Ze was het spuugzat dat hij over allerlei pietluttigheden moeilijk kon doen, zoals waar de tandpasta op de planchet moest staan, en dat de stoelen om de keukentafel op gelijke afstand van elkaar moesten staan. Op de millimeter nog wel, niet op de centimeter. En hij werd ook steeds eigenaardiger, kwam regelmatig thuis met tassen vol uit de seksshop, vol met allemaal rare dingen die ze per se van hem moesten uitproberen. En dat vond ze nog het ergste.

Ze was zo in gedachten verzonken, dat ze pas in de gaten had dat de benzinetank vol was tot de pomp met een luide *kleng* ermee ophield. Ze rook de benzinelucht, die ze eigenlijk best lekker vond, en hing de slang aan de haak, deed de auto met de afstandsbediening op slot – Brian had haar gewaarschuwd dat er vaak auto's werden gestolen bij benzinestations – en liep naar de kassa toe om te betalen.

Toen ze weer naar buiten liep, vouwde ze zorgvuldig haar bonnetje op en stopte het in haar portemonnee. Ze klikte het portier open, stapte in, deed de portieren van binnenuit op slot, deed de gordel om en startte de motor. De cd Il Divo klonk meteen weer. Ze overwoog om het dak naar beneden te doen, maar deed het toch maar niet. Het was al na middernacht, ze zou te kwetsbaar zijn als ze op dit uur Brighton binnen zou rijden met open dak. Alles dicht en op slot was veel veiliger.

Pas nadat ze bij de benzinepomp was weggereden en ze al ruim honderd meter op de onverlichte oprit zat, rook ze iets anders in de auto. Een luchtje dat ze heel goed kende. Comme des Garçons. Toen zag ze iets bewegen in de spiegel.

En ze besefte dat er iemand in de auto zat.

De angst greep haar bij de keel, haar handen lagen als bevroren op het stuur. Ze trapte hard op de rem, zodat de auto piepend tot stilstand kwam, zat te hannesen met de versnellingspook om de achteruit te vinden zodat ze terug kon rijden naar het veilige pompstation. Toen voelde ze het kille, scherpe metaal in haar nek bijten.

'Gewoon doorrijden, Katie,' zei hij. 'Je bent niet bepaald een braaf meisje geweest, hè?'

Terwijl ze zich uitrekte om hem te zien in de achteruitkijkspiegel, zag ze een lichtflits weerkaatsen op het mes.

En in diezelfde achteruitkijkspiegel zag hij de doodsangst in haar ogen.

3

Marlon deed wat hij altijd deed, namelijk rondzwemmen in zijn vissenkom, zijn wereld verkennen met de onvermoeibare onverzettelijkheid van een ontdekkingsreiziger die naar het zoveelste nog niet in kaart gebrachte continent voer. Zijn bek ging open en dicht, waarbij hij meestal water binnenkreeg, maar soms ook de microscopisch kleine korrels die, naar Roy Grace aannam, de goudvissenequivalent waren van een maaltijd in Gordon Ramsays restaurant, als je zag hoe duur ze waren.

Grace zat in zijn zitkamer onderuit in zijn luie stoel. De kamer was in zwart en wit, geïnspireerd door zenminimalisme, ingericht door zijn van de aardbodem verdwenen vrouw Sandy. Tot voor kort had hij nog vol gestaan met haar spulletjes. Nu stonden er alleen nog een paar leuke jarenvijftigstukken die ze samen hadden gekocht, met als topstuk een jukebox die ze hadden opgeknapt. En er hing nog maar één foto van haar, in een zilveren lijstje, die twaalf jaar geleden op Capri was genomen en waarop ze haar knappe bruine gezicht in die ondeugende grijns van haar trok. Ze stond badend in het zonlicht tegen een paar uitstekende rotsen aan, terwijl haar lange blonde haar wapperde in de wind. Hij vond haar net een godin.

Hij sloeg wat Glenfiddich met ijs achterover, zijn blik gefixeerd op de tv, op een oude film die hij op de dvd afspeelde. Het was een van de tienduizenden waarvan zijn vriend Glenn Branson het 'ongelóóflijk' vond dat hij ze nog niet had gezien.

En inmiddels ging het er niet meer om dat Branson een hoop meer wist dan hij en hij niet meer voor gek wilde staan. Grace wilde graag meer leren, zichzelf verbeteren, om dat grote zwarte culturele gat in zijn hoofd te vullen. Hij was de afgelopen paar maanden tot de ontdekking gekomen dat zijn hoofd vol zat met bladzijden uit het Politiehandboek, feitjes over rugby, voetbal, motorraces en cricket en verder niet veel meer. En dat moest veranderen. En snel ook.

Want na een hele tijd ging hij weer met iemand uit en was hij stapelgek op, helemaal weg van, en misschien zelfs verliefd op die persoon. En hij kon het gewoon niet geloven. Maar ze was veel beter ontwikkeld dan hij. Soms kreeg hij de indruk dat ze elk boek dat er maar geschreven was had gelezen, elke film had gezien, elke opera had bezocht en dat ze ook nog eens het werk van elke beroemde kunstenaar kende, ongeacht of die al overleden of nog in leven was. En alsof dat nog niet genoeg was, volgde ze ook nog eens een cursus filosofie aan de Open Universiteit.

Vandaar de stapel filosofieboeken op het bijzettafeltje naast zijn stoel. Hij had de meeste nog niet zolang geleden bij City Books aan Western Road gekocht, en de rest tijdens zijn zoektocht in zo'n beetje elke boekwinkel in Brighton & Hove.

De twee boeken die volgens zeggen het eenvoudigst te begrijpen waren, The Consolations of Philosophy en Zeno and the Tortoise, lagen bovenop. Boeken voor de leek, die hij misschien net zou kunnen snappen. Nou ja, toch zeker wel af en toe een gedeelte ervan. Daardoor kon hij met Cleo over dingen praten die zij leuk vond. En, eigenaardig genoeg, vond hij het nog interessant ook. Vooral met Socrates had hij wel wat. Dat was een eenling geweest, en uiteindelijk was hij ter dood veroordeeld voor zijn gedachtegoed en zijn leringen. Hij had ooit gezegd: 'Het leven dat niet onderzocht is, is het niet waard geleefd te worden.'

En de afgelopen week was hij met haar meegegaan naar Glyndebourne, om Le nozze de Figaro te zien, van Mozart. Hij had sommige gedeelten van de opera behoorlijk taai gevonden, maar er waren ook momenten geweest van zulke intense schoonheid, zowel in de muziek als in het spel, dat hij tot tranen bewogen was.

Hij werd ook gegrepen door de zwart-witfilm waar hij nu naar zat te kijken. De film speelde in Wenen vlak na de oorlog. In de huidige scène zat Orson Welles, die een zwarthandelaar genaamd Harry Lime speelde, samen met Joseph Cotten in het bakje van een reuzenrad in een pretpark. Cotten schold zijn oude vriend Harry de huid vol omdat hij corrupt was geworden. Welles diende hem van repliek: 'In Italië hadden ze onder de Borgia's dertig jaar lang oorlog, terreur, moorden, bloedvergieten, maar ze brachten wel Michelangelo voort, Leonardo da Vinci en de renaissance. In Zwitserland was het allemaal pais en vree; ze hadden vijfhonderd jaar lang democratie en vrede, en wat hebben zij voortgebracht? De koekoeksklok.'

Grace nam nog een grote slok whisky. Welles speelde een sympathieke rol, maar Grace vond hem naar niets. De man was een schurk, en in zijn twintig jaar lange carrière had Grace nog nooit een schurk ontmoet die zichzelf niet schoon praatte voor wat hij deed. In hun zieke geest was het de wereld die verkeerd in elkaar zat, en niet zij.

Hij gaapte, schudde toen de ijsblokjes in zijn lege glas heen en weer, terwijl hij aan de volgende dag zat te denken: vrijdag, het dineetje met Cleo. Hij had haar al sinds afgelopen vrijdag niet meer gezien, ze was het weekend naar Surrey gegaan voor een uitgebreide familiereünie. Haar ouders waren 35 jaar getrouwd en ergens vond hij het maar vreemd dat ze hem niet uitgenodigd had, alsof ze hem op een afstand wilde houden. Alsof ze daarmee wilde aangeven dat ze wel afspraakjes maakten en met elkaar naar bed gingen, maar dat ze niet echt een relatie hadden. En op maandag zou ze weggaan om een cursus te volgen. Hoewel ze elkaar elke dag hadden gesproken, ge-sms't en ge-e-maild, miste hij haar enorm.

En de volgende dag had hij al vroeg een bespreking met zijn onvoorspelbare baas, de ene keer aardige en dan weer krengerige Alison Vosper, adjunct-hoofdcommissaris van de politie van Sussex. Hij was opeens hondsmoe, en was net met zichzelf aan het overleggen of hij nog een whisky in zou schenken en de film af zou kijken of dat hij hem tot de volgende avond zou bewaren, toen de bel ging.

Wie kwam er in hemelsnaam om middernacht langs?

Er werd weer aangebeld. Meteen daarna werd er hard op de deur geklopt. En nog een keer.

Verbaasd en op zijn hoede, zette hij de dvd op pauze, stond een beetje wankel op en liep naar de gang. Er werd nog steeds driftig aangeklopt. Toen werd er opnieuw aangebeld.

Grace woonde in een rustige wijk, een straat met halfvrijstaande huizen, die liep tot aan de kust van Hove. Het was geen wijk waar drugsverslaafden of het nachtelijke schuim van Brighton & Hove normaal gesproken rondhingen, maar hij was toch voorzichtig.

In de loop van de jaren was hij door zijn werk in aanvaring gekomen met – en had vijanden gemaakt onder – heel veel criminelen in de stad. De meesten waren gewoon tuig, maar sommigen hadden wat in de melk te brokkelen. Er waren heel wat lui die hem wel eens te grazen wilden nemen. Toch had hij nooit de moeite genomen een kijkgaatje in zijn deur te laten maken of een veiligheidsketting aan te brengen.

Vol zelfvertrouwen, daarbij geholpen door te veel whisky, trok hij de deur wijd open. En zag de man staan van wie hij het meeste hield. Rechercheur Glenn Branson, 1,89 meter lang, zwart, en kaal als een biljartbal. Maar in plaats van zoals gewoonlijk joviaal te grijnzen, stond de rechercheur hartverscheurend te huilen.

4

Het mes drukte steviger in haar nek. Beet in haar vel. Deed met elke hobbel op de weg meer pijn.

'Je kunt het wel vergeten,' zei hij kalm en buitengewoon vriendelijk.

Er sijpelde wat bloed langs haar nek, of misschien was het wel zweet, of allebei. Dat wist ze niet. Ze deed wanhopige pogingen, ondanks haar angst, om rustig na te denken. Ze wilde wat zeggen, keek naar de tegemoetkomende koplampen, greep het stuur van haar BMW stevig beet met haar klamme handen, maar het mes drukte alleen nog dieper in haar nek.

Ze reden over een heuvel, de lichtjes van Brighton & Hove links van haar.

'Sorteer links voor. Neem de tweede afslag van de rotonde.'

Katie sloeg gehoorzaam af en reed de brede tweebaans Dyke Road Avenue op. De oranje gloed van de straatverlichting. Grote huizen aan weerszijden. Ze wist waar ze naartoe gingen en ze wist dat ze iets moest doen voordat ze er waren. En plotseling maakte haar hart een sprongetje van vreugde. Aan de overkant van de straat zag ze blauwe zwaailichten. Een politiewagen! Die voor een andere auto stopte.

Haar linkerhand ging naar het hendeltje voor het knipperlicht Ze trok het snel naar zich toe. En de ruitenwissers piepten over het droge glas.

Godver.

'Waarom heb je de ruitenwissers aangezet, Katie? Het regent toch niet?' zei de man op de achterbank.

Godverdegodverdegodver. Het verkeerde kuthendel!

En nu reden ze de politiewagen voorbij. Ze zag de zwaailichten, als een verdwijnende oase, in haar spiegeltje. En ze zag de silhouet van de man, hij had een baard, maar was verder slecht te zien door het baseballpetje en de zonnebril die hij droeg, ook al was het nacht. Het gezicht van een vreemde, maar tegelijkertijd – ook door de stem – kwam hij haar bekend voor.

'Je moet zo naar links, Katie. Je moet wat afremmen. Hopelijk weet je waar we zijn.'

Het zendertje op het dashboard zou automatisch de schakelaar van het hek in werking stellen. Over een paar seconden zou het opengaan. Over een paar seconden zou ze erdoorheen rijden en dan zou het hek achter haar sluiten, en ze zou in het donker zitten, alleen, zonder iemand in de buurt, behalve de man op de achterbank dan.

Nee. Ze moest ervoor zorgen dat dat niet gebeurde.

Ze kon tegen een lantaarnpaal op rijden. Of tegen de auto die haar op dit moment tegemoet kwam. Ze keek op haar snelheidsmeter. Probeerde het in te schatten. Als ze hard op de rem zou trappen, of ergens tegenaan zou rijden, zou hij naar voren worden geworpen en zou het mes uit zijn hand vliegen. Dat zou dus slim zijn om te doen. Niet slím, er was gewoon geen andere mogelijkheid.

O, Jezus, help me toch.

Er draaide zich iets om in haar maag dat nog kouder was dan ijs. Haar mond was kurkdroog. Toen opeens ging haar gsm, die op de stoel naast haar lag. Een stomme beltoon die haar dertienjarige stiefdochter Carly erin had geprogrammeerd en die ze zelf niet kon veranderen. De beltoon was de 'Chicken Song', en elke keer dat haar telefoon ging, schaamde ze zich diep.

'Waag het niet om op te nemen, Katie,' zei hij.

Dat deed ze ook niet. In plaats daarvan reed ze gehoorzaam door het giet-ijzeren hek dat open was gedraaid, de korte geasfalteerde oprijlaan op die omzoomd was met zorgvuldig bijgehouden rododendronstruiken die Brian voor een waanzinnig hoge prijs in een duur tuincentrum had gekocht. Vanwege de privacy, had hij gezegd.

Nou, zeg dat wel. Privacy.

Het huis doemde op in het licht van haar koplampen. Toen ze een paar uur eerder was vertrokken, was het haar huis geweest. Nu, op dit moment, leek het iets heel anders. Het leek wel iets buitenaards, een gebouw dat haar slecht gezind was en haar toeschreeuwde weg te gaan.

Maar het hek ging al achter haar dicht.

5

Roy Grace keek Glenn Branson een paar tellen geschokt aan. Hoewel hij normaal gesproken goed gekleed was, droeg de rechercheur dit keer een gebreide blauwe muts, een grijs joggingpak met capuchon en slobberige broek, een sweatshirt en gympen, en hij had zichzelf al dagen niet geschoren. In plaats dat hij naar de nieuwste macho eau de toilette rook, stonk hij naar verschaald zweet. Hij leek meer op een overvaller dan op een politiefunctionaris.

Voordat Grace iets kon zeggen, sloeg de rechercheur zijn armen om hem heen, hield hem dicht tegen zich aan en drukte zijn betraande wang tegen het gezicht van zijn vriend. 'Roy, ze heeft me de deur uitgezet! O lieve hemel, man, ze heeft me eruit gegooid!'

Op de een of andere manier kreeg Grace hem het huis in, naar de zitkamer en op de bank. Hij ging naast hem zitten, legde zijn arm om zijn immense schouders en zei alleen maar: 'Ari?'

'Ze heeft me eruit gegooid.'

'Je eruit gegooid? Hoe bedoel je?'

Glenn Branson leunde naar voren, zette zijn ellebogen op de glazen salontafel en verborg zijn gezicht in zijn handen. 'Ik kan dit niet aan. Roy, je moet me helpen. Ik kan dit echt niet aan.'

'Ik haal wat te drinken voor je. Whisky? Een glas wijn? Koffie?'

'Ik wil Ari. Ik wil Sammy. Ik wil Remi.' Toen barstte hij opnieuw in snikken uit.

Heel even keek Grace naar zijn goudvis. Hij zag Marlon ronddrijven, eens een keer niet bezig met zijn onderzoekstocht, terwijl zijn bek wezenloos open- en dichtging. Grace stond op, liep de kamer uit, maakte een fles Courvoisier open die al jaren stof stond te vergaren in de kast onder de trap, schonk wat in een cognacglas en stopte dat in Glenns grote handen. 'Drink op,' zei hij.

De rechercheur hield het glas vast, keek een tijdje naar de cognac, alsof hij naar een boodschap zocht die erin zou kunnen staan. Uiteindelijk nam hij een klein nipje, meteen gevolgd door een forse slok, en zette toen het glas neer, terwijl hij er somber naar bleef staren.

'Zeg het maar,' zei Grace, die naar het stilgezette zwart-witbeeld keek van Orson Welles en Joseph Cotton. 'Wat is er nou gebeurd?'

Branson tilde zijn hoofd op en keek ook naar de televisie. Toen mompelde hij: 'Het gaat over trouw, toch? Vriendschap. Liefde. Bedrog.'

'Waar heb je het over?'

'Die film,' raaskalde hij. 'The Third Man. Regie Carol Reed. De muziek. De citer. Ontroert me elke keer weer. Orson Welles had te vroeg succes, dat kon hij niet meer evenaren, dat was zijn makke. Arme klootzak. Heeft een paar van de mooiste films gemaakt die er zijn. Maar waar kennen de meeste mensen hem van? Dat hij die dikke vent was van de sherryreclames.'

'Ik weet even niet waar je het over hebt,' zei Grace.

'Domecq, heette het geloof ik. Domecq sherry. Denk ik. Wat maakt het uit?' Glenn pakte het glas op en dronk het in één keer leeg. 'Ik ben met de auto. Kan mij het schelen.'

Grace wachtte geduldig, hij zou Glenn echt niet met de auto weg laten gaan. Hij had zijn vriend nog nooit zo gezien.

Glenn hield bijna zonder dat hij het doorhad het glas omhoog.

'Wil je nog meer?'

Met zijn blik op de tafel gericht zei de rechercheur: 'Je doet maar.'

Grace schonk hem vier vingers in. Ongeveer twee maanden geleden was Glenn neergeschoten tijdens een inval die Grace had georganiseerd, en Grace had zich daar al die tijd schuldig over gevoeld. De .38-kogel die de rechercheur had getroffen, had wonderbaarlijk genoeg weinig schade aangericht. Ruim een centimeter naar rechts en het was een heel ander verhaal geweest.

De langzame kogel met de ronde neus was onder de ribbenkast naar binnen gekomen, had op een haar na de wervelkolom, de aorta, de onderste holle ader en de urineleiders gemist. Hij had wel net een stuk van de darmen geraakt, wat gehecht had moeten worden, en hij had een vleeswond veroorzaakt, door wat vet en een spier, waar hij ook aan geopereerd moest worden. Na tien dagen in het ziekenhuis was Branson naar huis gestuurd voor een langdurige revalidatie.

De twee maanden erna had Grace de gebeurtenissen bij die inval elke dag weer voor zichzelf doorgenomen. Elke keer weer. Ondanks alle plannen en voorzorgsmaatregelen was het helemaal fout gegaan. Zijn superieuren hadden hem er niet voor op zijn kop gegeven, maar Grace voelde zich toch schuldig, omdat er iemand onder zijn bevel was neergeschoten. En het feit dat Branson zijn beste vriend was, maakte het allemaal nog erger.

Daar kwam nog bij dat al eerder tijdens dezelfde operatie een andere agente, een buitengewoon slimme jonge hoofdagente genaamd Emma-Jane Boutwood, zwaargewond was geraakt toen ze een vrachtwagen had willen tegenhouden.

Een uitspraak van een filosoof die hij onlangs had gelezen, had hem enige troost geboden en was in zijn hoofd blijven hangen. Het was van Søren Kierkegaard, die had geschreven: 'Het leven moet voorwaarts geleefd worden, maar kan pas achteraf begrepen worden.'

'Ari,' zei Glenn opeens. 'Godsamme, ik kan het niet geloven.'

Grace wist dat zijn vriend problemen had thuis. Dat hoorde er nu eenmaal bij. Politiefunctionarissen draaiden waanzinnig lange en onregelmatige diensten. Tenzij je met iemand was getrouwd die ook bij de politie zat, die het begreep, zat je met een groot probleem. Dat gebeurde bijna elke smeris. Misschien had Sandy er ook mee gezeten, maar ze had er nooit iets over gezegd. Daarom was ze misschien wel weggegaan. Was ze er op een gegeven moment doodziek van geweest en er gewoon vandoor gegaan? Het was een van de vele dingen die er gebeurd hadden kunnen zijn, op die nacht in juli. Op zijn dertigste verjaardag.

Afgelopen woensdag negen jaar geleden.

De rechercheur dronk nog wat cognac en kreeg toen een hevige hoestbui. Toen hij uitgehoest was, keek hij Grace met grote, radeloze ogen aan. 'Wat moet ik nou doen?'

'Wat is er gebeurd?'

'Ari heeft er genoeg van, dat is er gebeurd.'

'Waar heeft ze genoeg van?'

'Van mij. Van ons leven. Weet ik veel. Ik weet het gewoon niet,' zei hij, voor zich uit starend. 'Ze heeft van die cursussen gevolgd om jezelf te verbeteren. Ik zei toch dat ze steeds maar boeken voor me kocht: *Mannen komen van Mars, vrouwen van Venus*, weet je nog? *Waarom mannen niet luisteren en vrouwen niet kunnen kaartlezen*, en meer van die rotzooi. Ja? Nou, ze werd er steeds kwader over dat ik laat thuiskwam en ze niet naar haar cursussen kon gaan, omdat ze dan op de kinderen moest passen. Ja?'

Grace stond op en schonk zichzelf nog een whisky in, en opeens snakte hij naar een sigaret. 'Maar ze had je toch juist aangemoedigd om bij de politie te gaan?'

'Klopt. En nu vindt ze de lange uren juist erg. Vrouwen!'

'Je bent slim, ambitieus, je gaat met sprongen vooruit. Snapt ze dat? Weet ze dat jouw meerderen een heel hoge dunk van je hebben?'

'Volgens mij kan het haar geen reet schelen.'

'Kom op, man! Je werkte overdag als beveiligingsmedewerker en drie avonden per week als portier. Wat voor toekomst had je? Je hebt me verteld dat toen je zoon werd geboren je een soort openbaring kreeg. Dat je niet wilde dat hij op school moest vertellen dat zijn vader als portier werkte bij een nachtclub. Dat je een baan wilde waar hij trots op kon zijn. Toch?'

Branson staarde vermoeid naar het glas, dat alweer leeg was. 'Jawel.'

'Dan snap ik niet...'

'Je bent niet de enige.'

Omdat de drank de man wat rustiger maakte, pakte Grace Bransons glas, schonk er nog een flinke scheut in en stopte het weer in diens handen. Hij dacht aan de tijd toen hij nog als wijkagent werkte en te maken had met echtelijke ruzies. Alle agenten hadden er een hekel aan om bij 'problemen in de huiselijke sfeer' te worden geroepen. Over het algemeen hield het in dat een echtpaar slaande ruzie had, en eentje, of allebei, vaak dronken was, en voor je het wist kreeg je een stomp in je gezicht of kreeg je een stoel op je kop omdat je je ermee bemoeide. Maar hierdoor had Grace wel wat inzicht gekregen in dit soort dingen.

'Heb je Ari wel eens geslagen?'

'Doe normaal. Nee. Nooit. Echt nooit,' zei Glenn nadrukkelijk.

Grace geloofde hem, volgens hem zat het niet in Bransons aard om geweld te gebruiken tegen iemand van wie hij hield. Binnen in die reus zat een lieve, aardige, zachtmoedige man. 'Heb je een hypotheek?'

'Ja, samen met Ari.' Branson zette zijn glas op tafel en barstte weer in snikken uit. Na een paar minuten zei hij hortend: 'Godver, ik wou dat die kogel niet van alles had gemist. Ik wou dat hij me verdomme in het hart had geraakt.'

'Dat mag je niet zeggen.'

'Nou, ik meen het wel. Zo voel ik me nu eenmaal. Het is verdomme nooit goed. Ze was kwaad op me toen ik de hele week 24 uur per dag werkte, omdat ik nooit eens thuis was, en nu is ze kwaad op me omdat ik de afgelopen zeven weken thuis heb gezeten. Ze zegt dat ik haar in de weg zit.'

Grace dacht even na. 'Het is jouw huis. Net zoveel als het Ari's huis is. Ze mag dan wel nijdig op je zijn, maar ze kan je er niet uit gooien. Je hebt rechten, hoor.'

'Ja, nou, je kent Ari.'

Dat was zo. Ari was een zeer aantrekkelijke, zeer eigenzinnige dame van achter in de twintig, die het altijd heel duidelijk had gemaakt wie de baas was in huize Branson. Glenn had misschien de broek aan, maar dan alleen letterlijk.

Het was bijna vijf uur 's ochtends toen Grace een paar lakens en een deken uit de kast in de gang pakte en het logeerbed opmaakte voor zijn vriend. De whisky en de cognac waren bijna op en er zaten een stuk of wat uitgedrukte peuken in de asbak. Hij was bijna helemaal gestopt met roken – nadat hij in het lijkenhuis de zwarte longen had gezien van een man die kettingroker was geweest – maar de lange dranksessie had zijn wil gebroken.

Voor zijn gevoel ging maar een paar minuten later zijn gsm. Toen hij op zijn wekker naast zijn bed keek, zag hij tot zijn schrik dat het al tien over negen was.

Omdat hij bijna zeker wist dat het zijn werk was, liet hij hem een paar keer overgaan, terwijl hij helemaal wakker probeerde te worden en niet meer zo aangeschoten zou overkomen. Zijn hoofd voelde aan alsof er een kaassnijder doorheen zaagde. Hij was de dienstdoende inspecteur die week en had al om halfnegen op kantoor moeten zijn, zodat er iemand was als er iets ernstigs gebeurde. Uiteindelijk nam hij de telefoon op.

'Roy Grace,' zei hij.

Hij had een zeer bezorgd klinkende jonge burgertelefonist van de meldkamer aan de lijn, genaamd Jim Walters, die Grace al een paar keer had gesproken, maar niet van gezicht kende. 'Inspecteur, een rechercheur van Brighton Central verzoekt u langs te gaan bij een sterfgeval onder verdachte omstandigheden in een huis aan Dyke Road Avenue, Hove.'

'Wat weet je er verder over?' vroeg Grace, inmiddels klaarwakker. Hij pakte zijn BlackBerry erbij.

Nadat hij het gesprek had beëindigd, deed hij zijn ochtendjas aan, vulde zijn tandenborstelbeker met water en pakte twee aspirines uit het medicijn-kastje in de badkamer. Toen hij ze had ingenomen pakte hij er nog twee, liep op zijn tenen naar de logeerkamer, die naar alcohol en lijfgeur stonk, en schudde Glenn wakker. 'Wakker worden, hier is de vreselijkste therapeut die er bestaat!'

Een van Bransons ogen ging gedeeltelijk open, als een wulk in zijn veili-ge schelp. 'Wasserverdommeaandehand?' Hij stopte zijn hoofd in zijn han-den. 'Godver, hoeveel heb ik gisteren wel niet gedronken? Mijn hoofd lijkt wel...'

Grace hield de beker omhoog en de aspirines. 'Hier is je ontbijt op bed. Je hebt nog twee minuten om te douchen, je aan te kleden, deze pillen in te nemen en in de keuken wat te eten. We moeten aan de slag.'

'Mooi niet. Ik heb ziekteverlof. Nog een week!'

'Dat is ingetrokken. Bevel van je therapeut. Geen ziekteverlof meer! Je moet weer gaan werken, vandaag, nu meteen. We hebben een lijk.'

Heel langzaam, alsof elke beweging pijn deed, ging Branson op de rand van het bed zitten. Grace kon het verkleurde litteken op zijn gespierde buik zien, een paar centimeter boven zijn navel, waar de kogel in was geslagen. Het zag er zo klein uit. Ruim een centimeter in doorsnede. Beangstigend klein.

De rechercheur nam de pillen in met wat water, stond op en liep rond in zijn onderbroek, terwijl hij er zeer verward uitzag en aan zijn zak krabde. 'Godver, man, ik heb alleen maar deze vieze kleren. Ik ga zo niet naar een lijk toe.'

'Dat vindt het lijk vast niet erg,' stelde Grace hem gerust.

6

Skunks mobieltje ging over en trilde. *Pieppiep-brrrrrr-pieppiep-brrrrr.* Het lag al knipperend rond te tollen op de gootsteen, waar hij het had laten liggen, als een grote, dol geworden, gewonde kever.

Na dertig seconden werd hij er eindelijk wakker van. Hij kwam meteen overeind en, zoals bijna elke ochtend, stootte hij zijn hoofd tegen het lage dak van zijn vouwcaravan.

'Shit.'

De gsm viel van de gootsteen af op het kleine stukje tapijt, waar het doorging met herrie maken. Hij had hem de avond ervoor meegenomen uit een auto die hij had gestolen, en de eigenaar was niet zo vriendelijk geweest de handleiding erbij te doen, of de pincode. Skunk was zo opgefokt geweest dat hij er niet achter had kunnen komen hoe hij het geluid kon uitschakelen, en hij had de gsm niet durven uitzetten, omdat hij de code niet had om hem weer aan te zetten. En hij wilde een paar telefoontjes plegen voordat de eigenaar erachter kwam dat hij gestolen was en hem zou afsluiten. Hij had zijn broer Mick gebeld, die samen met vrouw en kinderen in Sydney, Australië woonde. Maar Mick was niet blij geweest met zijn telefoontje, had gezegd dat het vier uur in de ochtend was en had opgehangen.

Na nog een rondje gepiep en getril gaf het ding het op: leeg. Het was een vette telefoon, van glanzend metaal, een van de allernieuwste Motorola's. De gangbare prijs, zonder korting, was zo'n driehonderd pond. Met een beetje geluk, en waarschijnlijk een hoop onderhandelen, zou hij er straks vijfentwintig pond voor krijgen.

Hij besefte opeens dat hij lag te rillen. En die ondefinieerbare, zwarte droefgeestigheid sijpelde door zijn aderen, naar elke vezel in zijn lijf. Hij lag boven op de lakens, in zijn hemdje en onderbroek. Het ene moment zweette hij zich rot en het volgende kreeg hij de koude rillingen. Zo ging het elke ochtend, elke keer weer het gevoel dat de wereld een vijandige grot was die boven hem in zou storten en hem levend zou begraven. Voor eeuwig.

Er liep een schorpioen over zijn gezicht.

'Godverdomme, rot op!' Hij kwam overeind, stootte zijn hoofd opnieuw en schreeuwde het uit van de pijn. Er was geen schorpioen, er was niets. Zijn geest hield hem gewoon voor de gek. Zoals hij nu het gevoel had dat hij werd opgegeten door maden. Duizenden maden krioelden over hem heen, zo dicht op elkaar, dat het leek of hij een pak aanhad. 'Rot op!' Hij bewoog heen en weer, sloeg ze van zich af en schreeuwde weer naar ze, nog harder dit keer. Toen pas kwam hij erachter dat ze, net als de schorpioen, niet echt waren. Zijn geest deed dat. Liet hem dingen zien. Zo ging het elke dag. Zo wist hij dat hij bruin of wit spul nodig had. O, jezus, wat voor spul dan ook.

En wist hij dat weg moest uit de stank van zweetvoeten, ongewassen kleren en zure melk. Hij moest opstaan en naar zijn kantoor gaan. Bethany vond het prachtig, dat hij het zijn 'kantoor' noemde. Dat vond ze erg grappig. Ze had een vreemd lachje, waardoor haar kleine mond bijna naar binnen trok en de piercing door haar bovenlip eventjes helemaal verdween. En hij wist niet of ze nu náár hem of óm hem lachte.

Maar ze hield van hem. Dat wist hij wel: hij had dat gevoel nooit eerder meegemaakt. Hij had mensen in soapseries op tv wel tegen elkaar horen zeggen dat ze van elkaar hielden, maar had nooit geweten wat het inhield, tot hij haar op een vrijdagavond was tegengekomen – haar had opgepikt – in de Escape-2 een paar weken – of misschien zelfs maanden – geleden.

Hield van hem, in de betekenis dat ze soms naar hem keek alsof hij haar lievelingspop was. Ze bracht hem eten, maakte zijn caravan schoon, waste zijn kleren, verbond de wonden die hij soms had, en vrijde onhandig met hem voordat ze snel weer wegging.

Hij stak zijn magere arm met de tatoeage van een slang eromheen uit en greep op de plank achter zijn twee keer gestoten hoofd naar zijn sigaretten, de wegwerpaansteker, en de aluminium asbak, naast zijn stiletto, die zoals altijd openlag, voor het geval dat.

Er vielen wat peuken en een regen van as uit de asbak toen hij hem pakte. Hij schudde een Camel uit het pakje, stak hem aan en ging tegen het bobbelige kussen aan liggen met de sigaret nog in zijn mond. Hij nam een trek, inhaleerde diep en liet vervolgens de rook langzaam door zijn neus naar buiten stromen. Zoet, wat een ongelooflijke zoete smaak! Heel even trok de mistroostigheid op. Zijn hart sloeg krachtiger. Energie. Hij kwam weer tot leven.

Zo te horen was het druk in zijn 'kantoor'. Hij hoorde een sirene. Een bus ratelde langs, de lucht eromheen verontreinigend. Er werd ongeduldig getoeterd. Een motor raasde voorbij. Hij zocht de afstandsbediening, vond hem, drukte op een paar knoppen totdat hij de juiste had, en zette de televisie aan. Dat zwarte meisje, Trisha, dat hij een lekker stuk vond, was een huilende vrouw aan het interviewen die net van haar echtgenoot had gehoord dat hij homoseksueel was. Het klokje onder aan het scherm gaf aan dat het 10.36 uur was.

Nog vroeg. Niemand zou al op zijn. Zijn 'collega's' zouden nog niet op 'kantoor' zijn.

Weer een sirene. De sigaret maakte hem aan het hoesten. Hij kwam moeizaam van het bed af en stapte voorzichtig over de slapende gozer uit Liverpool, wiens naam hij zich niet kon herinneren. Hij was de avond ervoor met zijn vriend meegekomen, en ze hadden wat gerookt en een fles wodka opgedronken die een van hen bij een slijterij had gestolen. Hopelijk zouden ze oprotten als ze wakker werden en ontdekten dat er geen eten, drugs of drank meer waren.

Hij trok de deur van de koelkast open en haalde het enige eruit wat erin stond, een halfvolle fles lauwe Coca-Cola. De koelkast deed het al niet meer zolang hij de caravan had. Hij hoorde een zacht gesis toen hij de dop opendraaide. Het smaakte lekker; een wonder.

Hij boog zich over het aanrecht, dat vol met vieze borden stond en lege verpakkingen die weggegooid moesten worden – als Bethany weer langskwam – en deed de oranje gespikkelde gordijnen open. Het felle licht scheen in zijn ogen als een laserstraal. Hij voelde het op zijn netvliezen branden. Ze werden gewoon geroosterd.

Al, zijn hamster, werd wakker door het zonlicht. Hoewel een van zijn pootjes gespalkt was, sprong hij toch met een soort hink-stap-sprong in zijn tredmolen en ging meteen rennen. Skunk keek door de tralies of het beestje nog genoeg water en eten had. Zo te zien wel. Hij zou straks de keuteltjes wel uit de kooi halen. Dat was zo'n beetje het enige huishoudelijke werk dat hij deed.

Toen trok hij de gordijnen weer dicht. Dronk nog wat cola, pakte de asbak van de grond op, nam nog één trek van zijn sigaret, helemaal tot op de filter, en drukte hem uit. Hij hoestte weer, dezelfde lange folterende hoest die hij al een paar dagen had. Misschien zelfs al wel een paar weken. Opeens werd hij duizelig, en terwijl hij zich voorzichtig aan het aanrecht vasthield en vervolgens aan de brede eetbank, liep hij terug naar zijn stapelbed. Ging liggen. Liet alle geluiden om hem heen draaien. Het waren zijn geluiden, zijn ritmes, de hartslag en stemmen van de stad. De plaats waar hij was geboren en waar hij, ongetwijfeld, zou sterven.

De stad die hem niet nodig had. De stad met winkels vol met spullen die hij zich nooit zou kunnen veroorloven, met kunstwerken en cultureel spul dat hij niet begreep, met boten, golf, makelaars, advocaten, reiswinkels, dagjesmensen, congresgangers, politie. Hij beschouwde alles als een kans om te overleven. Het maakte hem niet uit wie die mensen waren, dat had hem nooit iets uitgemaakt. Zij en ik.

Zíj hadden spullen. Spullen betekenden contant geld.

En contant geld betekende dat hij het weer een dag zou kunnen redden.

Twintig pond van de gsm zou hij besteden aan wat bruin of wit: heroïne of crack, wat er maar te koop was. En de rest, als hij er vijfentwintig voor zou krijgen, zou aan eten, drank en sigaretten worden uitgegeven. En dat zou hij aanvullen met alles wat hij die dag zou kunnen stelen.

7

Het zag ernaar uit dat het een heerlijke zomerse dag zou worden, zeer uitzonderlijk in Engeland. Zelfs helemaal op de heide stond er geen zuchtje wind. Om kwart voor elf die ochtend had de zon al bijna alle dauw van de chique greens en fairways op de North Brighton Golf Club verdampt, zodat de aarde droog was. Het rook er naar pas gemaaid gras en geld. De hitte was zo intens, dat je haar bijna van je huid af kon schrapen.

Op het parkeerterrein stonden dure wagens en buiten het *toet-toet-toet* van een doorgedraaide autoalarminstallatie, was alleen het gezoem van insecten te horen en het geluid van een titanium club die tegen een golfballetje aan werd geslagen, de elektrische golfkarretjes, de snel uitgedrukte beltonen van mobieltjes en af en toe het gevloek van een golfer die er niets van bakte.

Het uitzicht was zo mooi dat het leek alsof je boven op de wereld stond. Naar het zuiden lag Brighton & Hove: de daken, de flats bij de kust van Brighton, de enkele schoorsteen van de elektriciteitscentrale Shoreham en het Engelse Kanaal helemaal in de verte, dat gewoonlijk grijs was, maar nu zo blauw als de Middellandse Zee.

Naar het zuidwesten kon je nog net het silhouet zien van Worthing, het lieflijke dorpje aan zee, dat bijna opging in de nevel, net als veel van zijn oudere bewoners. Naar het noorden toe werd het uitzicht alleen maar bedorven door een paar hoogspanningsmasten, de groene duinen en tarwevelden. Sommige waren net geoogst en daar lagen de ronde strobalen als schijven op een groot bordspel; andere werden bewerkt door oogstmachines die er op die afstand uitzagen als dinky toys.

Maar de meeste leden van de golfclub die ochtend hadden het uitzicht al zo vaak gezien, dat het hen nauwelijks meer opviel. De spelers vormden een afspiegeling van de elite van Brighton & Hoves: advocaten, dokters en zakenmensen (en degenen die graag dachten dat ze daarbij hoorden), flink wat dames die alleen nog maar leefden voor golf, en veel gepensioneerde mensen, voornamelijk nog goed uitziende mannen, die bij wijze van spreken op de golfbaan woonden.

Bishop, die op de negende hole stond en net zoals iedereen zweette als een otter, concentreerde zich op de glimmend witte Titleist-bal die hij net op de tee had gelegd. Hij zakte door zijn knieën, zwaaide zijn heup naar rechts en hield de club stevig vast, terwijl hij zich voorbereidde op een oefenslag. Hij stond zich altijd maar één oefenslag toe, dat was zijn regel; en hij geloofde in het naleven van regels. Terwijl hij het gezoem van een hommel buitensloot, wierp hij een verstoorde blik op een lieveheersbeestje dat plotseling voor hem op de grond landde. Alsof hij het zich eens flink gemakkelijk maakte, trok het diertje zijn vleugels naar binnen en vouwde hij ook zijn schildje op.

Zijn moeder had hem ooit iets over lieveheersbeestjes verteld, en dat probeerde hij zich nu te herinneren. Een of ander bijgeloof dat ze geluk zouden brengen, of rijkdom. Niet dat hij bijgelovig was, in elk geval niet meer dan andere mensen. Zich bewust van zijn drie partners die op hun beurt stonden te wachten, en de spelers na hen die al op de green stonden, bukte hij zich, pakte voorzichtig het oranje diertje met de zwarte stippen op en liet het veilig weg vliegen. Daarna kwam hij weer overeind, concentreerde zich, lette niet op zijn schaduw die voor hem uit viel, en de hommel die nog steeds rond zoemde, en haalde uit met zijn club. Kleng! Yes! riep hij bij zichzelf.

Hoewel hij bekaf was geweest toen hij die ochtend bij het clubhuis aankwam, had hij toch fantastisch gespeeld. Drie onder par al in acht holes en noch zijn partner noch hun tegenstanders, konden het geloven. Oké, hij was best wel een goede speler, met een handicap van 18, wat prima bij hem paste, maar het leek wel alsof hij die ochtend een peppil had genomen waardoor zijn normaal gesproken ernstige bui en zijn golfspel helemaal waren veranderd. Terwijl hij anders humeurig en stil rond had gelopen, geheel in zijn eigen wereld verdiept, had hij dit keer een paar moppen getapt en de andere spelers zelfs op de rug geslagen. Het was net alsof een of andere demon die hij altijd bij zich droeg, verdreven was. Deze ochtend althans.

Hij hoefde nu alleen maar deze hole redelijk af te ronden om negen holes perfect te hebben geslagen. Er stond een groepje bomen rechts, met dichte struiken eronder die een golfbal konden opslokken zodat die voorgoed onvindbaar zou zijn. Aan de linkerkant was open terrein. Het was beter om een beetje naar links te mikken bij deze hole. Maar dit keer had hij zo veel zelfvertrouwen dat hij rechtstreeks naar de green zou slaan. Hij ging bij de bal staan, haalde uit met zijn Big Bertha, en kreeg het weer voor elkaar. Met een prachtig geluid zeilde de bal naar voren, recht vooruit, maakte een boog in de helderblauwe hemel en viel uiteindelijk vlak bij de green op de grond.

Zijn goede vriend Glenn Mishon, die door zijn lange bruine haar meer leek op een bejaarde rocker dan op een van Brightons zeer geslaagde makelaars, grijnsde naar hem, terwijl hij zijn hoofd schudde. 'Geef mij ook wat van dat spul dat je hebt geslikt, vriend!' zei hij.

Brian liep naar zijn golftas, stopte de club erin en keek toe terwijl zijn partner positie innam om te slaan. Een van hun tegenstanders, een kleine Ierse tandarts die een knickerbocker en een Schotse baret droeg, dronk wat uit een in leer gestoken heupfles, waarna hij de anderen ook een slok aanbod, hoewel het pas tien voor elf in de ochtend was. De andere tegenstander, Ian Steel, een goede speler die Bishop al een paar jaar kende, droeg een duur uitziende bermuda en een shirt met het logo van Hilton Head Island.

Hun slagen haalden het niet bij die van hem.

Hij pakte zijn golftas, en liep weg, op enige afstand van de anderen, vast van plan om zijn concentratie te behouden en niet afgeleid te worden door geklets. Als hij de negen holes met een chip en een enkele putt zou kunnen uitmaken, dan zou hij een ongelooflijke vier onder par hebben. Hij kón het wel! Hij was verdomme zo dicht bij de green!

Bishop was zo'n één meter drieëntachtig lang, fit, 42 jaar, en had een mager, uitgestreken knap gezicht en achterovergekamd bruin haar. Men zei vaak dat hij leek op de acteur Clive Owen. Dat vond hij wel leuk, het was goed voor zijn toch al behoorlijk grote ego. Hij was altijd correct – wel wat opzichtig – gekleed voor elke gelegenheid, en droeg deze dag een blauw Armani-poloshirt met openstaande boord, geruite broek, keurig gepoetste tweekleurige golfschoenen en een zonnebril van Dolce & Gabbana.

Normaal gesproken zou hij door de week geen tijd hebben gehad om te golfen, maar nog niet zo lang geleden was hij tot commissielid gekozen van deze vooraanstaande club, en met het vooruitzicht er voorzitter van te worden. Het was dus belangrijk dat hij zo veel mogelijk deelnam aan de activiteiten van de golfclub. Het voorzitterschap op zich vond hij niet zo belangrijk. Het ging hem meer om het prestige dat eraan vastzat. De North Brighton Golf Club was een uitstekende plek om mensen uit de buurt te ontmoeten en een paar van de investeerders in zijn zaak waren ook lid. Bovendien, en dat was zelfs nog belangrijker, was het goed voor Katie. Zo leerde ze meer mensen kennen, iets wat ze dolgraag wilde.

Het was net alsof Katie allerlei lijstjes in haar hoofd had die ze uit het een of ander 'snel de sociale ladder op'-handboek haalde. Dingen die allemaal na elkaar afgevinkt moesten worden. Lid worden van een golfclub: vinkje. Lid worden van een commissie: vinkje. Bij de Rotary Club gaan: vinkje. Voorzitter van de plaatselijke vereniging van de Rotary Club worden: vinkje.

Lid worden van de NSPCC, de National Society for the Prevention of Cruelty to Children: vinkje. Het Rocking Horse Appeal: vinkje. Pasgeleden was ze met de zoveelste lijst begonnen, waarbij ze ruim tien jaar van tevoren plande welke mensen er in de toekomst voor konden zorgen dat hij tot gemeenteraadslid in Oost- of West-Sussex zou worden gekozen.

Hij bleef netjes op een afstandje van de voorste vier ballen op de fairway staan, en zag tot zijn genoegen dat zijn bal veel verder naar voren lag dan de andere. Zo dichtbij zag hij ook hoe goed zijn slag wel niet geweest was. Het balletje lag maar zo'n drie meter van de green af.

'Goede slag,' zei de Ier en hij bood hem een slok aan.

Hij sloeg het af. 'Nee, bedankt, Matt. Voor mij nog te vroeg.'

'Weet je wat Frank Sinatra vroeger zei?' vroeg de Ier.

Bishop was even afgeleid doordat hij de secretaris van de club zag, een gezette ex-legerofficier, die bij het clubgebouw stond met twee mannen en in hun richting wees. 'Nee, wat dan?'

'Hij zei: "Ik heb medelijden met mensen die niet drinken, want als zij 's ochtends wakker worden, weten ze dat hun dag er nooit beter op kan worden."'

'Ben nooit een fan van Sinatra geweest,' antwoordde Bishop, die de drie mannen in de gaten hield terwijl ze op hen af kwamen lopen. 'Kitschtroep.'

'Je hoeft toch geen fan van Sinatra te zijn om een slok te lusten!'

Hij lette niet op de heupfles die de Ier hem opnieuw voorhield, en concentreerde zich op de belangrijke vraag welke golfclub hij deze keer zou gebruiken. Het mooiste was de pitching wedge, en dan vervolgens, hopelijk, een korte putt. Maar na jaren bittere ervaring, wist hij dat je beter voor het gemiddelde kon gaan als je aan de beurt was. En op deze droge grond in augustus zou een goed gemikte putt, ook al was het niet vanaf de green, een veel betere optie zijn. De perfect bijgehouden green zag eruit alsof het gras door een kapper met een ouderwets scheermes was geschoren, in plaats van door een maaimachine. Het leek wel een biljartlaken. En alle greens gingen gruwelijk snel deze keer.

Hij zag de secretaris in een blauwe blazer en grijze flanellen broek aan de andere kant van de green stilstaan en naar hem wijzen. De twee mannen naast hem – eentje lang, zwart en kaal in een mooi bruin pak, de andere net zo lang, maar erg mager en blank in een slecht zittend blauw pak – knikten. Ze bleven doodstil staan terwijl ze naar hem keken. Hij vroeg zich af wie ze waren.

De Ier sloeg zijn bal luid vloekend in een bunker. Daarna was Ian Steel aan de beurt, en hij sloeg een perfecte slag met een nine iron. Zijn bal rolde tot op een paar centimeter van de vlaggenstok. Bishops partner, Glenn Mishon, sloeg zijn bal te hoog en die viel zo'n zes meter bij de green vandaan.

Bishop speelde wat met zijn putter, maar vond toen dat hij beter zijn best moest doen voor de secretaris, stopte hem weer in de tas en haalde de pitching wedge eruit.

Hij ging staan, en zijn lange magere schaduw viel over de bal, Hij haalde uit voor een oefenslag, deed een stap naar voren en sloeg dit keer echt. De golfclub raakte de grond te vroeg, ploegde een stuk gras uit de grond, en hij zag tot zijn afschuw dat de bal bijna recht in een bunker terechtkwam.

Godver.

Hij sloeg de bal uit de bunker in een regen van zand, maar hij landde toch zo'n negen meter bij de pin vandaan. Hij sloeg een lange putt zodat de bal nog maar een meter van de hole verwijderd was, en sloeg hem erin met één boven par.

Ze vulden elkaars scorekaart in. Hij zat toch nog twee onder par voor de laatste negen. Maar hij vrat zichzelf op van kwaadheid. Als hij op veilig had gespeeld, had hij een fantastische vier onder par gehad.

Toen hij zijn golftas achter zich aan trok langs de rand van de green, liep de lange, kale zwarte man op hem af.

'Meneer Bishop?' Zijn stem was krachtig, zwaar en zelfverzekerd.

Hij bleef geërgerd staan. 'Ja, wat is er?'

Vervolgens kreeg hij een politiepenning onder zijn neus geduwd.

'Ik ben rechercheur Branson van de politie van Sussex. Dit is mijn collega, hoofdagent Nicholl. Zou ik u even kunnen spreken?'

Alsof er een wolk voor de zon was geschoven, vroeg hij: 'Waar gaat het over?'

'Helaas, meneer,' zei de politieman, met een zo te zien oprechte uitdrukking van spijt op zijn gezicht. 'Dat kan ik niet zeggen, niet hier.'

Bishop wierp een blik op zijn drie medespelers. Hij ging dichter bij rechercheur Branson staan en zei zachtjes, in de hoop dat de anderen hem niet konden verstaan: 'Het komt nu niet echt goed uit, ik zit midden in een golfcompetitie. Kan het niet als ik klaar ben?'

'Nee, meneer,' zei Branson. 'Het is erg belangrijk.'

De secretaris keek hem even met een onpeilbare blik aan en zag toen ogenschijnlijk iets bijzonder interessants in het gras waarop hij stond.

'Waar gaat het over?' vroeg Bishop.

'We willen het even over uw vrouw hebben, meneer. We hebben helaas nogal slecht nieuws voor u. Ik zou het op prijs stellen als u even met ons mee kon gaan naar het clubgebouw.'

'Mijn vrouw?'

De rechercheur wees naar het clubgebouw. 'We kunnen beter ergens onder vier ogen praten, meneer.'

8

Sophie Harrington berekende snel hoeveel lijken er waren. Zeven op deze bladzijde. Ze bladerde terug. Elf vier bladzijden terug. Tel die op bij de vier omgekomen door een autobom op de eerste bladzijde, de drie die door een uzi overhoopgeschoten waren op bladzijde 9, zes in een privévliegtuigje op bladzijde 19, tweeënvijftig in een crackhol afgebrand door een molotovcocktail op bladzijde 28. En nu dan weer zeven drugskoeriers op een gegijzeld jacht in de Cariben. Tot nu toe drieëntachtig, en ze was pas op bladzijde 41 van het script van 136 bladzijden in totaal.

Wat een waardeloze rotzooi!

En volgens de producer die het twee dagen geleden had gemaild, zouden Anthony Hopkins, Matt Damon en Laura Linney eraan meedoen, en was Keira Knightley het aan het lezen. Regisseur Simon West die Tomb Raider had gedaan, wat zij wel een goede film had gevonden, en Con Air, wat ze echt goed had gevonden, wilde naar verluidt dolgraag de film regisseren.

Ja, hoor.

De metro stopte bij een halte. De rasta die tegenover haar zat, knetterstoned en met koptelefoon op, sloeg zijn blote knieën tegen elkaar en bewoog tegelijkertijd zijn hoofd heen en weer. Naast hem zat een oudere kalende man met zijn mond open te slapen. En daarnaast zat een jong knap Aziatisch meisje met haar neus in een tijdschrift.

Achter in het rijtuig, onder een handgreep en een advertentie van een uitzendbureau, zat een enge gozer zo'n gratis krantje te lezen dat je tijdens de spits op het station kon krijgen. Hij had een jack met capuchon aan en een zonnebril op, lang haar en een baard. Af en toe zoog hij op de rug van zijn rechterhand.

Sophie hield al een tijdje alle medepassagiers in de gaten die eventueel voldeden aan het profiel van een zelfmoordenaar met een bom. Het maakte deel uit van haar manier van leven, zoals ze ook naar rechts en links keek als ze overstak. Maar op dit moment lukte het allemaal niet zo best.

Ze was te laat, omdat ze nog een boodschap had moeten doen voordat ze naar de stad toe ging. Het was halfelf en normaal gesproken had ze al een uur op kantoor gezeten. Ze zag de woorden 'Green Park' langskomen; de reclameposters aan de muur werden langzamerhand duidelijker te zien en te lezen. De deuren gingen sissend open. Ze ging verder met lezen; ze had twee scripts willen lezen de vorige avond, voordat ze gestoord werd – en lieve hemel, wat voor onderbreking! – zelfs door er alleen maar aan te denken werd ze weer geil als boter.

Ze draaide de bladzijde om en deed haar best er in het warme, benauwde rijtuig met haar hoofd bij te blijven. Nog een paar minuten tot de volgende halte, Piccadilly, waar zij eruit moest. Op kantoor zou ze een verslag moeten maken over het script.

Wat ze er tot dusver van had gelezen: onmetelijk rijke pappie, diepbedroefd nadat zijn twintig jaar oude dochter – en enig kind – aan een overdosis heroïne overlijdt, huurt een ex-huurling in, die huurmoordenaar is geworden. De moordenaar krijgt carte blanche om iedereen in de drugsketen, van de man die het papaverzaadje heeft geplant tot de dealer die de fatale dosis aan zijn dochter heeft verkocht, om te brengen.

Kortom, *Death Wish* gecombineerd met *Traffic*.

Inmiddels reden ze Piccadilly binnen. Sophie stopte het script, met een chic rood omslag, in haar rugzak tussen haar laptop, het chick-lit boek *Weekend ABC*, dat ze al half uit had, en het augustusnummer van *Harpers & Queen*. Zelf zou ze dat tijdschrift niet gauw kopen, maar haar minnaar – haar vriend, zoals ze hem discreet noemde tegenover iedereen behalve haar twee beste vriendinnen – was een paar jaar ouder dan zij, en een stuk wereldwijzer. Daarom moest ze de nieuwste mode, het hipste eten en eigenlijk alles wel bijhouden, zodat ze het slimme, bijdehante meisje was dat bij zijn supergrote ego hoorde.

Een paar minuten later liep ze in de drukkende warmte aan de schaduwzijde over Wardour Street. Iemand had haar ooit verteld dat Wardour Street de enige straat ter wereld was die aan allebei de kanten schaduw had, omdat er veel bedrijven uit de muziek- en de filmindustrie zaten die het daglicht niet konden verdragen. En daar zat wel iets in, vond ze.

Ze was met haar 27 jaar, lange bruine, loshangende haar en een aantrekkelijk gezichtje met een wipneusje, niet knap op de klassieke manier, maar ze zag er erg sexy uit. Ze droeg een kaki jasje op een crèmekleurig T-shirt, een wijde grunge spijkerbroek en gympen. Als altijd had ze echt zin om te gaan werken. Hoewel ze dit keer haar vriend wel heel erg miste, omdat ze niet wist wanneer ze hem weer zou zien; ze was jaloers op zijn vrouw, want hij zou die avond thuis zijn, en bij háár in bed slapen.

Ze wist dat hun relatie geen toekomst had, want ze dacht niet dat hij alles voor haar zou opgeven, hoewel hij al eerder uit een huwelijk was gestapt, en zo twee kinderen in de steek had gelaten. Maar ze was nu eenmaal dol op hem. Daar kon ze niets aan doen.

Ze was helemaal gek op hem. Op zijn lichaam. Op zijn geest. Zelfs op het stiekeme gedoe rond hun relatie. Ze vond het heerlijk, de manier waarop hij schichtig om zich heen keek als ze naar een restaurant gingen, al maanden voordat ze met elkaar naar bed waren gegaan, voor het geval hij iemand zou zien die hem kende. De sms'jes. De e-mails. Hoe hij rook. Zijn gevoel voor humor. De manier waarop hij sinds kort, midden in de nacht bij haar langskwam. Zoals de vorige avond. Hij kwam altijd naar haar kleine flatje in Brighton, wat ze vreemd vond, aangezien hij een flat in Londen had, waar hij door de week in woonde.

O, verdomme, dacht ze, toen ze voor de deur van het kantoor stond. O, verdomme, o, verdomme, o, verdomme.

Ze bleef staan en tikte een sms'je in:

```
Ik mis je! Ik hou zielsveel van je! Ben vreselijk
geil! xxxx
```

Ze maakte de deur open en was halverwege de smalle trap naar boven toen ze haar gsm twee keer snel hoorde piepen. Ze bleef staan en keek op het schermpje.

Tot haar teleurstelling was het van haar beste vriendin Holly:

```
Ga je morgenavond mee naar feestje?
```

Nee, dacht ze. Ik heb helemaal geen zin in een feestje morgenavond. Geen enkele avond trouwens. Ik wil gewoon...

Wat wil ik verdomme eigenlijk?

Op de deur voor haar stond een logo: een bliksemschicht in een celluloid filmstrookje. Eronder stond in schaduwletters: BLINDING LIGHT PRODUCTIONS.

Ze liep het kleine moderne kantoor binnen. Overal meubels van perspex, doorzichtige stoelen en tafels, blauwgroen tapijt en posters aan de muur van de films waaraan het bedrijf op de een of andere manier had meegewerkt. *The Merchant of Venice*, met Al Pacino en Jeremy Irons. Een van Charlize Therons eerste films, die alleen op video was uitgekomen. Een vampierfilm met Dougray Scott en Saffron Burrows.

Haar bureau stond, samen met een oranje bank, in een kleine ontvangstruimte, die leidde naar een grote ruimte. Daarbinnen zat Adam, hoofd economische en juridische zaken, over zijn computer gebogen. Hij had een kaal geschoren hoofd, sproetjes, en droeg een van de lelijkste overhemden die ze ooit had gezien – op het shirt dat hij de dag ervoor had gedragen na dan. Bij hem zat Cristian, hoofd financiële zaken, die uiterst geconcentreerd naar een kleurengrafiek op zijn scherm tuurde. Hij droeg een van zijn vele prachtige en duur uitziende zijden overhemden, deze in gebroken wit, en nogal opzichtige suède instappers. Naast hem stond zijn ingeklapte vouwfiets.

'Goedemorgen, jongens,' zei ze.

Ze wuifden allebei even naar haar ter begroeting.

Sophie was het hoofd ontwikkeling van het bedrijf. Ze was ook de secretaresse, de theejuffrouw en, omdat de Poolse schoonmaakster kraamverlof had, de werkster. En de receptioniste. En wat er verder nog nodig was.

'Ik heb net een heel erg slecht script gelezen,' zei ze. '*Hands of Death*. Echt waardeloos.'

Ze reageerden geen van beiden.

'Willen jullie koffie of thee?'

Daar kreeg ze wel meteen een reactie op. Ze wilden allebei wat ze altijd dronken. Ze liep naar het keukentje, vulde de waterkoker en zette die aan, keek of er nog koekjes in het koekblik zaten, maar daar zaten alleen nog wat kruimels in, zoals gewoonlijk. Hoe vaak per dag ze hem ook vulde, de vreetzakken aten altijd alles op. Ze trok een zak chocoladekoekjes open en keek op haar gsm. Geen bericht.

Ze belde zijn mobieltje.

Even later nam hij op en haar hart sloeg een slag over. Het was zo heerlijk zijn stem te horen!

'Hoi, met mij,' zei ze.

'Nu niet. Bel je nóg wel.' Afstandelijker kon gewoon niet.

De verbinding werd verbroken.

Alsof ze met een volslagen vreemde had gesproken. Niet met de man met wie ze een paar uur eerder in bed had gelegen. Ze keek geschokt naar haar gsm en er kwam een onheilspellend gevoel in haar op.

Aan de overkant van Sophies kantoor was een Starbucks. De gozer met het trainingspak, de capuchontrui en de zonnebril die achter in de metro had gezeten, stond bij de toonbank, met de gratis krant opgerold onder zijn arm, en bestelde een suikervrije *latte*. Een grote. Hij had geen haast. Hij bracht zijn rechterhand naar zijn mond en zoog erop, om de milde, tintelende pijn te verzachten die voelde alsof hij ermee in de brandnetels had gezeten.

Alsof het was afgesproken, werd er een liedje van Louis Armstrong gedraaid. Misschien hoorde hij het wel in zijn hoofd, misschien echt in de koffietent. Dat wist hij niet zeker. Maar het maakte niet uit, zolang hij het maar hoorde. Louis speelde het alleen maar voor hem. Zijn eigen, persoonlijke lievelingsliedje. Zijn mantra. 'We Have All the Time in the World'.

Hij neuriede het mee terwijl hij zijn *latte* aanpakte, een *biscotti* pakte, ervoor betaalde en ermee naar een raamplaatsje liep. *We have all the time in de world*, zong hij in zichzelf. En dat was ook zo. Jezus, de man die tijdmiljardair was, had verdomme de hele dag de tijd, de Heer zij geprezen!

En hij had een prachtig uitzicht op de toegang naar haar kantoor vanaf dat plekje.

Er kwam een zwarte Ferrari aan rijden. Een nieuw model, een F430 Spider. Hij keek er ongeïnteresseerd naar terwijl hij voor zijn neus stilstond, omdat een taxi wat passagiers uit liet stappen en de Ferrari niet verder kon. Moderne auto's deden hem niets. In elk geval niet zoals bij zoveel mensen: niet op de manier dat hij er een móést hebben. Maar hij had er wel verstand van. Hij kende alle modellen van zo'n beetje elk automerk ter wereld, en wist zowat alle specificaties en prijzen uit zijn hoofd. Weer een voordeel als je zoveel tijd had. Terwijl hij door de spaken van het wiel keek, viel het hem op dat de auto de nieuwste Brembo-remmen had, met keramische schijven van 38 millimeter en acht remzuigers van voren en vier remzuigers van achteren. Waardoor hij zo'n 20,5 kg lichter was.

De Ferrari reed weg. Sophie zat op de eerste verdieping, maar hij wist niet precies bij welk raam. Dat maakte niet uit, ze kon alleen maar naar binnen en naar buiten door de deur die hij in de gaten hield.

Het liedje draaide nog steeds.

Hij neuriede tevreden in zichzelf mee.

9

Het kantoor van de secretaris van de North Brighton Golf Club had zo van een legerofficier kunnen zijn, wat hij inderdaad was geweest: een majoor in het leger, inmiddels in ruste, die de oorlog op de Falklandeilanden en die in Bosnië had overleefd met alles nog erop en eraan – en wat nog belangrijker was – nog altijd dezelfde handicap voor golf.

Er stond een glimmend geboend mahoniehouten bureau, met diverse nette stapels papier erop, alsmede twee kleine vlaggetjes, eentje de Engelse vlag, de andere het groen, blauwe en witte vlaggetje van de club. Aan de muur hingen een paar ingelijste foto's, sommige in sepiabruin, van golfers en golfholes, en een collectie antieke putters, die gekruist over elkaar opgehangen waren, als duelleersabels.

Bishop zat in zijn eentje op een grote leren bank naar rechercheur Glenn Branson en hoofdagent Nick Nicholl te kijken, die op de twee stoelen tegenover hem zaten. Bishop, die nog steeds zijn golfkleren en speciale schoenen aanhad, zweette als een otter, door de warmte en door wat hem werd verteld.

'Meneer Bishop,' zei de lange, zwarte rechercheur. 'Ik vind het heel erg voor u, maar uw hulp in de huishouding,' – hij bladerde wat in zijn notitieboekje – 'mevrouw Ayala, ging vanochtend om halfnegen in uw huis aan Dyke Road Avenue, Hove, aan de slag, toen ze uw vrouw, mevrouw Katherine Bishop...' Hij wachtte even, alsof hij bevestiging wilde hebben dat ze inderdaad zo heette.

Bishop keek hem uitdrukkingloos aan.

'Ahem, mevrouw Bishop ademde zo te zien niet meer. Een ambulance arriveerde om acht voor negen en de medewerkers hebben doorgegeven dat ze nergens meer op reageerde. Een politiearts werd erbij gehaald en die verklaarde uw vrouw helaas overleden, meneer.'

Bishop deed zijn mond open, zijn wangen trilden, zijn ogen leken tijdelijk losgeraakt en rolden rond, alsof ze niets konden zien, nergens scherp op konden stellen. Een zwak gekreun kwam uit zijn mond: 'Nee. Dit kan niet waar zijn. Dat kan niet.' Hij boog voorover en leunde met zijn hoofd in zijn handen. 'Nee. Nee. Dit kan ik niet geloven! Zeg me toch dat het niet waar is!'

Het was een hele tijd stil, af en toe onderbroken door zijn gesnik. 'Alstublieft,' zei hij. 'Het is niet waar, hè? Niet Katie. Toch niet mijn liefste schat, Katie...' Hij zakte weer snikkend voorover.

De twee politiefunctionarissen zaten er star en slecht op hun gemak bij. Glenn Branson, die een knallende koppijn had door zijn kater, zat zichzelf in stilte uit te foeteren dat hij dankzij Roy Grace weer aan het werk was gegaan en dan meteen in deze situatie belandde. Normaal gesproken vertelden speciaal opgeleide gezinscontactpersonen het slechte nieuws, maar zijn meerdere week daar soms van af. Als de omstandigheden verdacht waren, zoals bij deze zaak, dan wilde Grace dat hijzelf of een van de leden van zijn team het slechte nieuws bracht, zodat ze de reactie konden peilen. De gezinscontactpersonen konden er altijd nog bij geroepen worden.

Al vanaf het moment dat hij die ochtend in Roys huis wakker was geworden, was de dag één doffe ellende geweest voor Glenn. Ten eerste had hij naar de plaats delict moeten gaan waar de vrouw lag. Een aantrekkelijke roodharige vrouw, in de dertig, naakt in bed, vastgebonden met twee stropdassen, een gasmasker uit de Tweede Wereldoorlog naast haar op bed, en een dunne blauwe striem om haar hals die mogelijk veroorzaakt was door een wurgkoord. De vermoedelijke doodsoorzaak was verstikking, maar dat was nog niet zeker. Was het een uit de hand gelopen seksspelletje of moord? Alleen de patholoog, die nu zo'n beetje bij de vrouw zou aankomen, kon uitsluitsel geven.

Die godvergeten klootzak van een Grace had hem opdracht gegeven naar huis te gaan en zich om te kleden en daarna het nieuws aan de echtgenoot te vertellen. Hij was gek op Grace, hoor, maar waarom wist hij vaak niet eens. Hij had kunnen weigeren, hij was nog steeds met ziekteverlof; en dat had hij bij een andere inspecteur ook gedaan. Maar niet bij Grace. En eigenlijk, op een bepaalde manier, was hij blij geweest met de afleiding.

Dus was hij naar huis gegaan, samen met hoofdagent Nick Nicholl, die maar bleef doorratelen over zijn pasgeboren kindje en hoe leuk het wel was om vader te zijn, en hij had tot zijn opluchting ontdekt dat Ari niet thuis was. En nu, geschoren, met een schoon pak en laarzen aan, zat hij in dit clubgebouw, had hij het slechte nieuws verteld, hield hij Bishop goed in de gaten, en probeerde er zelf niet bij betrokken te raken. Hij moest de man zien in te schatten.

Zo'n zeventig procent van de mensen die in Engeland werden vermoord, werden gedood door een bekende. En in dit geval was de echtgenoot degene met wie ze het eerst wilden praten.

'Mag ik naar het huis toe om haar te zien? Mijn schatje. Mijn...'

'Helaas kunt u niet naar uw huis toe gaan, meneer, dat kan pas als het forensisch team ermee klaar is. Uw vrouw wordt naar het mortuarium overgebracht, waarschijnlijk in de loop van de ochtend. U kunt haar daar dan zien. En u zult het stoffelijk overschot moeten identificeren, meneer.'

Branson en Nicholl keken in stilte toe terwijl Bishop met zijn hoofd in zijn handen naar voren en achteren zat te wiegen op de bank.

'Waarom mag ik niet naar huis toe? Naar mijn huis? Ons huis!' riep hij opeens uit.

Branson keek Nicholl aan, die net toevallig door het grote raam naar buiten keek naar vier golfers die op de negende hole aan het spelen waren. Hoe kon hij dit zo tactisch mogelijk brengen? Terwijl hij Bishop intens aankeek, op zijn gezichtsuitdrukking lette, en met name naar zijn ogen, zei hij: 'We kunnen er verder niet op ingaan, maar we behandelen uw huis als een plaats delict.'

'Een plaats delict?' Bishop keek verdwaasd om zich heen.

'Helaas wel, meneer,' zei Branson.

'Hoe... hoezo een plaats delict?'

Branson dacht hier even over na, terwijl hij alles op een rijtje zette. Hij kon dit nu eenmaal niet tactisch brengen. 'Er zijn wat verdachte omstandigheden rond de dood van uw vrouw, meneer.'

'Verdachte omstandigheden? Hoe bedoelt u? Op wat voor manier?'

'Dat kan ik u helaas niet zeggen. We zullen moeten wachten op het verslag van de patholoog.'

'Patholoog?' Bishop schudde langzaam met zijn hoofd. 'Ze is mijn vrouw. Katie. Mijn vróúw. En u kunt me niet vertellen hoe ze is gestorven? Ik ben... ik ben haar echtgenoot.' Hij liet zijn hoofd weer in zijn handen zakken. 'Is ze vermoord? Bedoelt u dat soms?'

'We kunnen er verder niet op ingaan, meneer, nog niet althans.'

'Jawel, dat kunt u wel. U kunt er wél verder op ingaan. Ik ben haar echtgenoot. Ik heb het recht om het te weten.'

Branson keek hem rustig aan. 'Zodra wij het weten, krijgt u het te horen, meneer. We zouden het op prijs stellen als u meegaat naar het bureau zodat we met u kunnen spreken over wat er gebeurd is.'

Bishop stak zijn handen op. 'Ik... ik zit midden in een golfwedstrijd. Ik...'

Dit keer keek Branson zijn collega aan en hij zag diens opgetrokken wenkbrauwen. Gek dat hij daar zoveel belang aan hechtte. Maar eerlijk gezegd zeiden mensen in shock vaak vreemde dingen. Het hoefde niet per se

35

iets te betekenen. Trouwens, Branson deed verwoed zijn best zich te herinneren wanneer hij de aspirines had ingenomen. En of hij er alweer een paar
in mocht nemen. Omdat het volgens hem wel kon, stak hij onopvallend zijn
hand in zijn zak, pakte een paar tabletjes en stopte ze in zijn mond. Omdat
hij ze zonder water doorslikte, kreeg hij het gevoel dat ze halverwege in zijn
keel waren blijven steken.

'Ik heb uw vrienden alles uitgelegd, meneer. Zij gaan gewoon door.' Hij
slikte moeizaam.

Bishop schudde zijn hoofd. 'Ik heb het voor ze verknald. Ze zullen gedis-
kwalificeerd worden.'

'Heel jammer, meneer.' Hij wilde er: 'maar dat soort dingen gebeuren nu
eenmaal' aan toevoegen, maar hij liet het toch maar achterwege.

10

Blinding Light was bezig met een griezelfilm die ze in Malibu en Los Angeles zouden opnemen. Het ging over een groep jonge, rijke kinderen die tijdens een houseparty in Malibu worden opgegeten door een buitenaards
kwaadaardig micro-organisme. In haar verslag over het script had Sophie
Harrington geschreven: 'Alien gecombineerd met The OC.'

Nadat ze als kind The Wizard of Oz had gezien, had ze aan films mee willen
werken, op welke manier dan ook, en hoe klein haar bijdrage ook zou zijn. Nu
had ze de baan van haar dromen: ze werkte met een groep mensen die samen
zo'n twaalf films hadden gemaakt, waarvan ze er een paar had gezien, in de
bioscoop, op video of op dvd. Aan sommige werd nog gewerkt, en die zouden
toch vast – als het niet de Oscar was – enige blijk van erkenning krijgen.

Ze gaf een beker koffie met veel melk en twee klontjes suiker aan Adam
en een beker jasmijnthee zonder wat erin aan Cristian. Toen ging ze aan
haar bureau zitten met haar eigen beker gewone thee (met melk en twee
klontjes suiker), zette haar computer aan en zag een lading e-mails haar
inbox binnenkomen.

Ze moesten allemaal meteen afgehandeld worden, maar – verdomme – er
was iets wat nog veel belangrijker was. Ze toetste zijn nummer weer in op
haar gsm.

Ze kreeg meteen zijn voicemail.

'Bel me,' zei ze. 'Zo snel mogelijk. Ik ben hartstikke ongerust.'

Een uur later belde ze weer. Nog steeds zijn voicemail.

Er waren inmiddels nog meer e-mails binnengekomen. Haar beker thee stond onaangeroerd op haar bureau. Met het script dat ze in de metro had gelezen, was ze nog geen bladzijde verder gekomen. Die ochtend had ze niets gedaan. Het was haar niet gelukt een lunchreservering voor de volgende dag in de Caprice te regelen voor een van haar bazen, Luke Martin. Ook was ze vergeten Adam te vertellen dat zijn afspraak met Harry Hicks, een accountant, was komen te vervallen. Kortom, de hele dag was één grote ramp.

Toen ging haar telefoon en werd het zelfs nog erger.

II

De vrouw stonk nog niet, wat inhield dat ze nog niet zo lang dood was. De airconditioning in Bishops slaapkamer was ook prettig, die hield de hitte van augustus op afstand.

Er waren nog geen aasvliegen, maar dat zou niet lang meer duren. Aasvliegen konden de dood op acht kilometer afstand ruiken. Wat zo'n beetje dezelfde afstand was als waarop journalisten het konden ruiken. Er stond er al eentje buiten bij het hek de agent te ondervragen die de ingang in de gaten hield en die, naar de lichaamstaal van de journalist te oordelen, niet veel losliet.

Roy Grace, gehuld in een witte steriele papieren overall met capuchon, rubber handschoenen en overschoenen, keek er een poosje naar door het raam aan de voorkant van de kamer. Kevin Spinella heette de journalist, een man met een scherp gezicht, begin twintig, met een grijs pak aan en een slecht geknoopte das, een schrijfblok in de aanslag en kauwgom in zijn mond. Grace kende hem wel. Hij werkte voor de plaatselijke krant, de Argus, en hij had de akelige gewoonte ontwikkeld om bij een plaats delict aan te komen voordat de politie een verklaring had afgegeven. En gezien de snelheid – en de kloppende details – waarmee de zware misdaden de laatste tijd in de media waren verschenen, vermoedde Grace dat een politieambtenaar, of iemand in de meldkamer, hem informatie toeschoof. Maar dat was nu niet zijn grootste probleem.

Hij liep door de kamer, volgde zorgvuldig de tapemarkering die de technische recherche op het tapijt had aangebracht, en belde een paar keer met zijn gsm. Hij was kantoorruimte en bureaus aan het regelen op de afdeling Zware Criminaliteit voor het team van inspecteurs, typistes en registrators dat hij aan het samenstellen was, alsmede een afspraak met iemand van de afdeling Voorlichting voor de informatie die naar buiten mocht bij dit onderzoek. Elk minuut was kostbaar op dit moment, het 'gouden uur'. Hoe je het aanpakte in het uur nadat je op het plaats delict was aangekomen, bepaalde grotendeels of je iemand zou kunnen aanhouden of niet.

En in deze koude kamer, waar het naar klassieke parfum rook, dacht hij steeds, tussen de telefoontjes door: was dit een ongeluk? Een nachtje perverse seks dat verkeerd was afgelopen?

Of moord?

Bij bijna elke moord was het over het algemeen zo dat de dader nog meer in de war was dan jijzelf. Roy Grace had in de loop der jaren heel wat moordenaars ontmoet en maar een paar waren in staat geweest bedaard, rustig en beheerst te blijven. Direct na de moord viel het al helemaal niet mee. De meesten bevonden zich in wat een rood waas werd genoemd. De adrenaline schoot door hen heen, ze waren in de war, en niets ging echt goed – ook het uitvoeren van plannen niet – doordat ze gewoon geen rekening hadden gehouden met de chemische reactie in hun hersenen.

Hij had kortgeleden een documentaire op tv gezien over de evolutie van de mens, die geen gelijke pas hield met de manier waarop de mens zich op sociaal vlak had geëvolueerd. Als je de belastinginspecteur over de vloer kreeg, moest je rustig en bedaard blijven. In plaats daarvan trad er ogenblikkelijk een vecht-vluchtreactie in, dezelfde soort reactie die je in de prehistorie zou krijgen als je op de savanne een sabeltandtijger op je af zag komen. Je zou zo veel adrenaline toegevoerd krijgen dat je ging trillen en zweten.

Na een tijdje zou dat wat minder worden. Dus je kon maar beter de boosdoeners pakken terwijl die nog steeds liepen te stuiteren.

De slaapkamer besloeg de hele lengte van het huis. Het soort huis, besefte hij zich maar al te goed, maar zonder jaloezie, dat hij zich nooit zou kunnen veroorloven. En zelfs als hij het zou kunnen kopen, wat alleen zou kunnen als hij de loterij zou winnen – en dat zat er niet in, want hij vergat bijna altijd een lot te kopen – dan nog zou hij niet dit huis hebben gekocht. Eerder een van die mooie georgiaanse herenhuizen, met een grote waterpartij en een paar hectaren glooiende weilanden. Iets met stijl, een beetje chic. Ja. Landheer Grace. Hij zag het al helemaal zitten. Diep verstopt in zijn achterhoofd. Maar niet dit ordinaire, monsterlijke nep-tudor gebouw met een afstotelijke witte muur en elektrisch gietijzeren hek, aan de meest protserige straat in Brighton & Hove: Dyke Road Avenue. Mooi niet. Het enige wat hij er mooi aan vond, was een redelijk netjes gerestaureerde Jaguar MK2 3.8 die met een stoflaken eroverheen in de garage stond, waardoor de Bishops wat hem betrof toch wel een klein beetje smaak hadden.

De andere twee auto's van de Bishops stonden op de oprijlaan en die vond hij lang niet zo indrukwekkend. De ene was een donkerblauwe cabriolet uit de BMW 3-serie en de andere een zwarte Toyota Prius. Daarachter, bijna de hele rotonde in beslag nemend, stonden een politiewagen waarin de mobiele afdeling Zware Criminaliteit gevestigd was, en nog wat auto's van de mensen van de technische recherche. En daar zou ook nog de gele Saab cabrio bij komen te staan van de patholoog-anatoom Nadiuska De Sancha, die onderweg was.

Aan de andere kant van de kamer, bij het bed, kon je door het raam over de daken heen helemaal de zee zien, zo'n anderhalve kilometer verderop, maar ook de tuin met zijn terrasvormige gazons. Middenin, nog prominenter aanwezig dan het zwembad erachter, stond een grote fontein vol ornamenten, met bovenop een Manneke Pis, het kleine engelachtige stenen mannetje dat maar bleef plassen, en ongetwijfeld 's avonds nog verlicht was ook, bedacht Grace, terwijl hij weer een telefoontje pleegde.

Dit keer belde hij Norman Potting, een ouwe getrouwe inspecteur, die niet erg geliefd was bij zijn team. Maar wel een betrouwbaar werkpaard, had Grace ontdekt tijdens een vorig, met succes afgesloten onderzoek. Hij zette Potting op de zaak en gaf hem opdracht alle videobanden uit de beveiligingscamera's in zo'n drie kilometer om het huis te halen en ook die op de routes naar en vanuit Brighton. Daarna regelde hij een huis-aan-huisonderzoek door een paar agenten in de directe omgeving.

Toen richtte hij zich wederom op de gruwelijke werkelijkheid op het immens grote hemelbed. De vrouw lag op haar rug, haar armen aan de twee bedspijlen vastgebonden met stropdassen. Je kon zien dat ze haar oksels net had geschoren. Afgezien van een dun gouden kettinkje, met een piepklein oranje lieveheersbeestje in een zetting, een gouden trouwring en een verlovingsring met een enorme diamant, was ze naakt. Haar knappe gezicht werd omlijst door een bos lang rood haar, en er zat een zwart randje om haar ogen, waarschijnlijk veroorzaakt door het gasmasker uit de Tweede Wereldoorlog, dat naast haar lag, vermoedde hij. Hij stelde bij zichzelf de vraag die een mantra voor hem was geworden bij elk moordonderzoek de afgelopen jaren.

Wat kom je te weten van het lijk?

Haar tenen waren klein en dik, met afgebladderde roze nagellak. Haar kleren lagen over de grond verspreid, alsof ze zich snel had uitgekleed. Een oude teddybeer lag ertussen. Op een klein wit stukje na waar haar bikinibroekje had gezeten, was ze overal bruin, door de Engelse hete zomer of een overzeese vakantie, of wellicht beide. Net boven het kettinkje zat een rode streep over haar hals, hoogst waarschijnlijk door verwurging, wat de waarschijnlijke doodsoorzaak aangaf, hoewel Grace wel had geleerd dat je nooit te snel conclusies moest trekken.

En terwijl hij naar de overleden vrouw keek, moest hij ook steeds denken aan zijn vermiste vrouw Sandy.

Is dit ook met jou gebeurd, lieveling?

Gelukkig was de hysterische huishoudelijke hulp inmiddels uit de woning verwijderd. God wist hoeveel ze de plaats delict had verziekt, door het gasmasker eraf te rukken en rond te rennen als een kip zonder kop.

Nadat hij haar tot bedaren had weten te brengen, had ze hem het een en ander verteld. Ze wist dat de echtgenoot van de overleden vrouw, Brian Bishop, bijna de hele week in Londen zat. En dat hij deze ochtend aan een golfwedstrijd meedeed voor zijn club, de North Brighton, een club die veel te duur was voor de meeste politiemensen, maar Grace golfde toch niet.

Het forensische team was een tijdje geleden aangekomen en was al druk bezig. Een medewerker zat op zijn knieën op het tapijt naar vezels te zoeken, eentje was de muren en verder elk oppervlak aan het bepoederen op zoek naar vingerafdrukken, en de leider plaats delict, Joe Tindall, onderzocht elke kamer.

Tindall, die nog maar pas van technisch rechercheur tot leider plaats delict was bevorderd, waardoor hij de verantwoordelijkheid had gekregen voor meerdere plaatsen delict tegelijk in het geval dat nodig mocht zijn, kwam net uit de badkamer naast de slaapkamer. Hij had onlangs zijn vrouw verlaten voor een veel jongere vrouw en had een complete metamorfose ondergaan. Grace verbaasde zich er nog steeds over.

Nog maar een paar maanden geleden had Tindall op een geschifte wetenschapper met een buikje geleken, compleet met een grote bos weerbarstig haar en een bril met jampotglazen. Nu had hij een kaalgeschoren schedel, een gespierde buik, een verticaal reepje baard van een halve centimeter breed dat van het midden van zijn onderlip tot het midden van zijn kin liep, en een hippe bril met rechthoekige, blauw getinte glazen. Grace, die sinds een hele tijd ook weer uitging met een vrouw, was ook bezig geweest zichzelf te veranderen. Maar hij moest, een tikkeltje jaloers, toegeven dat hij niet kon tippen aan de hippe, übercoole Tindall.

Om de paar seconden werd de overleden vrouw plotseling enkele seconden helverlicht door de flits van een camera. De fotograaf, een altijd vrolijke grijsharige man achter in de veertig, die Derek Gavin heette, had vroeger een fotozaak in Hove gehad, voordat de digitale fotografie zijn inkomsten een dusdanige deuk had toegebracht dat hij het had moeten opgeven. Hij maakte altijd het macabere grapje dat hij graag portretjes schoot van een lijk, omdat je je dan nooit zorgen hoefde te maken over of het wel stilzat of glimlachte.

Het beste nieuws van de ochtend, tot dusver, was dat zijn favoriete patholoog-anatoom op deze zaak zou zitten. Nadiuska De Sancha was geboren in Spanje, was van Russische adellijke komaf, en ze was leuk, oneerbiedig soms, maar buitengewoon goed in haar werk.

Hij liep voorzichtig om de overleden vrouw heen en af en toe voelde hij zelf de striem in zijn nek, en vervolgens in zijn maag. Wat voor sadist was dit, verdomme? Zijn oog viel op een vlek op het laken, precies onder haar vagina. Was dat sperma?

Godver.

Sandy.

Hij had het altijd moeilijk als een jonge vrouw het slachtoffer was. Hij hoopte dan altijd dat iemand anders dienst zou hebben.

Er stond een telefoon op een van de vergulde namaak-Louis XIV-tafeltjes. Grace pakte bijna de hoorn om te kijken welk nummer het laatst was gebeld, dat was hij vroeger zo gewend geweest. Tegenwoordig werden telefoons door experts nagekeken en moesten mensen als hij er met hun vingers afblijven. Hij riep een technisch rechercheur die in de andere kamer bezig was erbij, en bond hem op het hart alle telefoons mee te nemen.

Toen ging hij doen wat hij altijd graag deed op een eventuele plaats delict: hij liep diep in gedachten rond. Zijn oog viel eventjes op een indrukwekkend modern schilderij aan de muur. Hij keek naar de naam van de kunstenaar, Helen Steele, vroeg zich af of ze beroemd was, en besefte eens te meer dat hij maar heel weinig afwist van kunst. Vervolgens ging hij naar de badkamer en trok de glazen deur van de douche open, die zo groot was dat je erin kon wonen. Hij zag dat er zeep was, er hingen gels aan een haakje, shampoo. Het deurtje van de medicijnkast stond open en hij keek naar de pillen die erin lagen. Hij moest de hele tijd denken aan wat de hulp had gezegd: 'Menier Bishop hier niet zijn. Gisteravond hier niet. Ik niet gezien gisteravond. Ik heb gekookt voor mevrouw Bishop. Zij alleen sla. Als menier Bishop hier, hij wil vlees of vis. Ik kook veel.'

Dus als Brian Bishop de afgelopen avond geen perverse seks met zijn vrouw had gehad, wie dan wel?

En als hij haar gedood heeft, waarom dan?

Per ongeluk?

De striem om haar nek gaf duidelijk aan van niet.

En intuïtief geloofde hij dat ook niet.

12

Zoals zoveel van de gebouwen die vlak na de oorlog gebouwd waren, werd Sussex House, een smal, langwerpig gebouw met twee verdiepingen, niet móói oud. De oorspronkelijke architect was duidelijk beïnvloed door de art-decoperiode en het gebouw zag er op bepaalde plaatsen uit als een kleine, vervallen cruiseboot.

Het was begin jaren vijftig gebouwd als kliniek voor besmettelijke ziekten, en had toen eenzaam en alleen boven op een heuvel gestaan helemaal aan de rand van Brighton, vlak bij de buitenwijken van Hollingbury. De architect had er vast een duidelijk beeld van gehad terwijl het daar majestueus in zijn eentje stond. Maar in de loop van de jaren was er het een en ander gebeurd. De bebouwing kwam steeds dichterbij en de omgeving rondom het gebouw was aangewezen als industrieel terrein. De kliniek werd gesloten – na al die jaren was niet meer bekend waarom – en het gebouw was aangekocht door een bedrijf dat kassa's maakte. Een paar jaar later werd het aan een vrieskistenbedrijf verkocht, dat het vervolgens verkocht aan American Express, die het op zijn beurt halverwege de jaren negentig aan de politie van Sussex had verkocht.

Het werd opgeknapt en gemoderniseerd, en onder veel publiciteit geopend als het hypermoderne hoofdkantoor van de politie van Sussex, waardoor het district een van de best geoutilleerde politiemachten van het land kreeg. Een tijdje geleden waren er cellen en hechtenisruimten aan het pand bijgebouwd. Nog steeds werden er geüniformeerde diensten naartoe overgeheveld, hoewel Sussex House al bomvol was. En met maar negentig parkeerplekken voor inmiddels vierhonderddertig mensen was het gebouw niet naar ieders zin.

De getuigenverhoorkamer was een nogal protserige benaming voor twee kleine kamertjes, vond Glenn Branson. De kleinste, waarin alleen maar een monitor en een paar stoelen stonden, werd gebruikt om vanuit te observeren. De grotere, waar nu hoofdagent Nick Nicholl en de buitengewoon aangedane Brian Bishop in zaten, was ontworpen om getuigen, en eventuele verdachten, op hun gemak te stellen, ondanks de twee camera's aan de muur die op hen gericht waren.

De ruimte was felverlicht, met een stug, grijs tapijt en crèmekleurige muren. Een groot raam aan de zuidkant keek uit over Brighton & Hove en het met dakpannen belegde dak van een supermarkt. Er stonden drie kuipstoelen die bekleed waren met kersenrode stof, en een nogal saaie salontafel met zwarte poten en een fineer grenen blad dat eruitzag alsof het een uitverkoopje was geweest.

Het rook nieuw in de kamer, alsof de vloerbedekking nog maar een paar minuten daarvoor was gelegd en de verf op de muren nog aan het drogen was. Toch rook het altijd al zo, zover Branson zich kon herinneren. Hij was pas een paar minuten in die kamer en hij zat al te zweten, net als hoofdagent Nicholl en Brian Bishop. Dat was de makke met dit gebouw: de airconditioning was slecht en de meeste ramen konden niet open.

Terwijl hij de datum en de tijd noemde, deed Branson de schakelaar naar beneden om de opnameapparatuur in werking te stellen. Hij legde aan Bishop uit dat dit altijd werd gedaan, en die knikte berustend.

De man zag eruit als een wrak. Hij zat er helemaal in elkaar gedoken gebroken bij, in zijn dure lichtbruine jasje met zilveren knopen, dat slordig over zijn Armani-poloshirt was aangetrokken, met zijn zonnebril in zijn borstzakje. Buiten de golfclub zagen zijn geruite broek en de tweekleurige golfschoenen er een beetje belachelijk uit.

Branson had medelijden met hem. En hoe hij ook zijn best deed, hij kon het beeld van Clive Owen in de film *Croupier* maar niet uit zijn hoofd krijgen. In andere omstandigheden had hij Bishop gevraagd of hij familie van Owen was. En hoewel het niets te maken had met de taak die hij nu moest uitvoeren, bleef hij zich ook afvragen waarom golfclubs, die altijd van die ongelooflijk formele en ouderwetse kledingvoorschriften hadden – zoals het dragen van een stropdas in het clubgebouw – hun leden toestonden op de baan rond te lopen als een figuur uit een theatershow.

'Wanneer hebt u uw vrouw voor het laatst gezien, meneer Bishop?'
Het viel hem op dat de man aarzelde voordat hij antwoord gaf.

'Op zondagavond, om een uur of acht.' Bishops stem was vriendelijk maar onbewogen en zonder een spoortje van accent, alsof hij zijn best had gedaan dat kwijt te raken. Het was onduidelijk of hij een bevoorrechte achtergrond had of zichzelf omhoog had gewerkt. De donkerrode Bentley van de man, die nog steeds bij de golfclub stond, was het soort auto dat Branson meer associeerde met voetballers dan met de elite.

De deur ging open en Eleanor Hodgson, de nette, nerveuze, vijftig-plus managementassistent van Roy Grace kwam binnen met een rond dienblaadje met daarop drie bekers koffie en een glas water. Bishop had het water al opgedronken voor ze de kamer weer uit was.

'Hebt u uw vrouw na zondag niet meer gezien?' vroeg Branson, een tikkeltje verbaasd.

'Nee, ik zit door de week in Londen, in mijn flat. Ik ga daar zondagavond naartoe en kom op vrijdagavond weer terug.' Bishop keek naar zijn koffie en roerde er toen bedachtzaam in, met uiterste precisie, met het plastic roerstokje dat Eleanor erbij had gedaan.

'Dus u zag elkaar alleen maar in het weekend?'

'Tenzij we iets in Londen te doen hadden. Katie ging er soms voor een dineetje naartoe, of om te winkelen. Of zoiets.'

'Zoiets?'

'Het theater. Vrienden. Klanten. Ze... vond het leuk om ernaartoe te gaan, maar...'

Er viel een lange stilte.

Branson zat te wachten tot hij door zou gaan, en keek naar Nicholl, maar die gaf geen sjoege. 'Maar...?' zei hij.

'Haar sociale leven was hier. Bridge, golf, haar goede doelen.'

'Welke goede doelen?'

'Ze heeft – had – er verscheidene. Hoofdzakelijk de NSPCC. En nog een paar. Een plaatselijk blijf-van-mijn-lijfhuis. Katie gaf veel. Ze was een goed mens.' Brian Bishop deed zijn ogen dicht en begroef zijn gezicht in zijn handen. 'Shit. O, verdomme. Wat is er gebeurd? Vertel het me toch.'

'Hebt u kinderen, meneer?' vroeg Nick Nicholl opeens.

'Niet met haar. Ik heb er twee uit mijn eerste huwelijk. Mijn zoon Max is vijftien. En mijn dochter Carly is dertien. Max logeert bij een vriend in Zuid-Frankrijk. Carly is momenteel bij familie in Canada op bezoek.'

'Kunnen we iemand voor u bellen?' ging Nicholl door.

Bishop schudde verbijsterd zijn hoofd.

'We schakelen een gezinscontactpersoon voor u in die u overal mee kan helpen. U kunt helaas een paar dagen niet naar huis gaan. Kunt u bij iemand logeren?'

'Ik kan naar mijn flat in Londen gaan.'

'We moeten nog een paar keer met u praten. Het zou handiger zijn als u de komende tijd in de buurt van Brighton & Hove zou verblijven. Misschien bij vrienden of in een hotel?'

'En mijn kleren dan? Ik heb dingen nodig, mijn kleren, toiletspullen...'

'Als u de gezinscontactpersoon doorgeeft wat u nodig hebt, dan zal die ervoor zorgen.'

'Kunt u me alstublieft vertellen wat er gebeurd is?'

'Hoelang bent u getrouwd geweest, meneer Bishop?'

'Vijf jaar, we hebben het in april nog gevierd.'

'Zou u uw huwelijk als goed beschrijven?'

Bishop leunde naar achteren en schudde zijn hoofd. 'Wat is dit, verdomme? Waarom bent u mij aan het ondervragen?'

'We zijn u niet aan het ondervragen, meneer. We willen alleen paar dingetjes weten. We willen u en uw gezin beter begrijpen. Daar hebben we vaak wat aan bij ons onderzoek, zo doen we dat nu eenmaal, meneer.'

'Ik heb u wel genoeg verteld. Ik wil mijn... mijn lieveling zien. Ik wil Katie zien. Alstublieft.'

De deur ging open en Bishop zag een man binnenkomen in een gekreukeld blauw pak, een wit overhemd en een blauw met wit gestreepte stropdas. Hij was ongeveer één meter vijfenzeventig lang, had een vriendelijk gezicht, met slimme blauwe ogen, zeer kortgeknipt blond haar, slecht geschoren, en een neus die al heel wat had meegemaakt. Hij stak een sterke, getaande hand, met keurig geknipte nagels, uit naar Bishop. 'Inspecteur Grace,' zei hij. 'Ik leid dit onderzoek. Ik vind het heel erg voor u, meneer Bishop.'

Bishop gaf hem een zweterig handje. Aan een van zijn lange dunne vingers zat een zegelring met een wapen erop. 'Zegt u me toch wat er gebeurd is.'

Roy Grace keek even naar Branson en vervolgens naar Nicholl. Hij had vijf minuten lang toegekeken vanuit de observatiekamer, maar dat ging hij niet verklappen. 'Was u vanochtend aan het golfen, meneer?'

Bishops ogen flitsten heel even naar links. 'Ja. Ja, dat klopt.'

'Wanneer hebt u voor het laatst gespeeld?'

Bishop was van zijn à propos gebracht door deze vraag. Grace, die hem goed in de gaten hield, zag zijn ogen naar rechts gaan, toen naar links en ten slotte weer naar links. 'Afgelopen zondag.'

Nu kon Grace bepalen of Bishop loog of niet. Hij had de taal van de ogen geleerd door zijn belangstelling in neurolinguïstisch programmeren. Het menselijk brein bestaat uit twee delen, het ene deel bevat het langetermijngeheugen en het andere deel de fantasie – de creatieve kant – en de leugens. De kant van denkprocessen. Die verdeling was niet bij iedereen hetzelfde. Om daarachter te kunnen komen, moest je een vraag stellen waarop de persoon niet snel zou reageren met een leugen, zoals de ogenschijnlijk onschuldige vraag die hij net aan Bishop had gesteld. Dus, als hij de man weer vragen stelde en zijn ogen gingen naar links, dan wist hij dat hij de waarheid vertelde, maar gingen ze naar rechts, naar de kant van de denkprocessen, dan zou het kunnen zijn dat hij een leugen vertelde.

'Waar hebt u vannacht geslapen, meneer Bishop?'

Bishop keek recht vooruit, daarbij niets prijsgevend, expres of per ongeluk, en zei: 'In mijn flat in Londen.'

'Kan iemand dat bevestigen?'

Lichtelijk verontrust vlogen Bishops ogen naar links. Naar zijn geheugen. 'De beheerder, Oliver, denk ik.'

'Wanneer was dat?'

'Gisteravond, om een uur of zeven, toen ik thuiskwam na kantoor. En vanochtend ook weer.'

'Om hoe laat was u vanochtend aan slag op de golfclub?'

'Even na negenen.'

'En u kwam vanuit Londen?'

'Ja.'

'En hoe laat ging u daar weg?'

'Rond halfzeven. Oliver hielp me een handje om mijn spullen in de auto te doen, mijn golfclubs.'

Grace dacht even na. 'Was er iemand bij u tussen zeven uur gisteravond en vanochtend?'

Bishops ogen gingen weer naar links, naar het geheugen, wat aangaf dat hij de waarheid vertelde. 'Ik heb met mijn financieel adviseur in een restaurant in Piccadilly gegeten, het Wolseley.'

'En heeft de beheerder u weg zien gaan en weer terug zien komen?'

'Nee. Hij is er over het algemeen niet na zeven uur, pas de volgende ochtend weer.'

46

'Hoe laat was het etentje afgelopen?'

'Om halfelf ongeveer. Is dit een heksenvervolging of zo?'

'Nee, meneer. Het spijt me dat ik wat pedant overkom, maar als we u als verdachte uit kunnen sluiten, kunnen we verder met ons onderzoek. Kunt u me vertellen wat u na het etentje hebt gedaan?'

'Ik ben naar huis gegaan en mijn bed in gedoken.'

Grace knikte.

Bishop keek hem aandachtig aan, keek toen naar Branson en Nick Nicholl, en fronste zijn wenkbrauwen. 'Wat nou? Denkt u soms dat ik naar Brighton ben gereden midden in de nacht?'

'Dat lijkt me niet erg waarschijnlijk, meneer,' stelde Grace hem gerust. 'Kunt u ons het telefoonnummer geven van de beheerder en de financieel adviseur? En hoe heette het restaurant ook alweer?'

Bishop vertelde het en Branson schreef het op.

'Mag ik ook het nummer van uw gsm, meneer? En we willen graag een recente foto van uw vrouw,' verzocht Grace.

'Ja, natuurlijk.'

Toen zei Grace: 'Zou u me iets heel persoonlijks willen vertellen, meneer Bishop? U hoeft niet te antwoorden, maar we zouden er veel aan hebben.'

De man haalde machteloos zijn schouders op.

'Deden u en uw vrouw aan nogal ongewone seksspelletjes?'

Bishop stond meteen op. 'Wat is dit, verdomme! Mijn vrouw is vermoord! Ik wil weten wat er gebeurd is, rechercheur – inspecteur – hoe u ook heten mag.'

'Inspecteur Grace.'

'Waarom kunt u zo'n eenvoudige vraag niet beantwoorden, inspecteur Grace? Is het te veel gevraagd om een eenvoudige vraag te beantwoorden?' Bishop ging door, terwijl hij steeds hysterischer werd en zijn stem steeds scheller. 'Nou? U hebt me verteld dat mijn vrouw overleden is, en nu gaat u mij vertellen dat ik haar vermoord heb? Wilt u dat soms zeggen?'

De ogen van de man stonden wild. Grace moest ervoor zorgen dat hij rustig werd. Hij keek naar hem. Naar zijn belachelijke broek en de schoenen die hem deden denken aan de slobkousen die gangsters in de jaren dertig droegen. Iedereen reageerde anders op verdriet. Hij had dat vaak genoeg gezien in zijn loopbaan, en ook privé.

Ook al woonde de man in een enorm huis en reed hij in een opvallende auto, daarom was hij nog geen moordenaar. Hij was zelfs niet minder dan een doodgewone eerzame burger. Hij mocht niet zo bevooroordeeld zijn.

Het was heel goed mogelijk dat iemand woonde in een huis dat een paar miljoen pond waard was en toch een fatsoenlijk, gezagsgetrouw persoon was. Ook al zat zijn nachtkastje vol met seksspeeltjes en had hij een boek over fetisjisme op zijn kantoor, daarom hoefde hij nog geen gasmasker over het hoofd van zijn vrouw te hebben gedaan en haar te hebben gewurgd.

Maar het betekende ook niet dat hij het níét had gedaan.

'Ik moet de vragen helaas stellen, meneer. Als het niet nodig was, dan zou ik het ook niet doen. Ik begrijp heel goed dat het zwaar voor u is en dat u wilt weten wat er is gebeurd. Ik kan u verzekeren dat we u volledig op de hoogte zullen stellen. Maar voorlopig moet u even geduld met ons hebben. Echt, ik begrijp heel goed hoe u zich voelt.'

'O, ja? Is dat zo, inspecteur? Weet u werkelijk hoe iemand zich voelt als hij hoort dat zijn vrouw overleden is?'

Grace zei bijna: ja, dat weet ik inderdaad, maar hij hield zich in. Hij besefte wel dat Bishop niet om een advocaat had gevraagd, wat over het algemeen, als hij dat wel had gedaan, aangaf dat iemand schuldig was. Maar toch klopte er iets niet. Hij wist alleen niet wat.

Hij liep de kamer uit, ging terug naar zijn kantoor en belde Linda Buckley, de gezinscontactpersoon die voor Bishop zou zorgen. Ze was een zeer bekwame agente, met wie hij wel vaker had gewerkt.

'Je moet Bishop goed in de gaten houden. Als hij iets vreemds doet, wil ik dat weten. Als het nodig is, zal ik een surveillanceteam op hem zetten,' vertelde hij haar.

13

Clyde Weevels, lang en slangachtig, met zwarte stekeltjes en een tong die voortdurend over zijn lippen likte, stond achter de toonbank. Hij overzag zijn – op dit moment verlaten – domein. Zijn kleine winkel aan Broadwick Street, een zijstraat van Wardour Street in Soho, had dezelfde nietszeggende naam als een stuk of tien soortgelijke winkels in de buurt – en ook minder in de buurt – van Soho: Private Shop.

Binnen in de slecht verlichte winkel stonden rijen met vibrators, verschillende soorten glijmiddelen, condooms met een smaakje, bondagesetjes, opblaaspoppen, strings, zwepen, handboeien, stapels pornoblaadjes, dvd's met seksfilms en pornofilms, en voor zijn vaste klantjes bevond de nog hardere porno zich in een achterkamertje. Je kon hier alles kopen voor een leuk nachtje thuis, voor hetero's, homo's, bi's en zelfs voor de eenzame stakkers, zoals hijzelf. Al zou hij dat nooit toegeven, niet aan zichzelf en al helemaal niet aan iemand anders. Hij had gewoon de juiste vrouw nog niet ontmoet.

Maar die zou hij daar ook nooit ontmoeten.

Ze was daar ergens, in een van die contactadvertenties, op een van de websites. En ze wachtte op hem. Wachtte met smart op hem. Op een lange, slanke vent die goed kon dansen en die ook nog eens goed in kickboksen was. Waarvoor hij nu aan het trainen was. Achter de toonbank, achter de rij monitors die de winkel en de buitenwereld voor hem in de gaten hielden, was hij aan het trainen. Roundhouse kick. Front kick. Side kick.

En zijn pik was ook nog eens bijna vijfentwintig centimeter lang.

En hij kon alles voor je regelen. Wat je maar wilde, weet je wel: je hoeft het maar te zeggen. Wat voor soort porno vind je lekker? Speeltjes? Drugs? Jawel!

Hij keek het liefst naar camera 4. Daarop was de straat te zien, net buiten de ingang. Hij vond het leuk om te zien hoe ze de winkel in liepen, helemaal de mannen in pak. Ze kwamen nonchalant langslopen, alsof ze ergens anders naartoe gingen, en dan draaiden ze zich snel op hun hakken om en schoten de winkel in, alsof ze naar binnen werden getrokken door een magneet die net aan was gezet.

Zoals die eikel in krijtstreep met een roze stropdas die net binnen kwam lopen. Ze keken hem allemaal aan met een blik van: ik hou hier eigenlijk helemaal niet van hoor, en met zo'n halve idiote grijns zoals mensen die een beroerte hebben gehad. En ze vielen dan aan op een vibrator of een kanten slipje of een stel handboeien, alsof seks zojuist pas was uitgevonden.

Er kwam nog iemand naar binnen. Lunchpauze. Ja, hoor. Deze was een beetje anders. Een klojo in een trainingspak met een capuchon en een zonnebril. Clyde keek op van de monitor en naar de man die net de winkel in liep. Hij leek op een typische winkeldief, zo een die een capuchon ophad zodat zijn gezicht verborgen bleef voor de camera. En deze gedroeg zich buitengewoon vreemd. Hij bleef stokstijf staan, terwijl hij een tijdje door het melkglas in de deur keek en op zijn hand zoog.

Toen liep de man naar de toonbank en hij vroeg, zonder hem aan te kijken: 'Verkoop je ook gasmaskers?'

'In rubber en leer,' zei Clyde en hij wees naar de achterkant van de win-

kel. Daar hing een heel assortiment maskers en kappen tussen allerlei dok-
ter-, verpleegster-, stewardess- en Playboy bunny-uniforms, en een grappig
bedoelde mannenslip waar PAARDENLUL op stond.

Maar in plaats dat de man die richting uit liep, ging hij weer naar de deur
toe en staarde naar buiten.

Aan de overkant van de straat stond de vrouw genaamd Sophie Harrington,
die hij was gevolgd vanaf haar kantoor, aan de toonbank van een Italiaanse
speciaalzaak, met een tijdschrift onder haar arm, te wachten tot haar ciabatta in de magnetron klaar was. Ze was druk aan het praten in haar gsm.

Het leek hem heel lekker om het gasmasker op haar uit te proberen.

14

'Ik voel me nooit op m'n gemak hier,' zei Glenn Branson, die na een hele tijd
somberen het nog somberdere uitzicht voor hem bekeek. Roy Grace, die
aangaf dat hij naar links wilde, remde zijn oude bordeauxrode Alfa Romeo
af en reed van de Lewes Road rotonde af, langs een zwart bordje waarop in
gouden letters STADSMORTUARIUM BRIGHTON & HOVE CITY stond. 'Je
zou ze je waardeloze platencollectie moeten schenken.'

'Heel grappig.'

Alsof uit een soort respect voor waar ze waren, boog Branson zich naar
voren en zette hij het geluid van de cd van Katie Melua wat zachter.

'En bovendien,' zei Grace verdedigend, 'vind ik Katie Melua wel goed.'

Branson haalde zijn schouders op. Toen haalde hij nog een keer zijn
schouders op.

'Wat nou?' vroeg Grace.

'Je zou mij je cd's moeten laten kopen.'

'Ik ben heel tevreden met mijn cd's.'

'Je was ook heel tevreden met je kleren, totdat ik je liet zien dat je eruitzag
als een zielige ouwe vent. En je was tevreden met je kapsel. En nu je eindelijk naar me hebt geluisterd, zie je er tien jaar jonger uit en heb je een vrouw
aan de haak geslagen, nietwaar? En wat voor een!'

Door de smeedijzeren poort die in bakstenen pilaren hing, was een langwerpig, bungalowachtig gebouw te zien met een bovenetage, met grind-pleistermuren die alle warmte uit de lucht leken te halen, zelfs op deze snik-hete dag. Er was een overdekte oprit aan de ene kant, groot genoeg om plaats te bieden aan een ambulance, of wat vaker gebeurde, de donkergroe-ne lijkwagen. Aan de andere kant stond een aantal auto's geparkeerd voor een muur, waaronder de gele Saab van Nadiuska De Sancha, met het dak naar beneden. En, wat nog veel belangrijker was voor Roy Grace: een klein blauw MG-sportwagentje, wat betekende dat Cleo Morey die dag dienst had.

En ondanks de lugubere reden dat hij daar was, voelde hij zich ook blij. Volkomen ongepast, dat wist hij, maar hij kon er gewoon niets aan doen.

Hij had er jarenlang een hekel aan gehad om hiernaartoe te gaan. Het hoorde er nu eenmaal bij als je agent wilde worden dat je al vroeg tijdens je opleiding een lijkschouwing moest bijwonen. Maar nu had het mortuarium een heel andere betekenis voor hem gekregen. Hij draaide zich om naar Branson, en zei glimlachend: 'Wat de rups het einde van de wereld vindt, is voor de meester een vlinder.'

'Hè?' zei Branson bot.

'Chuang Tse,' vervolgde Grace monter, in een poging zijn blijdschap aan zijn partner over te dragen, om de arme man op te beuren.

'Wie?'

'Een Chinese filosoof. Is in 275 voor Christus gestorven.' Hij zei er niet bij wie hem dit had verteld.

'En die ligt nu in het mortuarium?'

'Je bent verdomme echt een cultuurbarbaar, nietwaar?' Grace reed de auto op een parkeerplaats en zette de motor uit.

Een beetje vrolijker antwoordde Branson: 'O, ja? En sinds wanneer heb jij verstand van filosofie, ouwe?'

Verwijzingen naar zijn leeftijd kwamen altijd hard aan. Grace had net zijn negenendertigste verjaardag gevierd, als dat het juiste woord was, en vond het maar niets dat hij volgend jaar veertig zou worden.

'Heel grappig.'

'Heb je de film The Last Emperor wel eens gezien?'

'Niet dat ik weet.'

'Nee, dat zal wel niet,' zei Glenn sarcastisch. 'Die kreeg maar negen Os-cars per slot van rekening. Echt briljant. Je zou hem moeten huren voor op je dvd, maar je hebt het natuurlijk te druk met de laatste afleveringen van Des-perate Housewives. En,' voegde hij eraan toe met een knikje naar het mortuari-um, 'ben je nog – je weet wel – kom je nog bij haar aan je trekken?'

'Dat gaat je geen reet aan!'

Maar eigenlijk ging het Branson wel degelijk aan, het ging zelfs iedereen aan, want Grace concentreerde zich niet op de dingen waar hij zich wél op zou moeten concentreren. Hoewel hij het liefst meteen uit de auto was gesprongen en naar Cleo was gelopen, veranderde hij gauw van onderwerp en vroeg: 'Nou, wat denk je? Heeft hij haar vermoord?'

'Hij heeft niet om een advocaat verzocht,' antwoordde Branson.

'Je leert het al,' zei Grace, duidelijk in zijn nopjes.

Het was nu eenmaal zo dat de meeste misdadigers, zodra ze opgepakt waren, rustig meegingen. Degenen die tekeergingen, waren over het algemeen onschuldig, in elk geval voor de misdaad waarvoor ze waren opgepakt.

'Maar heeft hij zijn vrouw vermoord? Ik weet het niet, ik kom er niet achter,' zei Branson.

'Ik ook niet.'

'Wat vertelden zijn ogen je?'

'Ik moet met hem spreken in een rustiger situatie. Hoe reageerde hij toen je het hem vertelde?'

'Hij was er kapot van. Het zag er echt genoeg uit.'

'Geslaagde zakenman, toch?' Ze stonden in de schaduw, bij een stenen muurtje naast een grote laurierstruik. Er kwam frisse lucht door het open dak en de raampjes naar binnen. Een klein spinnetje kwam opeens naar beneden zakken vanaf de achteruitkijkspiegel.

'Ja, iets met bankieren,' zei Branson.

'Weet je wat de beste karaktertrek is om een geslaagde zakenman te worden?'

'Geen idee, die heb ik in elk geval niet.'

'Je moet een sociopaat zijn. Zonder geweten zoals normale mensen dat kennen.'

Branson drukte op het knopje om zijn raampje nog meer te laten zakken. 'Een sociopaat is een psychopaat, toch?' Hij schepte het spinnetje op in de palm van zijn enorme hand en gooide het voorzichtig uit het raampje.

'Dezelfde symptomen, maar met een groot verschil: sociopaten kunnen zich beheersen en psychopaten niet.'

'Dus,' zei Branson. 'Bishop is een geslaagde zakenman, en dus is hij een sociopaat, en dus heeft hij zijn vrouw vermoord. Bingo! Zaak opgelost. Kom, dan gaan we hem arresteren.'

Grace grinnikte. 'Er zijn drugsdealers die lang en zwart zijn en een kaal geschoren hoofd hebben. Jij bent lang, zwart en je scheert je hoofd kaal. Dus moet je wel een drugsdealer zijn.'

Branson fronste zijn wenkbrauwen en knikte. 'Natuurlijk. Ik kan alles voor je regelen.'

Grace stak zijn hand uit. 'Prima. Ik wil graag een paar van die lekkere pilletjes die ik jou vanochtend heb gegeven, als er nog over zijn.'

Branson gaf hem twee aspirientjes. Grace slikte ze in met een slok bronwater uit een flesje dat in het dashboardkastje lag. Daarna stapte hij uit de auto en liep snel, doelbewust, naar de kleine blauwe deur met een ondoorzichtige ruit erin en drukte op de bel.

Branson kwam pal naast hem staan en heel even wilde hij dat de rechercheur een paar minuten zou oprotten en hem wat privacy zou gunnen. Hij had Cleo al bijna een week niet gezien en wilde graag even een paar minuten met haar alleen zijn. Om er zeker van te zijn dat ze nog steeds hetzelfde voor hem voelde als afgelopen week.

Even later deed ze de deur open, en Grace reageerde hetzelfde als elke keer dat hij haar zag. Hij smolt bijna van blijdschap.

Cleo Moreys officiële titel was obductiehoofdassistent, maar iemand die haar zo zag lopen, zou dat nooit hebben geraden.

Ze was een meter vijfenzeventig, achter in de twintig, had lang blond haar, zeer zelfverzekerd, en ze was zonder meer – hoewel dat misschien niet zo'n beste beschrijving was gezien haar werkomgeving – bloedmooi. Zoals ze daar in de kleine hal van het mortuarium stond, met haar haar opgestoken, een groene operatiejas aan en een schort daaroverheen en in witte rubberlaarzen, leek ze meer op een actrice dan op een echte patholoog.

Hoewel de nieuwsgierige, achterdochtige Glenn Branson pal naast hem stond, kon Grace er niets aan doen. Ze keken elkaar net iets te lang aan. Die prachtige, wonderbaarlijke, grote hemelsblauwe ogen keken recht in zijn ziel, zagen zijn hart, en koesterden het.

Hij wilde dat Glenn Branson opeens zou verdwijnen. Maar in plaats daarvan stond die rotzak naast hem, keek hij van hem naar haar en grinnikte als een debiel.

'Hoi!' zei Grace een beetje timide.

'Inspecteur, rechercheur Branson, wat leuk om jullie weer te zien.'

Grace wilde dolgraag zijn armen om haar heen slaan en haar kussen. Maar hij hield zich in, werd weer een politieman en glimlachte terug. Vervolgens, zonder zelfs maar de ziekelijk zoete lucht van het ontsmettingsmiddel te ruiken die overal hing, liep hij met haar mee naar het bekende kleine kantoortje dat tevens dienstdeed als receptie. Het was een zeer onpersoonlijke kamer, maar hij vond het mooi omdat het van haar was.

Er stond een ventilator te draaien op de grond, de muren waren roze geverfd, er lag roze tapijt, waar een rij bezoekersstoelen op stonden en een klein metalen bureau met daarop drie telefoons, een stapel bruine enveloppen met PERSOONLIJKE BEZITTINGEN erop gedrukt en een grote, groen met rode map waarop in gouden blokletters LIJKENREGISTER stond vermeld.

Er hing een lichtbak aan de muur naast een reeks ingelijste getuigschriften van het ministerie van Volksgezondheid en een groot attest van het Britse instituut van balsemers waar Cleo Moreys naam op voorkwam. Aan een andere muur hing een monitor die continu schokkerige beelden toonde van de voor-, de achterkant en vervolgens de zijkanten van het gebouw en besloot met een close-up van de ingang.

'Kopje thee, heren, of willen jullie meteen aan de slag?'

'Is Nadiuska al klaar?'

Cleo's heldere, stralende ogen keken hem een fractie van een seconde langer aan dan nodig was voor de vraag. Haar ogen lachten. Waanzinnig hartelijke ogen. 'Ze is net even een broodje gaan halen. We beginnen over tien minuten.'

Grace voelde opeens zijn maag knorren en besefte dat hij de hele ochtend nog niets had gegeten. Het was al tien voor halfdrie. 'Lekker, thee. Heb je er ook koekjes bij?'

Ze haalde een blik onder haar bureau vandaan en opende het deksel. 'Biscuitjes. KitKats. Marshmallows? Pure of melkchocolade? Vijgenrolletjes?' Ze hield hem en Branson het blik voor, maar Branson wilde niets. 'Wat voor thee? Gewone, Earl Grey, Darjeeling, Chinese, kamille, pepermunt of groene?'

Hij grinnikte. 'Dat is ook zo. Je hebt hier een regelrechte theewinkel.'

Maar Glenn Branson kon er niet om lachen, die zat met zijn hoofd in zijn handen en was opeens weer helemaal in zak en as. Cleo gaf Grace een kushandje. Hij pakte een KitKat en haalde het papiertje eraf.

Eindelijk, tot Grace' opluchting, zei Branson: 'Ik ga me omkleden.'

Hij liep de kamer uit en toen waren ze alleen. Cleo deed de deur dicht, sloeg haar armen om Roy Grace heen en zoende hem hartstochtelijk. Heel lang.

Na de kus, terwijl ze hem nog steeds vasthield, vroeg ze: 'Hoe gaat het ermee?'

'Ik heb je gemist,' zei hij.

'O, ja?'

'Ja.'

'Hoeveel?'

Hij hield zijn handen ruim een halve meter uit elkaar.

Ze deed net of ze verontwaardigd was en vroeg: 'Zo weinig maar?'

'Heb jij mij gemist?'

'Ik heb je heel erg gemist. Heel, heel erg.'

'Goed zo! Hoe was de cursus?'

'Dat wil je niet weten.'

'Echt wel.' Hij kuste haar weer.

'Tijdens het eten vertel ik het je wel.'

Dat vond hij leuk. Dat ze het initiatief nam. Dat ze hem het gevoel gaf dat zij hem nodig had.

Dat had hij nog niet eerder bij een vrouw gehad. Nog nooit. Hij was heel lang met Sandy getrouwd geweest en ze hadden veel van elkaar gehouden, maar hij had nooit het gevoel gehad dat ze hem nodig had. Niet op deze manier.

Maar er was wel een probleem. Hij had die avond thuis willen koken. Nou ja, een kant-en-klare maaltijd dan, hij kon niet koken. Maar Glenn Branson had daar een stokje voor gestoken. Hij kon moeilijk een romantisch etentje thuis hebben terwijl Glenn rond liep te chagrijnen en om de haverklap in huilen uitbarstte. Maar hij kon zijn vriend die avond ook niet de deur uit zetten.

'Waar wil je naartoe?' vroeg hij.

'Naar bed. Met een bak afhaalchinees. Lijkt je dat wat?'

'Dat lijkt me zeker wat. Maar dan wel bij jou thuis.'

'Nou en, is dat erg dan?'

'Nee, maar het kan nu eenmaal niet bij mij thuis. Dat vertel ik je nog wel.'

Ze kuste hem weer. 'Blijf hier.' Ze ging de kamer uit en kwam even later terug met een groene jas, blauwe overschoenen, een mondkapje en witte latex handschoenen, die ze aan hem gaf. 'Helemaal volgens de laatste mode.'

'Ik dacht we ons straks pas gingen verkleden,' zei hij.

'Nee, straks gaan we ons úítkleden, of ben je dat na een week alweer vergeten?' Ze kuste hem weer. 'Wat is er aan de hand met je vriend Glenn? Hij ziet er zo zielig uit.'

'Dat is hij ook. Problemen thuis.'

'Ga hem dan een beetje opbeuren.'

'Dat probeer ik de hele tijd al.'

Toen ging zijn gsm. Hij nam geïrriteerd op. 'Roy Grace.'

Het was de gezinscontactpersoon, Linda Buckley. 'Roy,' zei ze, 'ik ben in het Hotel du Vin, waar Bishop een uur geleden zijn intrek heeft genomen. Hij is ervandoor.'

15

Sophies moeder was Italiaanse. Ze had haar dochter geleerd dat eten de beste remedie tegen shock was. Op dit moment, terwijl ze voor de toonbank in een Italiaanse delicatessenwinkel stond te bellen, zonder oog te hebben voor de man met capuchon die haar door het donkere raam van de winkel aan de overkant in de gaten hield, was Sophie zwaar in shock.

Ze was een gewoontedier, maar haar gewoonten hielden verband met haar bui. Al een paar maanden lang had ze elke dag sushi meegenomen naar kantoor voor de lunch, maar toen had ze in een artikel in de krant gelezen dat mensen wormen kregen van rauwe vis. Daarna had ze het op een ciabatta met mozzarella, tomaten en parmaham gehouden. Niet zo gezond als sushi, maar wel erg lekker. Ze had er de afgelopen maand bijna elke middag een genomen, misschien zelfs wel anderhalve maand. En deze dag had ze helemaal behoefte aan iets vertrouwds.

'Zeg het maar,' zei ze. 'Lieverd, wat is er gebeurd? Vertel het me maar.'

Hij was aan het brabbelen. 'Golf... Overleden... Mag niet naar binnen... Politie. Overleden. O, jezus christus, overleden.'

De kleine, kale Italiaan achter de toonbank stak opeens de warme ciabatta, verpakt in papier, naar haar toe.

Ze pakte het aan en met de telefoon aan haar oor liep ze naar buiten.

'Ze denken dat ik het heb gedaan. Ik bedoel... O, lieve god. O, lieve god.'

'Lieveling, kan ik wat voor je doen? Wil je dat ik naar je toe kom?'

Het was lang stil. 'Ze hebben me ondervraagd, me de duimschroeven aangedraaid,' gooide Bishop eruit. 'Ze denken dat ik het heb gedaan. Ze denken dat ik haar heb vermoord. Ze blijven vragen waar ik gisteravond was.'

'Nou, dat is toch niet zo moeilijk,' zei ze. 'Je was bij mij.'

'Nee. Bedankt, maar dat zou niet slim zijn. We hoeven niet te liegen.'

'Liegen?' zei ze geschrokken.

'Verdomme,' zei hij. 'Ik ben helemaal uit mijn doen.'

'Hoe bedoel je, dat we niet hoeven te liegen? Liefje?'

Een politiewagen kwam de straat in racen, met de sirene aan. Hij zei iets, maar kwam niet boven de herrie uit. Toen de auto weg was, zei ze: 'Sorry, ik kon je niet verstaan. Wat zei je?'

'Ik heb hun de waarheid verteld. Dat ik met mijn financieel adviseur Phil Taylor heb gedineerd en daarna naar bed ben gegaan.'

Het was een tijdje stil, toen hoorde ze hem snikken.

'Liefje, volgens mij ben je wat vergeten. Wat heb je gedaan na je etentje met de financieel adviseur?'

'Niets,' zei hij verbaasd.

'Nou, zeg! Ik weet dat je in shock bent. Maar je bent naar mij toe gegaan. Even na middernacht. Je hebt bij mij geslapen tot vijf uur en toen ben je snel opgestaan omdat je je golfspullen thuis nog moest halen.'

'Dat is heel lief van je,' zei hij, 'maar je hoeft echt niet voor me te liegen.'

Ze bleef doodstil staan. Een vrachtwagen kwam langs, met een taxi erachteraan. 'Liegen? Wat nou liegen? Het is de waarheid.'

'Schatje, ik hoef geen alibi te verzinnen. Ik kan maar beter de waarheid vertellen.'

'Sorry, hoor,' zei ze opeens helemaal in de war. 'Ik snap er niets meer van. Het ís de waarheid. Je kwam langs, we gingen samen naar bed en toen ging je weer weg. Je kunt toch inderdaad beter de waarheid vertellen?'

'Ja. Jazeker. Dat is zo.'

'Nou dan!'

'Nou dan?' herhaalde hij.

'Dus je kwam naar mij toe, even na middernacht, we hebben seks gehad – behoorlijk wilde seks – en je ging rond vijf uur weer weg.'

'Maar het is niet waar,' zei hij.

'Wat niet?'

'Dat ik naar jou toe ben gegaan.'

Ze hield de telefoon een eindje bij haar oor vandaan, staarde er even naar en drukte hem toen weer tegen haar oor aan, zich afvragend of ze gek aan het worden was. Of dat hij gek was geworden.

'Ik... ik snap er niets van.'

'Ik moet ophangen,' zei hij.

16

Een klein visitekaartje, waar een verleidelijke foto van een aantrekkelijk Azia-tisch meisje op stond, had de woorden TRANSSEKSUEEL VOOR DE OPERATIE erop gedrukt staan en een telefoonnummer. Daarnaast hing een kaartje met een foto van een vrouw met een grote bos haar, gekleed in leer, met een zweep in haar hand. De stank van urine sloeg van een natte plek op de grond af waar Bishop probeerde niet in te gaan staan. Het was lang geleden dat hij een tele-fooncel had gebruikt en door dit exemplaar verlangde hij er ook niet echt naar terug. En afgezien van de stank, was het ook nog eens bloedheet erin.

Er was een stuk van de hoorn af, bijna alle ruiten waren gebarsten en er bungelde een ketting met wat flarden papier aan, waar ooit een telefoon-boek aan had gehangen. Een vrachtwagen stond vlakbij en de draaiende motor maakte net zoveel herrie als duizend mannen die met z'n allen in een ijzeren hut stonden te timmeren. Hij keek op zijn horloge. Halfdrie in de middag. Hij had nu al het gevoel dat het de langste dag van zijn leven was.

Wat moest hij verdorie tegen zijn kinderen zeggen? Max en Carly. Zou het hun eigenlijk iets kunnen schelen dat ze geen stiefmoeder meer hadden? Dat ze vermoord was? Ze waren zo tegen hem en Katie opgezet door zijn ex-vrouw dat ze er waarschijnlijk niet mee konden zitten. En hoe zou hij het hun moeten vertellen? Door de telefoon? Door naar Frankrijk te vliegen en het Max te vertellen, en vervolgens naar Canada om het Carly te vertellen? Ze zouden eerder naar huis moeten komen, vanwege de begrafenis... O, jezus. Zouden ze dat wel doen? Moesten ze dat wel? Zouden ze dat willen? Hij be-sefte opeens hoe slecht hij hen kende.

Jezus, hij moest zo veel dingen regelen.

Wat was er gebeurd? Lieve god, wat was er gebeurd?

Mijn lieve Katie, wat is er met jou gebeurd?

Wie heeft jou dit aangedaan? Wie? Waarom?

Waarom wilde de politie hem verdomme niets vertellen? Die over het paard getilde zwarte lange politieman. En die inspecteur, of rechercheur, of wat hij dan ook was, Grace, die hem aankeek alsof hij de enige verdachte was, alsof hij wíst dat hij haar had vermoord.

Hij werd duizelig en stapte uit de telefooncel Prince Albert Street op, tegenover het gemeentehuis, in de brandende zon, geheel in de war door het gesprek dat hij net had gevoerd. Hij vroeg zich af wat hij nu moest doen. Hij had ooit gelezen dat men door middel van een gsm precies kon bepalen waar iemand zich bevond, wie je belde en, als dat van belang was, wat je zei. Daarom was hij Hotel du Vin uit geglipt via de keuken, had zijn gsm uitgezet en was naar een telefooncel gelopen.

Maar wat Sophie had gezegd, was te bizar voor woorden. Je kwam naar mij toe... Je was dronken, en we zijn met elkaar naar bed gegaan...

Maar zo was het niet gegaan. Hij had afscheid genomen van Phil Taylor buiten het restaurant en de portier had een taxi voor hem geroepen. Die had hem naar zijn flat in Notting Hill gereden, waar hij doodmoe meteen zijn bed in was gedoken, om goed uitgeslapen te zijn voor de golfwedstrijd. Hij was nergens naartoe gegaan, dat wist hij zeker.

Hield zijn geheugen hem voor de gek? Shock?

Kwam het daardoor?

Toen, als een enorme onzichtbare golf, kwam verdriet in hem naar boven en trok hem naar beneden, in een donkere leegte, alsof er opeens een volledige zonsverduistering plaatsvond en alles om hem heen stilviel.

17

De autopsiezaal in het mortuarium was voor Roy Grace een ongelooflijke plek. Het was een hokje waarin mensen uit elkaar werden gehaald, totdat, zo leek het althans soms, alleen de noodzakelijke dingen over waren. Hoe schoon het er ook was, de geur van de dood hing er altijd, hij bleef op je huid en in je kleren hangen, en je bleef hem ruiken, ook uren later.

Alles voelde erg grijs aan daar, alsof de dood alle kleur aan de ruimte en de stoffelijke overschotten onttrok. De ramen waren ondoorzichtig grijs, zodat nieuwsgierige blikken niets konden zien, de tegels op de muren waren grijs, net als de gespikkelde vloertegels met de afvoergeul die door de hele kamer liep. Als hij er wel eens alleen binnen was geweest en de tijd had om na te denken, had hij af en toe het gevoel gehad dat de lamp etherisch grijs licht afgaf, gekleurd door de ziel van de duizenden slachtoffers die plotseling of onverklaarbaar waren gestorven en die hier de laatste vernedering ondergingen.

Er stonden twee grote roestvrijstalen tafels in de ruimte, eentje die aan de vloer was gelast en de andere, waar Katie Bishop op lag – haar gezicht nu al bleker dan toen hij haar ervoor had gezien – op zwenkwieltjes. Er waren een blauw hydraulisch hijstoestel en een rij koelkasten met stalen hoge deuren. Langs een van de muren stond een rij spoelbakken, voorzien van een opgerolde gele slang. Tegen een andere bevond zich een breed werkblad, een roestvrijstalen snijtafel en een lugubere 'trofeeënkast' vol met griezelige dingen zoals pacemakers en kunstheupen, die uit de lijken verwijderd waren. Ernaast hing een lijst waarop de naam van elk slachtoffer stond vermeld met kolommen om het gewicht van de hersenen, longen, hart, lever, nieren en milt te noteren. Tot nu toe stond er alleen nog maar KATHERINE BISHOP op geschreven. Alsof ze een of andere wedstrijd had gewonnen, dacht Grace grimmig.

Net als in een operatiezaal, stond er in de kamer verder niets decoratiefs, geen overbodige of gezellige spulletjes, niets om de grimmigheid van het werk dat daar gedaan werd enigszins te verlichten. In een operatiezaal hadden de medewerkers nog hoop. In deze kamer was geen hoop, alleen klinische nieuwsgierigheid. Het werk moest nu eenmaal gebeuren. Die zielloze machine van justitie aan het werk.

Zodra je was gestorven, hoorde je niet meer toe aan je echtgenoot, je partner, je ouders, je zussen of broers. Je had helemaal geen rechten meer en werd eigendom van de plaatselijke patholoog, totdat hij of zij ervan was overtuigd dat jíj inderdaad de overledene was en dat duidelijk was waaraan je was gestorven. Het maakte niet uit dat je geliefde niet wilde dat er een lijkschouwing plaatsvond. Het maakte niet uit dat je familie weken en soms zelfs maanden moest wachten totdat ze je mochten laten begraven of cremeren. Jij was niet langer jezelf. Je was een biologisch specimen geworden. Een massa rottende vloeistoffen, proteïne, cellen, vezels en weefsels, en microscopische deeltjes die wel of niet konden onthullen hoe je was gestorven.

Ondanks zijn weerzin was Grace er toch door gefascineerd. Hij moest altijd kijken, en hij was onder de indruk van de nauwgezette voorzichtigheid die de patholoog betrachtte, haar schijnbaar moeiteloze professionalisme. Niet alleen de doodsoorzaak werd op deze tafel vastgesteld, ook ontelbare andere zaken werden onthuld, zoals wanneer de dood ongeveer was ingetreden, wat er in de maag had gezeten, of er was gevochten, of iemand was aangerand, verkracht. En met een beetje geluk, misschien in een kras of in sperma, de ultieme aanwijzing: het DNA van de moordenaar. Tegenwoordig werd de misdaad vaak tijdens de autopsie opgelost.

Daarom moest Grace, die verantwoordelijk was voor de zaak, aanwezig zijn, samen met een andere politieman – Glenn Branson – voor het geval Grace weg moest. Derek Gavin van de technische recherche was er ook, om alles bij te houden, alsmede de vertegenwoordiger van de politierechter, een grijsharige ex-politievrouw van halverwege de veertig, die rustig en onopvallend op de achtergrond bleef. Dan waren er nog Cleo Morey en haar collega Darren, de obductieassistent. Hij was een intelligente, knappe twintigjarige jongeman met zwart stekeltjeshaar, die vroeger – heel toepasselijk, vond Grace – slagersknecht was geweest.

Nadiuska De Sancha, de patholoog, en de twee assistenten, droegen groene schorten over hun groene overalls, rubber handschoenen en witte rubberlaarzen. De andere aanwezigen droegen groene jassen en overschoenen. Katie Bishop was verpakt in plastic, met plastic zakjes over haar handen en voeten, vastgezet met elastiekjes, om eventueel bewijs onder haar nagels veilig te stellen. Op dit moment was de patholoog bezig het plastic van haar af te halen. Ze hield zorgvuldig in de gaten of nergens haren, vezels, huidcellen of ander materiaal, hoe klein ook, zaten die tot haar aanvaller hadden behoord, en die ze wellicht niet had gezien toen ze Katie had onderzocht in haar slaapkamer.

Toen draaide ze zich om en zei iets in de recorder. Nadiuska was een jaar of twintig ouder dan Cleo, maar ze was, op haar eigen manier, net zo knap. Aantrekkelijk en statig, met hoge jukbeenderen, heldere groene ogen die het ene moment buitengewoon ernstig waren en het volgende stralend van het lachen. Van onder haar vuurrode haar keken die ogen hem nu recht aan. Ze had een aristocratische uitstraling, die paste bij iemand die volgens zeggen de dochter van een Russische graaf was. Ze droeg een kleine bril met een zwaar montuur, zo eentje die veel door intellectuelen in de film en in televisieseries werd gedragen. Ze zette het dicteerapparaat weer op de spoelbak en draaide zich om naar het lijk, waarna ze voorzichtig de plastic zak van Katies rechterhand af haalde.

Toen Katie eindelijk helemaal bloot was, en ze wat materiaal onder haar nagels vandaan had gehaald, bestudeerde Nadiuska de plekken in de nek van de vermoorde vrouw. Ze keek er een paar minuten naar door een loep, daarna bekeek ze de ogen, en vervolgens sprak ze Grace aan.

'Roy, dit is een oppervlakkige meswond, waar een striem overheen zit.

Kijk eens naar de sclera, het oogwit. Je ziet dat er bloedingen zijn geweest.' Ze had een heel licht Midden-Europees accent.

De inspecteur, in zijn ruisende groene jas en onhandige overschoenen, kwam een stap naar Katie Bishop toe en tuurde door de loep eerst naar haar rechteroog, toen naar het linker. Nadiuska had gelijk. In beide ogen kon hij duidelijk diverse bloedinkjes zien, elk ter grootte van een speldenprik. Nadat hij had gekeken, stapte hij gauw weer naar achteren.

Derek Gavin liep naar voren en fotografeerde elk oog met een macrolens.

'De druk op de aders in de nek was genoeg om ze samen te drukken, maar dat gebeurde niet bij de slagaders,' legde Nadiuska op luide toon uit, alsof ze het aan Roy en verder iedereen in de kamer duidelijk moest maken. 'De bloeding geeft aan dat ze gewurgd of gestikt is. Het is alleen vreemd dat er niets op haar lichaam is te zien. Je zou toch verwachten dat als ze tegenstand had geboden, er schrammen en blauwe plekken te zien zouden zijn. Dat zou normaal zijn.'

Ze had gelijk. Grace had dat ook al bedacht. 'Het zou dus iemand geweest kunnen zijn die ze kende? Een seksspelletje dat verkeerd afliep?' vroeg hij.

'Met een meswond?' droeg Glenn Branson zijn steentje bij.

'Vind ik ook,' zei Nadiuska. 'Dat komt niet echt overeen.'

'Je hebt gelijk,' gaf Grace toe, verbaasd dat hij dat over het hoofd had gezien, en hij weet het aan zijn vermoeidheid.

De patholoog begon eindelijk aan de ontleding. Ze tilde Katies in de war geraakte haar op en maakte met een scalpel een incisie helemaal om de schedel heen, vervolgens trok ze de huid naar voren, met het haar er nog aan vast, zodat het omgekeerd over het gezicht van de vrouw hing als een gruwelijk masker zonder gezichtskenmerken. Darren, de obductieassistent, kwam aanlopen met een cirkelzaag.

Grace vermande zich en zag de blik in Glenn Bransons ogen. Dit vond hij een van de ergste dingen, dit en als de maag open werd gesneden, waardoor er een stank vrijkwam waarvan je spontaan kon gaan kokhalzen. Darren zette de cirkelzaag aan en de machine maakte een jankend geluid terwijl de scherpe tanden ronddraaiden. Toen, terwijl de tanden van de zaag zich in de schedel van Katie boorden, volgde het geknars dat altijd zijn maag deed omdraaien en dat doordrong tot in elke zenuwcel.

Het was zo erg, helemaal door zijn gammele maag en knallende koppijn, dat Grace het liefst in een hoekje wilde gaan staan met zijn vingers in zijn oren. Maar dat kon natuurlijk niet. Hij moest het volhouden, tot de jonge obductieassistent die rustig doorwerkte tot de zaag – terwijl de stukjes schedel als zaagsel wegsprongen – helemaal rondom was geweest en hij klaar was. Hij tilde de bovenkap van de schedel eraf, als het deksel van een theepot, waardoor de glanzende hersens zichtbaar werden.

Men noemde dit de grijze hersencellen. Maar Grace had ze vaak genoeg gezien en ze waren nooit echt grijs, eerder romig bruin. Pas later werden ze grijs. Nadiuska kwam naar voren en hij keek toe terwijl zij de hersens een tijdje bestudeerde. Darren gaf haar vervolgens een uitbeenmes met een dun lemmet, een Sabatier, dat zo in een keuken gebruikt had kunnen worden. Ze stak ermee in de holte van de schedel, sneed door spieren en oogzenuwen, en tilde toen de hersens eruit, als een soort trofee, en gaf ze aan Cleo.

Die liep ermee naar de weegschaal, woog ze en schreef het gewicht op de lijst aan de muur: 1,6 kg.

Nadiuska keek er even naar. 'Dat is normaal voor haar lengte, gewicht en leeftijd,' zei ze.

Darren zette een metalen dienblad over Katies enkels, de poten rustten op de tafels die naast elk van haar benen stonden. De patholoog pakte een slagersmes met een lang lemmet en prikte met haar vinger hier en daar in de hersens, terwijl ze er aandachtig naar keek. Toen, met het mes, sneed ze een dun plakje van de zijkant af, alsof ze rosbief aan het snijden was.

Op dat moment ging Grace' gsm over.

Hij liep een stukje weg om op te nemen. 'Roy Grace,' zei hij.

Het was Linda Buckley weer. 'Hallo, Roy,' zei ze. 'Brian Bishop is weer terug. Ik heb al telefonisch doorgegeven dat hij niet meer gezocht wordt.'

'Waar was hij, verdomme?'

'Hij zei dat hij even een frisse neus wilde halen.'

Grace liep de kamer uit, de gang op en zei: 'Ja, mooi niet. Controleer de beveiligingscamera's of die iets ongewoons in de buurt van het hotel hebben geregistreerd in de afgelopen uren.'

'Dat zal ik meteen doen. Wanneer wil je dat ik hem langs breng in het mortuarium?'

'Voorlopig nog niet. Dat zal zeker nog drie of vier uur duren, ik bel je wel.'

Hij had nog niet opgehangen of de telefoon ging weer over. Hij herkende het nummer niet, het was een hele reeks cijfers met 49 aan het begin, wat aangaf dat het een buitenlands nummer was. Hij nam op.

'Roy!'

Hij herkende de stem meteen. Het was zijn oude vriend en collega Dick Pope. Met Dick en zijn vrouw Lesley was hij ooit dik bevriend geweest. Maar

Dick was overgeplaatst naar Hastings en nadat ze daar waren gaan wonen, had Grace niet meer zoveel contact met ze gehad.

'Dick! Wat leuk om je te spreken, waar ben je?'

Hij hoorde zijn vriend even aarzelen. 'Roy, we zitten in München. We zijn met de auto op vakantie. Eens kijken hoe het bier in Beieren smaakt!'

'Lijkt me lekker!' zei Grace, die verbaasd was door de aarzeling, alsof zijn vriend hem iets niet wilde vertellen.

'Roy... Hoor eens, dit zal waarschijnlijk nergens op slaan. Ik wil je niet... nou ja, ik wil je niet van streek maken of zo. Maar Lesley en ik hebben volgens ons net Sandy gezien.'

18

Skunks telefoon ging weer over. Hij werd al rillend en zwetend wakker. Jemig, wat was het warm. Zijn kleren – het gescheurde T-shirt en de onderbroek waarin hij had geslapen – en zijn lakens waren kletsnat. Het zweet gutste van hem af.

Prrr-prrr-prrr.

Achter uit de caravan, in het stinkende duister, riep de stem met het zware accent uit Liverpool: 'Kloteding. Zet godverdomme dat kloteding uit. Voordat ik het verdomme het raam uit gooi.'

Het was niet de gsm die hij de dag ervoor had gestolen, besefte hij plotseling. Het was zijn prepaid gsm. Zijn zakentelefoon! Waar was die, verdorie?

Hij stond snel op en riep terug: 'Als je er problemen mee hebt, ga dan verdomme maar weg, ja!'

Hij keek op de grond, zag zijn trainingsbroek, stak zijn hand in de zak en trok het kleine groene telefoontje eruit. 'Ja?' zei hij.

Vervolgens keek hij om zich heen op zoek naar pen en papier. Die zaten in zijn sweater, waar die ook mocht zijn, Toen herinnerde hij zich weer dat hij die als een soort kussen had gebruikt en erop had geslapen. Hij trok een dunne, goedkope balpen met een gebroken huls tevoorschijn en een vochtig stuk gescheurd gelinieerd papier, en legde het op het aanrecht. Zijn hand beefde zo dat hij amper kon schrijven, maar het lukte hem toch om wat dingen in zijn spichtige handschrift te noteren. Daarna hing hij op.

Heel fijn. Geld. Poen! En veel ook.

Hij had geen buikpijn. Niet die akelige krampen en diarree waar hij al dagen last van had gehad; nog niet, in elk geval. Hij had een kurkdroge mond, hij had vreselijke dorst. Hij liep duizelig naar de gootsteen en terwijl hij zich overeind hield aan het aanrecht, draaide hij de kraan open. Maar die stond al open, de watertank was helemaal leeg. Shit.

'Wie heeft verdomme de kraan de hele avond open laten staan? Nou? Wie was dat?' riep hij.

'Rustig aan, man!' antwoordde iemand.

'Ik zal jóú eens rustig maken!' Hij trok de gordijnen open, knipperend met zijn ogen tegen de plotselinge felheid van de zon. Hij zag een vrouw in het park wandelen, met een kleuter op een driewielertje aan haar hand. Een schurftige hond rende rond, snuffelend aan het verdorde gras waar een grote circustent tot een paar dagen geleden had gestaan. Hij keek rond in de caravan. Een derde persoon, die hij nog niet eens had opgemerkt, bewoog zich opeens. Hij kon even niets aan hen doen, gewoon maar hopen dat ze opgelazerd waren als hij weer terugkwam. Dat was meestal zo.

Toen hoorde hij het bijna ritmische piep-piep-piep en zag Al, zijn hamster, met zijn kapotte pootje in een spalk die de dierenarts voor hem had gemaakt, nog steeds in zijn glimmende metalen tredmolen lopen. Zijn snorharen bewogen heen en weer. 'Jeetje, word jij nou nooit eens moe?' zei hij, met zijn neus tegen de tralies van de kooi aan, maar niet te dichtbij: Al had hem een keer gebeten. Twee keer zelfs.

Het beestje was in zijn kooi door een of andere klootzak op een vuilnisbelt achtergelaten. Hij had gezien dat zijn pootje kapot was en had hem uit de kooi willen tillen, en was meteen gebeten. Een andere keer had hij hem door de tralies heen willen aaien, en was weer gebeten. Maar soms kon hij de kooi openmaken en dan ging het beestje heel tevreden op zijn hand zitten, een uur of zelfs langer, terwijl hij maar af en toe poepte.

Hij trok de grijze Adidas-trainingsbroek aan en het jack met capuchon, dat hij uit een winkel in de haven had gestolen. Daaronder gloednieuwe blauw en witte Asics-gympen die hij had gepast en waarmee hij vervolgens in Kemp Town de winkel uit was gerend. Hij pakte een Waitrose-boodschappentas met zijn gereedschap, waar hij de gsm in deed die hij de dag ervoor uit een auto had gestolen. Hij maakte de deur van de caravan open, schreeuwde: 'En zorg ervoor dat jullie allemaal opgerot zijn als ik terugkom', en stapte de bloedhete, wolkeloze hitte in van The Level, de lange smalle strook gras midden in Brighton & Hove. De stad die hij voor de grap 'zijn kantoor' noemde, maar eigenlijk was het gewoon echt zo.

Op het vochtige stukje papier dat hij bij zich had, goed opgevouwen en in zijn borstzakje gestopt met de rits dicht, stond een bestelling, een afleveradres en een overeengekomen bedrag. Een makkie. Plotseling, ondanks de bibbers, was het leven weer de moeite waard. Hij zou zo veel geld verdienen dat hij het weer een week zou kunnen uithouden.

Hij kon het zich zelfs veroorloven om verbeten te onderhandelen als hij de gsm ging verkopen.

19

Mijn vader huilt. Ik heb hem nog nooit zien huilen. Ik heb hem dronken en kwaad gezien, want dat is hij vaak, dronken en kwaad, terwijl hij mijn moeder of mij slaat, of een van ons in het gezicht stompt, of misschien zelfs allebei, dat hangt van zijn bui af. Soms geeft hij de hond een schop omdat het mijn hond is en hij niet van honden houdt. De enige die hij niet slaat of stompt of schopt is Annie, mijn zusje van tien. Hij doet andere dingen met haar. We horen haar huilen als hij in haar kamer is. En soms horen we haar huilen als hij niet meer in haar kamer is.

Maar dit keer huilt hij. Mijn vader. Zijn tweeëntwintig duiven zijn allemaal dood. Ook de twee die hij al vijftien jaar had. En zijn vier Birmingham Rollers die ondersteboven konden vliegen en nog meer acrobatische toeren uit konden halen.

Ik heb ze allemaal een dosis van zijn insuline gegeven. Die duiven betekenden alles voor hem. Gek dat hij die luidruchtige, stinkende vogels zo leuk vond, en ons zo walgelijk. Ik heb nooit begrepen waarom wij kinderen bij hem en mijn moeder mochten wonen. Soms hadden ze er zelfs acht. De anderen komen en gaan. Alleen mijn zusje en ik zijn er altijd. We zijn net als onze moeder altijd de dupe.

Maar dit keer, voor de verandering, is hij eens een keer de dupe. Hij heeft veel verdriet. Heel erg veel.

20

Sophies ciabatta lag op haar bureau koud te worden, waardoor het papier eromheen nat werd. Ze had geen trek. Een exemplaar van *Harpers & Queen* lag er ongeopend naast.

Ze keek graag naar de prachtige kleren die de bijna onwerkelijk mooie modellen droegen, de foto's van schitterende oorden waarvan ze soms van droomde dat Brian haar daar mee naartoe nam. Ze vond het heerlijk om naar de foto's van de beroemde mensen te kijken, die ze soms kende van filmpremières waar ze voor haar bedrijf naartoe had gemoeten, of vanaf een afstandje als ze over de Croisette liep of onuitgenodigd naar feestjes van het Cannes Film Festival ging. Hun manier van leven lag mijlenver van haar bescheiden, dorpse opvoeding.

Ze was nooit echt op zoek gegaan naar glamour toen ze in Londen een secretaresseopleiding ging volgen, en ze had het al zeker niet gevonden toen ze voor een deurwaarder ging werken, waarbij ze de spullen van mensen die schulden hadden uit hun huis haalden. Ze vond het bedrijf keihard en het werk over het algemeen hartverscheurend. Toen ze iets anders wilde gaan doen en de *Evening Standard* door ging pluizen, had ze nooit verwacht dat ze in zo'n andere wereld terecht zou komen als waar ze zich nu in bevond.

Maar op dit moment had haar leven opeens een heel andere wending genomen. Ze was nog steeds bezig het uiterst bizarre gesprek te begrijpen dat ze net met Brian via haar gsm had gevoerd, buiten het café, toen hij haar had verteld dat zijn vrouw was vermoord en hij ontkende dat hij de avond ervoor naar haar toe was gekomen – of beter gezegd, die ochtend vroeg – en ze hadden gevrijd.

De kantoortelefoon ging over.

'Blinding Light Production,' zei ze, terwijl ze hoopte dat het Brian zou zijn. Haar stem was niet zo enthousiast als anders.

Maar het was iemand die met Adam Davies, het hoofd Financiën, wilde spreken. Ze verbond hem door. Toen ging ze door met piekeren.

Oké, Brian was vreemd. Ze kende hem nu een halfjaar, ze hadden elkaar ontmoet bij een congres over belastingvoordelen voor investeerders in films, waar ze naartoe had gemoeten van haar bazen. Maar ze had het gevoel dat ze hem nog maar een heel klein beetje kende. Hij was een uiterst gereserveerd mens en ze kreeg hem maar met moeite over zichzelf aan de praat. Ze begreep niet echt wat hij deed, en, wat nog meer telde, wat hij eigenlijk verwachtte van het leven, en van haar.

Hij was lief en gul, en leuk gezelschap. En, zoals ze pas sinds kort wist, een fantastische minnaar! Maar toch hield hij een gedeelte van zichzelf voor haar verborgen.

Het gedeelte dat ronduit ontkende dat hij die ochtend vroeg bij haar langs was geweest.

Ze wilde graag weten wat er met zijn vrouw was gebeurd. De arme, lieve man moest helemaal van slag zijn. Uitzinnig van verdriet. Ontkenning. Lag het zo eenvoudig?

Ze wilde hem vasthouden, hem troosten, hem een luisterend oor bieden. Ze kreeg een idee. Het was nog vaag – ze was nog zo van streek dat ze nog niet goed na kon denken – maar het was beter dan maar gewoon blijven zitten zonder iets te weten en zonder iets te kunnen doen.

De beide eigenaren van het bedrijf, Tony Watts en James Samson, waren op vakantie. Het was rustig op kantoor, het zou niemand opvallen als ze die dag eerder weg zou gaan. Om drie uur zei ze tegen Cristian en Adam dat ze zich niet lekker voelde en ze stelden allebei voor dat ze naar huis zou gaan.

Ze bedankte hen, verliet het gebouw, nam de metro naar Victoria Station en liep rechtstreeks naar het perron voor Brighton.

Terwijl ze in de trein stapte en op een stoel in de benauwend hete coupé ging zitten, viel het haar niet op dat een man in een trainingspak, een sweater met capuchon en met een zonnebril op, net na haar de coupé binnenliep. Hij had een rode plastic tas bij zich, waar zijn aankoop van de Private Shop in zat, en hij murmelde zachtjes in zichzelf de tekst van het oude liedje van Louis Armstrong, 'We Have All the Time in the World', dat hij hoorde via zijn iPod.

21

Nadat Roy Grace had opgehangen, liep hij verdwaasd terug naar de autopsiezaal. Cleo keek hem aan alsof ze had opgepikt dat er iets mis was. Hij deed net of er niets aan de hand was.

Hij had het gevoel alsof er cement werd gemalen in zijn maag. Hij had de grootste moeite zijn ogen te richten op wat er voor hem gebeurde: Nadius-ka De Sancha sneed Katie Bishops nek open met een scalpel, daarbij lagen weefsel blootleggend op zoek naar inwendige kneuzingen.

Hij wilde daar helemaal niet zijn. Hij wilde ergens alleen in een kamer zitten, waar hij rustig na kon denken.

Over Sandy.

München.

Zou het echt waar zijn?

Sandy, zijn vrouw, was iets meer dan negen jaar geleden, op de dag dat hij dertig werd, spoorloos verdwenen. Hij kon het zich nog goed herinneren, alsof het gisteren was gebeurd.

Verjaardagen hadden altijd veel voor hen betekend. Ze had hem gewekt met een dienblad met daarop een piepklein taartje met één kaarsje, een glas champagne en een buitengewoon obscene verjaardagskaart. Hij had de cadeautjes uitgepakt en daarna hadden ze gevrijd.

Hij was wat later dan anders van huis gegaan, om kwart over negen, met de belofte dat hij wat vroeger thuis zou zijn, omdat ze met Dick en Lesley Pope voor zijn verjaardag uit eten zouden gaan. Maar toen hij twee uur later dan hij had gehoopt thuis was gekomen, omdat een moordzaak waar hij mee bezig was niet zo soepel verliep, was Sandy nergens te bekennen geweest.

Aanvankelijk had hij gedacht dat ze boos op hem was omdat hij zo laat was, en het op deze manier wilde laten merken. Het huis was opgeruimd, haar auto en handtas waren weg en er was geen spoor van een handgemeen geweest.

Hij had jarenlang naar haar gezocht. Alles geprobeerd, haar foto overal uitgedeeld, via Interpol overal ter wereld. En hij was naar mediums gegaan, hij ging zelfs nog steeds, elke keer dat hij weer over iemand hoorde die heel goed was. Maar nee. Geen van hen kreeg iets door wat met haar te maken had. Het was net alsof ze de aarde had verlaten. Geen enkel teken, helemaal niemand die haar had gezien.

Tot dit telefoontje dan.

Van Dick Pope. Die zei dat hij en Lesley op een recreatiemeer bij een bier-garten in München waren. Het Seehaus in de Englischer Garten. Ze waren aan het roeien geweest, en allebei hadden durven zweren dat ze Sandy hadden gezien, tussen andere mensen aan een tafel, meezingend met een Beierse band.

Dick had verteld dat ze er meteen naartoe waren geroeid en naar haar

hadden geroepen. Hij was uit de roeiboot geklommen en naar haar toe ge-
rend, maar ze had er niet meer gezeten. Ze was opgeslokt door de menigte.
Hij had wel gezegd dat hij het natuurlijk niet echt zeker wist. Dat hij noch
Lesley het voor honderd procent zeker wist.

Het was per slot van rekening al negen jaar geleden dat ze Sandy hadden
gezien. En in München, in de zomer, net als overal, liepen tientallen knappe
vrouwen rond met lang blond haar. Maar, zo had Dick hem op het hart gedrukt, Lesley en hij hadden de gelijkenis zeer treffend gevonden. En de
vrouw had naar hen gestaard en had hen zo te zien herkend. Dus waarom
was ze dan van de tafel opgestaan en weggegaan?

Ze had een glas bier dat nog voor driekwart vol was, laten staan.

En de mensen naast wie ze had gezeten, hadden gezegd dat ze haar nog
nooit eerder hadden gezien.

Sandy had graag een glas bier gedronken als het lekker weer was. Een van
de miljoen, biljoen, triljoen dingen die Roy Grace zo leuk aan haar had gevonden, was dat ze van zoveel dingen hield. Eten, wijn, bier. En seks. Sandy
was heel anders dan de andere vrouwen die hij had gekend. Ze was overal
voor in. Hij had altijd gemeend dat dat kwam doordat ze niet puur Brits was.
Haar grootmoeder, een prachtmens, die hij vaak had ontmoet – en erg graag
mocht – voordat ze was overleden, was van oorsprong Duitse geweest. Ze
was joods geweest en had in 1938 het land kunnen ontvluchten. Ze kwam uit
een klein dorpje in de buurt van München vandaan.

Jezus. Daar dacht hij nu pas aan.

Zou Sandy daar naartoe zijn gegaan?

Ze had het er vaak over gehad. Ze had zelfs haar grootmoeder willen overhalen om met haar mee te gaan, zodat ze haar kon laten zien waar ze had gewoond, maar voor de oude vrouw waren de herinneringen te pijnlijk. Ooit,
had Grace Sandy beloofd, gaan we er samen naartoe.

Een paar harde geluiden brachten hem weer terug naar de werkelijkheid.

Katie Bishops borsten waren naar boven geklapt, en onder de losse stukken vel waren de ribben, spieren en organen te zien. Haar hart, longen, nieren en lever lagen te glanzen. Omdat haar hart niet meer pompte, stroomde
er alleen maar een dun straaltje bloed heel langzaam op de holle metalen
tafel waarop ze lag.

Nadiuska had iets in haar handen wat eruitzag als een tuinschaar, knipte
er de ribben van de overleden vrouw mee door. Elke lugubere, botbrekende
knak zorgde ervoor dat Grace en de andere toeschouwers in de kamer, er stil
en aandachtig naar keken. Hoeveel lijkschouwingen je ook had bijgewoond,

je was nooit voorbereid op dit geluid, de akelige waarheid. Dit was ooit een levend mens geweest, die ademde en liefhad, en die nu niet meer was dan een stuk vlees aan een vleeshaak.

Voor het eerst in zijn carrière kon Grace er niet tegen. Hij was nog helemaal in de war over Sandy en hij stapte zo ver mogelijk bij de tafel vandaan, zonder dat hij echt de kamer verliet.

Hij deed zijn best erbij te blijven. De vrouw was door iemand gedood, vermoord waarschijnlijk. Ze verdiende wel beter dan een politieman die afgeleid was door het feit dat zijn vermiste vrouw na al die jaren misschien was gezien. Hij moest het telefoontje van Dick Pope gewoon uit zijn hoofd zetten en zich concentreren op het hier en nu.

Hij dacht aan haar man, Brian. De manier waarop hij zich had gedragen in de interviewkamer. Er had iets niet geklopt. En opeens wist hij wat hij, door zijn vermoeidheid, verwardheid, helemaal vergeten was te doen.

Iets wat hij onlangs had geleerd en waardoor hij met zekerheid had kunnen weten of Brian Bishop de waarheid had verteld of niet.

22

Sophie stapte op het station in Brighton uit de trein en liep over het perron. Ze liet haar kaartje zien aan de controleur en liep door naar de hal. Een eenzame duif vloog hoog boven haar onder het enorme glazen dak. Via de omroepinstallatie werd door een vermoeide mannenstem die door het hele gebouw galmde, een hele rits plaatsnamen opgesomd waar een bepaalde trein zou stoppen.

Ze zweette enorm in de benauwde, bedompte hitte, en ze was uitgedroogd. Ze kocht een blikje cola in een van de krantenkiosken. Ze trok het blikje snel open en dronk het in twee slokken leeg. Ze wilde wanhopig graag Brian spreken.

Opeens, pal voor haar neus, zag ze in grote zwarte letters op het witte *Argus*-nieuwsbillboard staan: VROUW DOOD AANGETROFFEN IN HUIS MILJONAIR.

Ze gooide het lege blikje in een prullenbak en pakte een krant van de stapel in het rek.

71

Onder de kop, die precies hetzelfde was als op het billboard, stond een kleurenfoto van een indrukwekkend nep-tudor huis, waarvan de oprijlaan en de aangrenzende straat afgezet waren met politielint. Het stond er vol met allerlei voertuigen: politieauto's, een paar vrachtauto's en een grote zwarte bus van de afdeling Zware Criminaliteit. Er was ook een kleine zwart-witfoto van Brian Bishop in smoking naast een knappe vrouw met een chic kapsel.

In het artikel stond:

Het stoffelijk overschot van een vrouw is vanochtend vroeg aangetroffen in het landhuis aan de Dyke Road Avenue van de rijke zakenman Brian Bishop, 41, en zijn vrouw Katie, 35. Een patholoog werd erbij geroepen en het lijk werd vervolgens uit het pand weggehaald.

De politie van Sussex is bezig met een onderzoek, onder leiding van inspecteur Roy Grace.

Bishop, die in Brighton is geboren, is de directeur van International Rostering Solutions PLC, volgens de *Sunday Times* een van de honderd snelst groeiende bedrijven in Groot-Brittannië dit jaar. Hij was niet beschikbaar voor commentaar. Zijn vrouw is actief in het liefdadigheidswerk voor kinderen, zoals het Rocking Horse Appeal, en heeft veel geld bij elkaar gekregen voor diverse plaatselijke activiteiten.

Vanmiddag zal de lijkschouwing worden uitgevoerd.

Sophie werd misselijk toen ze naar de foto keek. Ze had nog nooit eerder een foto van Katie Bishop gezien, had er geen idee van gehad hoe ze eruit had gezien. Jezus, die vrouw was mooi. Veel aantrekkelijker dan zij was en ooit zou zijn. Ze zag er zo chic, zo gelukkig, zo...

Ze liet de krant op de stapel vallen, nu nog meer in de war. Het was nooit meegevallen om Brian over zijn echtgenote aan de praat te krijgen. Terwijl zij razend nieuwsgierig was naar die vrouw en alles over haar wilde weten, had ze tegelijkertijd moeite gedaan om haar bestaan te ontkennen. Ze had nog nooit een relatie met een getrouwde man gehad, had dat ook nooit gewild, ze had altijd geleefd volgens een eenvoudige moraal: doe niets waarvan je niet wilt dat het jou wordt aangedaan.

Dat was allemaal omvergeworpen toen ze Brian had ontmoet. Ze was meteen gek op hem geweest. Hij had haar betoverd, hoewel het eerst een gewone vriendschap was geweest. En nu, voor het eerst, zag ze haar rivale. En Katie was niet de vrouw die ze had verwacht. Niet dat ze echt had geweten wat ze had moeten verwachten; Brian had het nooit veel over haar gehad. Ze had zich een zure oude vrouw voorgesteld, met een knotje. Een vreselijk oud wijf dat Brian in een liefdeloos huwelijk had verstrikt. Niet deze oogverblindende, zelfverzekerde en vrolijke schoonheid.

En opeens voelde ze zich volkomen verloren. En vroeg ze zich af wat ze in vredesnaam aan het doen was. Ze stopte haar gsm weifelend in haar tas, de goedkope gele canvas handtas die ze aan het begin van de zomer had gekocht omdat hij helemaal in was, maar die er nu beschamend slonzig uitzag. Net als zijzelf, besefte ze, toen ze zichzelf in haar verkreukelde werkkleren in de spiegel van een pasfotocabine zag.

Ze zou naar huis moeten gaan en zich om moeten kleden en wat opfrissen. Brian vond het fijn als ze er goed uitzag. Ze wist nog hoe teleurgesteld hij was geweest toen ze een keer had moeten overwerken en was komen opdagen in een chic restaurant zonder dat ze zich had omgekleed.

Na enig aarzelen belde ze hem. Ze hield de telefoon tegen haar oor, sterk geconcentreerd, nog steeds zonder de man met de capuchon in de gaten te hebben die maar een paar meter bij haar vandaan stond en nonchalant een paar pocketboeken bekeek in een boekenmolen in de kiosk.

Terwijl er weer een mededeling uit de omroepinstallatie galmde, keek ze naar de grote klok met Romeinse cijfers.

Negen voor vijf.

'Hoi,' zei Brian.

Ze schrok van zijn stem omdat hij opnam voordat de telefoon was overgegaan. 'Wat erg voor je,' zei ze. 'Ik vind het zo erg.'

'Ja.' Zijn stem was effen, poreus. Hij leek de hare te absorberen, als vloeipapier.

Er was een lange ongemakkelijke stilte. Eindelijk verbrak ze die. 'Waar ben je?'

'In een hotel. Die klotepolitie wil niet dat ik naar huis ga. Ik mag niet in mijn eigen huis. Ze willen me ook niet vertellen wat er is gebeurd, kun je 't geloven? Ze zeggen dat het een plaats delict is en dat ik niet naar binnen mag. Ik... O, verdomme, Sophie, wat moet ik nou doen?' Hij begon te huilen.

'Ik ben in Brighton,' zei ze snel. 'Ik ben eerder van mijn werk weggegaan.'

'Waarom?'

'Nou, ik dacht, ik dacht dat je misschien... Ja, nou ja, het spijt me, ik dacht ik misschien iets voor je kon doen. Weet je wel. Om je te helpen.' Haar stem stierf weg. Ze keek naar de grote klok. Naar een duif die plotseling aan kwam vliegen en er bovenop ging zitten.

'Je kunt niet naar me toe komen,' zei hij. 'Dat kan echt niet.'

Ze voelde zich stom dat ze het zelfs maar had voorgesteld. Hoe had ze zo dom kunnen zijn? 'Nee,' zei ze, gekwetst door de scherpte in zijn stem. 'Dat snap ik. Ik wilde je alleen maar laten weten dat als er iets is wat ik kan doen...'

'Nee, niets. Lief van je dat je belde. Ik... ik moet haar nu gaan identificeren. De kinderen weten zelfs nog van niets. Ik...' Hij viel stil.

Ze wachtte geduldig, probeerde de gevoelens te begrijpen die hij nu onderging, en besefte dat ze maar heel weinig van hem wist, en dat ze helemaal buiten zijn leven stond.

Toen zei hij opeens met verstikte stem: 'Ik bel je nog wel, oké?'

'Ja, maakt niet uit wanneer. Echt, dat maakt niet uit, oké?' verzekerde ze hem.

'Bedankt,' zei hij. 'Het spijt me... ik... het spijt me.'

Na hun gesprek belde Sophie Holly omdat ze dolgraag met iemand wilde praten. Maar ze kreeg alleen maar Holly's voicemail met een nieuwe meldtekst, die zelfs nog irritant vrolijker was dan de vorige. Ze sprak een bericht in.

Daarna slenterde ze een paar minuten doelloos door het station, voordat ze naar buiten liep, het felle zonlicht in. Ze wilde helemaal niet naar haar flat toe gaan, ze wist eigenlijk überhaupt niet wat ze wilde doen. Een gestage stroom door de zon verbrande mensen kwam naar het station toe lopen, velen gekleed in T-shirt, topje of bonte shirts en shorts, met strandtassen bij zich. Ze zagen eruit als dagjesmensen die op weg naar huis waren. Een magere man, in een spijkerbroek die bij zijn knieën was afgeknipt, had een enorm grote radio bij zich waar keiharde rap uit kwam. Zijn gezicht en armen waren zo rood als een kreeft. De stad was in vakantiestemming. Zo voelde zij zich bepaald niet.

Opeens ging haar telefoon weer. Heel even kikkerde ze op, in de hoop dat het Brian was. Toen zag ze Holly's naam op het schermpje staan. Ze drukte op de antwoordtoets. 'Hoi.'

Holly's stem was bijna niet te horen door een sireneachtig geluid. Ze zat bij de kapper, vertelde ze haar vriendin, onder de droogkap. Sophie deed een paar minuten haar best om uit te leggen wat er was gebeurd, maar gaf het toen op en zei dat ze haar nog wel zou spreken. Holly zei dat ze haar terug zou bellen zodra ze bij de kapper klaar was.

De man in de capuchontrui volgde haar op een veilige afstand, met de rode plastic tas in zijn ene hand en zuigend op de rug van zijn andere hand. Het was prettig om hier weer aan de kust te zijn, weg uit de vieze lucht van Londen. Hij hoopte dat Sophie naar het strand zou gaan; dan kon hij lekker op het zand gaan zitten, misschien een ijsje eten. Zo kwam hij de middag wel door; hij had toch tijd zat.

Onder het lopen dacht hij aan de aankoop die hij die middag had gedaan, en hij schudde met de tas. In de dichtgeritste zakjes van zijn sweater zaten zijn portemonnee, zijn gsm, en ook een rol tape, een mes, chloroform, een flesje rohypnol, de zogenaamde verkrachtingsdrug. En nog een paar andere dingetjes, want je wist maar nooit wanneer ze van pas konden komen...

Het zou een heel goede avond worden. Wéér een goede avond.

23

Cleo kon pas echt aan de slag toen even na vijf uur Nadiuska De Sancha eindelijk klaar was met de lijkschouwing van Katie Bishop.

Met een grote soeplepel verwijderde Cleo het bloed dat in Katies buikholte was gestroomd. Ze goot lepel voor lepel bloed in de goot eronder. Het kwam terecht in een container onder het gebouw, waar het door chemische middelen langzaam werd afgebroken, voordat het in het riool terechtkwam.

Terwijl Nadiuska op het werkblad leunde en haar samenvatting dicteerde, vervolgens het pathologisch formulier, het histologieformulier en het formulier over de doodsoorzaak invulde, gaf Darren Cleo een witte plastic zak waar alle organen in zaten die uit het lijk waren verwijderd en gewogen waren. Grace keek toe, met dezelfde morbide fascinatie als altijd, terwijl Cleo de zak in Katies buikholte plaatste, alsof ze een kip aan het vullen was.

Hij keek toe, met het gesprek over Sandy in zijn achterhoofd. Hij dacht na. Hij moest Dick Pope terug bellen, meer vragen stellen, over wanneer hij Sandy precies had gezien, aan welke tafel ze had gezeten, of ze tegen de bediening had gesproken, of ze alleen was geweest of samen met iemand.

München. De stad had altijd een bepaalde betekenis voor hem gehad, deels vanwege de familiebanden van Sandy, en deels omdat die stad altijd, op welke manier dan ook, in de aandacht stond. Het Oktoberfest, het voetbalstadium, BMW zat daar, en voor zover hij zich kon herinneren, had Adolf Hitler daar gewoond, voor Berlijn. Hij wilde eigenlijk zo snel mogelijk in het vliegtuig stappen en ernaartoe vliegen. En hij kon zich helemaal voorstellen hoe goed dat bij zijn baas Alison Vosper zou vallen, die elke gelegenheid zou aangrijpen om hem een loer te draaien en hem een schop onder zijn kont te geven.

Darren liep de kamer uit en kwam terug met een zwarte vuilniszak waarin de versnipperde belastingbrieven van de gemeenteraad van Brighton & Hove zaten. Hij haalde er een handje snippers uit en deed dat in de lege schedel van de overleden vrouw. Ondertussen was Cleo met een grote naald, geschikt om zeil mee te naaien, voorzichtig maar snel, bezig de buik van de vrouw dicht te maken.

Toen ze daarmee klaar was, spoot ze Katie schoon om het bloed te verwijderen en ging vervolgens aan de slag met het gevoeligste deel van de procedure. Zeer zorgvuldig bracht ze make-up aan, deed wat rouge op de wangen, en kamde het haar, zodat Katie eruitzag alsof ze alleen maar sliep.

Darren was intussen de ruimte aan het schoonmaken. Hij spoot wat schoonmaakspul met citroengeur op een vloer, boende die flink, gebruikte vervolgens chloor, daarna ontsmettingsmiddel en uiteindelijk de hogedrukspuit.

Een uur later, onder een paars lijkkleed, met haar armen over elkaar, en een klein bosje verse roze en witte rozen in haar hand, werd Katie Bishop naar de kijkkamer gereden, een kleine, smalle ruimte met een smal raampje, en net genoeg plaats voor de nabestaanden om om de overledene heen te staan. Het leek een beetje op een kapel, met leuke blauwe gordijnen en in plaats van een altaar een kleine vaas met plastic bloemen.

Grace en Branson stonden op de gang, door de glazen ruit te kijken, terwijl Brian Bishop door Linda Buckley naar binnen werd geleid. Linda was een intelligente, aardig uitziende agente van een jaar of 35, met kort blond haar, en ze had een eenvoudig donkerblauw mantelpakje met witte bloes aan.

Ze zagen hem naar het gezicht van de overleden vrouw kijken, toen onder het laken naar haar hand tasten en die naar zich toe trekken, kussen, en stevig vasthouden. De tranen biggelden over Bishops wangen. Toen viel hij op zijn knieën, overmand door verdriet.

Op dit soort momenten, en Grace had er al veel te veel meegemaakt in zijn lange loopbaan, wilde hij even geen politieman zijn. Een van zijn vroegere schoolvriendjes was bij een bank gaan werken en was nu bankdirecteur in Worthing, een kustplaatsje in de buurt van Brighton, met een goed salaris en een rustig leven. Een ander klasgenootje organiseerde hengeluitstapjes vanuit de haven van Brighton, zo op het oog een zorgeloos bestaan.

Grace keek toe, zonder zijn emoties uit te kunnen schakelen, zonder het verdriet van de man in elke vezel van zijn eigen lichaam te voelen. Hij had moeite zijn tranen in te houden.

'Jezus, die heeft het moeilijk,' zei Glenn zachtjes tegen hem.

Grace haalde zijn schouders op, als een echte politieman, terwijl zijn hart hem anders ingaf. 'Zou kunnen.'

'Shit, wat ben jij een harde klootzak.'

'Vroeger niet,' zei Grace. 'Pas toen jij de auto ging besturen. Je moet wel een harde klootzak zijn om dat te overleven.'

'Heel grappig.'

'Heb je trouwens je voortgezette rijvaardigheidsexamen gehaald?'

'Ik ben gezakt, oké?'

'Echt waar?'

'Ja, omdat ik te langzaam reed. Kun je 't geloven?'

'Moet ik dat geloven, dan?'

'Jasses, ik baal daar echt van. Het is altijd hetzelfde. Elke keer dat ik jou iets vraag, stel jij een wedervraag. Moet je verdomme constant een inspecteur zijn?'

Grace glimlachte.

'Het is helemaal niet grappig. Ik heb je een gewone vraag gesteld: ik reed te langzaam. Kun je 't geloven??'

'Nee.' En hij kon het echt niet geloven! Grace wist nog de laatste keer dat Glenn reed, toen hij oefende voor het examen en zo hard mogelijk reed. Toen Grace uit de auto stapte, nog helemaal intact – wat meer met geluk van doen had dan met goed rijden – had hij liever zonder narcose zijn galblaas eruit laten halen dan dat hij Glenn Branson weer zou laten rijden.

'Echt waar, hoor,' zei Branson.

'Gelukkig zijn er dan nog verstandige mensen.'

'Weet je wat er met jou aan de hand is, inspecteur Roy Grace?'

'Nou, ik ben benieuwd.'

'En dan speciaal wat mijn rijkunsten betreft...'

'Zeg het maar.'

'Geen vertrouwen.'

'In jou of in God?'

'God heeft ervoor gezorgd dat die kogel me niet zwaar verwondde.'

'Dat meen je nog ook, hè?'

'Weet jij het soms beter?'

Grace dacht na en zei niets meer. Hij vond het prettiger vragen over God weg te stoppen zodat hij erover na kon denken als het hem uitkwam. Hij was geen atheïst, zelfs niet echt een agnost. Hij geloofde wel in iets – althans, hij wílde ergens in geloven – maar hij wist niet precies waarin. Hij kon maar niet in het concept van een god geloven. En zodra hij daar over nadacht, voelde hij zich weer schuldig. Maar nadat Sandy was verdwenen en geen van zijn gebeden verhoord werd, was hij zijn geloof bijna geheel kwijtgeraakt.

Dat gebeurde nu eenmaal.

Als politieman was hij over het algemeen bezig de waarheid te achterhalen. De feiten. Net als voor andere politiemensen was wat hij geloofde zijn eigen zaak. Hij keek naar Brian Bishop door het raam. De man was helemaal kapot van verdriet.

Of was een prima toneelspeler.

Hij zou snel weten welke van de twee.

Alleen, en hij wist dat het verkeerd was, omdat het privé was, ging Sandy nu even voor.

24

Skunk wilde eigenlijk zijn dealer bellen met de gsm die hij had gestolen, omdat hij op die van hemzelf geen beltegoed meer had, maar vond dat hij het maar beter niet kon gokken. De man zou kwaad kunnen worden, of nog erger, hem niet meer als klant willen, hoe inhalig die klootzak van een dealer ook was. De man zou het niet op prijs stellen als zijn telefoonnummer op de telefoonlijst van een gestolen gsm zou voorkomen, zeker niet het nummer waarmee hij zijn zaken afhandelde.

Dus ging hij naar een telefooncel pal voor een smerig rijtjeshuis op The Level en sloot de deur tegen het lawaai van het vrijdagmiddagverkeer. Het was binnen net een oven, de hitte was bijna niet te harden. Hij toetste het nummer in terwijl hij met zijn voet de deur op een kier openhield. Na twee keer overgegaan te zijn, werd de telefoon opgenomen met een kort: 'Ja?'

'Wayne Rooney,' zei Skunk. Het wachtwoord dat ze de vorige keer hadden afgesproken. Het veranderde elke keer dat ze elkaar zagen.

De man had een accent uit Oost-Londen. 'O, oké, de gebruikelijke spullen? Bruin, toch? Voor tien of twintig pond?'

'Twintig.'

'Hoe betaal je? Contant?'

'Met een Motorola Razor. T-Mobile.'

'Daar heb ik er al meer dan genoeg van. Die is niet meer dan tien pond waard.'

'Zit niet te zeiken, man. Ik wil er eigenlijk dertig voor hebben.'

'Dan niet, joh. Sorry. Tot ziens.'

In paniek schreeuwde Skunk snel: 'Hé, nee, nee. Niet ophangen.'

Het was even stil. Toen zei de man: 'Ik heb het druk. Ik heb hier geen tijd voor. De prijs op straat gaat omhoog en er is niet genoeg. Ik zit straks twee weken zowat zonder.'

Skunk sloeg die opmerking op. 'Twintig is ook goed.'

'Meer dan tien pond kan ik je er niet voor geven.'

Er waren meer dealers, maar de laatste die hij had gehad, was opgepakt en zat nu in de gevangenis. Een andere, daar was hij van overtuigd, had hem troep gegeven. Er waren nog een paar kopers aan wie hij de telefoon kon verpatsen, tegen een betere prijs, maar hij voelde zich steeds rotter. Hij had nu direct iets nodig om weer goed na te kunnen denken. Hij moest werken en daarmee zou hij veel meer geld verdienen dan met die telefoon. Hij zou in de loop van de dag ergens anders nog wel wat kopen.

'Nou, goed dan. Waar ben je?'

De dealer, die hij alleen kende als Joe, vertelde hem waar hij was.

Skunk liep de telefooncel uit, voelde de zon op zijn hoofd branden, en dook tussen de auto's door naar Marborough Place, net voor een pub waar hij af en toe 's avonds xtc had gekocht in het herentoilet. Misschien zou hij straks, als alles goed ging, genoeg geld hebben om daar wat te scoren.

Hij liep North Road in, een lange, drukke eenrichtingsweg, die steil omhoog liep. Het gedeelte onder aan de heuvel was een achterbuurt, maar halverwege, net voorbij Starbucks, begon de meest trendy wijk van Brighton.

De buurt North Laine bestond uit een wirwar van smalle straatjes die bijna de hele heuvel in beslag namen en ten oosten van het station uitkwamen. Als je een hoek omsloeg, zag je een hele massa antieke marmeren schouwen die op de stoep stonden uitgestald, rekken met hippe kleding, of een rij victoriaanse huisjes die oorspronkelijk gebouwd waren voor arbeiders in de negentiende eeuw en die nu helemaal in waren, of de gezand-straalde gevel van een oude fabriek die omgetoverd werd in een chic appartementencomplex.

Skunk liep een stukje de heuvel op en had het daar behoorlijk moeilijk mee. Vroeger kon hij rennen als een hazewindhond; toen kon hij met gemak een tas jatten, of iets uit een winkel, maar nu was hij al na een kort stukje lopen uitgeput. Tenzij hij net gescoord had of als hij peppillen had genomen. Niemand lette op hem, behalve twee politiemannen in burger, die aan een tafeltje zaten in de overvolle Starbucks, met uitzicht op alles wat er in de straat gebeurde.

Ze waren allebei slordig gekleed en konden doorgaan voor studenten die zo lang mogelijk met hun kop koffie deden. De ene, kort en dik, had een kaalgeschoren hoofd en een sik, droeg een zwart T-shirt en een gescheurde spijkerbroek. De andere, langer, met steil haar en een slobberig shirt dat over een militaire broek hing, herkende Skunk. Ze kenden bijna alle tuig in Brighton, en Skunks foto had al zolang ze zich konden herinneren, aan de muur in Brighton Centraal Station gehangen, samen met een stuk of veertig andere veelplegers.

Over het algemeen was Skunk een opvallend figuur in Brighton & Hove. Al sinds zijn jonge tienerjaren droeg hij een gekreukeld nylon jack met capuchon boven een oud oranje T-shirt, trainingsbroek en gympen, met zijn handen in zijn zakken, voorovergebogen, en ging hij op in de stad als een kameleon. Het was het uniform van zijn bende, het WBC – Well Big Crew – de rivaal van het al veel langer bestaande TMC, Team Massive Crew. Ze waren niet zo gewelddadig als het TMC, waar je pas bij kon komen, zo werd gezegd, als je een agent in elkaar had geslagen, een vrouw had verkracht of een willekeurige voorbijganger had neergestoken. Maar het WBC had graag een grimmig imago. Ze hingen rond in winkelcentra, met hun capuchon op, jatten alles wat ze snel weer konden verhandelen, overvielen iedereen die zo stom was ergens alleen te lopen, en gaven bijna al hun geld uit aan alcohol en drugs. Hij was te oud om nog lid van de bende te zijn, die hoofdzakelijk uit tieners bestond, maar hij droeg nog wel dezelfde kleren, omdat hij het een fijn gevoel vond om ergens bij te horen.

Skunk had een kaalgeschoren hoofd – dat deed Bethany elke keer dat ze langskwam – en er groeide een dun, onregelmatig streepje haar vanaf het midden van zijn onderlip naar de punt van zijn kin. Bethany vond het leuk, ze zei dat hij er mysterieus door uitzag, al helemaal als hij zijn paarse zonnebril ophad.

Maar hij keek niet zoveel in de spiegel. Als klein kind had hij uren naar zichzelf kunnen kijken, in een poging zichzelf ervan te overtuigen dat hij niet lelijk was, in elk geval niet zo lelijk als zijn moeder en zijn broers zeiden. Maar nu kon het hem niets meer schelen. Hij had goed gescoord bij de meisjes. Soms werd hij wel eens bang van zijn gezicht; het was zo droog, vol blaren, ingevallen. Het was net of zijn huid direct over de beenderen eronder zat gespannen.

Zijn lijf was aan het vergaan, je hoefde geen geleerde te zijn om dat te constateren. Dat kwam niet door de drugs; het was te wijten aan de rotzooi die er tegenwoordig in zat. Hij had heel vaak het gevoel alsof hij hoge koorts had, alsof hij voortdurend in een waas leefde of een dichte winterse mist. Zijn geheugen was waardeloos; hij kon zelfs zijn gedachten niet meer bij een film of een tv-serie houden. Hij had overal zweren. Hij kon zijn eten niet binnenhouden. Hij wist niet meer hoe laat het was. Soms wist hij zelfs niet meer hoe oud hij was.

Vierentwintig, dacht hij; of zoiets. Hij had het zijn broer willen vragen toen hij hem de vorige avond in Australië had gebeld, maar dat was dus niet zo'n succes geweest.

Die broer, drie jaar ouder en dertig centimeter langer, had hem voor het eerst Skunk genoemd, en hij had dat heel leuk gevonden. Skunks waren gemene, wilde dieren. Ze slopen rond, ze konden zich goed verdedigen. Je kon maar beter uit hun buurt blijven.

Hij was gek geweest op auto's in zijn tienerjaren. Hij had ontdekt dat hij, zonder echt veel moeite te doen, auto's kon stelen. En toen bekend werd dat hij elke auto kon stelen die men maar wilde, had hij opeens vrienden gehad. Hij was twee keer gearresteerd. De eerste keer kreeg hij voorwaardelijk en mocht hij niet meer rijden, hoewel hij nog veel te jong was om een rijbewijs te hebben. De tweede keer, doordat er ook geweld bij kwam, had hij een jaar in een jeugdgevangenis gezeten.

En dit keer stond er op een vochtig stuk papier dat opgevouwen in zijn zak zat, weer een bestelling voor een auto. Een Audi A4 cabrio, automaat, zonder te veel kilometers op de klok, metallic blauw, zilver of zwart.

Hij bleef even staan om op adem te komen en een donkere, onduidelijke angst nam opeens bezit van hem, onttrok alle warmte aan hem, zodat hij het gevoel had dat hij opeens een koelcel in was gelopen. Hij had weer kippenvel, net als eerder, alsof er een miljoen termieten over hem heen kropen.

Hij zag de telefooncel. Hij had die telefooncel nodig. Hij moest wat scoren, moest zijn evenwicht weer krijgen. Hij liep naar binnen en trok de zware deur achter zich dicht, waardoor hij opeens geen adem meer had. Shit. Hij stond tegen de zijkant van de telefooncel aan, in de bedompte hitte, duizelig, terwijl zijn knieën het bijna begaven. Hij pakte de hoorn, hield zichzelf overeind met een hand, diepte een muntje op uit zijn zak en stopte het in de gleuf, toen toetste hij het nummer van Joe nummer in.

'Met Wayne Rooney,' zei hij, heel zachtjes alsof iemand mee zat te luisteren. 'Ik ben er.'

'Geef me je nummer. Ik bel je terug.'

Skunk wachtte nerveus. Na een paar minuten ging de telefoon eindelijk over. Weer instructies. Shit, Joe werd met de dag meer paranoïde. Of hij had te veel Bond-films gezien.

Hij stapte de telefooncel uit, liep vijftig meter de straat in, bleef toen, zoals hem gezegd was, staan en bekeek de etalage van een winkel die glas en spiegels op maat maakte.

De twee politieagenten namen een slok koude koffie. De kleinste en de stevigste, die Paul Packer heette, had zijn middelvinger door het oor van het kopje gestoken. Acht jaar geleden was het topje van zijn rechterwijsvinger er in een gevecht door Skunk af gebeten.

Het was de derde deal die ze in het afgelopen uur hadden gezien. En ze wisten dat dit op zeker zes andere plaatsen in Brighton momenteel gebeurde. Op elk uur van de dag. Je kon de drugshandel in een stad als deze net zomin tegenhouden als een gletsjer door er steentjes naar te gooien.

Om voor tien pond per dag te kunnen scoren, moest een drugsverslaafde zo'n drie- tot vijfduizend pond per maand bij elkaar zien te stelen. De meeste junks gebruikten echter niet voor tien pond per dag, maar voor twintig, dertig, honderd of nog meer. Sommigen zelfs meer dan drie- of vierhonderd pond per dag. En een hoop tussenpersonen kregen daar een gedeelte van. Je kon overal goed verdienen in die business. Je pakte een paar mensen op, maar een paar dagen later waren er weer andere mensen, met een verse voorraad. Mensen uit Liverpool, Bulgarije, Rusland. Ze hadden allemaal één ding gemeen: ze verdienden dik aan zielige kleine mannetjes als Skunk.

Maar Paul Packer en zijn collega Trevor Sallis hadden vijftig pond uit het politiefonds aan een tipgever betaald om Skunk op te sporen en ze gingen hem mooi niet voor drugs oppakken. Daar was hij veel te onbelangrijk voor. Ze wilden iemand anders, die iets heel anders deed, en ze hoopten dat hij hen naar die persoon toe zou leiden.

Na een paar minuten kwam een kleine, dikke jongen van een jaar of twaalf, met een bol gezicht vol sproeten en stekelhaar, in een vies South Park-T-shirt, korte broek en gympen met losse veters, al zwetend aangelopen.

'Wayne Rooney?' vroeg de jongen, met een hoge vervormde stem.

'Ja.'

De jongen haalde een klein pakje verpakt in plastic uit zijn mond en gaf het aan Skunk, die het op zijn beurt in zijn mond stak en de jongen de Motorola gaf. Een paar seconden later rende de jongen weg, de heuvel op. En Skunk liep terug naar de caravan.

En Paul Packer en Trevor Sallis waren Starbucks uit gekomen en gingen achter hem aan de heuvel af.

25

De afdeling Zware Criminaliteit in Sussex House nam bijna de hele begane grond in beslag. Je kwam er via een deur met een matje ervoor achter in een groot, open gedeelte waar de stafleden en hun medewerkers van de politie van Sussex zaten.

Roy Grace vond altijd dat er een andere sfeer hing in dit deel van het hoofdkwartier dan elders in het gebouw, zelfs dan in de andere politiebureaus in en om Brighton & Hove. De gangen en kantoortjes van de meeste politiebureaus zagen er oud en gebruikt uit, maar hier was alles nieuw.

Te nieuw, te modern, te schoon, te netjes. Te... zielloos. Het zou net zo goed het werkterrein kunnen zijn geweest van een accountantskantoor, of de administratieve afdeling van een verzekeringsbedrijf.

Op grote, met rood vilt beklede mededelingsborden die naast elkaar aan de muren hingen, waren schema's op witte vellen papier – die er ook brandnieuw uitzagen – geprikt. Ze toonden de procedures die elke rechercheur uit het hoofd zou moeten weten; maar meestal nam Grace bij elk nieuw onderzoek even de tijd om ze weer te lezen.

Hij wist hoe snel je gemakzuchtig werd en dingen vergat. En hij had onlangs een artikel gelezen dat dat bevestigde. In het stukje had gestaan dat de ergste vliegtuigongelukken in de afgelopen vijftig jaar over het algemeen door de piloot waren veroorzaakt. En dan ging het vaak niet om een beginneling, het was juist de meer ervaren piloot van de vliegtuigmaatschappij die de mist in ging. De schrijver van het artikel beweerde zelfs dat als je ontdekte dat je in een vliegtuig zat met een ervaren piloot in de cockpit, je maar beter meteen uit kon stappen!

Gemakzuchtig. Dat gold ook voor de medische wereld. Nog niet zo lang geleden had een chirurg in Sussex het verkeerde been van een mannelijke patiënt geamputeerd. Een foutje, meer niet. Ongetwijfeld veroorzaakt door gemakzucht.

En daarom bleef Grace om even voor zessen 's middags in de gang staan voor de afdeling Zware Criminaliteit, terwijl zijn overhemd aan zijn borst plakte door de onaangename hitte en hij steeds moest denken aan Sandy die in München was gezien. Hij knikte naar Branson en wees naar het eerste schema aan de muur, naast de deur van de HOLMES-computerdeskundige, waarboven stond MEEST VOORKOMENDE MOTIEVEN.

'Wat bedoelen ze eigenlijk met "om huidige leefstijl te kunnen onderhouden"?' vroeg Branson terwijl hij het van het schema aflas.

Midden in een ovaal stond het woord *motief*. Daaromheen, met pijlen ernaartoe, stonden de woorden *jaloezie, racisme, woede/angst, roof, machtsconflict, lust, profijt, betaling, homoangst, haat, wraak, psychotisch, seksueel* en *om huidige leefstijl te kunnen onderhouden*.

'Dat je iemand vermoordt om geld te erven,' zei Grace.

Glenn Branson gaapte. 'Er ontbreekt er een.' Hij fronste zijn wenkbrauwen. 'Twee zelfs,' zei hij somber.

'Welke dan?'

'De kick. En eer.'

'De kick?'

'Ja. Zoals die kinderen die verleden jaar een oude zwerfster in een bushokje in de fik staken. Goten benzine over haar heen terwijl ze lag te slapen. Ze haatten haar niet, ze verveelden zich gewoon. Voor de kick, dus.'

Grace knikte. Hij was er nog niet helemaal bij. Hij dacht nog steeds aan Sandy. München. Jezus, hoe moest hij dit uithouden? Hij wilde zo snel mogelijk een vliegtuig naar München pakken.

'En eer, oké?' zei Glenn. 'Je gaat bij een bende, de enige manier om aanzien te krijgen, toch?'

Grace liep naar het volgende schema toe. Er stond FORENSISCH OVERZICHT boven. Hij keek de lijst door, de woorden een betekenisloze brij. *Ga alle informatie na, nieuws, getuigen. Doe opnieuw onderzoek. Ontwikkel een forensische strategie en pas die toe.* Toen zag hij vanuit zijn ooghoek een kleine, vitale man op hen aflopen. Hij was begin vijftig, droeg een mooi lichtbruin pak, een beige overhemd en een bruine das. Tony Case, hoofd Huishoudelijke Dienst van dit gebouw.

'Ha, Roy,' zei hij vrolijk. 'Coördinatiecentrum i staat helemaal tot je beschikking en de band is klaar voor actie.' Hij draaide zich om naar de rechercheur en gaf hem enthousiast een hand. 'Glenn,' zei hij. 'Welkom terug! Ik dacht dat je nog wel even weg zou blijven.'

'Dat was ook de bedoeling.'

'Je moet zeker wel voorzichtig zijn als je wilt drinken? Zodat het niet uit de gaten in je buik naar buiten spuit?'

'Ja, dat zal wel,' zei Glenn, die de grap niet vatte, bewust of omdat hij met zijn gedachten ergens anders zat, dat wist Grace niet.

'Ik ben er nog wel even,' zei Case opgewekt. 'Ik hoor het wel als jullie wat nodig hebben.' Hij klopte op zijn gsm die in het borstzakje van zijn overhemd zat.

'Een fonteintje met koud water? Dat zou wel lekker zijn met deze hitte,' zei Grace.

'Is al geregeld.'

'Heel goed.' Hij keek op zijn horloge. Over twintig minuten zou de briefing van halfzeven plaatsvinden die hij had belegd. Hij had nog tijd genoeg. Hij liep met Glenn Branson langs de bewijskamers van de technische recherche en de getuigenverhoorkamer, waar ze die middag al waren geweest.

Ze liepen de kleine, smalle observatieruimte naast de grote verhoorkamer in. Twee verschillende stoelen stonden onder een plank die de hele muur in beslag nam en waar een langwerpige videorecorder op stond en een kleurenmonitor waarop continu de koffietafel en drie stoelen waren te zien in de lege verhoorkamer ernaast.

Grace rook wat. Het leek wel alsof iemand er een curry had gegeten, waarschijnlijk uit de supermarkt aan de overkant van de straat. Hij keek in de prullenbak en zag het bewijs, een berg kartonnen doosjes. Het duurde altijd even na een lijkschouwing voordat hij weer aan eten kon denken, en op dit moment, nadat hij had gezien wat er over was van een garnalencurry in Katies maag, was de ziekelijke geur van curry die daar hing bepaald niet welkom.

Grace bukte zich, pakte de prullenbak op en zette hem op de gang. De stank ging daar niet mee weg, maar hij voelde zich wel een beetje beter erdoor. Toen ging hij voor de monitor zitten, bekeek even de knoppen op de videorecorder en drukte op PLAY.

Hij zat te piekeren. Bleef maar piekeren. Sandy hield van curry. Chicken korma. Daar was ze helemaal dol op.

Op het scherm was het verhoor met Brian Bishop te zien. Grace drukte op FAST FORWARD, en bekeek de donkerharige man in het bruine designerjasje met de blinkende zilveren knopen en de bruin-witte golfschoenen.

'Net slobkousen, die schoenen,' zei Branson, die naast hem ging zitten. 'Je weet wel, uit die gangsterfilms die in de jaren dertig spelen. Heb je *Some Like It Hot* wel eens gezien?' Zijn stem was vlak, zonder het gebruikelijke enthousiasme, maar hij deed enorm zijn best om vrolijk te zijn.

Grace besefte dat het een moeilijk moment van de dag was voor hem. Begin van de avond. Normaal gesproken, als hij thuis was geweest, had hij zijn twee kinderen in bed gestopt. 'Speelt Marilyn Monroe daar niet in mee?'

'Ja, en Tony Curtis, Jack Lemmon, George Raft. Echt waanzinnig. De scène, weet je wel, wanneer ze de taart binnenbrengen en de man eruit komt stappen met een machinegeweer en iedereen neermaait, en George Raft zegt: "Die taart lag hem zwaar op de maag!"'

'Een moderne versie van het Trojaanse paard,' zei Grace.

'Was het een remake?' vroeg Branson verbaasd. '*Het Trojaanse Paard*. Nog nooit van gehoord.'

Grace schudde zijn hoofd. 'Geen film, Glenn. Wat de Grieken in Troje hebben geflikt!'

'Wat flikten ze dan?'

Grace keek zijn vriend lang aan. 'Heb je verdomme je hele opvoeding aan films te danken? Heb je nooit geschiedenis gehad?'

Branson haalde verontschuldigend zijn schouders op. 'Laat maar.'

Grace liet de videoband op gewone snelheid spelen. Op het scherm zei Glenn Branson: 'Wanneer hebt u uw vrouw voor het laatst gezien, meneer Bishop?'

Grace drukte op de pauzeknop. 'Oké, ik wil dat je goed op Bishops ogen let. Je moet tellen hoe vaak hij ermee knippert. Ik wil weten hoe vaak per minuut. Zit er ook een secondewijzer op dat NASA-controlecentrum om je pols?'

Branson tuurde op zijn horloge alsof de vraag hem helemaal van zijn stuk had gebracht. Het was een modieus groot Sharpe-chronohorloge, eentje met zo veel wijzers en knopjes dat Grace zich afvroeg of zijn vriend wel wist waar de meeste voor waren. 'Ja, volgens mij wel,' zei hij.

'Goed, ga maar tellen.'

Glenn verknalde het een paar keer. Toen, op het scherm, kwam Roy Grace de kamer in lopen en begon Bishop te ondervragen.

86

'Waar hebt u vannacht geslapen, meneer Bishop?'

'In mijn flat in Londen.'

'Kan iemand dat bevestigen?'

'Vierentwintig!' verkondigde Glenn Branson. Zijn blik ging van zijn horloge naar het scherm en weer terug.

'Zeker weten?'

'Ja.'

'Prima. Opnieuw.'

Op het scherm vroeg Grace aan Bishop: 'Hoe laat was u vanochtend aan slag op de golfclub?'

'Even na negenen.'

'En u kwam vanuit Londen?'

'Ja.'

'En hoe laat ging u daar weg?'

'Rond halfzeven.'

'Weer vierentwintig keer!'

Grace bevroor het beeld. 'Interessant,' zei hij.

'Wat is interessant?' vroeg Branson.

'Dit is een experiment. Ik ben iets aan het onderzoeken wat ik laatst heb gelezen in een nieuwsbrief over psychologie waar ik op heb ingeschreven. De auteur schreef dat in een laboratorium in een universiteit ergens, ik meen in Edinburgh, vastgesteld was dat mensen per minuut meer met hun ogen knipperen als ze de waarheid vertellen dan wanneer ze zitten te liegen.'

'Echt waar?'

'Wanneer ze de waarheid vertellen, knipperen ze 23,6 keer per minuut met hun ogen, en 18,5 keer als ze zitten te liegen. Het is nu eenmaal zo dat leugenaars erg stil blijven zitten: ze moeten meer nadenken dan mensen die de waarheid vertellen, en als we meer nadenken, blijven we rustiger zitten.' Hij zette de band weer aan.

Brian Bishop werd zo te zien hoe langer hoe meer opgewonden, tot hij wild gebarend opstond.

'Het blijft vierentwintig,' zei Branson.

'Dat klopt met zijn lichaamstaal,' zei Grace. 'Zo te zien vertelt hij de waarheid.'

Maar, en dat wist hij maar al te goed, het was maar een indicatie. Hij had wel eerder iemands lichaamstaal verkeerd geïnterpreteerd, en dat was hem duur komen te staan.

26

Voor de media was augustus de komkommertijd. Het parlement was op vakantie, net als bijna de hele wereld, en dus was het een rustige maand wat nieuws betrof. De kranten bliezen over het algemeen kleine verhaaltjes op, die anders niet eens het nieuws hadden gehaald, en ze waren dan ook dol op een zware misdaad. Hoe akeliger en griezeliger, hoe beter. De enige mensen die niet op vakantie gingen, zoals ze zich ook niet hielden aan de normale kantoortijden, waren de misdadigers.

En hijzelf, bedacht Grace.

Hij was negen jaar ervoor voor het laatst op vakantie geweest, toen hij en Sandy naar Spanje waren gevlogen en een appartement bij Malaga hadden gehuurd. Het appartement was piepklein geweest, en, in tegenstelling tot het toegezegde uitzicht op zee, keek het uit op een grote parkeergarage met diverse etages. En het had bijna de hele week geregend.

In tegenstelling tot de hittegolf nu in Brighton, waardoor er meer vakantiegangers en dagjesmensen kwamen dan anders. De stranden waren afgeladen, net als alle bars en cafés. Brighton & Hove bood plaats aan 100.000 cafégasten, en Grace was ervan overtuigd dat die er momenteel allemaal waren. Het was een paradijs voor de straatcriminelen. Voor hen was het beslist geen komkommertijd.

En hij was zich er goed van bewust dat, bij gebrek aan nieuws, het moordonderzoek dat hij nu onderhanden had, nog meer dan anders door de media in de gaten zou worden gehouden. Een vermoorde rijke vrouw, een protserig huis, misschien zelfs wat perverse seks, een opzichtige, knappe echtgenoot. Kat in het bakkie voor een redacteur die zijn krant graag vol wilde krijgen.

Hij moest de pers met fluwelen handschoentjes benaderen en er zijn best voor doen, zoals altijd, dat de media-aandacht zijn onderzoek goed zou doen en niet zou schaden. De volgende morgen zou hij de eerste persconferentie houden, en er zouden er nog vele volgen. Daarvoor had hij twee briefings met zijn team, dat hij aan het samenstellen was, om hen voor te bereiden.

En hij moest, hoe dan ook, tussen alle werkzaamheden door, de tijd zien te vinden om een vliegtuig naar München te pakken. Dat moest.

Dat moest echt.

Hij bleef maar over Sandy piekeren. Ze zat in een biergarten. Met een minnaar? Met geheugenverlies? Of was ze iemand anders? Als iemand anders het hem had verteld, had hij het waarschijnlijk naast zich neergelegd. Maar Dick Pope was een goede politieman, een degelijke man met een goed geheugen voor gezichten.

Een paar minuten voor halfzeven, vergezeld van Glenn Branson, liep Grace de observatieruimte naast de verhoorkamer uit. Ze haalden allebei een beker koffie uit de automaat in de piepkleine keuken, en liepen de gang door naar Coördinatiecentrum 1, dat hem voor het onderzoek was toegewezen door Tony Case. Hij liep langs een groot bord, bekleed met rood vilt, waar OPERATIE LISSABON boven stond. Er hing een foto op van een Chinees uitziende man met een vlasbaardje, en om hem heen hingen allemaal verschillende foto's van de rotsen onder de hoge kliffen bij Beachy Head, met een rode cirkel erop getekend.

Beachy Head, met prachtig mooie witte kalkrotsen, had de akelige reputatie de populairste plaats te zijn om zelfmoord te plegen. Het was een steile en voor de springers griezelig aantrekkelijke val van 175 meter naar de kust van Het Kanaal. De lijst van mensen die over de begroeide rand waren gesprongen, gedoken of gereden – en het hadden overleefd – was kort.

Deze ongelukkige, ongeïdentificeerde man, was in mei dood aangetroffen. Ze hadden eerst aangenomen dat hij zelf was gesprongen, totdat het bij de lijkschouwing duidelijk werd dat iemand hem een handje had geholpen, omdat hij al enige tijd dood was voordat hij over de rand was gegaan. Het onderzoek was nog niet afgesloten, maar er werd steeds minder ondernomen naarmate ze steeds nul op het rekest kregen.

Elke zware misdaad kreeg een willekeurige naam toebedeeld door de politiecomputer van Sussex. Als een van de namen enige relevantie had met betrekking tot de zaak, dan was dit louter toeval. En dat gebeurde dan ook bijna nooit.

In tegenstelling tot de werkplekken in de rest van het Sussex House – en in alle politiebureaus in het district – was er nergens iets persoonlijks op de bureaus in Coördinatiecentrum 1 te bespeuren. Geen familiefoto's of foto's van voetballers, geen wedstrijdlijsten, geen grappige cartoons. Alles in deze kamer, behalve het meubilair en de computers, had met de zaak te maken. Er werd ook weinig gekletst; men zat hard te werken. Rinkelende telefoons, getik op toetsenborden, vellen papier die uit printers rolden. De stilte van concentratie.

Hij keek met gemengde gevoelens naar zijn voorlopige team terwijl hij door de kamer liep. Er waren een paar mensen bij die hij er graag bij wilde hebben. Hoofdagent Bella Moy, een aantrekkelijke vrouw van een jaar of vijfendertig, met een wilde bos met henna geverfd bruin haar. Zoals altijd had ze een geopende doos chocolaatjes, waaraan ze verslaafd was, voor haar neus. Nick Nicholl, kort haar en lang als een bonenstaak, gekleed in een shirt met V-hals en korte mouwen, die er zo vermoeid en bleek uitzag als je zou verwachten van een vader van een zes weken oude baby. De registrator, een jonge, mollige vrouw met lang bruin haar die Susan Gradley heette en zeer hard en efficiënt werkte. En oudgediende Norman Potting, die hij in de gaten zou moeten houden.

Rechercheur Norman Potting was een eindje in de vijftig. Hij had de weinige haren die hij nog had over zijn hoofd heen gekamd. Hij had een smal, nogal beweeglijk gezicht waarop gesprongen adertjes waren te zien, grote lippen en tanden die geel waren van de tabak. Hij had een gekreukeld lichtbruin pak aan en een gerafeld geel overhemd, waarop bijna zijn hele lunch zat. Hij was, wat uitzonderlijk was, bruin gekleurd door de zon. Grace moest toegeven dat dat zijn uiterlijk goed deed. Omdat hij politiek volkomen incorrect was en de meeste politievrouwen aanstoot aan hem namen, werd Potting over het algemeen van het ene bureau naar het andere gedirigeerd om voor iemand in te vallen als er een groot tekort aan manschappen was.

Een teamlid met wie Grace niet echt blij was, was Alfonso Zafferone. Een humeurige, arrogante man van achter in de twintig met knappe mediterraanse gelaatstrekken, en gecoiffeerd haar met gel erin. Hij was elegant gekleed in een zwart pak, zwart overhemd en een crèmekleurige das. De laatste keer dat hij met hem had gewerkt, was Zafferone slim gebleken, maar hij had wel een groot probleem met zijn houding. Dat Grace hem in het team had gehaald, was gedeeltelijk te wijten aan een gebrek aan keuze, wegens vakantie, maar ook omdat hij de etter eens wat manieren wilde leren.

Terwijl hij elk lid apart begroette, zag Grace Katie Bishop weer voor zich op het bed in haar huis aan Dyke Road Avenue die ochtend. Hij zag haar op de autopsietafel deze middag. Hij kon haar voelen, terwijl hij haar geest in zijn hart meedroeg. De druk van verantwoordelijkheid. De mensen in deze kamer, en degenen die zich nog bij zijn team in de conferentiekamer zouden voegen, hadden een grote verantwoordelijkheid.

Daarom moest hij alle gedachten aan Sandy voorlopig in een apart vakje van zijn geest stoppen, en ze daar bewaren. Op de een of andere manier.

In de loop van de volgende uren en dagen zou hij meer over Katie Bishop te weten komen dan wie ook. Meer dan haar echtgenoot, haar ouders, haar broers en zussen, haar beste vrienden. Ze dachten misschien dat ze haar kenden, maar ze wisten allemaal alleen wat zij wilde dat ze wisten. Er was onvermijdelijk iets achtergehouden. Dat deed nu eenmaal iedereen.

En het zou, onvermijdelijk voor Roy Grace, persoonlijk worden. Dat gebeurde altijd.

Maar hij had geen idee hóé persoonlijk deze zaak zou worden.

27

Skunk voelde zich een stuk beter. Het leven lachte hem opeens weer toe. De heroïne had het gebruikelijke effect, hij voelde zich een beetje warm en beneveld, alles was prima, zijn lijf zat vol met endorfine. Zo zou het leven moeten zijn; zo wilde hij zich altijd voelen.

Bethany was komen opdagen, met kip en aardappelsalade en een bakje karamelvla die ze uit de koelkast van haar moeder had meegenomen. Alle klojo's waren zijn caravan uit, en hij had haar van achteren genomen, dat vond ze lekker, en hij ook, als haar gigantische achterste tegen zijn buik duwde.

En nu reed ze hem langs de kust in haar moeders kleine Peugeot. Hij zat onderuitgezakt in de passagiersstoel, die hij naar achteren had geklapt, en keek door zijn paars gekleurde brillenglazen naar zijn 'kantoor'. Hij bekeek elke geparkeerde auto. Welk model je maar kon bedenken. Allemaal onder het stof en gloeiend heet door de zon. De eigenaars lagen op het strand. Hij was op zoek naar het merk en model dat op het vochtige, gekreukelde stukje gelinieerd papier stond dat op zijn schoot lag, zijn boodschappenlijstje, en waar hij steeds opnieuw op moest kijken omdat zijn geheugen zo slecht was.

'Ik moet zo naar huis. Mijn moeder heeft de auto nodig. Ze gaat vanavond bridgen,' zei Bethany.

Elk kloteautomerk stond die avond aan de kust geparkeerd. Elk klotemerk, behalve natuurlijk het merk dat hij moest hebben. Een nieuwe Audi A4 cabrio, automaat, bijna geen kilometers op de meter, metallic blauw, zilverkleurig of zwart.

'Ga naar Shirley Drive,' zei hij.

Het klokje op het dashboard gaf aan dat het kwart over zes was.

'Ik moet echt om zeven uur thuis zijn. Ze heeft de auto nodig, ze vermoordt me als ik te laat ben,' zei Bethany.

Skunk keek haar even vol waardering aan. Ze had kort zwart haar en dikke armen. Haar borsten puilden boven haar uitgelubberde T-shirt uit en de dikke bruine dijen werden maar amper bedekt door een blauw spijkerrokje. Zijn hand zat in haar onderbroekje, in haar zachte vochtige schaamdelen, terwijl hij twee vingers diep in haar had gestoken.

'Rechts afslaan,' gaf hij aan.

'Je maakt me weer helemaal geil!'

Hij duwde zijn vingers nog verder naar binnen.

Haar adem stokte. 'Skunk, kappen!'

Hij was ook weer geil geworden. Ze draaide rechtsaf bij de verkeerslichten, langs een standbeeld van koningin Victoria, toen hij opeens riep: 'Stop!'

'Wat nou?'

'Daar! Daar! Daar!' Hij pakte het stuur beet, en dwong haar naar de stoep toe te rijden, zonder te letten op de piepende remmen en het getoeter van de auto's achter hen.

Terwijl ze de auto neerzette, trok Skunk zijn vingers uit haar, en vervolgens zijn hand uit haar broekje. 'Godverdomme te gek! Aju!'

Hij maakte het portier open, struikelde naar buiten en liep weg zonder zelfs maar even om te kijken.

Daar, bij de verkeerslichten aan de andere kant van de weg, stond een metallic donkerblauwe Audi A4 cabrio. Skunk haalde een pen uit zijn zak, schreef het kenteken op het stukje papier, haalde toen zijn gsm uit zijn broekzak tevoorschijn en toetste een nummer in.

'GU 55 OAG,' las hij hardop voor. 'Kun je dat binnen een uur voor me regelen?'

Hij was zo opgetogen dat hij niet eens merkte dat de Peugeot wegreed, dat Bethany naar hem zwaaide en even toeterde.

Te gek, dacht hij. Yes!

Hij zag evenmin de kleine grijze Ford, die een paar honderd meter achter hem bij de stoep geparkeerd stond. Het was een van de vijf wagens van het surveillanceteam die hem al een halfuur had gevolgd, nadat hij de caravan was uit gestapt.

28

Brian Bishop zat op de rand van zijn grote bed, met zijn kin in zijn handen, te kijken naar de televisie in zijn hotelkamer. Op een dienblaadje naast hem stond een kopje thee koud te worden en de twee verpakte koekjes op het schoteltje waren niet aangeraakt. Hij had de airconditioning uitgezet omdat het te koud was en nu, nog steeds gekleed in zijn golfkleren onder zijn jas, zweette hij als een otter.

Buiten was, ondanks de dubbele ruiten, een sirene te horen, het zwakke gerommel van een vrachtauto, en het ononderbroken gepiep van een auto-alarm. Een wereld waar hij voor zijn gevoel niet meer bij hoorde, terwijl hij naar zijn huis keek – zíjn huis verdomme – op het journaal. Het was volkomen absurd. Alsof hij opeens een vreemde was in zijn eigen leven. En niet zomaar een vreemde. Een paria.

Hij had zich zo al een keer eerder gevoeld, toen hij in scheiding lag met Zoë. Zijn kinderen Carly en Max hadden haar kant gekozen, nadat ze hen helemaal tegen hem op had gezet, en hadden bijna twee jaar lang niet met hem willen praten.

Een knappe journalist met onberispelijk gekapt haar en prachtige tanden stond voor zijn huis, bij een blauw-witte politieafscheiding, met een microfoon in zijn handen. 'Vanmiddag is er een sectie verricht. Meer nieuws hierover in het journaal van zeven uur. Ik ben Richard Wallace, Sky News.'

Brian was helemaal en volkomen van de kaart.

Zijn gsm ging. Hij herkende het nummer niet en nam niet op. Bijna alle telefoontjes waren die middag van de media geweest, die zijn mobiele nummer van de website van zijn bedrijf hadden gehaald, nam hij aan. Interessant genoeg, hadden maar twee vrienden hem gebeld, buiten Sophie om dan: zijn maatjes Glenn Mishon en Ian Steel, en zijn zakenpartner Simon Waslton. Simon had zich zo te horen echt bezorgd gemaakt over hem en had gevraagd of hij iets voor hem kon doen en gezegd dat hij zich niet druk hoefde te maken over de zaak. Daar zou hij wel voor zorgen, zolang Brian daar nog niet toe in staat was.

Brian had al een paar keer met Katies ouders gesproken, die in het Spaanse Alicante zaten. Katies vader was daar een van zijn zoveelste – ongetwijfeld ook tot mislukking gedoemde – zaken aan het opzetten. Zij zouden de volgende dag naar huis komen met het vliegtuig.

Hij vroeg zich af of hij zijn advocaat moest bellen, maar waarom eigenlijk? Hij hoefde zich nergens schuldig over te voelen. Hij wist gewoon niet wat hij moest doen, dus zat hij daar maar, zonder zich te bewegen, als gehypnotiseerd naar het scherm te kijken. Hij registreerde afwezig de politiewagens die zijn oprit blokkeerden en buiten op straat geparkeerd stonden. Een gestage stroom auto's reed traag langs en de chauffeurs en passagiers reikhalsden om iets te zien. Hij moest aan de slag. Hij moest bellen, mailtjes beantwoorden en versturen. Zo verschrikkelijk veel te doen, maar voorlopig kon hij niets.

Rusteloos stond hij op, liep een paar ogenblikken rond in de kamer, en ging vervolgens naar de glimmend schone badkamer. Hij keek naar de handdoeken, tilde de toiletbril op om te plassen. Er gebeurde niets. Hij deed de bril naar beneden. Keek naar zichzelf in de spiegel boven de wastafel. Toen viel zijn blik op de toiletspulletjes. Kleine, namaakmarmeren plastic flesjes met shampoo, conditioner, douchegel en bodylotion. Hij zette ze zo neer dat ze op gelijke afstand van elkaar stonden, maar dat vond hij toch niet mooi staan, dus zette hij ze een paar centimeter naar rechts, er goed op lettend dat ze even ver van elkaar af stonden.

Hij voelde zich al een beetje beter.

Om tien uur die ochtend had hij zich prima gevoeld, tevreden, blij met het heerlijke zomerweertje. Hij had zelden zo goed golf gespeeld, op een van de mooiste dagen van het jaar. Nu, maar achtenhalf uur later, lag zijn leven in scherven. Katie was er niet meer.

Zijn allerliefste Katie.

En de politie was er duidelijk van overtuigd dat hij er iets mee te maken had.

Hij had bijna de hele middag twee agentes om zich heen gehad die zeiden dat ze gezinscontactpersonen waren. Aardige vrouwen, en ze hadden hem zeer bijgestaan, maar hij was op van al hun vragen en had deze onderbreking hard nodig.

En dan die lieve Sophie, wat had dat betekend? Waarom had ze verdomme gezegd dat zij de nacht samen hadden doorgebracht? Dat was niet zo. Beslist niet. Echt helemaal niet.

Zeker, hij vond haar leuk. Maar een relatie? Mooi niet. Zijn ex-vrouw Zoë had een relatie gehad. Hij had ontdekt dat ze hem al drie jaar had belazerd, en de pijn, toen hij erachter was gekomen, was bijna onverdraaglijk geweest. Dat zou hij niemand kunnen aandoen. En al een tijdje had hij het gevoel dat het niet helemaal goed zat tussen Katie en hem, en hij had erg zijn best gedaan om eraan te werken, vond hij tenminste.

Hij vond het leuk om met Sophie te flirten. Hij vond haar aangenaam gezelschap. Jezus, het was toch leuk als een meisje van halverwege de twintig gek op je was? Maar meer was het niet geweest. Waarom hij haar had uitgenodigd voor de lunch nadat hij naast haar had gezeten op het congres over belastingvoordelen bij filminvesteringen, wist hij niet precies. Hij wist dat het niet slim zou zijn, maar had het toch gedaan. Ze hadden elkaar daarna vaker gezien. Stuurden elkaar een paar keer per dag een e-mail, en die van haar waren sinds kort steeds suggestiever geweest. Eerlijk gezegd, had hij wel een paar keer over haar gefantaseerd als hij – wat tegenwoordig steeds minder gebeurde – met Katie vrijde.

Maar hij was nooit met haar naar bed geweest. Verdomme, hij had haar zelfs nog nooit op de mond gekust.

Toch?

Had hij dingen gedaan die hij zich niet meer kon herinneren? Er waren mensen die dingen deden zonder dat ze dat beseften. Stress kon mensen mentale problemen geven, waardoor de hersens niet meer zo goed werkten, en hij had de laatste tijd een hoop stress gehad, over zijn werk en over Katie.

Zijn bedrijf, International Rostering Solutions, dat hij negen jaar geleden had opgericht, functioneerde prima. Misschien zelfs té goed. Hij moest steeds vroeger op kantoor aanwezig zijn, alleen al om zijn e-mails van de vorige dag te beantwoorden – telkens meer dan tweehonderd en dan kwamen de volgende alweer binnen. En nu kwamen er ook kantoren bij in de rest van de wereld, pas nog in New York, Los Angeles, Tokyo, Sydney, Dubai en Kuala Lumpur, en 24 uur per dag, de hele week, ging de communicatie door. Hij had natuurlijk meer mensen in dienst genomen, maar hij was nooit goed in delegeren geweest. Dus had hij steeds vaker tot 's avonds laat op kantoor gezeten, was vervolgens naar huis gegaan om te eten, en dan was hij na het eten weer gaan werken, en – waar Katie helemaal niet blij mee was – zelfs ook in het weekend.

Daar kwam nog bij dat hij het gevoel had gehad dat hun huwelijk niet meer zo goed was. Ondanks haar goede doelen en clubs, vond Katie het niet prettig dat ze zo vaak alleen was. Hij had haar uitgelegd dat hij niet altijd zo hard zou hoeven werken, dat hij zich over een paar jaar uit zou laten kopen en zo veel geld zou krijgen dat hij nooit meer zou hoeven werken. Ze had ge-

95

antwoord dat hij dat twee jaar geleden ook had gezegd. En twee jaar dáár-voor ook al.

Ze had hem onlangs gezegd, en ze was behoorlijk kwaad geweest, dat hij altijd een workaholic zou blijven, omdat hij buiten zijn werk geen hobby's had. Hij had zonder veel overtuiging gezegd dat zijn 'kindje', de Jaguar uit 1962 die hij liefdevol had opgeknapt, een hobby was. Maar toen had zij hem er fijntjes op gewezen dat ze zich de tijd niet kon heugen dat de auto uit de garage was geweest. En, moest hij zichzelf toegeven, dat wist hij zelf ook niet meer.

Hij wist nog dat hij het helemaal niet aan had gekund toen hij in schei-ding lag met Zoë. Zijn dokter had hem aangeraden dat hij zich een paar weken in een psychiatrisch ziekenhuis zou laten opnemen. Dat had hij af-gewezen en op de een of andere manier had hij alles overleefd. Maar hij had datzelfde nare en soms verwarde gevoel gekregen, dat hij toen ook had gehad. En hij voelde bij Katie dezelfde afstand die hij ook bij Zoë had ge-voeld voordat hij erachter kwam dat ze een relatie had. Misschien lag het aan hem.

Misschien werkten zijn hersenen momenteel gewoon niet zo goed.

29

De camera filmde langzaam, en een beetje schokkerig, de slaapkamer van de Bishops aan Dyke Road Avenue 97. Het beeld bleef even hangen bij het naakte lijk van Katie Bishop, die met haar benen en armen wijd op het bed lag, haar polsen vastgebonden aan de nogal overdreven bewerkte houten spijlen, en een striem op haar nek met het gasmasker naast haar.

'Ze had het gasmasker op, toen ze werd ontdekt,' zei Grace tegen zijn team, dat inmiddels was uitgebreid naar twintig mensen. Ze waren met zijn allen in de vergaderkamer van de getuigenverhoorkamer en keken naar de film die de technische recherche had gemaakt van de plaats delict.

De kamer kon, krap aan, vijfentwintig mensen een plaats bieden op de rode stoelen om de langwerpige tafel en indien nodig konden er nog dertig staan. De kamer werd onder meer gebruikt voor briefings voor de perscon-ferentie bij zware misdaden. Daarom stond er, helemaal achterin, tegenover het scherm, een bord in twee tinten blauw van bijna twee meter hoog en drie meter breed, met in grote letters de website van de politie van Sussex erop, alsmede het logo en telefoonnummer. Alle verklaringen tegenover de pers werden gedaan met dit bord als achtergrond.

'Wie heeft het eraf gehaald, Roy?' vroeg rechercheur Kim Murphy vriendelijk maar wel zakelijk.

Grace had al eens met Kim gewerkt, toen ze een landeigenaar in Brighton voor de rechter sleepten in verband met moord. Dat had tot een veroordeling geleid en het was een goede ervaring geweest. Hij had haar bij zijn onderzoek betrokken als plaatsvervangend leider. Ze was een levendige, buitengewoon intelligente rechercheur van een jaar of vijfendertig, en hij mocht haar erg graag. Ze was ook erg aantrekkelijk, met mooi blond haar voorzien van highlights tot op haar schouders, een breed, eerlijk gezicht waarop bijna voortdurend een glimlach te zien was, waarachter ze haar verrassend harde aard verborg. Je kon haar beter niet tegen de haren in strijken, want ze lustte je rauw, en dat kon menig misdadiger tot zijn spijt beamen. Ondanks haar hoge rang, had ze toch iets kwajongensachtigs over zich. Dat werd nog eens geaccentueerd door het sportieve, behoorlijk stoere beige linnen jasje met epauletten dat ze op een wit T-shirt en broek droeg. Over het algemeen ging ze naar haar werk op een Harley-Davidson, die ze zelf helemaal onderhield.

'De schoonmaakster,' zei hij. 'En god weet wat ze verder nog voor bewijsmateriaal heeft verknald.'

Hij had het moeilijk deze avond. Echt moeilijk. Hij was de leider van dit moordonderzoek, met alle verantwoordelijkheden van dien. Maar hoe hij ook zijn best deed erbij te blijven, hij zat gedeeltelijk in een andere stad, een ander land, een heel ander onderzoek. Sandy. En, besefte hij ineens, hij was helemaal vergeten Cleo te bellen, om door te geven hoe laat hij verwachtte deze avond klaar te zijn. Hij zou haar stiekem sms'en tijdens deze briefing.

Hij voelde zich opeens helemaal in de war over zijn relatie met Cleo. Stel nou dat Sandy echt in München was? Wat zou er gebeuren als hij haar zou tegenkomen?

Hij kon het zich gewoon niet voorstellen. Op dit moment, terwijl hij in de echte wereld van Coördinatiecentrum 1 aan zijn bureau zat en naar de verwachtingsvolle gezichten voor hem keek. Kwam het nou door hem of keken ze hem inderdaad bevreemd aan?

Verman jezelf!

'Het is halfzeven, vrijdag 4 augustus,' las hij hardop voor van de briefinginstructie. Hij had zijn jasje uitgedaan, zijn das losgemaakt en de bovenste twee knopen van zijn overhemd opengemaakt omdat het zo vreselijk warm was.

'Dit is onze eerste briefing van operatie Kameleon,' ging hij door. 'Het onderzoek naar de moord op een vijfendertig jaar oude vrouw, geïdentificeerd als zijnde mevrouw Katherine Bishop, roepnaam Katie, aan Dyke Road Avenue 97 in Hove, East Sussex, op de eerste dag na de ontdekking van haar lijk om halfnegen vanochtend. Ik zal nu een samenvatting geven.'

Grace behandelde de gebeurtenissen voorafgaande aan de vondst van Katies lijk. Toen hij bij het gasmasker kwam, werd hij, zoals gebruikelijk, onderbroken door Norman Potting.

'Misschien was hij erg winderig, Roy. Gaf hij haar een gasmasker uit medelijden.' Potting keek grijnzend om zich heen. Maar niemand moest erom lachen.

Grace kreunde bij zichzelf. 'Dank je, Norman,' zei hij. 'We hebben genoeg te doen. We hebben je grapjes niet nodig.'

Potting bleef om zich heen kijken, onbedwingbaar grijnzend naar zijn publiek, zonder zich iets van hun uitgestreken gezicht aan te trekken.

'We houden het onder ons, dat van het gasmasker,' voegde Grace eraan toe. 'Ik wil niet dat het naar buiten komt. Heeft iedereen dat begrepen?'

Het was gebruikelijk om bepaalde informatie geheim te houden voor de buitenwereld. Op deze manier, als iemand opbelde en het over een gasmasker had, zou het onderzoeksteam meteen weten dat het een bonafide beller was.

Grace gaf een overzicht van de taakverdeling. Katie Bishops familie moest in kaart worden gebracht, iedereen die ze kende, en hun achtergrond. Dit zou worden gedaan door de gezinscontactpersonen en hij had Bella Moy die dag als de verantwoordelijke daarvoor aangesteld.

Bella had een paar uitdraaien voor haar liggen. 'Ik heb nog niet echt veel,' zei ze. 'Katie Bishops meisjesnaam was Katherine Margaret Denton, enig kind, haar ouders wonen in Brighton. Ze is vijf jaar geleden met Brian Bishop getrouwd, haar derde, zijn tweede huwelijk. Geen kinderen.'

'Weet iemand waarom niet?' vroeg Grace.

'Nee,' Bella was een beetje verrast door de vraag. 'Bishop heeft twee kinderen uit zijn eerste huwelijk.'

Grace maakte een aantekening in zijn notitieboekje. 'Oké.'

'Door de week zit ze meestal in Brighton, en ze gaat over het algemeen voor maar één overnachting naar Londen. Brian Bishop heeft daar een appartement, waar hij van maandag tot vrijdag zit.'

'Zijn naaikamertje?' vroeg Norman Potting.

Grace zei niets. Maar Potting had gelijk. Geen kinderen na vijf jaar huwelijk, en behoorlijk gescheiden levens, dat waren tekenen van een niet erg hechte relatie. Hoewel hij en Sandy negen jaar getrouwd waren geweest en ook geen kinderen hadden gehad, maar daar was een reden voor. Medisch. Hij maakte nog een aantekening.

Alfonso Zafferone, druk kauwgom kauwend, en met de gebruikelijke brutale uitdrukking op zijn gezicht, was toegewezen aan de HOLMES-analist om de volgorde van de gebeurtenissen uit te zoeken en een lijst van de verdachten te maken, die tot nu toe nog maar één naam bevatte: die van haar man. Brian Bishop zou helemaal nagegaan moeten worden om te zien of hij aanwezig had kunnen zijn toen Katie werd vermoord. Hadden er de laatste tijd vergelijkbare moorden in dit district, of elders, plaatsgevonden? Of iets anders waarbij een gasmasker was gebruikt? Zafferone zakte onderuit in zijn stoel. Hij had zulke brede schouders, daar had hij vast veel voor getraind, dacht Grace. En net als alle mannen in de kamer, had hij zijn jasje uitgedaan. Op de mouwen van zijn modieuze zwarte overhemd schitterden manchetknopen met rijnsteentjes en glimmende goudkleurige strepen.

Norman Potting moest ook een plattegrond van Bishops huis zien te bemachtigen, een luchtfoto van het gebouw en de grond eromheen, en onderzoeken of alle wegen die naar het huis leidden, grondig waren onderzocht. Van Potting wilde hij ook, evenals van de leider op de plaats delict, een uitgebreid rapport over de plek waar de moord had plaatsgevonden, alsmede verslagen van het huis-aan-huisonderzoek in de buurt, dat die ochtend was begonnen.

Potting vertelde dat er al twee computers uit het huis waren gehaald door de technische recherche, British Telecom was verzocht een uitdraai te verschaffen van de vastetelefoon- en de gsm-gesprekken van mevrouw en meneer Bishop.

'De gsm die in de auto is aangetroffen, is al onderzocht door de afdeling Telecommunicatie, Roy,' zei Potting. 'Er stond één bericht op, gisterochtend ingesproken om tien over elf door een man.' Potting keek op zijn blocnote. 'De boodschap luidde: ik zie je nog wel.'

'Was dat alles?' vroeg Grace.

'Ze konden niet achter het nummer komen dat had gebeld, want dat was geblokkeerd.'

'We moeten uit zien te vinden wie dat was.'

'Ik heb al contact opgenomen met het telefoonbedrijf,' zei Potting, 'maar ik kan pas meer te weten komen als ze maandag weer open zijn.'

Vrijdag, zaterdag en zondag waren de slechtste dagen om een moordonderzoek te beginnen, bedacht Grace. Laboratoriums waren gesloten, evenals administratiekantoren. Net nu je zo snel mogelijk iets moest weten, kon je twee of drie dagen kwijt zijn aan wachten. 'Zorg dat ik er een opname van krijg. We zullen Brian vragen of hij de stem herkent. Misschien is hij het zelf wel.'

'Nee, dat heb ik al nagegaan,' zei Potting. 'De tuinman kwam om te werken, dus heb ik het voor hem afgespeeld.'

'Staat hij op je lijst van verdachten?'

'Hij is een jaar of tachtig en zeer fragiel. Ik zou hem helemaal onderaan moeten zetten.'

Nu moest wel iedereen glimlachen.

'Voor zover ik weet,' zei Grace, 'is hij dan de tweede van boven.'

Hij dronk wat koffie en vervolgens een paar slokken water. 'Oké, hulpbronnen. Momenteel is het overal redelijk rustig. Ik wil dat jullie allemaal gaan bekijken welke hulp je nodig hebt bij je werk, je eigen mensen niet meegerekend. Omdat er verder geen groot nieuws is, zullen we de hele pers over ons heen krijgen, dus ik wil dat we er goed uitzien en snel resultaat hebben. Ik wil dat we perfect overkomen.' En het ging niet alleen om de buitenwereld, wist Grace, maar dat zei hij niet. Het ging ook om zijn ijzige baas, adjunct-hoofdcommissaris Alison Vosper, die erop zat te azen dat hij de mist inging en voor wie hij zich moest bewijzen.

Ze had een man binnengehaald van de Londense politie, die ze dezelfde rang als hijzelf had gegeven. De griezel van een inspecteur, Cassian Pewe – haar nieuwe lievelingetje – zou een dezer dagen voldoende gerevalideerd zijn na zijn auto-ongeluk om hier in Sussex House te gaan werken. Met het onuitgesproken doel om Roy Grace eruit te werken en hem naar Nergenshuizen te laten overplaatsen.

Toen hij verder ging met de bevindingen van de technische recherche, merkte hij dat iedereen net een beetje meer oplette. Hij legde het uitgebreide rapport van Nadiuska De Sancha naast zich neer en hield het kort. 'Katie Bishop is gewurgd door middel van een dunne draad of ijzerdraad. Er zijn stukjes weefsel van haar hals naar het laboratorium gestuurd voor onderzoek, waardoor wellicht het moordwapen bekend zal worden,' verkondigde hij. Hij nam nog een slok koffie. 'Er is een behoorlijke hoeveelheid sperma aangetroffen in haar vagina, wat aangeeft dat ze gemeenschap heeft gehad vlak voor haar dood.'

'Ze neukte bij het leven,' mompelde Potting.

Bella Moy draaide zich naar Potting om. 'Wat ben jij toch een walgelijk ventje.'

Grace zei woedend: 'Norman, zo kan ie wel weer. Ik wil je na deze bijeenkomst even spreken. We hebben geen van allen behoefte aan slechte grappen. Begrepen?'

Potting sloeg zijn ogen neer als een schooljongen die een standje heeft gekregen. 'Ik bedoelde er verder niets mee, Roy.'

Terwijl hij Potting een paar dodelijke blikken toewierp, ging Grace door: 'Het sperma is naar het laboratorium gestuurd voor analyse.'

'Wanneer verwacht je de uitslag?' vroeg Nick Nicholl.

'Op z'n allervroegst maandag.'

'We hebben een speekselmonster van Brian Bishop nodig,' zei Zafferone.

'Dat hebben we vanmiddag gedaan,' zei Grace, en hij verkneukelde zich omdat hij de hoofdagent te vlug af was geweest.

Hij keek naar Glenn Branson ter bevestiging van zijn woorden. De rechercheur gaf hem een humeurig knikje en Grace voelde opeens met hem mee. De arme Glenn zag eruit alsof hij elk moment in tranen uit kon barsten. Misschien had hij hem niet al zo vroeg weer moeten laten werken. Het viel niet mee als je huwelijksproblemen had, en dan was hij lichamelijk ook nog niet helemaal in orde. En had hij ook nog eens een kater. Dat was wel erg veel tegelijk. Maar ja, daar was nu niets meer aan te doen.

Potting stak zijn hand op. 'Eh... Roy, door de aanwezigheid van sperma kunnen we aannemen dat er een seksueel tintje aan deze moord zit, dat ze is verkracht?'

'Norman,' zei hij bits, 'aannamen zijn de oorzaak van alle verknalde zaken. Oké?' Grace dronk wat water, en ging toen verder. 'Er zijn twee gezinscontactpersonen aangesteld,' zei hij, 'agente Linda Buckley en agente Maggie Campbell...'

Hij werd onderbroken door de schelle ringtone van Nick Nicholls gsm. Terwijl hij Roy een verontschuldigende blik toewierp, stond de jonge hoofdagent helemaal voorovergebogen op, alsof hij op die manier het geluid tegen kon houden, en deed een paar stappen bij de tafel vandaan.

'Met hoofdagent Nicholl,' zei hij.

Gebruikmakend van de onderbreking tuurde Zafferone naar Pottings gezicht. 'Op vakantie geweest, Norman?'

'Thailand,' antwoordde Potting. Hij glimlachte naar de dames, alsof ze wel onder de indruk zouden zijn van zo'n verre reiziger.

'Heb je voor jezelf een mooi kleurtje gekocht?'

'En wel meer ook,' zei Potting stralend. Hij hield zijn hand omhoog en stak toen zijn ringvinger op, waar een eenvoudige gouden trouwring omheen zat.

'Godallemachtig,' zei Zafferone. 'Een vróúw?'

Bella stopte een half gesmolten chocolaatje in haar mond. Grace was zeer gecharmeerd van haar stem. Zacht, maar altijd zeer rechttoe rechtaan. Hoewel ze er onder al dat haar soms uitzag alsof ze er niet helemaal bij was, was Bella buitengewoon intelligent. Er ontging haar niets. 'Dat is dan je vierde vrouw, toch?'

'Klopt,' zei hij, nog steeds stralend, alsof het iets was om trots op te zijn.

'Ik dacht dat je nooit meer wilde trouwen, Norman?' vroeg Grace.

'Ach, je weet hoe het gaat, Roy. Het is het voorrecht van een vrouw om een man van gedachten te doen veranderen.'

Bella glimlachte eerder uit medelijden dan vol humor naar hem, alsof hij een vreemd, maar lichtelijk afstotelijk dier was in een dierentuin.

'En, waar heb je haar ontmoet?' vroeg Zafferone. 'In een bar? Een nachtclub? Een massagesalon?'

Opeens verlegen, antwoordde Potting: 'Via een relatiebureau, eigenlijk.'

Heel even zag Grace een vlaag van nederigheid op het gezicht van de man. Een vleug verdriet. Of eenzaamheid.

'Oké,' zei Nick Nicholl, die weer aan zijn bureau ging zitten en de telefoon in zijn zak stopte. 'We hebben iets.' Hij legde zijn blocnote voor zich op tafel.

Iedereen keek hem aandachtig aan.

'Gatwick houdt alles in de gaten. Er zijn camera's geplaatst bij de aankomstbruggen aan weerskanten van de M23. Een Bentley Continental, die op naam staat van Brian Bishop, werd gisteravond om dertien minuten voor twaalf gefilmd. Hij reed op de weg naar het zuiden, in de richting van Brighton. De beveiligingscamera die de weg naar het noorden in de gaten hield, functioneerde niet goed, dus we hebben geen film van hem terwijl hij terugrijdt naar Londen, ervan uitgaande dat hij dat heeft gedaan.'

De camera's die daar stonden, werden door de politie en veiligheidsdiensten gebruikt om kentekenplaten van auto's die daar reden te controleren.

Glenn Branson keek Grace aan. 'Zo te zien is hij gezakt voor jouw ogentest, Roy. Hij heeft gelogen. Hij zei dat hij rond die tijd in zijn bedje in Londen lag.'

Maar Grace kon er niet mee zitten. Hij voelde zich opeens beter. Als ze Brian Bishop misschien diezelfde avond al konden laten bekennen, dan zou met een beetje geluk het onderzoek binnen de kortste keren achter de rug zijn. En dan zou hij meteen naar München kunnen gaan, misschien zelfs al de volgende ochtend. Hij zou ook Kim Murphy het onderzoek af kunnen laten ronden, maar zo werkte hij niet. Hij wilde overal bij zijn, alles regelen, alles overzien. Als je iemand op bijna hetzelfde niveau had met wie je samenwerkte, gingen de dingen scheef. Voor je het wist, liet je een steekje vallen.

'Kom, we moeten maar eens met de gezinscontactpersonen gaan praten,' zei hij. 'Zien of we wat meer over zijn auto kunnen ontdekken. Eens kijken of we Bishops geheugen wat voor hem op kunnen frissen.'

30

Om kwart over zeven brandde de zon boven de kust van Sussex eindelijk wat minder fel. De tijdmiljonair zat aan een tafeltje op het drukke terras van een café met een cola light en een notenijsje in een glas voor zijn neus, waar hij af en toe een lepeltje van nam om de tijd te doden. Een paar van zijn tijddollars, tijdponden, tijdeuro's. Je kon het net zo goed opmaken, je kon het toch niet meenemen.

Hij hield zijn rechterhand bij zijn mond en zoog en er even op. Die bijtende pijn was er nog steeds en, misschien vergiste hij zich, maar de rij rode puntjes, omgeven door een vage beurse plek met de kleur van nicotine, zag er steeds feller uit.

Even verderop stond een steelband te spelen. 'Island in the Sun'.

Hij zou ook een keer naar een zonnig eiland gaan. Het was allemaal al geregeld en toen gebeurde er opeens iets. Het leven had hem weer eens een loer gedraaid. Nou ja, niet zozeer het leven. Nee...

Iémand in zijn leven.

De lucht was zoutachtig. Het rook naar touw, roest, lak, en, om de paar minuten, opeens zwak maar onmiskenbaar, naar urine. Nadat de zon onder was gegaan, zou de maan opkomen. Daar hadden mensen ook op gepist.

De rekening, die hij al had betaald, lag onder de asbak te wapperen als een stervende vlinder in de lichte zeebries. Hij was altijd voorbereid, altijd klaar voor zijn volgende stap. Je kon nooit weten wat die zou zijn. In tegenstelling tot de zon.

Hij vroeg zich af waar die oranjegele schijf bestaande uit kokende gassen straks naartoe zou gaan, en probeerde de tijdzones uit zijn hoofd te berekenen. Op dit moment, zo'n 22.000 kilometer verderop, zou het een vuurrode bal zijn, die langzaam opkwam in Sydney. Hij zou nog steeds volop schijnen en hoog aan de hemel staan in Rio de Janeiro. Waar hij ook stond, hij had geen benul van zijn macht. De macht die hij aan de mensen gaf. Niet op de manier waarop híj de macht in zichzelf voelde.

De macht over leven en dood.

Perspectief. Alles draaide om perspectief. Het duister van de ene persoon was het daglicht van de andere. Waarom zag bijna niemand dat in?

Zag het domme meisje dat in, dat een paar meter voor hem op het strand zat te kijken naar de zonnebaders en de enorme, rustige oceaan? Terwijl ze naar de slappe zeilen van de boten en de windsurfers keek? Naar de tankers en containerboten die als grijze stipjes roerloos aan de verre horizon lagen, als speelgoedbootjes op een plank? Naar stomme badgasten die nog zo laat in het smerige riool, waarvan ze dachten dat het puur schoon zeewater was, spartelden?

Wist Sophie Harrington dat dit de laatste keer was dat ze dit allemaal zou zien?

De laatste keer dat ze ingeteerd touw, botenlak of urine van andere mensen zou ruiken?

Het hele strand was verdomme een groot riool vol blote lijven. Mensen met heel weinig aan. Blank, rood, bruin, zwart. Die zichzelf lieten zien. Sommige vrouwen zelfs topless, de gore hoeren. Hij zag er een pootjebaden, het verwarde rode haar hing tot op haar schouders, haar tieten hingen tot op haar buik, haar buik hing tot op haar heupen, en ze had een fles bier in haar handen – het was te ver weg om te zien welk biermerk het was – en haar dikke reet puilde uit een felblauwe nylon string, en haar dijen zaten onder de putjes. Hij vroeg zich af hoe ze eruit zou zien in zijn gasmasker, terwijl haar rode bos schaamharen tegen zijn gezicht aanduwde. Vroeg zich af hoe ze daar zou ruiken. Naar oesters?

Toen keek hij weer naar dat stomme meisje dat de afgelopen twee uur op het strand had gezeten. Ze was inmiddels opgestaan, stapte over de kiezels heen, met haar schoenen in haar hand, ineenkrimpend bij elke stap die ze zette. Waarom, vroeg hij zich af, deed ze niet gewoon haar schoenen aan? Was ze echt zo stom?

Hij zou haar dat straks vragen, als hij bij haar in haar slaapkamer zou zijn, en ze het gasmasker ophad, en ze alleen nog maar onduidelijk kon mompelen.

Niet dat het antwoord hem wat kon schelen.

Wat voor hem alleen telde, was wat hij had geschreven in de ruimte die bestemd was voor aantekeningen achter in zijn blauwe schoolagenda, toen hij twaalf jaar was. Die schoolagenda was zowat het enige wat hij nog had uit zijn jeugd. Hij zat in een metalen doos waarin spulletjes zaten die belangrijk voor hem waren. De doos stond in een afgesloten garage, hier vlakbij, die hij op maandbasis huurde. Hij had al heel jong geleerd dat je een plekje moest hebben, hoe klein het ook was, dat helemaal van jou was. Waar je spullen kon bewaren. Waar je rustig kon zitten nadenken.

Op een rustig plekje, dat hij had ontdekt toen hij twaalf jaar was, had hij in zijn agenda dingen opgeschreven die hem waren ingevallen.

Als je iemand echt wilt pijn doen, dan moet je hem niet vermoorden, dat doet alleen maar eventjes pijn. Je kunt veel beter diegene vermoorden van wie hij houdt. Want dan heeft hij voor altijd pijn.

Hij herhaalde die zinnen voortdurend, als een soort mantra, terwijl hij Sophie Harrington vanaf een veilige afstand volgde. Ze bleef staan en deed haar schoenen aan en liep toen verder over de promenade, langs de winkels in de galerijen met bogen van rode baksteen aan de kust van Brighton, een kunstgalerij voor plaatselijke kunstenaars, een visrestaurant, de steelband, een mijn uit de Tweede Wereldoorlog, die aangespoeld was en nu op een sokkel stond, een winkel die strandhoeden, emmertjes en schepjes en ronddraaiende molentjes op een stokje verkocht.

Hij volgde haar door de zorgeloze, door de zon verbrande mensenmenigte de helling op naar het drukke Kings Road, waar ze naar links ging, naar het westen, langs het Royal Albion Hotel, de Old Ship, de Odeon Kingswest, het Thistle Hotel, de Grand, de Metropole.

Hij werd steeds geiler.

Het briesje rukte aan zijn capuchon en heel even schrok hij toen hij bijna afwaaide. Hij trok hem snel over zijn hoofd naar voren en pakte toen zijn gsm uit zijn zak. Hij moest dringend een zakelijk telefoontje plegen.

Hij wachtte even tot een politiewagen met loeiende sirene voorbij was, voordat hij het nummer intoetste tijdens het lopen, zo'n vijftig meter achter haar. Hij vroeg zich af of ze helemaal naar haar flat zou lopen of een bus of een taxi zou nemen. Het maakte hem niets uit. Hij wist waar ze woonde. Hij had zijn eigen sleutel.

En hij had alle tijd in de wereld.

Toen, met een steek van paniek, besefte hij dat hij de plastic tas met het gasmasker erin in het café had laten staan.

31

Linda Buckley had zichzelf strategisch in een leren leunstoel in de grote, fraaie en comfortabele foyer van het Hotel du Vin geïnstalleerd, vond Grace, toen hij samen met Glenn Branson het gebouw binnen kwam lopen. Ze zat zo dichtbij dat ze het zou horen als iemand naar Brian Bishop zou vragen bij de balie en bovendien kon ze iedereen in de gaten houden die het hotel in kwam en uit liep.

De gezinscontactpersoon legde met tegenzin het boek neer dat ze aan het lezen was: The Plimsoll Sensation, over de geschiedenis van de Plimsoll Line, door Nicolette Jones, wat een radiohoorspel was geweest dat ze had gevolgd, en stond op.

'Hoi, Linda,' zei Grace. 'Leuk boek?'

'Zeer interessant,' antwoordde ze. 'Stephen, mijn man, zat bij de koopvaardij, dus ik weet wel wat van schepen af.'

'Zit onze gast in zijn kamer?'

'Ja, ik heb hem een halfuur geleden nog gesproken, om te horen hoe het met hem ging. Maggie is een paar telefoontjes aan het plegen. We gunnen hem wat rust, het is een behoorlijk heftige middag geweest, zeker in het mortuarium, waar hij zijn vrouw moest identificeren.'

Grace keek om zich heen. Het was druk, en alle krukken aan de glimmend stalen bar aan de andere kant van de ruimte waren bezet, net als de banken en stoelen. Een groepje mannen in smoking en vrouwen in avondjapon stond bij elkaar, alsof ze op het punt stonden naar een bal te gaan. Hij zag nergens een journalist.

'Nog geen pers?'

'Gelukkig nog niet,' zei ze. 'Ik heb hem onder een andere naam ingeschreven, meneer Steven Brown.'

Grace glimlachte. 'Goed gedaan!'

'Daardoor kunnen we ze even om de tuin leiden,' zei ze. 'Maar langer dan een dag zal het niet duren.'

En met een beetje geluk zou Brian dan al in het huis van bewaring zitten, dacht hij.

Grace liep naar de trap toe, maar bleef toen staan. Branson staarde dromerig naar vier knappe meisjes van nog geen twintig, die op de grote bank cocktails zaten te drinken. Hij zwaaide naar hem om zijn collega af te leiden. Glenn liep diep in gedachten naar hem toe.

'Ik zat net te denken...' zei de rechercheur.

'Aan lange benen?'

'Lange benen?'

Door zijn verbaasde blik besefte Roy dat zijn vriend helemaal niet naar de meisjes had gekeken; hij had ze zelfs niet in de gaten gehad. Hij had domweg voor zich uit gestaard. Hij sloeg vaderlijk zijn arm om Bransons middel. Soepel en keihard door gewichtheffen, was het net een stevige jonge boom onder het jasje en geen menselijke romp. 'Het komt allemaal wel weer in orde, joh,' zei hij.

'Het is net alsof ik het leven van iemand anders leid, snap je wat ik bedoel?' zei Branson, terwijl ze de trap op liepen. 'Alsof ik mijn leven even heb verlaten en per ongeluk iemand anders' leven in ben gestapt.'

Bishop zat in kamer 214 op de eerste etage. Grace klopte op de deur. Er werd niet opengedaan. Hij klopte nogmaals, dit keer harder. Toen, terwijl Branson in de gang bleef staan, liep hij naar beneden en kwam terug met de hotelmanager, een goedgeklede man van begin dertig, die de deur openmaakte met een loper.

De kamer was verlaten. Benauwd en verlaten. Met Branson op zijn hielen, liep Grace naar de badkamerdeur. De badkamer zag er onberispelijk uit, ongebruikt, op de wc-bril na die omhoog was geklapt.

'Is dit wel de goede kamer?' vroeg Grace.

'De kamer van meneer Steven Brown, jazeker, meneer,' zei de hotelmanager.

Het feit dat er iemand was geweest in de afgelopen uren was alleen te zien aan de kuil in het paarse sprei, vlak bij het voeteneind, en een zilveren dienblaadje dat midden op het bed stond met een kopje met steenkoude thee erop, een theepot, een roomkannetje en twee koekjes nog in hun verpakking.

32

Terwijl ze over de drukke, brede stoep van de promenade van Kings Road liep, was Sophie aan het bedenken of er nog iets in haar koelkast of vriezer zat waarmee ze iets te eten klaar kon maken. Of welke blikjes in haar voorraadkast stonden. Niet dat ze veel trek had, maar ze moest toch iets eten. Een fietser kwam voorbijrijden, met helm op en een stretchbroek aan. Twee tieners kwamen op een skateboard langs.

In een boek dat ze een tijdje geleden had gelezen, had een zin gestaan die haar bij was gebleven: de verschrikkelijkste dingen gebeuren op een prachtige dag.

Op 11 september was het een mooie dag geweest. Ze had het gevoel gehad dat het beeld van die twee vliegtuigen die in de wolkenkrabbers vlogen, niet zoveel impact zouden hebben gehad als de lucht grauw was geweest en het had geregend. Je verwachtte gewoon dat rotdingen gebeurden op dat soort dagen.

Dit was helemaal een waardeloze dag geweest. Eerst het nieuws over de moord op Brians vrouw, daarna zijn afstandelijkheid toen ze hem had gebeld om hem te troosten. En nu drong het tot haar door dat ze de plannen voor het weekend ook wel kon vergeten.

Ze liep tussen een rij strandstoelen door en bleef bij de reling met uitzicht op zee staan, met haar ellebogen op de turkooizen ijzeren stang. Op het zand, vlak onder haar, waren een paar kinderen met felgekleurde ballen aan het spelen op gravel, waar je vroeger bootjes kon huren. Hun ouders stonden een paar meter verderop te praten, terwijl ze een oogje in het zeil hielden. Ze wilde ook moeder zijn en zien hoe haar eigen kinderen met hun vriendjes speelden. Ze had altijd gedacht dat ze een goede moeder zou zijn. Haar eigen ouders waren goede ouders voor haar geweest.

Het waren aardige, fatsoenlijke mensen, die nog steeds, na dertig jaar huwelijk, verliefd op elkaar waren; ze liepen nog altijd hand in hand als ze wandelden. Ze hadden een klein bedrijf, dat met de hand gemaakte antimakassars, servetten en tafelkleden uit Frankrijk en China importeerde en op braderieën verkocht. Ze runden de zaak vanuit hun kleine cottage in Orford in Suffolk en gebruikten de schuur als opslagruimte. Ze zou de trein kunnen pakken en hen de volgende dag kunnen opzoeken. Ze vonden het altijd leuk als ze een weekend kwam, maar ze wist niet zeker of ze daar dit weekend wel zin in had.

Ze wist zelfs niet waar ze überhaupt zin in had. Vreemd genoeg wist ze wel, voor het eerst sinds ze hem had leren kennen, dat ze geen zin had om Brian te zien. Hij had gelijk gehad dat hij haar deze dag niet wilde zien. En ze was niet van plan om als een gier in de coulissen te gaan zitten wachten tot na de begrafenis en een fatsoenlijke rouwperiode. Ja, ze mocht hem graag. Mocht hem zelfs heel erg graag. Ze was zelfs gek op hem. Hij wond haar op – oké, gedeeltelijk kwam dat doordat het heel strelend was voor haar ego dat een oudere, buitengewoon aantrekkelijke en succesvolle man dol op haar was – want hij was een geweldige minnaar, maar wel een beetje pervers. Beslist de beste minnaar die ze ooit had gehad. Hoewel ze, toegegeven, nog niet erg veel minnaars had gehad.

Wat ze maar niet kon begrijpen, was waarom hij had ontkend dat hij de vorige avond bij haar was blijven slapen. Was hij bang dat hij werd afgeluisterd? Ontkende hij het omdat hij zo'n verdriet had? In de loop der jaren had ze wel geleerd dat mannen soms heel eigenaardige wezens waren. Misschien wel altijd.

Sophie verlegde haar blik van het speeltuintje naar het strand. Overal waren stelletjes. Geliefden die elkaar kusten en knuffelden, liepen arm in arm, hand in hand, lachend, ontspannen, uitkijkend naar het weekend. Er waren nog steeds veel boten op het water. Het was tien voor halfacht, dus het zou nog wel even licht blijven. Nog een paar weken licht, en dan kwamen de donkere winteravonden er weer aan.

Opeens, zonder verklaarbare reden, moest ze rillen.

Ze liep door, langs wat er over was van de West Pier. Ze had het altijd een lelijk ding gevonden, maar inmiddels vond ze hem wel leuk. Het zag er niet meer uit als een gebouw dat in elkaar was gestort. Zij zag in het door het vuur zwartgeblakerde skelet de ribben van een monster dat uit de oceaan was gekropen. Op een dag zou iedereen zich dood schrikken als de zee bij Brighton helemaal vol zou zitten met dit soort wezens, dacht ze even.

Wat kon ze toch gek denken soms. Misschien kwam het wel doordat ze zoveel griezelverhalen las. Misschien kwam het door haar geweten dat haar strafte omdat ze zo slecht was. Naar bed gaan met een getrouwde man. Ja, dat was ongetwijfeld, wis en zeker, verkeerd.

Toen ze het aan haar beste vriendin had opgebiecht, had Holly het helemaal te gek gevonden. Samenzweerderig leedvermaak. Het beste geheim ter wereld. Maar toen, en dat gebeurde nu altijd met Holly – die een praktisch mens was, die graag over de dingen nadacht – had ze de negatieve dingen opgesomd.

Op een gegeven moment, tussen het kopen van een rijpe avocado, wat biologische tomaten en een bakje kant-en-klare garnalencocktail en dat ze voor haar voordeur stond door, had ze een beslissing genomen: ze zou het uitmaken met Brian Bishop.

Ze zou wel moeten wachten tot een gunstiger tijdstip. Ze moest opeens denken aan het sms'je dat ze die ochtend van Holly had gekregen, over het feestje de volgende avond. Dat zou het verstandigst zijn. Naar het feestje gaan en mensen van haar eigen leeftijd ontmoeten.

Haar flatje was op de tweede verdieping van een nogal verlopen victoriaans rijtjeshuis, net ten noorden van de drukke winkelstraat Church Road. Het slot in de voordeur was zo los komen te zitten in het vergane hout dat iemand de deur met een flinke duw zo open kon krijgen. Haar huisbaas, een aardige, kleine Iranees, beloofde haar elke keer weer dat hij het zou maken, net zoals hij eeuwig en altijd beloofde dat hij de stortbak van de wc zou repareren, maar er gebeurde nooit iets.

Ze deed de deur open en de geur van natte luiers, een Chinese afhaalmaaltijd en hasj walmde haar tegemoet. Uit de woning op de begane grond kwam het geluid van een driftig bonkende ritmische bas. De post lag op het kale tapijt in de hal verspreid, door niemand aangeraakt sinds het in de bus was gegooid die morgen. Ze ging op haar hurken zitten om te kijken of er iets voor haar bij zat. De gebruikelijke stapel pizzamenu's, papier waar een heel regenwoud voor was omgehakt, uitverkoopblaadjes, folders voor concerten, verzekeringen en een heleboel andere troep, met maar een paar echte brieven en rekeningen ertussen.

Van nature netjes als ze was, maakte Sophie er twee stapeltjes van, eentje met alle rotzooi en eentje met de echte post, en die legde ze op de plank. Daarna wrong ze zichzelf langs twee fietsen, die bijna de hele gang versperden, en liep de trap op met de versleten traploper. Op de eerste verdieping hoorde ze de televisie van mevrouw Harsent spelen. Enthousiast ingeblikt gelach. Mevrouw Harsent was een lief oud dametje van 85, dat, gelukkig voor haar, gezien de luidruchtige studenten die onder haar woonden, stokdoof was.

Sophie was gek op haar flatje dat weliswaar klein, maar wel licht en luchtig was. Het was mooi gerenoveerd door de huisbaas met beige vloerbedekking, crèmekleurige muren en mooie crèmekleurige linnen gordijnen en zonneschermen. Ze had ingelijste filmposters opgehangen van wat films van de Blinding Light Productions en prachtige, grimmige zwart-wittekeningen van haar lievelingsacteurs. Er hing er een van Johnny Depp, eentje van George Clooney, eentje van Brad Pitt, en Heath Ledger, die een speciaal plekje aan de muur tegenover haar bed had gekregen.

Ze zette haar tv aan, zapte een beetje, en bleef hangen bij American Idol, wat ze een erg leuke show vond. Ze zette het geluid hard om de televisie van mevrouw Harsent te overstemmen en ook omdat ze het zo kon horen in de keuken, waar ze een fles sauvignon uit Nieuw-Zeeland uit de koelkast pakte, openmaakte en een glas ervan inschonk. Daarna sneed ze de avocado doormidden, haalde de pit eruit, gooide die in de pedaalemmer, en perste wat citroensap over de avocado uit.

Een halfuur later, na een verfrissend bad, zat ze op haar bed, in een wijd wit T-shirt, met haar avocado-garnalencocktail, en haar derde glas wijn op een dienblad op haar schoot, naar een stomme vent met een grote bril op te kijken die 65.000 pond bij elkaar haalde in Who Wants to be a Millionaire?, dat ze de week ervoor had opgenomen. Nu pas, terwijl het langzaam donker aan het worden was buiten, werd het leven wat aangenamer deze dag.

Ze hoorde niet dat er een sleutel in haar voordeur werd gestoken.

33

Roy Grace stond in de verlaten hotelkamer en belde Brian Bishops gsm. Hij kreeg meteen de voicemail. 'Meneer Bishop,' zei hij. 'Met inspecteur Grace. Wilt u meteen contact met me opnemen als u dit bericht hoort?' Hij sprak zijn telefoonnummer in. Toen belde hij Linda Buckley in de foyer. 'Had je vriend bagage bij zich?'

'Ja, Roy. Een weekendtas en een koffertje, zo eentje voor een laptop.'

Grace en Branson keken in alle laden en kasten. Ze vonden niets. Wat hij ook bij zich had toen hij hier introk, Bishop had het weer met zich mee genomen. Grace draaide zich om naar de hotelmanager. 'Waar is de brandtrap?'

De man, die een naambordje droeg waarop ROLAND WRIGHT, HOTEL-

MANAGER stond, ging hen voor door de gang naar de brandtrap. Grace maakte de deur open en keek door de metalen treden naar beneden, naar een binnenplaats die vol stond met verrijdbare vuilniscontainers. Hij rook een sterke kooklucht. Hij deed de deur weer dicht terwijl hij erover nadacht. Waarom was Bishop verdomme weer weggegaan? En waar was hij naartoe gegaan?

'Meneer Wright,' zei hij, 'ik moet nagaan of onze gast, Steven Brown, heeft getelefoneerd tijdens zijn verblijf hier.'

'Dat is geen punt, dat kan in mijn kantoor.'

Tien minuten later zaten Grace en Branson met Linda Buckley in de foyer van het hotel. 'Oké,' zei Grace. 'Brian Bishop werd om tien voor halfzes gebeld.' Hij keek op zijn horloge. 'Dat was ongeveer tweeënhalf uur geleden. Maar we weten niet wie de beller was. Hij heeft zelf de telefoon niet gebruikt. Misschien wel zijn gsm, maar dat weten we pas als we de gegevens binnen hebben en dat zal pas op zijn vroegst maandagochtend zijn, heb ik ervaren bij de diverse telefoonmaatschappijen. Hij is weggeglipt, met zijn bagage, waarschijnlijk via de brandtrap, om jou te ontlopen. Waarom?'

'Zo gedraagt een onschuldige man zich toch niet,' zei Glenn Branson.

Grace, die in gedachten was, reageerde op de nogal overbodige opmerking met een klein knikje. 'Hij heeft twee stuks bagage bij zich. Is hij dus ergens naartoe gelopen of heeft hij een taxi genomen?'

'Hangt ervan af waar hij naartoe ging,' zei Branson.

Grace keek zijn collega aan met een blik die hij normaal gesproken alleen voor idioten gebruikte. 'Waar ging hij dan naartoe, Glenn?'

'Naar huis?' zei Linda Buckley, die haar steentje wilde bijdragen.

'Linda, als jij nu eens de plaatselijke taxibedrijven belt. Allemaal. Ga na of iemand vanmiddag in de buurt van dit hotel een man heeft opgepikt die aan Bishops beschrijving voldoet, rond een uur of tien voor halfzes, halfzes. Ga na of iemand een taxi heeft gebeld. Glenn, ga jij maar met het personeel praten. Misschien heeft iemand hem in een taxi zien stappen.'

Toen belde hij Nick Nicholl. 'Wat ben je aan het doen?"

De jonge hoofdagent klonk nogal verwilderd. 'Ik... eh... ben mijn zoon aan het verschonen.'

Wel godverdomme! dacht Grace, maar hij hield zich in. 'Ik moet je helaas uit je gelukkige gezinnetje weghalen,' zei hij.

'Dat is een opluchting, Grace, geloof mij maar.'

'Zeg het maar niet tegen je vrouw,' zei Grace. 'Je moet naar het station van Brighton. Brian Bishop is er weer eens vandoor. Je moet de videobanden van de beveiligingscamera's bekijken. Misschien is hij op het station geweest.'

'Ik ga meteen!' Nick Nicholl was zo blij alsof hij de hoofdprijs van een loterij had gewonnen.

Tien minuten later, trillend van top tot teen, zat Roy Grace met de gordel om in een burgerwagen van de politie, een Ford Mondeo.

Omdat hij nog niet zo lang geleden was gezakt voor het examen voortgezette rijvaardigheid, waardoor hij op hoge snelheid een achtervolging zou mogen inzetten, bereidde Glenn zich opnieuw voor om af te rijden. En hoewel hij de ene wijze raad na de andere van de rijinstructeur had gekregen, geloofde Grace niet dat die tot hem waren doorgedrongen. Terwijl de wijzer van de snelheidsmeter steeds dichter bij de honderdzestig kilometer per uur kwam, en ze bijna een flauwe bocht naar links moesten nemen, op de weg van Brighton naar de North Brighton Golf Club toe, dacht Grace spijtig: waar ben ik mee bezig, dat ik deze dolleman weer laat rijden? Deze vermoeide, zeer gedeprimeerde dolleman met kater, wiens huwelijk op de klippen is gelopen en die zelfmoordneigingen heeft.

Vliegen spatten op de voorruit uit elkaar, als rode sneeuwvlokjes. Elke tegemoetkomende wagen, waarvan hij verwachtte dat die hen zou verpletteren in een explosie van metaal en uit elkaar gereten ledematen, reed op de een of andere manier gewoon langs. Heggen flitsten aan beide kanten langs op lichtsnelheid. Heel vaag, op het randje van wat zijn netvlies aankon, zag hij mensen met golfclubs rondlopen.

En eindelijk, hoewel ze elke natuurkundewet die Grace kende en begreep, hadden getrotseerd, kwamen ze zonder een schrammetje aan op het parkeerterrein van de golfclub.

En tussen de auto's die daar nog stonden, stond Brian Bishops donkerrode Bentley.

Grace stapte uit de Mondeo, die rook naar verbrande olie en pingelde als een slecht gestemde piano, en belde de gsm van rechercheur William Warner op Gatwick.

Bill Warner nam op toen de telefoon de tweede keer overging. Hij was al thuis, maar verzekerde Grace dat hij overal op het vliegveld mensen naar Brian Bishop uit zou laten kijken.

Vervolgens belde Grace het politiebureau van Eastbourne en verzocht hun Beachy Head in de gaten te houden, omdat Brian Bishop inmiddels als suïcidaal kon worden beschouwd. Toen belde hij Cleo Morey en bood zijn verontschuldigingen aan omdat hij hun afspraakje voor die avond moest afzeggen, terwijl hij er de hele week naar had uitgekeken. Ze begreep het, en nodigde hem in plaats daarvan uit voor een drankje als hij klaar was en niet te moe was.

Daarna gaf hij een van zijn assistenten op kantoor opdracht om elk lid van het team te bellen en hun te vertellen dat hij hen, omdat Brian Bishop vermist werd, allemaal om elf uur die avond in de vergaderkamer wilde hebben. Toen toetste hij CG99 in, het nummer van de dienstdoende adjudant die het hoofd was van de divisie, om hem op de hoogte te brengen en nog wat mankracht te ritselen. Hij gaf aan dat de bewakers van Bishops huis aan Dyke Road Avenue extra goed moesten opletten, omdat Bishop misschien zou willen inbreken.

Terwijl hij terugliep naar de Mondeo, bedacht dat hij de vrienden met wie Brian Bishop die ochtend had gegolft moest bellen voor het geval Bishop een van hen had gebeld. Maar terwijl hij dat liep te bedenken, ging de telefoon.

Het was de telefoniste van een van de plaatselijke taxibedrijven. Ze vertelde hem dat een van hun chauffeurs Brian Bishop anderhalf uur geleden had opgepikt in een straat vlak bij het Hotel du Vin.

34

Chris Tarrant leunde met zijn kin op zijn hand. Het publiek werd stil. Felle studiolampen weerkaatsten op de glazen van de onmodieus grote bril van de geleerde, vreemd uitziende man in de stoel. Het was snel spannend geworden. De man zou het geld – als hij zou winnen – gebruiken om een bungalow voor zijn invalide vrouw te kopen, en het zweet parelde hem op het voorhoofd.

Chris Tarrant stelde de vraag opnieuw. 'John, je hebt 64.000 pond.' Hij was even stil en hield de cheque omhoog zodat iedereen hem kon zien. 'Voor 125.000 pond: waar ligt het vakantieoord Monastir? In a) Tunesië, b) Kenya, c) Egypte of d) Marokko?'

De camera draaide naar de vrouw van de deelnemer, die in haar rolstoel tussen het publiek zat en eruitzag alsof ze op het punt stond in het gezicht te worden geslagen met een honkbalknuppel.

'Nou,' zei de man. 'Volgens mij niet in Kenya.'

Sophie lag op bed televisie te kijken en nam een slokje sauvignon. 'Het is niet Marokko,' zei ze hardop. Ze wist niet veel van aardrijkskunde af, maar ze was ooit een week in Marakesj op vakantie geweest en had behoorlijk veel over het land geleerd voordat ze ernaartoe ging. Monastir kwam haar niet bekend voor.

Haar raam stond wijd open. Het was nog warm en benauwd buiten, maar er stond in elk geval wel een lekker briesje. Ze had de slaapkamerdeur en de ramen in de zitkamer en de keuken opengezet om het flink door te laten tochten. Er was een zacht, irritant gebonk te horen van dansmuziek die de rust van de straat verstoorde. Misschien van haar benedenburen, misschien van iemand anders.

'Je hebt nog twee hulplijnen,' zei Chris Tarrant.

'Ik ga een vriend bellen.'

Verbeeldde ze zich het nu of zag ze een schaduw langs haar deur bewegen? Ze wachtte even, gedeeltelijk naar de televisie luisterend, maar tegelijkertijd hield ze de deur in de gaten. Er trok een rilling van angst over haar rug. De man ging zijn vriend Ron bellen. Ze hoorde de telefoon overgaan.

Niets aan de hand. Gewoon haar verbeelding. Ze zette haar glas neer, pakte haar vork, prikte er een garnaal op en een stuk avocado en stopte hem in haar mond.

'Hoi, Ron! Met Chris Tarrant!'

Ze slikte net toen ze de schaduw weer zag. Ze verbeeldde het zich echt niet. Er liep iemand naar de deur toe. Ze hoorde het geruis van kleren of van plastic. Buiten blèrde een motorfiets door de straat.

'Wie is daar?' riep ze, haar stem gespannen en samengeknepen door angst.

Stilte.

'Ron, je vriend John zit hier. Hij heeft net 64.000 pond gewonnen en nu gaat hij voor de 125.000 pond. Weet je wat van aardrijkskunde af?'

'Ja, best wel.'

'Goed, Ron, je hebt dertig seconden de tijd en die gaan nu in. Voor 125.000 pond: waar ligt het vakantieoord Monastir? In –'

Sophies maag kromp samen. Ze pakte de afstandsbediening en zette het geluid uit. Ze keek weer naar de deur en toen naar haar tasje, waar haar gsm in zat, buiten bereik, op de toilettafel.

De schaduw bewoog weer. Wiebelde. Er stond daar iemand, zo stil mogelijk, behalve dan dat hij af en toe een beetje wiebelde.

Ze pakte het dienblad beet. Het was het enige wapen dat ze had, afgezien van het kleine vorkje. 'Wie is daar?' vroeg ze. 'Wie is daar?'

Toen kwam hij de kamer in en verdween haar angst als sneeuw voor de zon. 'Ben jíj het!' zei ze. 'Godver, ik schrok me dood!'

'Ik wist niet of je me wel wilde zien.'

'Natuurlijk wel. Ik... ik ben hartstikke blij,' zei ze. 'Ik wilde heel graag met je praten, je zien. Hoe gaat het met je? Ik... ik dacht niet...'

'Ik heb een cadeautje voor je meegenomen.'

35

Toen hij opgroeide in Brighton & Hove, waren het twee verschillende steden geweest, elk verlopen op hun eigen manier. Ze waren van elkaar gescheiden door een grens die zo willekeurig en onlogisch was, dat die wel getrokken kon zijn door een dronken geit. Of eerder, wat Grace betrof, door een commissie stedenbouwkundigen die met z'n allen bij elkaar nog minder verstand hadden gehad dan de geit.

Nu waren de twee steden voor eeuwig aan elkaar verbonden, als Brighton & Hove. Nadat ze bijna vijftig jaar het verkeer in Brighton hadden verziekt en de beroemde allure van weleer van de kust, hadden de stupide bouwkundigen nu Hove in hun vizier. Elke keer dat hij langs de kust reed, voorbij gruwelijk lelijke gebouwen als het Thistle Hotel, de Odeon met zijn walgelijke goudkleurige dak, en het Brighton Centre met de architecturale gratie van een gevangenis, moest hij de neiging onderdrukken om naar het gemeentehuis te rijden, een paar bouwkundigen bij hun jasje te grijpen en ze net zolang heen weer te schudden tot hun vullingen eruit vielen.

Niet dat Roy Grace iets tegen moderne architectuur had, integendeel zelfs. Hij vond heel wat moderne gebouwen mooi, zoals de zogeheten Gherkin in Londen. Wat hij erg vond, was dat zijn eigen stad, waar hij veel van hield, zo werd verknald door de stedenbouwkundige afdeling.

Voor de willekeurige bezoeker ging Brighton in Hove over op de enige plek waar er een markering stond, een vrij mooi beeldje op de promenade. Het stelde een engel voor met vleugels die een bol in zijn ene en een olijftak in zijn andere hand had: het vredesstandbeeld.

Grace, die op de passagiersstoel zat van de Ford Mondeo, keek ernaar door zijn raampje. Het stak af tegen de gestaag donker wordende lucht.

Aan de andere kant van de weg stroomden twee rijen verkeer Brighton in. Door het open raampje en met het dak open kon hij elke auto horen. De herrie van de opschepperige uitlaten, de speakers, de taxidriewielers. Het was een hels kabaal elke vrijdagavond in het centrum van Brighton. De volgende paar uur zou de stad helemaal tot leven komen, en de politie zou met man en macht op straat zijn, met name in West Street, Brightons versie van de gokstraat in Las Vegas. Het zou, zoals elke vrijdagavond, een groot drugsslagveld worden.

Hij was zelf ooit straatagent geweest hier, dus hij benijdde de agenten die deze avond dienst hadden, bepaald niet.

Het verkeerslicht werd groen. Branson trok op en reed met de langzame stroom verkeer mee. Links van Grace lag het gedeelte van de stad waar hij het meest van hield: de Hove Lawns, een groot stuk, grotendeels gemaaid gras achter de promenade, met groene hokjes en een stukje verderop strandhutjes.

Overdag wemelde het er van de oude mensen. Mannen in blauwe blazer, suède veterschoenen, sjaaltje, die hun dagelijkse wandelingetje maakten, sommigen ondersteund door een wandelstok of rollator. Douairières met een blauwe haarspoeling, gepoederd gezicht en rode lippen, en witte handschoenen, die hun pekineesje uitlieten. Gebogen mensen in witte flanellen broek, die uiterst langzaam over het bowlingterrein liepen. En er vlakbij, hele horden kinderen met iPods, die niet op hen letten, alsof ze allang overleden waren. Ze hadden het stuk van de promenade bij de reling in beslag genomen met hun rolschaatsen en skateboards, en volleybalwedstrijden en hun pure rauwe jeugd.

Ze reden langs Regency Square. Grace tuurde langs Branson heen naar het mooie plein met roomkleurig geverfde gevels uit de achttiende eeuw, tuintjes in het midden, helaas vol met borden waarop een ondergrondse parkeergarage stond aangegeven en van diverse verhuurbedrijven. Het was een wijk met goedkope huurwoningen. Studenten. Tijdelijke bewoners. Hoeren. En de arme oudere mensen.

Hij vroeg zich soms af of hij ooit oud zou worden. En hoe het zou zijn. Om met pensioen te zijn, voort te strompelen, in de war door het verleden, verbijsterd door het heden en de toekomst volkomen onbelangrijk. Of voortgeduwd in een rolstoel, met een plaid over zijn benen, en een troebele geest.

Sandy en hij hadden er wel eens grapjes over gemaakt. Beloof je me dat je nooit zult gaan kwijlen, Grace, hoe daas je ook wordt? zei ze dan. Maar het was een leuk grapje dat twee mensen maken die gelukkig met elkaar zijn, mensen die samen graag oud wilden worden zolang ze maar bij elkaar konden zijn. Nog een reden waarom hij niet snapte dat ze was verdwenen.

München.

Hij moest ernaartoe. Op de een of andere manier moest hij ernaartoe gaan, en snel ook. Hij wilde dolgraag de volgende dag een vliegtuig nemen, maar dat kon niet. Hij was verantwoordelijk voor de zaak, en de eerste 24 uur waren buitengewoon belangrijk. En dan zat Alison Vosper nog in zijn nek te hijgen... Hopelijk, als alles de volgende dag goed zou gaan, kon hij er op zondag naartoe. Heen en weer in één dag. Dat zou misschien wel kunnen lukken.

Er was echter een probleem: wat moest hij tegen Cleo zeggen?

Glenn Branson had zijn gsm tegen zijn oor gedrukt, ook al was hij aan het rijden. Opeens, duidelijk de pest in, zette hij hem uit en stopte hem weer in zijn bovenzakje. 'Ari neemt niet op,' zei hij luid, om boven de muziek uit te komen op de radio. 'Ik wou alleen de kinderen even goedenacht wensen. Wat moet ik doen, denk je?'

De rechercheur had een plaatselijke radiozender opgezet, Surf, omdat hij liever niet naar de muziekcollectie van Grace wilde luisteren. Een afgrijselijk rapnummer werd gebruld door een groep waar Grace nog nooit van had gehoord, veel harder dan hij prettig vond. 'De muziek een stuk zachter zetten bijvoorbeeld!'

Branson zette de muziek zachter. 'Zal ik ernaartoe moeten gaan, nadat we klaar zijn, bedoel ik?'

'Jezus,' zei Grace. 'Ik ben wel de laatste persoon ter wereld aan wie je huwelijksadvies moet vragen. Kijk maar eens wat voor rotzooi ik van mijn leven heb gemaakt.'

'Dat is heel anders. Ik bedoel, ik kan naar huis gaan, toch?'

'Daar heb je inderdaad recht op.'

'Maar ik wil geen toestanden waar de kinderen bij zijn.'

'Je moet haar de ruimte geven. Laat haar een paar dagen met rust, kijken of ze dan belt.'

'Vind je het echt niet erg dat ik bij je logeer? Ik zit toch niet in de weg of zo? Is het echt oké?'

'Geen enkel probleem,' zei Grace met opeengeklemde kaken.

Branson hoorde dat het niet echt gemeend overkwam, en hij zei: 'Ik kan ook naar een hotel gaan of zo, als je dat liever hebt?'

'Je bent mijn vriend,' zei Grace. 'Vrienden staan voor elkaar klaar.'

Branson reed een brede, elegante straat in, met aan beide kanten de vergane glorie van oude rijtjeshuizen. Hij remde af, zette de auto neer voor de driedubbele deuren van het Lansdowne Palace Hotel en zette de motor af, waarbij ook, tot Grace' vreugde, de muziek ophield. Toen deed hij de koplampen uit.

Nog niet zo lang geleden was het hotel een verlopen, oude tweesterrengribus geweest, met een handjevol bejaarde vaste bewoners en af en toe wat miezerige dagjesmensen die een goedkope kustvakantie hadden geboekt. Nu was het verbouwd tot een buitengewoon hip hotel.

Ze stapten uit de auto en liepen naar binnen, waar paars fluweel, chroom en vergulde kitsch de boventoon voerden, en gingen naar de receptie toe. Een vrouwelijke receptionist, lang en indrukwekkend in een zwart uniform en met een zwarte pony, begroette hen met een efficiënte glimlach. Op haar goudkleurige naambordje stond GRETA te lezen.

Grace liet haar zijn identificatiebewijs zien. 'Inspecteur Grace van de politie van Sussex. Mijn collega en ik zouden graag even een gast willen spreken die onlangs hier is ingeschreven, de heer Brian Bishop.'

Haar glimlach verdween als sneeuw voor de zon, terwijl ze op haar computer keek en wat intikte. 'Meneer Brian Bishop?'

'Ja.'

'Momentje, heren.' Ze pakte een telefoon en toetste een paar nummers in. Na ongeveer een halve minuut legde ze de hoorn weer neer. 'Het spijt me, maar hij neemt niet op.'

'We maken ons bezorgd over deze man. Kunnen we naar zijn kamer gaan?'

Ze was inmiddels helemaal van haar stuk gebracht en zei: 'Dat moet ik even aan de manager vragen.'

'Prima,' zei Grace.

Vijf minuten later, de tweede keer binnen een uur, stapte hij opnieuw een lege hotelkamer in.

36

Skunk was op vrijdagavond altijd op 'kantoor', want dan kon hij het meeste verdienen. Mensen die uit waren, letten niet zo goed op. Tegen acht uur waren de parkeerterreinen in de stad bijna helemaal vol. Inwoners en bezoekers liepen rond in Brightons smalle straten, vulden de pubs, bars en restaurants en daarna gingen de jongeren, high en dronken, naar de clubs waar ze buiten in de rij moesten staan.

Hij had een grote plastic tas van Tesco aan zijn arm bungelen terwijl hij langzaam door de menigte vooruitkwam, zich hier en daar langs drukbezette tafeltjes op een terras wringend. De warme lucht was vol met allerlei geurtjes. Eau de toilettes, parfums, sigaretten, uitlaatgassen, olijfolie en kruiden die werden gefruit, en natuurlijk de zilte lucht van de zee. Hij had zijn hoofd er niet bij en had de stemmen, het lachen, het getrippel van hoge hakken op de stoep, de flarden muziek die uit geopende deuren en ramen kwamen, buitengesloten. Hij zag nauwelijks de Rolex-horloges op gebruinde polsen, de diamanten broches, kettingen en ringen, de bulten in de zak van mannenjasjes waar vette portefeuilles in zaten die hij zo kon pakken.

Hij had iets beters te doen.

Terwijl hij over East Street wandelde, had hij het gevoel dat hij tegen de stroom in liep. Hij liep naar rechts, langs restaurant Latin in the Lane, achter het Thistle Hotel, en toen weer naar rechts, om een tienermeisje heen dat schreeuwend en huilend ruzie stond te maken met een jongen met een punkkapsel. Hij liep langs de kust verder voorbij het Old Ship, het Brighton Centre, de chique Grant- en Metropole-hotels, die hij geen van beide ooit vanbinnen had gezien. Uiteindelijk kwam hij, doorweekt van het zweet, aan bij Regency Square.

Hij liet de uitgang, waar een bewaker zat, links liggen, liep het plein op naar boven, en toen de betonnen trap naar beneden, die stonk naar urine, naar de tweede etage van de parkeergarage. Met het geld dat hij voor dit karweitje kreeg, zou hij een zak met bruin voor zichzelf kopen en daarna alles wat hij maar kon krijgen in een van de clubs in de loop van de avond. Hij moest alleen een auto zien te vinden die voldeed aan wat er op het lijstje stond dat in zijn broekzak zat.

In de plastic tas zaten een paar kentekenplaten met het nummer van de auto die hij had gezien. Als hij de juiste auto had gevonden, een Audi A4 cabrio, automaat, met weinig kilometers op de teller, metallic blauw, zilverkleurig of zwart, zou hij gewoon deze kentekenplaten erop zetten. Dan zou, als de eigenaar hem als gestolen op zou geven, de politie zoeken naar een auto met een ander kenteken.

Er móést hier gewoon een auto zijn die in aanmerking kwam. Zo niet, dan ging hij naar een andere parkeergarage toe. En als het helemaal niet wilde lukken, dan zou hij wel op straat gaan zoeken. Het was het soort auto dat rijke trutten kochten, en er waren meer dan genoeg rijke, geblondeerde, vermaakte trutten in deze stad. Hij zou zelf ook wel best een Audi cabrio willen hebben. Hij kon zichzelf, in een andere wereld, wel in eentje met Bethany langs de kust zien rijden, op een warme vrijdagavond, met de muziek hard aan, de verwarming op zijn voeten gericht en de geur van nieuw leer om hem heen.

Ooit.

Ooit zou alles anders zijn.

Binnen een paar minuten had hij een auto ontdekt, achterin op de derde etage. Eentje in een donkere tint blauw of groen – dat was moeilijk te zien in het schaarse licht – met een zwart dak en roomwitte leren stoelen. Het kenteken gaf aan dat hij nog geen halfjaar oud was, maar toen hij bij de auto aankwam en de geur van verse olie rook, wist hij, tot zijn vreugde, dat hij gloednieuw was. Geen krasje erop!

En de eigenaar had hem, heel handig, met de neus naar voren ingeparkeerd, vlak bij een pilaar.

Hij keek om zich heen of er iemand in de buurt was, liep toen naar de zijkant van de auto en legde zijn hand op de motorkap. Die was warm. Goed. Dat betekende dat ze nog maar net de garage in waren gereden; dus, met een beetje geluk, zou het een paar uur duren voordat de eigenaar weer terugkwam. Maar voor alle zekerheid haalde hij de kentekenplaten uit de tas en plakte ze met dubbelzijdig plakband op de originele.

Toen haalde hij een afstandsbediening voor de tv uit zijn tas, althans, daar leek het apparaatje op voor een politieman als hij eventueel aan zou worden gehouden. Hij richtte ermee door het raampje aan de bestuurderskant, op het schermpje binnenin, toetste de code in die hem was verstrekt, en vervolgens drukte hij op de groene knop.

Er gebeurde niets.

Hij deed het nog een keer. Het rode lichtje was zichtbaar op de afstandsbediening, maar er gebeurde verder niets.

Verdomme. Hij keek weer om zich heen, nerveus inmiddels, liep toen naar de voorkant van de auto, en ging op zijn hurken bij de rechter koplamp zitten. Afgeschermd door de auto en de pilaar ontspande hij een beetje. Het was een eitje. Hij had dit al vaak gedaan, bij minstens twaalf Audi's. Kostte hooguit vijf minuten.

Hij pakte een schroevendraaier uit de plastic tas en schroefde de rand van de rechter koplamp eraf. Daarna trok hij de verzegelde koplamp er een stukje uit en liet hem aan een draadje hangen. Vervolgens pakte hij een tang, stak zijn arm door het gat waar de koplamp had gezeten, tastte rond totdat hij het draadje van de claxon had gevonden, en knipte het door. Toen hij verder rond voelde, kwam hij per ongeluk tegen het nog hete motorblok aan, en hij vloekte en verbrandde zijn knokkels. Uiteindelijk vond hij het mechanisme waarmee de auto op slot werd gedaan. Hij knipte de bedrading door, zodat het niet meer werkte.

Hij zette de koplamp op zijn plaats, maakte het portier aan de kant van de chauffeur open, waardoor de koplampen gingen knipperen; meer had de bijna onklaar gemaakte alarminstallatie niet in zijn mars. Een paar tellen later wipte hij de zekering eruit zodat de lampen niet meer knipperden en liet hem in zijn tas vallen. Toen maakte hij de motorkap open en startte de motor. Die kwam meteen met een lieflijk geluid tot leven. Hij ging op de chauffeursstoel zitten en trok hard aan het stuur, zodat het stuurslot het begaf.

Tot zijn vreugde zag hij dat hij nog een extraatje kreeg ook. De eigenaar was zo vriendelijk geweest het parkeerkaartje op de passagiersstoel te laten liggen. En hij ging Barry Spiker, de gierige klootzak voor wie hij deze karweitjes opknapte, en die hem zevenentwintig pond had gegeven om het parkeergeld te betalen om de auto de parkeergarage uit te krijgen, dat niet aan zijn neus hangen!

Twee minuten later, nadat hij twee pond aan de parkeerwacht had betaald, reed hij de auto voldaan de garage uit, met vijfentwintig pond winst in zijn zak. Hij had zo'n goede bui dat hij boven aan de uitrit even bleef staan, de muziek hard zette en het dak naar beneden deed.

Dat was niet zo slim.

37

'Hoe gaat het met je?' vroeg Sophie smekend. 'Wat is er gebeurd? Hoe...'

'Doe om,' zei hij fel. Hij legde het pakje op het dienblad en deed net of ze niets had gezegd.

Buiten, in de vallende avond, loeide een sirene, waardoor tijdelijk het zachte, lage, ritmische gebonk van de dansmuziek, dat hoe langer hoe irritanter werd, werd overstemd.

Verbijsterd en slecht op haar gemak door zijn gedrag, maakte Sophie gehoorzaam de strik los en keek toen in de doos. Ze zag alleen maar vloeipapier.

In haar ooghoek, op televisie, zag ze Chris Tarrant de woorden 'definitieve antwoord?' vormen.

De vreemd uitziende vent met de bril met grote glazen knikte.

Het woord 'Marokko' lichtte geel op.

Even later lichtte het woord 'Tunesië' groen op.

Chris Tarrant keek zeer verbaasd.

De vrouw in de rolstoel, die eruit had gezien alsof ze een dreun zou krijgen met een honkbalknuppel, zag er nu uit alsof ze een klap had gehad van een moker. Haar man was helemaal in de stoel ineengekrompen.

Sophie las zijn lippen toen Tarrant zei: 'John, je had 64.000 pond...'

'Kijk je liever tv dan dat je mijn cadeautje openmaakt?' vroeg hij.

Ze zette het dienblad met eten op haar nachtkastje en zei: 'Ik maak natuurlijk liever je cadeautje open! Maar ik wil weten hoe het met je gaat. Ik wil weten waarom...'

'Ik wil het er niet over hebben. Maak open!' Hij zei het op zo'n agressieve toon dat ze ervan schrok.

'Oké,' zei ze.

'Waarom kijk je naar die troep?'

Ze keek weer even naar het scherm. 'Ik vind het leuk,' zei ze in een poging hem te kalmeren. 'De arme man. Zijn vrouw zit in een rolstoel. Hij heeft net de vraag waarmee hij 125.000 pond had kunnen winnen verkeerd beantwoord.'

'Het is toch allemaal nep,' zei hij.

'Nee toch?'

'Het hele leven is nep. Weet je dat nou nog niet?'

'Nep?'

Hij wees naar het scherm. 'Ik ken hem helemaal niet, niemand kent hem. Een paar minuten geleden zat hij in die stoel zonder dat hij wat had. Nu heeft hij maar liefst 32.000 en voelt zich ongelukkig, terwijl hij zou moeten springen van vreugde. En dan zeg jij dat het niet nep is?'

'Het is maar hoe je het bekijkt. Ik bedoel, vanuit zijn gezichtspunt –'

'Zet dat kloteding uit!'

Sophie was nog steeds geschokt door de agressie in zijn toon, maar toch zei ze uitdagend: 'Nee, ik zit ernaar te kijken.'

'Wil je soms dat ik wegga, zodat je naar dat stomme kloteprogramma kunt kijken?'

Ze had er al spijt van dat ze het had gezegd. Hoewel ze het eigenlijk met Brian uit had willen maken, had ze toch liever dat hij die avond bij haar bleef dan dat ze naar dat programma keek, of welk programma dan ook. En lieve hemel, wat moest die arme man wel hebben doorstaan... Ze zette de televisie uit met de afstandsbediening. 'Het spijt me,' zei ze berouwvol.

Hij zat naar haar te kijken op een manier die ze nog niet eerder had meegemaakt. Alsof er zonneschermen voor zijn ogen waren neergelaten.

'Het spijt me echt, oké? Ik ben gewoon verrast dat je hier bent.'

'Dus je bent niet blij dat ik er ben?'

Ze kwam overeind op bed en sloeg haar armen om zijn nek en kuste hem op de lippen. Hij stonk uit zijn mond en ook naar zweet, maar dat maakte haar niet uit. Het waren mannelijke luchtjes, zijn luchtjes. Ze ademde ze in alsof het de heerlijkste geuren waren die er bestonden. 'Ik ben hartstikke blij,' zei ze. 'Maar...' Ze keek in de bruine ogen waar ze zo veel van hield. 'Maar ik was alleen zo verbaasd, weet je, na wat je me had gezegd over de telefoon. Vertel het me. Vertel me alsjeblieft wat er is gebeurd. Alles.'

'Maak open!' zei hij, en zijn stem schoot uit.

Ze haalde wat vloeipapier weg, maar er zat nog meer onder, en ook daar weer onder. Om hem weer rustig te krijgen, zei ze: 'Oké, ik ga raden wat het kan zijn. En ik denk dat het een...'

Opeens bevond zijn gezicht zich pal voor het hare, zo dichtbij dat hun neuzen elkaar bijna raakten.

'Maak open!' krijste hij. 'Maak godverdomme open, kutwijf dat je er bent!'

38

Skunk reed de vallende, paarsgetinte avond in en zag opnieuw de koplampen in zijn achteruitkijkspiegel. Ze waren opeens verschenen, een paar minuten nadat hij de parkeergarage aan Regency Square uit was gereden. Nu schoten ze hard langs een rij auto's en gingen pal achter een BMW met verduisterde ramen rijden die achter hem zat.

Hij dacht niet dat hij zich er zorgen over hoefde te maken. Maar toen hij bij de twee rijen auto's kwam die voor de rotonde van de Palace Pier stonden te wachten, ving hij door de neonstraatverlichting een glimp op van de man die in de passagiersstoel zat, en raakte hij in paniek.

Hij was er niet helemaal zeker van, maar hij leek wel verdomd veel op die jonge smeris genaamd Paul Packer, wiens vinger hij eraf had gebeten toen hij hem had willen oppakken nadat hij een auto had gestolen. Hij had er een tijd voor in een jeugdgevangenis gezeten.

Lindsay Lohan was op vol volume op de autoradio 'Confessions of a Broken Heart' aan het zingen, maar hij hoorde de woorden niet echt. Hij hield het verkeer in de gaten dat de rotonde op en af reed, om te zien waar hij eraf kon. De auto achter hem toeterde. Skunk stak zijn middelvinger naar hem op. Hij kon op vier plaatsen eraf. Eentje leidde hem naar het stadscentrum, waar het verkeer vaststond. Dat was te riskant, hij zou daar geen kant op kunnen. De tweede was Marine Parade, een brede straat met heel veel zijstraten, die leidde naar een grote, rustige weg. De derde zou hem langs de kust voeren, maar hij liep het risico vast te komen zitten omdat hij er maar aan één kant uit kon. De vierde was de weg terug waarover hij aan was komen rijden. Maar er werd aan de weg gewerkt en het was heel erg druk.

Hij besloot wat hij zou doen en drukte het gaspedaal helemaal in. De Audi schoot naar voren, net voor een wit busje langs. Skunk racete diep geconcentreerd over Marine Parade, langs winkels en het hippe Van Alen-gebouw. Hij keek in zijn achteruitkijkspiegel. Nergens een Vectra te bekennen. Mooi. Die stond vast nog bij de rotonde.

De verkeerslichten sprongen op rood. Hij remde, maar vloekte toen. In zijn spiegel zag hij de Vectra als een gek aan komen rijden. De auto haalde aan de verkeerde kant in en kwam snel dichterbij. Toen zat hij achter hem. Pal achter hem. Op zo'n drie centimeter afstand. Glimmend schoon. Radioantenne op het dak. Twee mannen voorin. En nu, verlicht door zijn eigen remlichten, was een van hen duidelijk te herkennen.

Shit.

In de spiegel zag hij Packers ogen, herkende ze weer, grote rustige ogen, het soort ogen dat dwars door je heen keek. Hij wist zelfs nog dat toen hij die klotevinger eraf beet, de ogen hem bleven aankijken, zonder verbazing, zonder pijn. Eigenaardige, lachende ogen, alsof de hufter hem uit zat te lachen. En nu deed hij het weer, hij zat daar maar, en geen van de agenten maakte aanstalten om uit te stappen.

Waarom pakken jullie me verdomme niet op?

Zijn zenuwen gingen tekeer, alsof er een wild geworden dier op een trampoline in zijn maag rondsprong. Hij bewoog zijn hoofd mee op de muziek. Maar hij was op van de zenuwen. Hij had wat nodig. Drugs. Het kleine beetje dat hij had genomen was al bijna uitgewerkt. Hij zat een route te bedenken die hij het best kon nemen.

Zat te bedenken waarom de agenten niet uit de auto stapten.

Het licht sprong op groen. Hij stampte op het gaspedaal, scheurde over de kruising, en trok toen hard aan het stuur en sloeg slingerend links af Lower Rock Gardens in, waarbij hij bijna een tegemoetkomende taxi raakte.

Hij gaf vol gas op de victoriaanse straat met rijtjeshuizen waarin goedkope Bed & Breakfasts en pensions zaten. Terwijl hij moest wachten voor een rood licht aan het einde van de straat, zag hij de Vectra snel aan komen rijden. En het laatste beetje twijfel of hij nu wel of niet werd gevolgd verdween als sneeuw voor de zon.

Hij keek naar links en rechts, zag dat er twee bussen van links aankwamen, pal achter elkaar. Hij wachtte tot het laatste moment, gaf toen gas en schoot pijlsnel voor de voorste bus langs. Hij racete over Egremont Place, nam een scherpe S-bocht, haalde een trage Nissan aan de verkeerde kant in, op een blinde hoek, maar het geluk was met hem en er kwam van beide kanten niets aan.

Toen wachtte hij ongeduldig op het kruispunt van Elm Grove tot hij in kon voegen. Twee koplampen in de verte doorbraken plotseling het donker achter hem. Hij gaf meteen gas, draaide naar rechts, tussen de auto's door, zonder op piepende remmen, luid getoeter en knipperende lichten te letten, en spoot langs de racebaan van Brighton de buitenwijk Woodingdean in, een spoor van rubber achterlatend.

Hij zat te dubben of hij de kentekenplaten eraf moest halen, zodat de originele weer te zien waren, want de auto was vast nog niet als gestolen opgegeven, maar hij wilde niet het risico nemen dat de Vectra hem weer inhaalde. Dus reed hij door, en glimlachte spottend toen een snelheidscamera hem flitste.

Toen hij na tien minuten op een provinciale weg reed, zo'n drie kilometer bij Newhaven – de havenstad aan Het Kanaal – vandaan, met niets in zijn achteruitkijkspiegel en zijn voorruit onder de dode insecten, ging hij langzamer rijden. Bij een bord waar MEADES FARM op stond, sloeg hij af.

Hij reed door een opening in een hoge, verwaarloosde heg naar een verharde eenbaansweg, die hem een kilometer lang door velden vol koren voerde dat allang geoogst had moeten zijn. Diverse konijnen met zelfmoordneigingen sprongen voor zijn auto. Hij reed langs de enorme ingevallen schuren waar vroeger batterijkippen in hadden gezeten, en een open schuur rechts van hem waar een paar donkere en al lang niet meer gebruikte roestende landbouwmachines stonden. Toen, recht voor hem, beschenen zijn koplampen de muur van een grote, afgesloten metalen schuur.

Hij zette de auto neer. Het gebouw was niet verlicht en er stonden geen voertuigen in de buurt. Aan niets was te zien dat er op dit moment driftig werd gewerkt.

Hij haalde zijn gsm uit zijn zak en toetste een nummer in dat hij uit zijn hoofd kende. 'Buiten,' zei hij toen werd opgenomen.

De mechanische deuren gleden net ver genoeg open zodat hij naar binnen kon rijden, waarbij ze toegang gaven tot een felverlichte, grotachtige ruimte, en sloten weer zodra hij binnen was. Hij zag binnen zo'n twintig auto's staan, bijna allemaal het nieuwste model, de mooiste luxeauto's. Hij zag twee Ferrari's, een Aston Martin DBG, een Bentley Continental, twee Range Rovers, een Cayenne, en ook een paar minder exotische auto's, waaronder een Golf GTI, een Mazda MX5, een klassieke gele Triumph Stag, een nieuw uitziende MG TE. Sommige auto's zagen er nog intact uit, andere waren gestript. Hoewel het al laat was, waren vier monteurs in overall bezig met de auto's, twee onder een motorkap, eentje op zijn rug onder een opgekrikte Lexus-sportauto en de vierde was bezig met een Range Rover Sport.

Skunk zette de motor af, waardoor de muziek ook meteen ophield. In plaats daarvan was een melig oud liedje van Gene Pitney te horen op een goedkope radio die in het gebouw stond. Iemand was aan het boren.

Barry Spiker stapte uit zijn kantoortje met glazen ramen aan de andere kant, en liep al telefonerend naar hem toe. Een kleine, gespierde, voormalig plaatselijk kampioen vederlicht bokser met kortgeknipt haar, en een gezicht dat scherp genoeg was om er ijs mee te snijden. Hij had een blauwe overall aan, met eronder een nethemd, en hij droeg teenslippers en rook naar goedkope aftershave. Er hing een medaille aan een gouden ketting om zijn hals. Zonder Skunk aan te kijken liep hij door naar de auto, nog steeds aan de telefoon, ruziënd, en zo te zien in een kwade bui.

Terwijl Skunk uitstapte, beëindigde Spiker het gesprek. Met de telefoon in zijn hand alsof het een dolk was, liep hij naar hem toe. 'Wat is dit verdomme voor een klotewagen? Ik wilde een drieliter V6. Dit is een tweeliter blik. Daar heb ik helemaal niets aan. Je verwacht hier toch geen geld voor, mag ik hopen!'

Skunks hart zonk hem in de schoenen. 'Je... je zei niet...' Hij haalde het gekreukelde stuk papier uit zijn zak, waar hij de gegevens die ochtend op had geschreven, en liet het aan Spiker zien. Er stond in zijn beverige handschrift op gekrabbeld: 'Nieuwe Audi A4 cabrio, automaat, weinig kilometers op de teller, metallic blauw, zilverkleurig of zwart.'

'Je hebt helemaal niets over de motor gezegd,' zei Skunk.

'Ben je soms achterlijk of zo? Mensen die mooie auto's kopen, willen ook goede motoren erin.'

'Ze gaan als zoete broodjes over de toonbank,' zei Skunk bij wijze van verdediging.

Spiker haalde zijn schouders op, keek weer naar de auto. 'Nee, heb ik niets aan.' Zijn telefoon ging over. 'Ik vind de kleur ook maar niks.' Hij keek op het schermpje, hield de gsm tegen zijn oor en zei kortaf: 'Ik heb het druk. Bel je wel terug,' waarna hij de verbinding verbrak. 'Zestig pond.'

'Hè?' Skunk had tweehonderd verwacht.

'Graag of helemaal niet.'

Skunk keek hem kwaad aan. De hufter wist altijd wel een manier om hem te naaien. Of het lakwerk was beschadigd, of de banden waren versleten, of de uitlaat moest vervangen worden. Wat dan ook. Maar hij had wel winst gemaakt in de parkeergarage, zodat hij de man – hoewel minimaal, maar wel bevredigend – terugpakte.

'Waar heb je hem vandaan?'

'Regency Square.'

Spiker knikte. Hij bekeek zorgvuldig het interieur, en Skunk wist waarom. Hij was op zoek naar beschadigingen, zodat hij de prijs nog meer kon laten zakken. Spikers ogen lichtten gretig op toen hij iets op de grond bij de passagiersstoel ontdekte. Hij maakte het portier open, bukte zich, en kwam toen overeind met een stukje papier als een trofee in zijn hand. Hij bestudeerde het nauwkeurig. 'Waanzinnig!' zei hij. 'Goed gedaan!'

'Wat nou weer?'

'Het parkeerticket van Regency Square. Twintig minuten geleden. Maar twee pond? Te gek, Skunk! Dan krijg ik vijfentwintig pond terug van het geld dat ik je had voorgeschoten.'

Skunk vervloekte zichzelf omdat hij zo stom was geweest.

39

Ze was geschokt door wat hij zei. Werd er bang van. Zijn ogen stonden glazig en waren bloeddoorlopen. Had hij gedronken? Drugs genomen?

'Maak open!' zei hij weer. 'Maak open, trut!'

Ze wilde bijna zeggen dat hij haar rug op kon en dat hij niet zo tegen haar mocht praten. Maar ze wist dat hij veel te verduren had gehad de laatste tijd en wilde hem naar de mond praten, hem rustig krijgen en weer zoals hij anders was. Ze haalde nog een laag vloeipapier eruit. Dit was wel heel raar. Eerst gaan we tekeer tegen je en dan geven we je een cadeautje, goed?

Ze haalde de volgende laag eraf, verfrommelde het en gooide het naast haar op bed, maar hij werd niet vriendelijker. Hij werd zelfs erger, trillend van woede.

'Schiet op, trut! Waarom duurt het zo lang?'

Ze werd bang. Ze wilde niet meer in die kamer zijn, samen met hem. Ze had geen idee wat er in het pakje zat. Hij had haar nog nooit iets gegeven, behalve dan een bosje bloemen een paar keer, toen hij bij haar thuis langs was gekomen. Maar wat het ook was, het gaf haar geen goed gevoel; het was net of de wereld plotseling op losse schroeven stond.

Ze voelde zich steeds slechter op haar gemak tijdens het uitpakken en was bang voor wat er in de doos zat.

Maar toen was ze eindelijk bij de laatste laag vloeipapier. Ze voelde iets wat gedeeltelijk hard was en gedeeltelijk zacht, en meegaf, alsof het van leer was gemaakt. Opeens wist ze wat het was. En ze ontspande zich. Ze glimlachte naar hem. Hij was haar gewoon aan het plagen, het was een grapje! 'Een handtas!' zei ze blij. 'Het is een handtas, hè? Wat ben je toch een schat! Hoe wist je dat ik echt een handtas nodig had? Had ik je dat verteld?'

Maar hij glimlachte niet terug. 'Maak het nou maar open,' zei hij weer, afstandelijk.

En na dat korte moment dat ze zich blij voelde, raakte de wereld weer op losse schroeven. Er was geen greintje warmte te bekennen in zijn uitdrukking of in wat hij zei. Ze werd nog banger. En was het niet vreemd dat hij haar een cadeautje gaf op dezelfde dag dat zijn vrouw vermoord was aangetroffen? En toen, eindelijk, verwijderde ze de laatste laag vloeipapier.

En keek geschrokken naar het object dat nu te zien was.

Het was helemaal geen handtas, maar iets eigenaardigs en engs, een soort grijze helm aan een riempje met grote glazen als insectenogen, en een geribbelde slang die aan een filter hing. Een gasmasker, besefte ze teleurgesteld, en ze herinnerde zich de beelden van soldaten in Irak die zulke maskers droegen. Misschien was dit een ouder model. Het rook belegen en naar rubber.

Ze keek hem verbaasd aan. 'Worden we aangevallen of zo?'

'Doe om.'

'Je wilt toch niet dat ik dit ga dragen?'

'Doe om.'

Ze hield het ding voor haar gezicht en liet het meteen weer zakken, terwijl ze haar neus optrok. 'Wil je echt dat ik dit draag? We kunnen toch niet vrijen als ik dit om heb?' Ze grinnikte, een tikkeltje verbijsterd, en haar angst zakte. 'Word je daar geil van of zo?'

Hij trok het masker uit haar handen, duwde het tegen haar gezicht aan en trok het riempje over haar hoofd, waarbij haar haar ertussen kwam. Het riempje was zo stevig aangetrokken dat het pijn deed.

Heel even was ze helemaal van slag. De glazen waren smerig, en donker getint. Ze kon hem, en een gedeelte van haar kamer, alleen maar door een groen waas zien. Toen ze haar hoofd omdraaide, was hij even weg, en ze moest haar hoofd terugdraaien om hem weer te kunnen zien. Ze hoorde zichzelf ademhalen, holle uitademingen als de branding van de zee.

'Ik kan geen adem halen,' zei ze paniekerig. Haar stem werd gedempt door het masker en de claustrofobie sloeg toe.

'Nee, natuurlijk kun je verdomme geen adem halen.' Zijn stem was onduidelijk, vervormd.

In paniek wilde ze het masker van haar hoofd trekken. Maar zijn handen grepen de hare beet, en hij trok ze bij het riempje weg. Hij greep ze zo stevig beet dat het haar pijn deed. 'Wat ben je toch een domme trut,' zei hij.

Ze jammerde. 'Brian, ik vind dit helemaal geen leuk spelletje.'

Hij duwde haar meteen op haar rug, op het bed. Terwijl de muren en vervolgens het plafond opeens langs kwamen flitsen, raakte ze nog meer in paniek. 'Nee!' Ze schopte om zich heen en raakte met haar rechtervoet iets. Ze hoorde hem janken van de pijn. Toen kon ze zich lostrekken, ze draaide zich weg en opeens viel ze. Ze kwam met een smak op het tapijt terecht.

'Godvergeven trut!'

Ze ging moeizaam op haar knieën zitten, trok aan het riempje van het gasmasker, tot ze een dusdanig harde stoot in haar maag kreeg, dat alle lucht uit haar werd geperst. Ze sloeg dubbel van de pijn, geschokt door wat er was gebeurd.

Hij had haar gestompt.

En plotseling wist ze dat ze in gevaar was. Hij was krankzinnig geworden.

Hij gooide haar op het bed en haar kuiten kwamen hard in aanraking met de rand van het bed. Ze schreeuwde naar hem, maar haar stem bleef gevangen binnen het masker.

Ik moet weg zien te komen, besefte ze. Ik moet hier weg.

Ze voelde dat haar T-shirt van haar lijf werd gescheurd. Heel even stribbelde ze niet meer tegen, omdat ze een plan probeerde te bedenken. Het geluid van haar ademhaling was oorverdovend. Ik moet dat klotemasker kwijt zien te raken. Haar hart ging pijnlijk tekeer. Ik moet beneden zien te komen, bij de deur, bij de mannen beneden. Die zullen me wel helpen.

Ze keek wat er op haar nachtkastje lag en wat ze kon gebruiken om mee te slaan. 'Brian, toe, Brian...'

Ze voelde dat hij met een vuist als een moker tegen de zijkant van het masker sloeg, en ze verrekte haar nek.

Er lag een boek, een dik gebonden boek van Bill Bryson, iets wetenschappelijks. Ze had het gekregen met kerst en las er af en toe wat in. Ze draaide snel naar die kant, greep het en haalde uit naar zijn hoofd, waarbij ze hem hard raakte. Ze hoorde hem kreunen, verrast en door de pijn, en van het bed vallen.

Ze stond meteen naast het bed, rende de slaapkamer uit, door het kleine halletje, met het masker nog op, omdat ze geen waardevolle tijd wilde verliezen. Ze kwam bij de voordeur, greep de deurkruk beet, draaide en trok hem open.

De deur ging een paar centimeter open, maar bleef plotseling met een metaalachtig geluid hangen.

Brian had de veiligheidsketting erop gedaan.

De angst sloeg haar om het hart. Ze greep de ketting, terwijl ze de deur weer dichtdeed, trok eraan om hem los te krijgen, maar hij zat vast. Dat klereding zat vast! Hoe kon dat nou? Ze stond te trillen op haar benen, schreeuwde in haar masker. 'Help! Help me! Help me! O, help me toch!'

Opeens hoorde ze pal achter zich een metaalachtig gejank.

Ze draaide snel haar hoofd om. En zag wat hij in zijn handen had.

Haar mond viel open, zonder te schreeuwen dit keer, en angst bevroor haar ingewanden. Ze stond in paniek te jammeren. Ze had het gevoel dat ze in elkaar zou zakken. Zonder er iets aan te kunnen doen, plaste ze in haar broek.

40

Ik heb ooit gelezen dat vreselijk nieuws een eigenaardig effect heeft op de menselijke geest. Het vriest tijd en plaats aan elkaar, onuitwisbaar. Misschien zitten we zo wel in elkaar, dat we op die manier weten dat we ergens zijn waar het gevaarlijk is.

Ik was toen nog niet geboren, dus ik kan er niet voor instaan, maar mensen zeggen dat ze nog precies weten waar ze waren en wat ze aan het doen waren toen ze op 22 november 1963 hoorden dat president John F. Kennedy door een schutter in Dallas werd vermoord.

Ik weet nog precies waar ik was en wat ik aan het doen was toen ik op 8 december 1980 hoorde dat John Lennon doodgeschoten was, en ik zie mezelf ook nog zitten, aan mijn bureau, in mijn kamer, op zoek op internet naar een onderdeel voor een Mark II Jaguar, 3,8 saloon uit 1962, zondagochtend, 31 augustus 1997, toen op het journaal werd verteld dat Diana, prinses van Wales, in een tunnel in Parijs bij een auto-ongeluk was omgekomen.

Maar bovenal weet ik nog precies wat ik aan het doen was op een ochtend in juli, elf maanden later, toen ik de brief ontving die mijn leven kapotmaakte.

41

Roy Grace zat aan zijn bureau in zijn kleine, bedompte kantoor in Sussex House, te wachten op nieuws over Brian Bishop en doodde de tijd tot de briefing van elf uur. Hij keek mistroostig naar de net zo mistroostige tronie van de drieënhalve kilo wegende bruine forel die opgezet was en in een glazen vitrinekast aan de muur van zijn kantoor hing. Hij hing net onder een ronde houten klok, een rekwisiet uit de politieserie The Bill die Sandy ooit voor hem had gekocht op een veiling.

Hij had de vis een paar jaar geleden gekocht, zomaar, in een kraampje aan Portobello Road. Hij verwees er af en toe naar als hij jonge, pas beginnende politiemensen verwelkomde en maakte dan een afgezaagd grapje over geduld en vissen vangen.

Op zijn bureau lag een stapel papieren die hij zorgvuldig moest doorlezen, onderdeel van de voorbereidingen voor de rechtszaak over een paar maanden, van een man genaamd Carl Venner, een van de walgelijkste griezels die hij ooit in zijn carrière had leren kennen. Hopelijk, als hij de boel niet verknalde, zou Venner tot levenslang veroordeeld worden. Maar je wist het maar nooit met sommige achterlijke rechters.

Zijn avondmaaltijd, die hij een paar minuten geleden had gekocht in de supermarkt, stond ook op zijn bureau. Een broodje tonijn, nog in de plastic verpakking, met een gele sticker erop waar KORTING! op stond, een appel, een Twix en een blikje cola light.

Hij nam een paar minuten de stortvloed van e-mails door, beantwoordde er een paar en verwijderde er een heleboel. Het maakte niet uit hoe snel hij ze afhandelde, ze bleven komen, en het aantal onbeantwoorde mailtjes in zijn inbox was inmiddels toegenomen tot tweehonderd. Gelukkig kon Eleanor er een hoop zelf afwerken. En ze had ook al zijn agenda vrijgemaakt, wat ze altijd uit zichzelf deed als hij aan een groot onderzoek begon.

Er stond alleen nog voor zondag een lunchafspraak met zijn zus Jodie, die hij al meer dan een maand niet meer had gezien, en een aantekening dat hij een kaart en een cadeautje voor zijn petekind Jaye Somers moest kopen, die volgende week negen zou worden. Hij vroeg zich af wat hij haar moest geven, en bedacht dat Jodie, die drie kinderen had rond die leeftijd, dat wel zou weten. Hij hield in zijn achterhoofd dat hij de lunchafspraak af zou moeten zeggen als hij naar München ging.

Meer dan vijftien e-mails gingen over het rugbyteam van de politie, waar hij de komende herfst voorzitter van was. Hij besefte opeens dat hoewel het die dag heerlijk warm was, het over vier weken alweer september zou zijn. De zomer was bijna afgelopen. De dagen werden al merkbaar korter.

Hij opende het centrale systeem van het politiecorps, Vantage, om te kijken of er de afgelopen paar uur nog wat gebeurd was. Snel ging hij langs de oranje letters, maar hij zag niets bijzonders. Het was nog te vroeg, er zouden straks nog genoeg gevechten, aanvallen en berovingen komen. Een auto-ongeluk op de London Road richting Brighton. Een tasjesroof. Een winkeldief in de Tesco aan de Boundary Road. Een gestolen auto die was achtergelaten bij een benzinestation. Een op hol geslagen paard dat op de snelweg was gezien.

Zijn telefoon rinkelde. Het was brigadier Guy Batchelor, een nieuwe aanwinst voor zijn onderzoeksteam, die hij die ochtend eropuit had gestuurd om te praten met Brian Bishops golfvrienden.

Grace mocht Batchelor wel. Hij stelde zich voor dat als je een castingbedrijf verzocht om een acteur van middelbare leeftijd die een politieman moest spelen in een film, ze altijd iemand zouden sturen die eruitzag als Batchelor. Hij was lang en stevig, met een hoofd in de vorm van een rugbybal, enigszins kalend en had een gemoedelijke, maar zakelijke houding.

Hoewel hij niet reusachtig was, kwam hij wel over als een vriendelijke reus, meer door zijn karakter dan door zijn lengte.

'Roy, ik heb met alle drie de mannen gesproken met wie Bishop toen aan het golfen was. Wat misschien wel interessant is: alle drie zeiden ze dat hij in een buitengewoon goede bui was, en dat hij perfect speelde, beter dan ze hem ooit hadden zien spelen.'

'Heeft hij gezegd waarom?'

'Nee, hij is nogal een eenling blijkbaar, in tegenstelling tot zijn vrouw, die volgens hen erg van gezelligheid hield. Hij heeft niet echt goede vrienden, en normaal gesproken zegt hij niet zoveel. Maar hij vertelde de ene mop na de andere vanochtend. Een van de mannen, ene meneer Mishon, die hem wel goed scheen te kennen, zei dat het wel leek alsof hij iets had geslikt.'

Grace dacht meteen aan de mogelijkheid dat hij wel eens opgelucht kon zijn geweest omdat zijn vrouw er niet meer was.

'Dat is niet het soort reactie dat je van een man zou verwachten die net zijn vrouw heeft vermoord, toch, Roy?'

'Hangt ervan af hoe goed hij toneel kan spelen.'

Nadat Batchelor hem alles had verteld, bedankte Grace hem en zei dat hij hem om elf uur bij de briefing zou zien. Daarna, terwijl hij zat na te denken over wat Batchelor net had gezegd, trok hij het plastic van het broodje af en nam een hap. Hij trok meteen zijn neus op, het was een of ander nieuw soort brood dat hij nog niet eerder had geproefd. Hij vond het maar niets en had spijt dat hij het had gekocht. Er zat een sterke karwijzaadsmaak aan die hij niet lekker vond. Hij had veel beter een broodje met ei en bacon kunnen nemen, maar Cleo was bezig hem gezonder te laten eten. Vooral vis, ook al had hij haar verteld over het artikel in de *Daily Mail* dat hij dit jaar had gelezen, over de hoeveelheid kwik die in vissen zat.

Hij sloot Vantage af, ging naar de website van expedia.com en vulde een zoekopdracht in voor vluchten naar München op zondag. Hij vroeg zich af of het mogelijk was dat hij binnen een dag heen en terug kon. Hij moest ernaartoe, hoe weinig informatie hij ook van Dick Pope had gekregen. Hij moest het zelf zien.

Hij had het liefst het eerste het beste vliegtuig genomen. Maar in plaats daarvan keek hij op zijn horloge. Het was tien voor tien. Tien voor elf in Duitsland. Maar verdorie, Dick Pope zou nog wel wakker zijn, hij was op vakantie. Die zat vast in een café of bar in Beieren met een glas bier in zijn hand. Hij toetste het nummer van Popes gsm in, maar kreeg meteen de voicemail.

'Dick,' zei hij. 'Weer met Roy. Sorry dat ik zo lastig ben, maar ik wil je graag nog wat vragen over die biergarten waar je Sandy wellicht hebt gezien. Bel me terug als je wilt.'

Hij verbrak de verbinding en keek even naar zijn mooie verzameling van zesendertig klassieke aanstekers, die bij elkaar op een richel tussen zijn bureau en het raam met uitzicht op het parkeerterrein en het cellenblok stonden. Hij dacht terug aan hoe Sandy graag naar antiekmarkten ging, naar curiosawinkeltjes en vlooienmarkten. Hij ging na haar verdwijning zelfs wel alleen, als hij tijd had, maar het was niet hetzelfde geweest. De lol zat er gedeeltelijk in dat Sandy erbij was als hij iets zag. Of zij het ook mooi vond, waarna hij over de prijs zou onderhandelen, of zij het met een minachtende uitdrukking op haar gezicht af zou keuren.

De ruimte werd verder bijna helemaal in beslag genomen door een televisie en een videorecorder die op een ronde tafel stonden, vier stoelen en stapels mappen en losse papieren, zijn leren tas met plaats-delictuitrusting erin en overal steeds hoger wordende torens met dossiers. Soms vroeg hij zich af of ze zich vermenigvuldigden, als hij niet op kantoor was.

Elk dossier bevatte een onopgeloste moord. Moorddossiers die pas werden opgeborgen als er iemand veroordeeld was. In elk moordonderzoek werd een punt bereikt waarop elk spoor, elke tip, elke mogelijkheid tot in den treuren waren onderzocht. Maar daarom gaf de politie het nog niet op. Jaren nadat het Coördinatiecentrum was gesloten en het onderzoeksteam ontbonden was, zou de zaak nog steeds openstaan, het bewijs opgeslagen in dozen, zolang de kans bestond dat de mensen die erbij betrokken waren, nog leefden.

Hij nam een slok cola. Hij had op een website gelezen dat alle lightdrankjes vol met chemische troep zaten die slecht voor je was, maar hij kon zich er niet druk over maken. Je kreeg de indruk dat alles wat je ook at of dronk, eerder dodelijk voor je zou zijn dan voedzaam en gezond. Misschien, zo bedacht hij, zou de volgende trend zijn dat je voorverteerd voedsel kon kopen. Je kocht het en gooide het dan meteen in de wc, zonder dat je het hoefde te eten.

Hij tikte iets in op het toetsenbord. Er was een vlucht om zeven uur op zondagochtend vanaf Heathrow van British Airways. Dan zou hij om tien voor tien in München aankomen. Hij zou Kriminalhauptkommissar Marcel Kullen daar bellen, om te kijken of hij vrij was.

Marcel was een paar jaar geleden in Sussex geweest om hem te assisteren bij een zaak tijdens een uitwisseling van een halfjaar en ze waren goede vrienden geworden. De politieman had Grace uitgenodigd om wanneer hij maar wilde bij hem en zijn gezin te komen logeren. Hij keek op zijn horloge. Vijf voor tien. In München was het een uur later, dus eigenlijk was het al te laat om te bellen, maar de kans was groot dat hij hem te pakken kreeg.

Net toen hij zijn hand uitstak om de telefoon te pakken, begon het toestel te rinkelen.

'Roy Grace,' zei hij.

Het was Brian Bishop.

42

Het viel Grace op dat Bishop niet langer zijn golfkleren aanhad. Nu droeg hij een duur uitziende zwarte jas over een wit overhemd, blauwe broek en lichtbruine schoenen en geen sokken. Hij leek meer op een playboy die op stap was dan op een man in de rouw, vond hij.

Bishop nam slecht op zijn gemak plaats in de rode leunstoel en ging zitten in de volgepropte getuigenverhoorkamer, en alsof hij wist wat Grace dacht, zei Bishop: 'Mijn gezinscontactpersoon heeft de kleding voor me uitgezocht, Linda Buckley. Ik had gezien de omstandigheden iets anders uitgekozen. Kunt u me zeggen wanneer ik mijn huis weer in mag?'

'Zo snel mogelijk, meneer Bishop. Over een paar dagen, hoop ik,' antwoordde Grace.

Bishop ging woedend rechtop zitten: 'Hè? Dit is gewoon te gek voor woorden!'

Grace keek naar de nogal rode schram op de rechterhand van de man. Branson kwam binnen met drie bekers water, zette ze op tafel, sloot de deur achter zich, en kwam erbij staan.

Grace zei rustig: 'Het is een plaats delict, meneer. De politie wil dat soort plekken zo lang mogelijk houden zoals het was. Hopelijk begrijpt u dat het belangrijk is, omdat we daardoor de dader eerder kunnen oppakken.'

'Hebt u al een verdachte?' vroeg Bishop.

'Voordat we het daarover hebben, vindt u het erg als we dit gesprek opnemen? Dat gaat sneller dan dat we alles op moeten schrijven.'

Bishop glimlachte zuinig. 'Wil dat zeggen dat ik een verdachte ben?'

'Helemaal niet,' verzekerde Grace hem.

Bishop gaf met een handgebaar aan dat hij geen bezwaar had.

Glenn Branson zette de tape- en videorecorder aan en zei duidelijk terwijl hij ging zitten: 'Het is tien voor halfelf, vrijdagavond, 4 augustus. Inspecteur Grace en rechercheur Branson ondervragen meneer Brian Bishop.'

'Hebt... hebt u al een verdachte?' vroeg Bishop weer.

'Nog niet,' antwoordde Grace. 'Hebt u misschien enig idee wie dit kan hebben gedaan?'

Bishop lachte besmuikt, alsof de vraag gewoon te belachelijk voor woorden was. Zijn ogen flitsten even naar links. 'Nee. Nee, ik heb geen idee.'

Grace hield zijn ogen in de gaten. Hij dacht terug aan de vorige keer: naar links was de waarheid. Bishop had net iets te snel antwoord gegeven en bijna te goedgehumeurd voor een man die zo'n groot verlies had geleden. Hij had dit gedrag wel vaker gezien, het bedaarde, vlotte, gerepeteerde antwoord op een vraag; het gebrek aan emotie. Bishop vertoonde alle klassieke tekenen van een man die een moord had gepleegd. Maar dat wilde nog niet zeggen dat hij inderdaad iemand had vermoord. Hij had ook door de zenuwen kunnen lachen.

Toen viel zijn blik op de rechterhand van de man. Op de schram op de rug, vlak bij de duim; het zag er vers uit. 'U hebt uw hand bezeerd,' zei hij.

Bishop keek even naar zijn hand en haalde achteloos zijn schouders op. 'Het is... eh... gebeurd toen ik in een taxi stapte.'

'Was dat de taxi van het Hotel du Vin naar het Lansdowne Place Hotel?'

'Ja, ik... ik zette een tas in de kofferbak.'

'Vervelend,' zei Grace, die in zijn hoofd een aantekening maakte dat hij de taxichauffeur ernaar zou vragen. Hij zag ook dat Bishops ogen naar rechts schoten. Naar de creatieve kant. Dat betekende dus dat hij zat te liegen.

'Het is een diepe schram. Wat zei de chauffeur ervan?' Grace keek naar Branson, die knikte.

'Heeft hij het verbonden of zo?' vroeg Branson.

Bishop keek hen stuk voor stuk aan. 'Wat hebben jullie toch? Het lijkt verdomme de inquisitie wel. Ik wil jullie helpen. Wat heeft een schram er verdomme nou mee te maken?'

'Meneer Bishop, in ons werk stellen we nu eenmaal een heleboel vragen. Dat is helaas zo. Het zit in onze aard. Het is een lange dag geweest, ook voor rechercheur Branson, en u bent vast ook doodop. Heb geduld en beantwoord onze vragen, en dan kunnen we hier weer snel weg. Hoe meer u ons kunt helpen, hoe eerder we de moordenaar van uw vrouw kunnen oppak-ken.' Grace nam een slok water en zei toen vriendelijk: 'We vragen ons af waarom u het Hotel du Vin verliet en naar het Lansdowne Place ging. Kunt u ons dat uitleggen?'

Bishops ogen gingen heen en weer alsof hij een insect volgde dat over het tapijt wandelde. Grace volgde zijn blik, maar zag niets bijzonders.

'Waarom?' Bishop keek hem opeens fel aan. 'Hoe bedoelt u? Mij was op-gedragen daar naartoe te gaan.'

Grace fronste zijn wenkbrauwen. 'Door wie dan?'

'Nou, door de politie. Door u, neem ik aan.'

'Ik volg u even niet.'

Bishop spreidde zijn armen. Hij zag er zo te zien zeer verbaasd uit. 'Ik werd gebeld. De politieman zei dat het Hotel du Vin werd belegerd door de pers en dat u me ergens anders naartoe liet brengen.'

'Hoe heette die politieman?'

'D-dat weet ik niet meer. Eh... Canning of zoiets? Rechercheur Canning?'

Grace keek Branson aan. 'Weet jij hier iets van?'

'Nee,' antwoordde Branson.

'Was het een man of een vrouw?' vroeg Grace.

'Een man.'

'En hij heette rechercheur Canning? Weet u dat zeker?'

'Ja, Canning. Rechercheur Canning. Volgens mij was het rechercheur. In elk geval Canning.'

'En wat zei die man precies?' Grace hield zijn ogen goed in de gaten. Ze schoten weer naar links.

'Dat u een kamer voor me had geboekt in het Lansdowne Place. Er zou een taxi klaarstaan bij de achteruitgang, naast de dienstingang, achter de keuken. Ik kon daar komen via de brandtrap.'

Grace schreef de naam 'rechercheur Canning' in zijn blocnote. 'Belde die politieman u op uw gsm of op de telefoon van het hotel?'

'De telefoon van het hotel,' zei Bishop nadat hij er even over na had ge-dacht.

Grace vloekte in stilte. Dat zou veel moeilijker na te gaan zijn. De tele-fooncentrale van het hotel hield wel inkomende telefoontjes bij, maar geen telefoonnummers. 'Hoe laat werd u gebeld?'

'Om een uur of halfzes.'

'U schreef u in in het Lansdowne Place en toen ging u weer weg. Waar ging u naartoe?'

'Ik ging een strandwandeling maken.' Bishop trok een zakdoek uit zijn zak en bette zijn ogen. 'Katie en ik vonden het heerlijk daar. Ze ging graag naar het strand. Ze was gek op zwemmen.' Hij was even stil en nam een slok water. 'Ik moest mijn kinderen bellen, die zijn allebei in het buitenland, op vakantie. Ik...' Hij viel stil.

Ook Roy Grace viel stil. Er zat geen politieman genaamd Canning in zijn team.

De inspecteur excuseerde zichzelf en liep de kamer uit, de gang door naar Coördinatiecentrum 1. Al na een paar seconden aan de computer wist hij dat er in heel de politiemacht van Sussex geen politieman werkte die zo heette.

43

Even voor middernacht, deed Cleo haar voordeur open, gekleed in een zwart zijden negligé dat openhing. Het bedekte maar net vijf centimeter van de bovenkant van haar witte, slanke dijen. In haar uitgestoken hand had ze een tot aan de rand gevuld glas met Glenfiddich met ijs. Verder droeg ze alleen nog een opwindend, zwaar, muskusachtig parfum en de ondeugendste grijns die Grace ooit had gezien bij een vrouw.

'Wauw! Dat noem ik nog eens...' zei hij, toen ze de deur achter hen dicht schopte en het negligé nog verder openviel waardoor haar grote stevige borsten te zien waren. Verder kwam hij niet, want ze sloeg, terwijl hij nog steeds het glas in zijn hand had, haar armen om zijn nek en drukte haar mond op de zijne. Even later gleed er een naar whisky smakend ijsklontje in zijn mond.

Haar ogen, beneveld, lachend, dansten voor hem.

Ze legde haar hoofd zo ver in haar nek dat ze hem nog steeds in haar beschonken blik kon vangen, en ze zei: 'Je hebt veel te veel kleren aan!' Ze gaf haar glas aan hem en viel uitgehongerd aan op zijn overhemd, maakte zijn knopen los, kuste zijn tepels, toen zijn borst, daarna drukte ze een ijsklontje, dat in haar mond had gezeten, tegen zijn navel aan. Ze keek naar hem met zulke stralende ogen dat ze hem bijna brandden, ogen met de kleur van zonlicht op ijs. 'Wat ben je toch verrukkelijk, Roy. God, wat ben je toch verschrikkelijk verrukkelijk.'

Naar adem snakkend en het ijsklontje in zijn mond vermalend, zei hij: 'Jij mag er anders ook wel wezen.'

'Ook wel wezen?' zei ze, ondertussen aan zijn riem rukkend alsof haar leven ervan afhing. Vervolgens trok ze zijn broek en boxershorts tot op zijn schoenen.

'Omdat je de mooiste, waanzinnigste verrukkelijkste vrouw ter wereld bent.'

'Dus er zijn meer mooie vrouwen dan ik op andere planeten?' Met een soepele beweging pakte Cleo een ijsklontje uit het glas, stopte het in haar mond, haalde nog een paar ijsklontjes uit het glas en drukte die tegen zijn ballen aan.

Een rauwe kreet ontsnapte aan Grace' keel. Genot brandde in zijn buik, zo intens dat het pijn deed. Hij trok het zijden negligé van haar schouders en begroef zijn mond in haar zachte nek, terwijl zij hem in haar mond nam, diep, de hele lengte, en haar gezicht in zijn warrige schaamharen verstopte.

Grace stond daar, in de ban van de hartstocht, de geur van haar parfum, haar zachte huid, en wilde dat hij dit moment kon bevriezen, dit waanzinnige moment vol uitzinnige vreugde, genot, en het voor altijd kon bevriezen, hier blijven, terwijl zij hem in haar ijskoude mond had, de glimlach in haar ogen, die uitzinnige vreugde die hij tot in zijn ziel voelde.

Op een paar centimeter afstand hing een schaduw. München. Hij duwde het weg. Een geest, meer niet. Alleen maar een geest.

Hij wilde deze vrouw, Cleo, zo erg. Niet alleen nu, op dit moment, maar in zijn leven. Hij was helemaal gek op haar. Hij was op dit moment verliefder dan wie dan ook ooit geweest was. Verliefder dan hij ooit had durven denken, na negen lange, eenzame jaren.

Hij aaide haar lange, zijdezachte haar en zei schor: 'Jezus, Cleo, je bent zo...'

... ongelooflijk...

... fantastisch...

... zo...'

En toen, terwijl hij zijn jasje nog aanhad en zijn broek en shorts om zijn enkels zaten en zijn overhemd open stond, lag hij opeens boven op haar, op een dik, wit wollen kleed op de gewreven eiken vloer, diep, zo ongelooflijk diep in haar, terwijl hij haar in zijn armen hield, en dit wilde, kronkelende beest vol tegenstellingen kuste.

Hij greep haar hoofd en drukte haar mond stevig tegen de zijne aan. Voelde haar zijdezachte huid overal om hem heen. Voelde haar waanzinnig mooie soepele lijf. Soms was ze net een prachtig racepaard. Soms – nu – terwijl ze haar hoofd terugtrok en hem intens aankeek, zag hij een kwetsbaar klein meisje.

'Je zult me toch nooit pijn doen, hè, Roy?' vroeg ze opeens klaaglijk.

'Nooit.'

'Je bent ongelooflijk, wist je dat?'

'Jij nog veel meer.' Hij kuste haar weer.

Ze greep hem bij de achterkant van zijn hoofd, drukte haar vingers zo hard ertegenaan dat het pijn deed. 'Ik wil dat je klaarkomt terwijl je me aankijkt,' fluisterde ze vastberaden.

Een tijdje later werd hij wakker, zijn rechterarm deed waanzinnig veel pijn en hij knipperde gedesoriënteerd met zijn ogen, niet zo snel wetend waar hij was. Er stond muziek op. Iets van Dido wat hij herkende. Hij zag een groot vierkant aquarium. Een eenzame goudvis zwom in de ruïne rond van een piepkleine Griekse tempel.

Marlon?

Maar het was niet zijn eigen aquarium. Hij wilde zijn arm bewegen, maar die sliep, net een grote zak vol trilpudding. Hij schudde ermee. Het bewoog. Toen zag hij opeens een plukje blond schaamhaar vanuit zijn ooghoek. Het beeld werd vervangen door een glas whisky.

'Drinken?' vroeg Cleo terwijl ze naakt over hem heen gebogen stond.

Hij nam het glas aan met zijn goede hand en nam een slokje. Shit, dat smaakte lekker. Hij zette het neer en kuste haar blote enkel. Ze kwam naast hem liggen en kroop tegen hem aan. 'Gaat het, slaapkop?'

Zijn arm kwam langzaamaan tot leven. Hij kon hem in elk geval weer om haar heen leggen. Ze kusten elkaar. 'Hoelaatist?' vroeg hij.

'Kwart over twee.'

'Sorry, hoor. Ik... ik wilde... ik wilde niet boven op je in slaap vallen.'

Ze kuste hem langzaam op allebei zijn oogleden. 'Dat deed je ook niet.'

Hij zag haar mooie gezicht en haar blonde haar, in soft focus. Rook de zoete lucht van zweet en seks. Zag de goudvis rondzwemmen, zonder erg in hen te hebben, helemaal in zijn goudvissennopjes. Hij zag kaarsjes branden. Planten. Hippe abstracte schilderijen aan de muur. Een hele muur vol bomvolle boekenplanken.

'Wil je naar bed?'

'Ja, dat lijkt me wel wat,' zei hij.

Hij wilde opstaan en realiseerde zich toen dat hij nog steeds half aangekleed was.

Hij trok alles uit, pakte Cleo's hand in zijn ene en het glas in zijn andere, en klom toen moeizaam de twee steile, smalle houten trappen op. Hij liet zich op het grote bed vallen, waar de zachtste lakens op lagen die hij ooit had gevoeld, en met Dido nog steeds op de achtergrond.

Cleo kwam tegen hem aan liggen. Haar hand gleed over zijn buik naar beneden en omvatte zijn geslachtsdelen. 'Heeft de grote jongen slaap?'

'Een beetje wel.'

Ze hield het glas whisky aan zijn lippen. Hij dronk ervan als een baby.

'En, hoe was het vandaag? Of wil je liever slapen?'

Hij dacht erover na. Het was een goede vraag. Hoe was zijn dag verdomme geweest?

Welke dag?

Hij wist het weer. Beetje bij beetje. De noodbriefing om elf uur. Niemand had iets belangrijks te melden, uitgezonderd hijzelf. Brian Bishops verhuizing van Hotel du Vin naar het Lansdowne Place, en de eigenaardige uitleg die hij daarvoor had gegeven.

'Ingewikkeld,' zei hij, terwijl hij zich tegen haar rechterborst aanvlijde en haar tepel in zijn mond nam en erop kuste. 'Je bent de mooiste vrouw ter wereld. Heeft iemand je dat wel eens verteld?'

'Ja, jij.' Ze grinnikte. 'Alleen jij.'

'Ik bedoel maar. De andere mannen hebben geen smaak.'

Ze kuste hem op zijn voorhoofd. 'Dit zal je waarschijnlijk verrassend vinden, omdat ik nogal een wilde meid ben, maar ik heb ze niet allemaal uitgeprobeerd.'

Hij grinnikte ook. 'Nu hoeft dat ook niet meer.'

Ze keek hem onderzoekend aan, ging anders liggen en leunde op haar elleboog. 'O, nee?'

'Ik heb je de hele week gemist.'

'Ik jou ook,' zei ze.

'Hoeveel?'

'Dat ga ik jou niet aan je neus hangen, straks ga je nog naast je schoenen lopen!'

'Trut!'

Ze stak haar linkerhand omhoog en boog de wijsvinger, waarbij ze heel provocerend een slappe lul imiteerde.

'Dat duurt niet lang meer,' zei hij.

'Mooi.'

'Jij bent echt slecht.'

'Dat komt door jou.' Ze kuste hem, trok zich een beetje terug en bekeek aandachtig zijn gezicht. 'Je haar zit leuk.'

'Vind je?'

'Ja. Staat je goed. Ja, ik vind het heel erg leuk!'

Hij bloosde een beetje door het compliment. 'Nou, mooi. Bedankt.'

Glenn Branson had al de hele tijd over zijn haar lopen zeuren, dat hij een nieuwe coupe nodig had, en hij had eindelijk een afspraak gemaakt bij een zeer hippe vent genaamd Ian Habbin, in een kapsalon in het meest trendy gedeelte van Brighton. Grace had al jarenlang zijn haar gewoon kort laten knippen door een treurige, oude Italiaan in een ouderwetse kapperszaak. Het was een hele belevenis om zijn haar door een praatgraag jong meisje te laten wassen in een kamer die vol hing met kunst en waar harde rockmuziek werd gedraaid.

Toen vroeg Cleo: 'Nou, zondag dus eten bij je zus... Jodie, toch?'

'Ja.'

'Wat kun je me over haar vertellen? Stelt ze zich beschermend tegenover je op? Zal ik ondervraagd worden? Zo van: is deze oude slet wel goed genoeg voor mijn broertje?' Ze grijnsde onderzoekend naar hem.

Grace nam een grote slok whisky, om tijd te winnen zodat hij zijn gedachten op een rijtje kon zetten en een antwoord kon formuleren. Hij nam nog een slok. Toen zei hij: 'Ik kan niet.'

'Hoezo niet?'

'Ik moet zondag naar München.'

'München? Daar heb ik altijd al een keer naartoe gewild. Mijn vriendin Anna-Lisa, die stewardess is, zegt dat dat een te gekke stad is voor kleren. Zeg, ik zou met je mee kunnen gaan! Kopen we een paar goedkope tickets bij easyJet, toch?'

Hij hield zijn glas in zijn handen. Nam nog een slok en vroeg zich af of hij een uitvlucht moest verzinnen of de waarheid vertellen. Hij loog liever niet tegen haar, maar op dit moment was het minder pijnlijk dan de waarheid. 'Het is voor werk, ik ga met een collega.'

'O, wie dan?' vroeg ze terwijl ze hem strak aankeek.

'Een inspecteur van een andere divisie. We gaan ernaartoe om over een uitwisseling te praten. Het is iets van de EU,' zei hij.

Cleo schudde haar hoofd. 'Ik dacht dat we hadden afgesproken dat we nooit tegen elkaar zouden liegen.'

Hij keek haar even aan, sloeg zijn ogen neer en voelde dat hij bloosde.

'Je bent een open boek voor me, Roy. Ik kan het aan je ogen zien. Dat heb je me geleerd, weet je nog? Dat gedoe over naar links en naar rechts kijken. Geheugen en creativiteit.'

Grace voelde iets diep in zijn hart zakken. Na een paar minuten twijfelen, vertelde hij haar dat Dick Pope misschien Sandy had gezien.

Cleo ging meteen wat verder bij hem vandaan liggen. En opeens voelde hij een afstand tussen hen die net zo groot was als die tussen de aarde en de maan.

'Oké,' zei ze. Ze klonk alsof ze net een stuk citroen had gegeten.

'Cleo, ik moet er echt naartoe.'

'Ja, natuurlijk.'

'Zo bedoelde ik het niet.'

'O, nee?'

'Cleo, toe, ik...'

'En wat gebeurt er als je haar opspoort?'

Hij stak wanhopig zijn handen in de lucht. 'Dat zie ik nog niet gebeuren.'

'Maar stel dat het gebeurt?' drong ze aan.

'Geen idee. Dan weet ik in elk geval wat er met haar gebeurd is.'

'En als ze weer met je verder wil? Heb je daarom tegen me gelogen?'

'Na negen jaar?'

Ze draaide zich om, naar de muur toe.

'Ik betwijfel of ze het echt wel is.'

Cleo zei niets.

Hij aaide over haar rug en ze kroop nog meer bij hem vandaan.

'Toe nou, Cleo!'

'Wat ben ik dan, gewoon maar iemand met wie je je kunt vermaken totdat je vermiste vrouw weer terug is?'

'Echt niet.'

'Weet je dat zeker?'

'Nou en of.'

'Dat geloof ik niet.'

44

Er stond software op de computer van de tijdmiljardair die hij zelf had geschreven. Hij liet een analoge klok zien voor steden in elke tijdzone op aarde. Hij keek er nu naar. 'Tijd is geld,' zei hij opeens hardop en hij moest grinniken om zijn eigen grapje.

Door het raam kon hij de zon langzaam op zien gaan over Brighton & Hove. Het was al bijna vijf uur hier in Engeland. Zes uur in Parijs. Acht uur in St.-Petersburg. Elf uur in Bangladesh. Eén uur 's middags in Kuala Lumpur. Drie uur 's middags in Sydney.

Mensen stonden hier bijna op. En gingen bijna naar bed in Peru. Iedereen op aarde was afhankelijk van de zon, behalve hijzelf. Hij was bevrijd. Het maakte hem niet meer uit of het nu overdag was of avond, of de aandelenbeurzen of banken of wat dan ook, open of gesloten waren.

Dat had hij te danken aan één man.

Maar hij was niet bitter meer. Dat had hij allemaal in een doos gestopt waar zijn verleden in zat. Je moest positief in het leven staan, doelen hebben. Hij had een site op internet ontdekt die over langer leven ging. Mensen die doelen hadden, leefden langer, zo simpel was het. En degenen die hun doel bereikten, nou, die werden helemaal oud! En hij had nu al twee doelen bereikt! Hij had nu nog meer tijd, die hij aan wat hij maar wilde kon besteden.

Er steeg damp op uit het kopje thee naast hem. Engelse ontbijtthee met een wolkje melk. Hij pakte het lepeltje op en roerde de thee er zeven keer mee. Het was heel belangrijk voor hem om thee altijd precies zeven keer te roeren.

Hij keek weer op het scherm, tikte het commando in voor een ander programmaatje dat hij voor zichzelf had gemaakt. Hij was nooit erg tevreden geweest met de bestaande zoekmachines op internet, ze waren geen van alle gedetailleerd genoeg voor hem. Ze gaven alle informatie in de volgorde die ze zelf kozen. Deze, die hij had gemaakt, die in alle grote zoekmachines zocht en deze aan elkaar koppelde, vergaarde voor hem in korte tijd alles wat hij wilde.

Op dit moment wilde hij een origineel handboek voor een Volkswagen Karmann Ghia uit 1966.

Hij zoog op de rug van zijn rechterhand. Het deed hoe langer hoe meer pijn, de steken werden erger. Hij was er zelfs wakker door geworden en kon er niet meer van slapen. De huid eromheen was wat gezwollen, waardoor zijn duim niet meer zo goed werkte, hoewel dat misschien ook wel zijn verbeelding was. En zijn borst deed ook nog steeds pijn.

'Trut,' zei hij hardop.

Hij liep naar de badkamer, deed het licht aan, knoopte zijn overhemd open en trok de pleister van zijn borst af. De verse schram, ruim twee centimeter lang, met een korstje van samengeklonterd bloed, was door een lange teennagel veroorzaakt, een paar uur geleden.

45

Even na vijf uur 's ochtends verliet Roy Grace Cleo's huis, dat zich in een trendy, ommuurd project midden in Brighton bevond, en voelde zich rot terwijl hij zachtjes de deur achter zich sloot. Het ochtendgloren, de lucht donkergrijs met gevlekte, rode aderen erdoor, had de kleur van een ingevroren lijk. Een paar vogels waren al voorzichtig bezig met een ochtendserenade, hier en daar wat korte piepjes waardoor de stilte even werd onderbroken. Seintjes naar andere vogels, net als radiosignalen die werden verzonden.

Hij rilde, toen hij de rode knop op het smeedijzeren hek indrukte, en liep de binnenplaats af en de straat op. Het werd al een beetje warmer en het zag ernaar uit dat het wederom een zinderende zomerse dag zou worden. Maar in zijn hart regende het.

Hij had geen oog dichtgedaan.

In de afgelopen twee maanden van hun relatie hadden Cleo en hij nog niet één keer ruzie gehad. Dat was afgelopen nacht ook eigenlijk niet gebeurd. Toch, na al die uren woelen en draaien in bed, had hij het gevoel dat er iets tussen hen veranderd was.

De straatverlichting brandde nog, een overbodige oranje gloed die elke lamp uitstraalde terwijl het steeds lichter werd. Een gestreepte kat liep voor hem uit. Hij liep langs een paar geparkeerde auto's, zag een colablikje in de goot liggen, een plas braaksel, een verpakking van de afhaalchinees. Hij liep langs Cleo's blauwe MG, die nat was van de dauw, en kwam toen bij zijn Alfa, die minder nat was. De auto stond op wat hij zo langzamerhand zag als zijn vaste plek, op een enkele gele lijn voor een antiekzaak die voornamelijk retrospullen had uit de twintigste eeuw.

Hij stapte in, draaide de contactsleutel om, trapte op het gaspedaal, waardoor de motor aansloeg en hakkend en stotend een paar minuten draaide totdat de vochtigheid was verdwenen. De ruitenwissers veegden de dauw van de ruit. Er kwam een sissend geluid uit de radio en hij drukte op de knop voor de volgende zender. Geklets, maar hij luisterde er niet naar. In plaats daarvan draaide hij zich om en keek naar het gesloten hek, en vroeg zich af of hij terug moest gaan en iets moest zeggen.

Maar wat?

Cleo zag Sandy als een bedreiging waar ze niet mee om kon gaan. Hij moest zichzelf in Cleo's positie verplaatsen om te begrijpen hoe ze zich voelde. Stel dat zij een man had die was verdwenen en dat zij op zondag naar München wilde gaan om hem op te sporen? Hoe zou híj zich dan voelen?

Eerlijk gezegd had hij geen idee. Gedeeltelijk kwam dat doordat hij hondsmoe was en niet meer goed kon nadenken, en gedeeltelijk omdat hij niet wist hoe hij tegenover het vooruitzicht stond – hoe klein de kans ook was – dat hij Sandy weer zou zien.

Tien minuten later reed hij langs de rode brievenbus op New Church Road, die hij al twaalf jaar als herkenningspunt gebruikte, en sloeg daar rechts af. Afgezien van een melkkarretje dat aan de stoep stond, was die straat waar Grace woonde verlaten. Het was een rustige, leuke laan, met aan beide kanten halfvrijstaande nep-tudorhuizen, de meeste met drie slaapkamers en een inpandige garage. Enkele hadden nogal slecht uitgevallen dakkapellen en sommige – maar zijn huis niet – hadden walgelijk lelijk dubbelglas.

Hij en Sandy hadden het huis zo'n twee jaar voordat ze verdween gekocht, en hij vroeg zich soms af of dat er soms mee te maken had: dat ze hier niet gelukkig was geweest. Ze hadden het zo naar hun zin gehad in de kleine flat in Hangleton, hun nest in de eerste jaren van hun huwelijk, maar ze waren allebei verliefd geworden op dit huis. Sandy nog meer dan hij omdat het een grote tuin had en ze altijd graag had willen tuinieren.

De aanschaf en het opknappen van het huis hadden nogal wat gekost. Grace was toen nog rechercheur geweest, had nog overuren mogen draaien en dat zo vaak mogelijk gedaan ook. Sandy had als secretaresse gewerkt voor een accountantskantoor en had daar ook overgewerkt.

Ze had er gelukkig genoeg uitgezien, had de taak om het interieur op te knappen op zich genomen. De vorige eigenaars hadden er meer dan veertig jaar gewoond, en het huis was uitgewoond en somber geweest toen ze het hadden gekocht. Sandy had er een licht, modern huis van gemaakt, met hier en daar een tikje zen, en ze scheen behoorlijk trots te zijn op wat ze had bereikt. En op de tuin was ze helemaal trots geweest, hoewel die inmiddels schandalig verwaarloosd was, bedacht Grace schuldbewust. Het was elk weekend de bedoeling dat hij in de tuin zou werken, en hem weer op orde zou maken. Maar op de een of andere manier had hij er nooit genoeg tijd voor of zin in. Het gras maaide hij wel regelmatig en hij had zichzelf wijs-gemaakt dat onkruid eigenlijk ook gewoon bloemen waren.

Op de autoradio, waar hij al een paar minuten niet echt naar luisterde, hoorde hij opeens een man de EU-aanpak van agrarische aangelegenheden uitleggen. Hij draaide zijn inrit op, parkeerde voor de garagedeur en zette de motor uit, waarbij de radio ook meteen stilviel.

Toen, terwijl hij zijn huis binnenliep, werd zijn sombere bui opeens weg-gevaagd door een flits van woede. Alle lampen beneden waren aan. Net als zijn echte jukebox. Hij zag dat een van zijn zeldzame vinylplaten 'Apache' van de Shadows, ronddraaide op de pick-up van de jukebox, waarbij de naald telkens een *klik-schraap-klik-schraap-klik-schraap*-geluid maakte. Zijn stereo-installatie stond ook aan en een gedeelte van zijn cd-verzameling lag op de grond verspreid, samen met zijn waardevolle Pink Floyd lp's, uit hun hoes gehaald, een geopend blikje Grolsch, een paar Harley-Davidson-bro-chures, een paar halters en nog meer fitnessspullen.

Hij vloog de trap op, op het punt om Glenn Branson stijf te vloeken, maar bleef bovenaan staan en riep zichzelf tot de orde. De arme man had verdriet. Hij was vast de vorige avond na de briefing thuisgekomen en had zijn congé gekregen, vandaar de fitnessspullen. Laat hem maar slapen.

Hij keek op zijn horloge. Tien voor halfzes. Hoewel hij moe was, was hij te gespannen om te kunnen slapen. Hij ging maar een eindje rennen, om zijn hoofd helder te krijgen en energie te verzamelen voor de zware dag die voor hem lag, met als eerste een briefing om halfnegen, dan een persconfe-rentie om elf uur. En dan wilde hij nog een ronde met Brian Bishop hebben. De man was volgens hem niet zuiver op de graat.

Hij ging naar de badkamer en zag meteen dat het dopje niet op de tand-pasta zat. Er zat een grote deuk midden in de tube en wat witte tandpasta was uit de opening gelopen op het planchet. Hoewel hij niet meteen de vin-ger erop kon leggen waarom, vond hij dit nog erger dan de troep die hij be-neden had aangetroffen.

Hij had het gevoel dat hij in een aflevering van de oude tv-serie *Man Beha-ving Badly* zat, met Martin Clunes en Neil Morrissey, die een stel vrijgezelle sloddervossen speelden die samen op een etage woonden. En toen wist hij weer waarom hij dat van de tandpasta zo erg vond: Sandy had dat ook ge-daan, en het was een van de weinige dingen die hij irritant had gevonden aan haar. Ze kneep altijd midden in de tube, en nooit onderaan, en deed dan het dopje er niet op, zodat er wat tandpasta naar buiten kwam.

Dát, plus zoals haar auto er vanbinnen uitzag: de passagiersstoel was voor haar een soort vuilnisbak die nooit geleegd werd. De kleine bruine roestbak van een Golf lag zo vol met bonnetjes, snoeppapier, lege plastic tasjes, loten en een heleboel andere rotzooi dat Grace altijd dacht dat je er beter kippen in kon houden dan het als vervoermiddel gebruiken.

De auto stond nog steeds in de garage. Hij had hem een tijd geleden helemaal schoongemaakt, op zoek naar een aanwijzing, maar had niets gevonden.

'Wat ben jij vroeg op.'

Hij draaide zich om en zag Branson achter zich staan, in een witte onderbroek, een dunne gouden ketting om zijn hals en zijn grote Russian Divershorloge om. Hoewel hij altijd een beetje gebogen stond, was hij fysiek in prima conditie, zijn spieren spanden zich onder zijn glimmende huid. Maar zijn gezicht was een en al ellende.

'Moet ook wel, om jouw troep op te ruimen,' antwoordde Grace vinnig.

Branson kreeg het niet mee, of hij deed net alsof, en zei: 'Ze wil een paard.'

Grace schudde zijn hoofd, omdat hij niet zeker wist of hij het wel goed had verstaan. 'Hè?'

'Ari.' Branson haalde zijn schouders op. 'Ze wil een paard. Geloof je, met mijn salaris?'

'Wel een stuk beter voor het milieu dan een auto,' antwoordde Grace. 'Waarschijnlijk nog goedkoper ook.'

'Grappig, hoor.'

'Maar wat bedoel je dan met een paard?'

'Ze reed vroeger veel, ze werkte met paarden toen ze nog jong was. Dat wil ze weer gaan doen. Ze zei dat als zij een paard kreeg, ik weer thuis mag komen.'

'Waar kan ik er eentje voor haar kopen?' vroeg Grace meteen.

'Ze meende het hoor.'

'Nou, ik ook.'

46

Roy Grace had gelijk. Nu het parlement met reces was en het grootste nieuws in de afgelopen twee dagen een treinramp in Pakistan was, waren de enige verhalen die in aanmerking kwamen voor de voorpagina – met name bij de roddelkrantjes – de schokkende onthulling dat een topvoetballer in een homotriootje was betrapt, een panter die het platteland van Dorset onveilig maakte en prins Harry die op een strand aan het rotzooien was met een benijdenswaardig knap meisje. Alle nieuwsredacteuren zaten te azen op een goed verhaal en wat was er nu beter dan de moord op een rijke, mooie vrouw?

De vergaderruimte voor de briefing van de media die hij had belegd, was zo stampvol geweest, dat een paar verslaggevers op de gang hadden moeten blijven staan. Hij had het kort gehouden, want hij wilde op dat moment nog niet veel bekendmaken. Er waren die avond verder geen ontwikkelingen geweest en de teamvergadering die ze eerder hadden gehouden, was meer over de taakverdeling geweest dan het bespreken van ontwikkelingen.

Wat hij wel erg duidelijk maakte, tegen de ongeveer veertig journalisten en fotografen die aanwezig waren, was dat de politie erg graag wilde nagaan wat mevrouw Bishop voor haar overlijden allemaal had gedaan en dat ze graag wilde weten of iemand haar de afgelopen paar dagen had gezien. De pers zou een paar foto's krijgen die Grace uit Bishops huis had gehaald, de meeste van een collage actiefoto's. Op eentje stond de vermoorde vrouw in een bikini op een speedboot, op een andere zat ze aan het stuur van haar BMW, en op de volgende had ze een lange jurk aan en een hoed op voor een of andere chique paardenrace, Ascot of Epsom, dacht Grace zo.

Hij had de foto's zorgvuldig uitgekozen, omdat ze de nieuwsredacteurs aan moesten spreken. Het waren het soort foto's die lezers graag zagen: de mooie vrouw, de snelle manier van leven vol glamour. Omdat de kranten gevuld moest worden, wist Grace dat ze zouden worden geplaatst. Een uitgebreide reportage zou het geheugen van een belangrijke getuige misschien eerder opfrissen.

Hij ging wat vroeger weg, omdat hij Cleo wilde bellen voordat hij die middag weer met Brian Bishop ging praten, zodat Dennis Ponds, de woordvoerder van de politie, de foto's uit moest delen. Maar een paar meter voordat hij bij de veiligheidsdeur was waardoor hij bij zijn rustige kantoor kon komen, hoorde hij iemand zijn naam roepen. Hij draaide zich om en zag tot zijn ergernis dat de jonge misdaadverslaggever van *Argus*, Kevin Spinella, hem achternagekomen was.

'Wat doe je hier?' vroeg Grace.

Spinella leunde tegen de muur, vlak bij een groot bord waarop een flowchart hing met de kop SCHEMA MOORDONDERZOEK. Hij had een brutale uitdrukking op zijn spitse gezicht, kauwde op een stuk kauwgom, en stond met zijn zwarte notitieboekje opengeslagen en een pen in zijn hand klaar. Hij droeg een goedkoop, donker pak dat hem niet erg goed paste, een wit overhemd dat ook te groot voor hem was, en een paarse das met een grote, onhandige knoop. Zijn korte haar zag er trendy uit, in de war, alsof hij net uit bed kwam.

'Ik wil u even iets onder vier ogen vragen, inspecteur.'

Grace hield zijn pasje voor het slot. Het slot klikte open en hij trok de deur open. 'Ik heb op de bijeenkomst gezegd wat ik wilde zeggen tegen de pers. Ik heb verder geen commentaar.'

'Volgens mij wel,' zei Spinella zo zelfvoldaan dat Grace zich er kapot aan ergerde. 'U hebt iets achterwege gelaten.'

'Ga maar met Dennis Ponds praten.'

'Ik wilde erover beginnen tijdens de bijeenkomst,' zei Spinella. 'Maar ik denk niet dat u er erg blij mee zou zijn geweest. Het gaat over het gasmasker.'

Grace draaide zich geschrokken om en zette een stap naar de verslaggever toe, waardoor de deur weer achter hem in het slot viel. 'Wat zei je daar?'

'Ik heb gehoord dat er een gasmasker is aangetroffen op de plaats delict – dat het waarschijnlijk door de moordenaar is gebruikt – een of ander pervers ritueel of zo?'

Grace dacht koortsachtig na. Hij was witheet van woede, maar hij kon dat beter maar niet laten merken. Dit was al vaker gebeurd. Een paar maanden geleden, bij een andere zaak, was een belangrijke aanwijzing over iets wat was aangetroffen op de plaats delict en niet aan de pers was doorgegeven – namelijk een kever – ook gelekt naar de *Argus*. Nu was het dus weer gebeurd. Hoe kon dat nou? Het punt was dat het iedereen geweest kon zijn. Hoewel de aanwijzing niet vermeld was bij de persconferentie, wist de halve politiemacht van Sussex ervan af.

In plaats van tegen de man tekeer te gaan, nam Grace hem alleen maar op. Spinella was een slimme vent en duidelijk geïnteresseerd in misdaad. Het zat er dik in dat hij over een jaar of twee bij het plaatselijke krantje weg zou gaan en voor een grotere krant zou gaan werken, misschien zelfs een landelijke; hij zou er niets aan hebben als hij hem tegen zich in het harnas joeg.

'Oké, ik stel het op prijs dat je niets tijdens de persconferentie hebt gezegd.'

'Is het waar dan?'

'Onder ons gezegd en gezwegen?'

Spinella deed, slim als hij was, zijn notitieboekje dicht. 'Ja.'

Grace twijfelde nog, hij wist niet in hoeverre de man betrouwbaar was. 'Er lag een gasmasker uit de Tweede Wereldoorlog op de plaats delict, maar we weten nog niet of het een aanwijzing is.'

'En u verzwijgt het omdat alleen de echte moordenaar er iets vanaf zou weten?'

'Klopt. En het zou erg fijn zijn als u er niets over in de krant zette, voorlopig.'

'En wat krijg ik daarvoor terug?' vroeg Spinella meteen.

Grace moest glimlachen om de brutaliteit van de jonge man. 'Wil je soms een dealtje sluiten?'

'Hé, als ik iets voor u doe, dan bent u me iets schuldig. En dat zal ik in de toekomst wel eens kunnen gebruiken. Afgesproken?'

Grace schudde zijn hoofd en moest weer grinniken. 'Brutale aap!'

'Fijn dat we het eens zijn.'

Grace draaide zich weer om naar de deur.

'Nog heel even,' zei Spinella. 'Is het waar dat u en adjunct-hoofdcommissaris Alison Vosper het niet met elkaar kunnen vinden?'

'Is dit nog steeds officieus?' vroeg Grace.

Spinella knikte, terwijl hij zijn dichtgeklapte notitieboekje omhooghield.

'Geen commentaar!' Grace glimlachte zo ijzig mogelijk, en liep deze keer wel de deur door, waarna hij hem resoluut achter zich dichttrok.

Tien minuten later zat Grace samen met Branson in een van de rode kuipstoeltjes in de getuigenverhoorkamer, tegenover Brian Bishop, die er slecht uitzag. Agente Maggie Campbell had hem van zijn hotel hiernaartoe gereden en stond nu buiten te wachten.

Grace had zijn jasje uitgetrokken en zat nu in een overhemd met korte mouwen. Hij legde zijn notitieboekje op de kleine salontafel en depte toen het zweet van zijn voorhoofd met een zakdoek. Branson, die een strak, schoon wit T-shirt droeg, een dunne blauwe spijkerbroek en gympen, zag er niet meer zo wanhopig uit als de dag ervoor.

'Mogen we het gesprek weer opnemen, om tijd te besparen, meneer?' vroeg Grace aan Bishop.

'U doet maar.'

Branson zette het apparaat aan. 'Het is drie minuten over twaalf, zaterdagmiddag 5 augustus. Inspecteur Grace en rechercheur Branson ondervragen meneer Brian Bishop.'

Grace nam een slok water, zag dat Bishop dezelfde kleren aanhad als de dag ervoor, behalve dan dat hij dit keer een groen poloshirt droeg. Hij zag er nog meer aangeslagen uit dan een dag eerder, alsof de realiteit hem eindelijk had ingehaald. Misschien had hij de vorige dag nog gefunctioneerd door de adrenaline van de shock, dat gebeurde soms. Verdriet had op ieder mens weer een andere uitwerking, maar er waren fasen die bijna iedereen die iemand was kwijtgeraakt, moest doormaken. Shock. Ontkenning. Woede. Verdriet. Schuldgevoel. Eenzaamheid. Radeloosheid. Aanvaarding. En een paar van de koelbloedigste moordenaars hadden wat dat betreft Oscarwaardig acteerwerk geleverd, was Grace' ervaring.

Hij keek naar Bishop die naar voren kwam in zijn stoel en aandachtig met een plastic stokje roerde in de koffie die Branson voor hem had gehaald. Hij fronste zijn wenkbrauwen toen hij zag hoe geconcentreerd Bishop bezig was. Was de man het aantal keren dat hij roerde aan het tellen?

'Hoe gaat het met uw hand?' vroeg Grace.

Bishop hield zijn rechterhand op zodat hij goed te zien was. Grace zag dat er korstjes op de schram zaten. 'Goed hoor,' zei hij. 'Een stuk beter. Dank u.'

'Hebt u vaak kleine ongelukjes?' ging Grace door.

'Nee, niet echt.'

Grace knikte en zei een tijdje niets. Branson keek hem verbaasd aan, maar Grace deed net of hij het niet zag.

Als Bishop zijn vrouw had vermoord, had hij daarbij zijn hand kunnen verwonden. Of misschien was het gebeurd omdat hij onhandig was. Bishop zag er niet uit als iemand die onhandig was. Het was heel goed mogelijk dat, aangedaan door verdriet, hij het verkeerd had ingeschat, maar er waren nog meer goede verklaringen mogelijk voor zijn wond. De meeste misdadigers werden één brok zenuwen in de uren die volgden na de misdaad. Dat werd rondlopen in een rood waas genoemd.

Loopt ú rond in een rood waas, meneer Bishop?

'Hebt u al wat bereikt?' vroeg Brian Bishop opeens met een gebroken stem, terwijl hij hen om de beurt aankeek. 'Weten jullie al wie dit heeft gedaan?'

Ja, en ik heb het vermoeden dat we dader nu aan zitten kijken, dacht Grace, maar hij deed zijn best dat niet te tonen. 'Helaas zijn we nog niet verder dan gisteravond, meneer. Hebt u nog iets kunnen bedenken? Hebben u en mevrouw Bishop misschien iemand tegen de haren in gestreken? Vijanden dat u weet?'

'Nee, nee, helemaal niet. Er waren wel mensen jaloers op ons, denk ik.'

'Dénkt u.'

'Nou ja, Katie en ik... we... we zijn... waren... een van de topstellen van de stad. Dat zeg ik niet om op te scheppen of zo. Het was nu eenmaal zo. Zo leefden we.'

'Het werd u opgedrongen?' Het was eruit voor Grace er erg in had en hij zag Branson grijnzen.

Bishop glimlachte terug zonder een vleugje humor. 'Nee, dat wilden we zelf. Nou ja, vooral Katie eigenlijk, zij hield wel van aandacht. Ze had altijd grootse plannen.'

Een vlieg vloog zigzaggend door de kamer. Grace keek even naar zijn capriolen voordat hij zei: 'Die nogal opvallende Bentley van u, hebt u die uitgekozen of uw vrouw?'

Bishop haalde zijn schouders op. 'Ik wilde die auto, maar Katie heeft de kleur volgens mij uitgezocht, ze vond hem heel erg mooi.'

Grace glimlachte ontwapenend naar hem. 'Dat was erg tactisch van u. Vrouwen kunnen nogal neerbuigend doen over mannenspeeltjes als ze er niet bij betrokken worden.' Hij keek hem veelbetekenend aan. 'En dat geldt andersom soms ook.'

De rechercheur trok een gezicht naar hem.

Bishop krabde op zijn achterhoofd. 'Hoor eens... Ik... ik heb uw hulp nodig voor... ik moet de begrafenis regelen, weet u hoe ik dat moet doen?'

Grace knikte meelevend. 'Het is aan de patholoog om te bepalen wanneer het stoffelijk overschot wordt vrijgegeven. Maar in de tussentijd kunt u alvast een begrafenisondernemer in de arm nemen. Linda Buckley kan u daarmee verder helpen.'

Bishop staarde in zijn bekertje koffie. Hij zag er opeens uit als een klein, radeloos jongetje, alsof hij door de begrafenisondernemer de waarheid onder ogen moest zien.

'Ik wil het met u nog even over de tijdstippen hebben,' zei Grace, 'gewoon om te kijken of ik alles goed heb begrepen.'

'Ja?' Bishop keek hem bijna smekend aan.

Grace boog naar voren en bladerde een paar bladzijden terug in zijn notitieboekje. 'U was donderdagavond in Londen, vervolgens reed u op vrijdagochtend naar Brighton om golf te spelen.' Grace sloeg nog een bladzijde om en las even aandachtig een paar zinnen. 'Gisterochtend om halfzeven hielp Oliver, uw beheerder, u de golfclubs en bagage in uw auto dragen, hebt u ons verteld. Klopt dat?'

'Ja.'

'En u hebt de nacht in Londen doorgebracht, nadat u had gegeten met uw financieel adviseur Phil Taylor?'

'Ja. Hij kan voor me instaan.'

'Dat heeft hij al gedaan, meneer Bishop.'

'Mooi.'

'En de beheerder heeft bevestigd dat hij u heeft geholpen met uw auto inladen om halfzeven 's ochtends.'

'En zo hoort het ook.'

'Zeg dat wel,' zei Grace. Hij tuurde weer naar zijn aantekeningen. 'U bent dus nergens naartoe gegaan nadat u met meneer Taylor had gegeten en u de volgende ochtend vertrok?'

Brian Bishop aarzelde, met het bizarre telefoontje in gedachten met Sophie dat hij de dag ervoor had gehad, toen ze ervan overtuigd was dat hij na zijn etentje met Phil Taylor bij haar was gaan slapen. Daar klopte helemaal niets van. Hij kon onmogelijk in anderhalf uur naar haar flat in Brighton zijn gereden en toen weer terug naar Londen zonder het zich nog te herinneren.

Toch?

Hij keek om de beurt naar beide politiemannen en zei: 'Dat klopt. Ik ben nergens naartoe gegaan.'

Grace had zijn aarzeling opgemerkt. Dit was geen goed moment om te zeggen dat Bishops Bentley door een camera was gefilmd toen hij om dertien voor twaalf op donderdagavond naar Brighton reed.

Grace had diverse rechercheurs tot zijn beschikking bij de politiemacht van Sussex die erop getraind waren om iemand te verhoren en die Bishop het vuur aan zijn schenen konden leggen. Hij wilde deze informatie nog even voor zich houden, zodat ze het op een geschikt moment de man onder zijn neus konden wrijven.

Dat moment zou pas komen nadat Grace Bishop formeel als verdachte aan zou merken. En dat was hij al bijna van plan.

47

Op Southern Counties Radio was in het journaal van twee uur de moord op Katie Bishop nog steeds het grootste nieuws, net als in alle andere journaals die hij de afgelopen dag had gehoord. Elke keer dat hij het hoorde, was het verhaal een beetje veranderd met zorgvuldig gekozen woorden om het steeds boeiender te maken. Het leek wel een soap, dacht hij.

Katie Bishop, lid van de beau monde in Brighton.

Brian, echtgenoot, rijke zakenman.

Dyke Road Avenue, rijkeluisstraat.

De nieuwslezer, Dick Dixon, was zo te horen jong, hoewel hij er op de foto op de website van de BBC ouder uitzag, gerimpelder, en heel anders dan zijn stem deed vermoeden. Zijn foto was nu op het scherm te zien. Hij zag er behoorlijk gemeen uit, net als de acteur Steve Buscemi in *Reservoir Dogs*. Niet iemand die je tegen de haren in wilde strijken, hoewel je dat nooit zou hebben gedacht als je die vriendelijke stem hoorde.

Met de hulp van zijn redactie was Dick Dixon bezig de indruk te wekken dat er al snel een doorbraak was te verwachten, ook al waren er geen nieuwe ontwikkelingen in het moordonderzoek. Hij benadrukte dat door de tijdens een persconferentie die dag opgenomen stem van inspecteur Grace te gebruiken.

'Dit is een bijzonder gruwelijke misdaad,' zei de inspecteur. 'Eentje waarbij de veiligheid van iemands eigen huis, beschermd door een uitgebreide alarminstallatie, werd geschonden en iemand op brute wijze werd vermoord. Mevrouw Bishop zette zich onvermoeibaar in voor plaatselijke goede doelen en was een van de meest geliefde inwoners van de stad. We voelen mee met haar man en de rest van haar familie, en we zullen alles op alles zetten om de walgelijke figuur die dit heeft gedaan op te pakken.'

Walgelijke figuur.

Terwijl hij naar de politieman zat te luisteren, zoog hij op zijn hand. De pijn werd steeds erger.

Walgelijke figuur.

De plek was duidelijk dikker, dat was goed te zien als hij zijn handen naast elkaar hield. En er was nog iets waar hij niet blij mee was: vanuit de wond waaierden dunne rode draadjes uit naar zijn pols. Hij bleef op zijn hand zuigen, om het eventuele gif dat erin zat eruit te krijgen. Een pas gezet kopje thee stond op zijn bureau. Hij roerde erin, terwijl hij zorgvuldig telde.

Een, twee, drie, vier, vijf, zes, zeven.

Dick Dixon had het inmiddels over de toenemende tegenstand voor de voorgestelde derde terminal op Gatwick. Een plaatselijk parlementslid lanceerde een woeste aanval.

Walgelijke figuur.

Hij stond op, witheet van woede, en zocht zijn weg door de kelder langs bergen computerspullen, stapels autotijdschriften en autohandleidingen naar het vieze erkerraam dat was afgeschermd met gordijnen. Niemand kon naar binnen kijken, maar hij kon wel naar buiten kijken. Terwijl hij vanuit zijn 'hol', zoals hij het graag noemde, naar boven keek, zag hij een paar goed gevormde benen op ooghoogte langslopen op de stoep, langs de reling. Lange, blote, bruine benen, stevig en gespierd, met een minirokje dat ook maar net de boel bedekte.

Hij voelde zich opeens geil, maar kreeg toen een schuldgevoel erover.

Vreselijk.

Walgelijke figuur.

Hij knielde neer op het dunne, verschoten tapijt dat naar stof rook, sloeg zijn handen voor zijn gezicht en bad het Onzevader. Toen hij aan het eind gekomen was, ging hij door met bidden: 'Lieve God, vergeef me mijn lustgevoelens. Laat ze alstublieft geen belemmering vormen. Laat me alstublieft de tijd die U me zo goedgunstig hebt gegeven, niet aan dat soort dingen verspillen.'

Hij bleef nog een paar minuten bidden en stond toen eindelijk op, verkwikt en weer vol energie, dankbaar dat God bij hem was. Hij liep naar het bureau en dronk wat thee. Op de radio werd uitgelegd hoe je een vlieger moest oplaten. Hij had nog nooit een vlieger opgelaten, en hij had ook nooit de behoefte gehad dat te doen. Maar misschien was het wel een goed idee. Misschien kon hij zich dan ontspannen. Het was misschien een goede manier om alle tijd die hij had verzameld, te gebruiken.

Ja, een vlieger.

Mooi.

Waar kon je die kopen? In een sportwinkel? Een speelgoedzaak? Of op internet, natuurlijk!

De vlieger moest niet al te groot zijn, want hij had niet veel ruimte in zijn flat. Het beviel hem hier wel, de flat was ideaal, want er waren drie ingangen, of beter gezegd, drie uitgangen.

Ideaal dus voor een walgelijke figuur.

De flat stond aan de drukke, doorgaande Sackville Road, vlak bij de kruising met Portland Road, en er reden altijd wel auto's langs, overdag en 's nachts. Dit gedeelte was niet zo goed. Maar zo'n halve kilometer verderop, dichter bij de zee, werd het al snel beter. Maar hier, vlak bij een industrieterrein, met een spoorbrug dichtbij en een paar smerig uitziende winkels, wemelde het van de onpopulaire krappe victoriaanse en edwardiaanse rijtjeshuizen, die allemaal in gebruik waren als pensions, kamerverhuurbedrijven, goedkope appartementen of kantoren.

Er waren altijd wel mensen in de buurt. Over het algemeen studenten, maar ook een paar voorbijgangers en mafkezen en af en toe een dealer. Heel af en toe waren een paar van Hoves bejaarde dames met blauwe haarspoeling buiten in het daglicht te zien, bij de bushalte, of naar een winkel waggelend. Je kon hier op elk moment van de dag rondlopen zonder dat iemand erop lette.

Waardoor het ideaal was voor zijn doel. Ook al was het dan vochtig, en hij bleef aan de gang met gebrekkige kachels en lekkende kraantjes repareren. Hij onderhield de boel helemaal zelf. Hij wilde geen werklui in zijn flat. Dat zou niet slim zijn.

Helemaal niet slim.

Een uitgang was door de voordeur. Een andere via de achterkant, door een tuin die bij de woning op de begane grond hoorde, boven hem. De bewoner, een verlopen man met touwachtig haar, verwaarloosde de tuin zodat hij vol met onkruid stond. De derde uitgang was voor als het laatste oordeel eindelijk kwam. Hij was verborgen achter een nepmuurtje van hardboard, zorgvuldig behangen met bloemetjespapier net als de rest van de kamer, zodat er geen kier te zien was. Op dat muurtje, zoals op elke muur, had hij stukjes uit de krant, foto's en gedeeltelijke stambomen geplakt.

Een foto was gloednieuw, die had hij pas een kwartier geleden opgehangen. Het was een korrelige foto van het hoofd en de schouders van inspecteur Roy Grace, uit de *Argus* van die dag, die hij met behulp van zijn computer had gescand, vergroot en geprint.

Hij keek naar de politieman. Keek naar zijn scherpe ogen, naar de rustige volharding in zijn blik. Je gaat een probleem voor me vormen, inspecteur Grace. Je zit me op mijn huid. We zullen iets voor je moeten verzinnen. Je een lesje leren. Niemand mag me een walgelijke figuur noemen.

Toen schreeuwde hij opeens: 'Niemand noemt mij een walgelijk figuur, inspecteur Roy Grace van de politie van Sussex! Heb je me gehoord? Het zal je berouwen dat je mij een wálgelijke figuur hebt genoemd. Ik weet van wie je houdt!'

Hij stond te hyperventileren en balde een paar keer zijn linkervuist. Toen liep hij door de kamer, voorzichtig tussen de tijdschriften, handleidingen en computers die hij aan het opbouwen was door, en weer terug naar de foto, zich bewust van de verandering van omstandigheden. Zijn bankrekening werd aangesproken: hij kon zich niet meer wentelen in zijn tijd. De tijd werd rap minder.

48

Even voor vier uur stond Holly Richardson bij de toonbank van Brightons coolste nieuwe boetiek om een waanzinnig duur, buitengewoon kort zwart jurkje, afgezet met stras, af te rekenen. Dat had ze beslist nodig om naar het feestje van die avond te gaan. Ze betaalde met de Virgin-creditcard die handig genoeg door haar brievenbus was gegooid, een paar dagen later gevolgd door de pincode. Op haar Barclay-card stond ze al rood. Volgens haar berekeningen, gezien de uitgaven de laatste tijd en wat ze bij het Esporta-fitnesscentrum had verdiend waar ze als receptioniste werkte, zou ze alles tegen de tijd dat ze 95 was helemaal hebben afbetaald.

Haar enige kans was een rijke man te trouwen.

En misschien zou ze die avond op het feestje waar zij en Sophie naartoe zouden gaan wel een heel knappe en ontzettend rijke man ontmoeten die alleen maar van donkerharige meisjes met een grote neus hield. De man die het feestje gaf, was een geslaagde muziekproducent. Het huis was een schitterend Moors optrekje aan het strand, maar een paar deuren verwijderd van het pand dat Paul McCartney voor zijn ooit zo geliefde Heather had gekocht.

En... o, verdomme! Ze bedacht net dat ze Sophie de dag ervoor terug had moeten bellen toen ze klaar was bij de kapper, en ze was het helemaal vergeten.

Ze liep de drukke East Street op, met haar waanzinnig dure aanschaf in een chic papieren tasje met handvatten van touw in haar hand, terwijl ze haar kleine, hypermoderne Nokia uit haar handtas opdiepte en Sophies nummer intoetste. Ze kreeg de voicemail. Ze liet een bericht achter waarin ze zich verontschuldigde en voorstelde dat ze om halfacht samen ergens wat zouden gaan drinken en dan een taxi zouden nemen naar het feestje. Daarna toetste ze het nummer in van Sophies flat, maar ook daar kreeg de voicemail.

Opnieuw sprak ze een bericht in.

49

Roy Grace sprak geen bericht in. Hij had er al een op Cleo's telefoon thuis ingesproken, en op haar gsm, en hij had er ook eentje ingesproken op haar antwoordapparaat in het mortuarium. Nu zat hij al voor de derde keer die dag te luisteren naar haar opgewekte meldtekst op haar gsm. Hij verbrak de verbinding. Het was duidelijk dat ze hem ontweek, nog steeds vanwege Sandy.

Shit, shit, shit.

Hij was boos op zichzelf dat hij het zo onhandig had aangepakt. Dat hij tegen Cleo had gelogen zodat ze hem niet meer vertrouwde. Oké, het was een leugentje om bestwil geweest, bladiebladiebla. Maar de vraag die ze had gesteld, die eenvoudige vraag, was de enige die hij nu net niet kon beantwoorden, niet voor haar, niet voor hemzelf. De vraag waar het allemaal om draaide.

Wat gebeurt er als je haar opspoort?

Eerlijk gezegd wist hij het niet. Er waren zoveel onvoorspelbare factoren. Zoveel verschillende redenen waarom mensen verdwenen, en hij kende de meeste wel. Hij had dit al zo vaak met het team van de hulptelefoon voor vermiste personen besproken, en ook met de psycholoog die hij al een paar jaar regelmatig bezocht. Hij hoopte stiekem dat Sandy, als ze nog leefde, aan geheugenverlies leed. Dat was aanvankelijk een zeer aannemelijke reden geweest toen ze net weg was, maar nu, na al die jaren, was die hoop bijna vervlogen.

Een Swatch-horloge met een roze wijzerplaat en witte cijfers en een wit riempje bungelde voor zijn neus. 'Ik heb mijn dochter van negen er eentje gegeven. Ze was er helemaal weg van, helemaal wauw, als je snapt wat ik bedoel,' zei de winkelbediende behulpzaam. Hij was een licht getinte Antilliaan, begin dertig, vlot gekleed en erg vriendelijk. Zijn haar zag eruit als een bos kapotte horlogeveren.

Grace richtte zich weer op zijn taak. Zijn zus had voorgesteld dat hij een horloge voor de verjaardag van zijn petekind zou kopen, en hij had haar moeder gebeld om zeker te weten dat ze er niet al eentje zou krijgen. Er lagen er tien voor hem uitgestald op de glazen toonbank. Het punt was dat hij geen idee had wat een meisje van negen 'vet' of 'ieuw!' zou vinden. Hij kon zich nog de teleurstelling van de afschuwelijke cadeautjes herinneren die hij van goedbedoelende peetouders had gekregen. Sokken, een ochtendjas, een trui, een houten speelgoedauto die een vrachtwagen van Harrods uit de jaren twintig moest voorstellen en waarvan de wielen niet eens hadden kunnen draaien.

De horloges waren allemaal verschillend. De roze met de witte wijzerplaat was het mooist, heel schattig. 'Ik heb geen idee welke horloges helemaal in zijn, zou een meisje van negen deze vet vinden?'

'Deze is vet cool, man. Helemaal. Deze hebben ze allemaal. Heb je wel eens dat programma op zaterdagochtend gezien op Channel Four?'

Grace schudde zijn hoofd.

'Daar zat verleden week een kind in dat dit horloge droeg. Mijn dochter ging helemaal uit haar dak!'

'Hoe duur is die?'

'Dertig pond. In een mooie doos.'

Grace knikte en pakte zijn portemonnee. Dat probleem was tenminste opgelost. Maar het was dan ook het kleinste probleem geweest.

Om halfzeven die avond kreeg hij veel grotere problemen op zijn bord in de vergaderkamer in het Sussex House. De hitte in de kamer was nog wel het minste daarvan. Alle tweeëntwintig teamleden hadden hun jasje uitgetrokken en de meeste mannen droegen, net als Grace, een overhemd met korte mouwen. Ze lieten de deur openstaan, want dat wekte de illusie dat er koele lucht naar binnen kwam vanuit de gang, en twee ventilators verplaatsten met veel lawaai de warme lucht. Iedereen transpireerde. Toen ze eindelijk allemaal zaten, was er in de donkere lucht buiten een donderslag te horen.

'Ja, hoor,' zei Norman Potting, met grote zweetplekken op zijn crèmekleurige overhemd. 'Een typisch Engelse zomer. Twee mooie dagen gevolgd door een donderbui.'

Een paar teamleden glimlachten, maar Grace had hem amper gehoord, hij was diep in gedachten verzonken. Cleo had hem nog steeds niet teruggebeld. Hij had een vlucht geboekt naar München die om zeven uur 's ochtends vertrok, en hij zou om kwart over negen 's avonds weer landen. Maar hij had in elk geval wel hulp daar. Hoewel hij Marcel Kullen al meer dan vier jaar niet had gesproken, had de man hem binnen het uur teruggebeld en – voor zover Grace kon opmaken uit Kullens matige Engels – de Duitse rechercheur zou hem persoonlijk afhalen van het vliegveld. En hij had eraan gedacht de lunch de volgende dag bij zijn zus af te zeggen, wat ze erg vervelend had gevonden, en Cleo ook.

'Het is halfzeven, zaterdag 5 augustus,' las hij voor de aanwezige mensen op formele toon voor van zijn aantekeningen die waren voorbereid door Eleanor Hodgson. 'Dit is onze vierde briefing voor operatie Kameleon, het onderzoek naar de moord op mevrouw Katherine Margaret Bishop – roepnaam Katie – op de tweede dag na de ontdekking van haar stoffelijk overschot om halfnegen gisterochtend. Ik zal nu wat daarna is gebeurd samenvatten.'

Hij hield het kort, sloeg een paar dingen over, en sloot toen af met een boze opmerking over het feit dat iemand over zoiets belangrijks als het gasmasker naar de journalist van de *Argus*, Kevin Spinella, had gelekt. Hij keek nijdig de kamer rond en vroeg: 'Weet iemand hoe Spinella aan deze informatie is gekomen?'

Iedereen keek hem uitdrukkingloos aan.

Geïrriteerd door de warmte en door het gedoe met Cleo, en door verdomme alles wat tegenzat, sloeg hij hard met zijn vuist op tafel. 'Dit is nu al de tweede keer dat dit is gebeurd in een paar maanden tijd.' Hij keek even naar zijn assistent, rechercheur Kim Murphy, die knikte, als om het te beamen. 'Ik zeg niet dat het iemand is die hier aanwezig is,' voegde hij eraan toe. 'Maar ik zal de onderste steen boven halen om de schuldige op te sporen, en ik wil dat jullie je ogen goed openhouden. Oké?'

Er werd overal instemmend geknikt. Er volgde een korte stilte die werd onderbroken door een bliksemschicht en een plotseling knipperen van alle lampen in de kamer. Even later hoorden ze weer een donderslag.

'Nog een zakelijke mededeling: morgen ben ik er niet bij, de briefing zal worden voorgezeten door rechercheur Murphy.'

Kim Murphy knikte weer.

'Ik zal een paar uur in het buitenland zijn,' ging Grace door. 'Maar ik heb mijn gsm en mijn BlackBerry bij me, dus jullie kunnen me altijd via de telefoon of via de e-mail bereiken. Goed, dan nu jullie verslagen.' Hij keek op zijn papieren, om de taken na te lezen die hij uitgedeeld had, hoewel hij de meeste, zo niet alle, uit zijn hoofd kende. 'Norman?'

Potting had een zware, soms onverstaanbare stem, verergerd doordat hij af en toe brouwde. 'Ik heb iets ontdekt wat misschien wel belangrijk is, Roy,' zei de rechercheur.

Grace gaf aan dat hij door moest gaan.

Potting, die op alle slakken zout legde, gaf verslag op de nogal formele en breedsprakige wijze die hij ook zou hebben gebruikt als hij in de getuigenbank had gestaan. 'Je vroeg me alle beveiligingscamera's in die buurt na te gaan. Ik heb het logboek van Vantage doorgespit naar alle meldingen die donderdagavond. Daarbij ontdekte ik dat het busje van een loodgieter, dat in Lewes op donderdagmiddag als gestolen was opgegeven, op het parkeerterrein bij een BP-benzinepomp was aangetroffen. In de westelijke richting van de A27, ruim drie kilometer ten oosten van Lewes, gisterochtend vroeg.'

Hij nam even de tijd om een paar bladzijden terug te bladeren in zijn gelinieerde notitieboekje. 'Ik wilde dat onderzoeken omdat ik het vreemd vond dat –'

'Hoezo?' onderbrak rechercheur Bella Moy hem op scherpe toon. Grace wist dat ze Potting niet uit kon staan, en elke gelegenheid te baat zou nemen om hem belachelijk te maken.

'Nou, Bella, een busje vol met loodgieterspullen lijkt me niet echt het soort voertuig waarmee joyriders ervandoor zullen gaan,' antwoordde hij, terwijl er om hem heen werd gegrinnikt. Zelfs Grace stond zichzelf een flauw glimlachje toe.

Met een stalen gezicht kaatste Bella terug: 'Maar misschien wel voor een criminele loodgieter.'

'Niet met de prijzen die zij berekenen, die hebben allemaal een Rolls-Royce.'

Dit keer werd er nog harder gelachen. Grace stak zijn hand op om de gemoederen te bedaren. 'Zullen we ons gewoon bij de feiten houden, ja? Dit is een zeer ernstige zaak.'

Potting ploegde voort. 'Het leek me gewoon niet in de haak. Een loodgietersbusje dat achtergelaten was. Rond dezelfde tijd dat mevrouw Bishop was vermoord. Ik weet niet hoe ik het verband heb gelegd, maar hou het maar op de intuïtie van een agent.'

Hij keek naar Grace, die terugknikte. Hij wist wat Potting bedoelde. De beste politiemannen hadden intuïtie. De vaardigheid om te weten – ruïken – wanneer er iets wel of niet klopte, hoewel ze er geen logische verklaring voor konden geven.

Bella keek Norman Potting woedend aan, alsof ze een kind was en een staarspelletje met hem deed. Grace bedacht dat hij haar aan moest spreken op haar houding.

'Ik ging vanochtend naar de BP-benzinepomp toe en vroeg om permissie om de videobanden van de beveiligingscamera's bij het parkeerterrein van de avond ervoor te bekijken. De medewerkers gaven hun toestemming, deels omdat er twee mensen waren geweest die weg waren gereden zonder te betalen.' Potting keek Bella plotseling recht aan met een voldane uitdrukking op zijn gezicht. 'De camera filmt elke dertig seconden. Toen ik de banden bekeek, stond er een BMW cabrio op, die net voor middernacht aan was komen rijden, en waarvan ik later vaststelde dat het de auto was die aan mevrouw Bishop toebehoorde. Ik kon ook vaststellen dat de vrouw die naar de winkel van de benzinepomp liep, mevrouw Bishop was.'

'Dit zou wel eens belangrijk kunnen zijn,' zei Grace.

'Er is nog meer.' De oudgediende was erg trots op zichzelf. 'Ik heb de auto vanbinnen uitgeplozen, bij het huis van de Bishops aan Duke Road Avenue, en trof een parkeerkaartje aan van een parkeerautomaat in Southover Road in Lewes dat was afgestempeld op kwart over vijf op donderdagmiddag. Het gestolen busje was ontvreemd uit een parkeergarage vlak bij Cliffe High Street, ongeveer vijf minuten lopen daarvandaan.'

Potting liet het daarbij. Na een paar seconden vroeg Grace: 'En?'

'Ik heb er op dit moment niets aan toe te voegen, Roy. Maar volgens mij houden die twee zaken met elkaar verband.'

Grace keek hem zeer aandachtig aan. Potting, die een vreselijk belabberd liefdesleven had en zo politiek incorrect was dat hij de helft van de Verenigde Naties tegen zich in het harnas zou kunnen jagen, had, ondanks al die bagage, al eerder indrukwekkende resultaten behaald. 'Ga ermee door,' zei hij en hij draaide zich om naar hoofdagent Zafferone.

Alfonso Zafferone had de belangrijke, maar taaie taak gekregen om de tijdstippen uit te werken. Terwijl hij gewoon door bleef kauwen op zijn kauwgom, gaf hij verslag van zijn werkzaamheden met het HOLMES-team, om elke gebeurtenis die met de moord op Katie Bishop verband hield, in kaart te brengen.

De jonge hoofdagent vermeldde dat Katie Bishop op de dag dat ze was vermoord 's ochtends vroeg eerst een uur had gefitnest met haar eigen trainer. Grace maakte een aantekening dat die ondervraagd moest worden. Vervolgens was ze naar een schoonheidssalon in Brighton gegaan, waar ze haar nagels had laten doen. Grace schreef op dat het personeel moest worden ondervraagd. Daarna was ze gaan lunchen in het Havana Restaurant in Brighton met een vrouw genaamd Caroline Ash, die de inzameling regelde voor het plaatselijke goede doel voor kinderen, het Rocking Horse Appeal. Ze wilden in september een avond in hun huis aan Dyke Road Avenue organiseren om geld op te halen. Grace noteerde dat mevrouw Ash ondervraagd moest worden.

De uitputtende dag van mevrouw Bishop, zei Zafferone met behoorlijk wat sarcasme, werd vervolgd met een afspraak bij haar kapper om drie uur. Wat ze daarna had gedaan, was onbekend. De informatie die Norman Potting had verstrekt, vulde die leegte overduidelijk aan.

Het volgende verslag was van de nieuwste aanwinst bij Grace' team: een harde, intelligente vrouwelijke agent van achter in de dertig, die Pamela Buckley heette en voortdurend werd verward met de gezinscontactpersoon Linda Buckley. Ze leken zo op elkaar dat ze wel zusjes hadden kunnen zijn. Ze hadden allebei blond haar, dat van Linda Buckley was geknipt in een jongensachtig model, dat van Pamela was langer en nogal strak naar achteren getrokken.

'Ik heb de taxichauffeur opgespoord die Brian Bishop van het Hotel du Vin naar het Lansdowne Place Hotel heeft vervoerd,' zei Pamela Buckley, en ze raadpleegde haar notitieboekje. 'Hij heet Mark Tuckwell en hij werkt voor Hove Streamline. Hij kan zich niet herinneren dat Bishop zijn hand heeft bezeerd.'

'Had Bishop zich kunnen bezeren zonder dat de chauffeur het heeft gezien?'

'Dat zou kunnen, meneer, maar het is niet waarschijnlijk. Ik heb hem dat gevraagd. Hij zei dat Bishop helemaal niets heeft gezegd tijdens de rit. Hij denkt dat als hij zichzelf bezeerd had, hij dat wel had gezegd.'

Grace knikte en maakte wat aantekeningen, hoewel hij er niet van overtuigd was dat hij hier iets aan had.

Bella Moy gaf vervolgens een uitgebreide persoonsbeschrijving van zowel Katie als Brian Bishop. Katie Bishop kwam er niet zo goed vanaf. Ze was al twee keer eerder getrouwd geweest, de eerste keer op haar achttiende met een gesjeesde rockzanger. Ze was van hem gescheiden op haar tweeëntwintigste en was toen getrouwd met een rijke projectontwikkelaar, van wie ze zes jaar later was gescheiden. Bella had beide mannen gesproken, die Katie niet erg vriendelijk hadden beschreven als iemand die geobsedeerd was met geld. Twee jaar later was ze met Brian Bishop getrouwd.

'Waarom heeft ze nooit kinderen gekregen?' vroeg Grace.

'Toen ze met die rockzanger getrouwd was, heeft ze twee abortussen ondergaan. Haar projectontwikkelaar had al vier kinderen en wilde er niet nog meer.'

'Is ze daarom van hem gescheiden?'

'Dat zei hij, ja,' antwoordde ze.

'Heeft ze veel alimentatie gekregen?'

'Hij zei dat het ongeveer twee miljoen pond was,' antwoordde ze.

Grace schreef weer wat op. Toen zei hij: 'Zij en Brian Bishop zijn vijf jaar getrouwd geweest. En we weten niet waarom ze geen kinderen hadden. Dat moeten we hem vragen. Dat was misschien een punt van strijd tussen hen.'

De volgende op Grace' lijst was brigadier Guy Batchelor. Een van de dingen die hij aan de rechercheur had gedelegeerd, was een grondige zoekactie door Bishops huis in Brighton, nadat de technische recherche klaar was. In de tussentijd trad Batchelor op als tussenpersoon.

'Ik heb iets gevonden wat wel belangrijk zou kunnen zijn,' zei Batchelor. Hij hield een rode dossiermap omhoog, waar een ruitertje op zat. Hij sloeg de map open en haalde een stapel A4'tjes eruit, die met een paperclip aan elkaar vastzaten en waar het logo van de HSBC-bank op stond. 'Een rechercheur van het technisch team vond dit in een archiefkast in Bishops studeerkamer,' zei hij. 'Het is een levensverzekering die een half jaar geleden afgesloten is op mevrouw Bishop, ter grootte van drie miljoen pond.'

50

We hebben meestal maar één goede inval in ons leven. Het eurekamoment. Het gebeurt vaak bij toeval. Alexander Fleming overkwam het toen hij wat bacteriën in zijn laboratorium had laten staan en daardoor penicilline ontdekte. Steve Jobs overkwam het toen hij een keer op zijn Swatch-horloge keek en besefte dat het een goede zaak voor Apple zou zijn als ze computers in verschillende kleuren zouden leveren. Bill Gates moet het ook een keer zijn overkomen.

Deze invallen overkomen ons vaak wanneer we er helemaal niet op verdacht zijn: net als we ons in het bad over iets liggen op te winden, of midden in de nacht wakker liggen, of misschien als we aan ons bureau op ons werk zitten. Een inval die niemand nog heeft gehad. Een inval waar we rijk van kunnen worden, zodat we kunnen ontsnappen aan de dagelijkse sleur en verveling. De inval die ons leven radicaal zal veranderen en ons zal bevrijden!

Ik kreeg mijn inval op zaterdag 25 mei 1996, 's avonds om vijf voor halftwaalf. Ik had een hartgrondige hekel aan mijn werk als softwareontwikkelaar bij een bedrijf dat in Coventry zat en versnellingsbakken ontwikkelde voor race-auto's. Ik maakte in die periode een overzicht van, en besefte dat, omdat ik binnenkort 32 zou worden, het niet veel beter zou worden. Ik zat toen in een vliegtuig terug naar Engeland, na een akelige week vakantie in Spanje, en opeens staakte het voltallige personeel op de luchthaven van Malaga en bleven alle vliegtuigen aan de grond.

De grondstewardessen probeerden een hotel voor ons te regelen voor die nacht, maar er was geen beginnen aan. Er was een meisje aan de balie dat voor 280 mensen een kamer moest zien te versieren. En de medewerkers van alle andere vliegtuigmaatschappijen waren daar ook mee bezig voor hun eigen gestrande passagiers. Er waren zo'n drie- tot vierduizend mensen gestrand en ze konden dat niet aan, laat staan iedereen een kamer geven.

Ik ging op een bank in de vertrekruimte liggen. En toen kreeg ik mijn inval! Als ze een programma op de computer van elk plaatselijk hotel en elke vliegtuigmaatschappij hadden geïnstalleerd, dan hadden ze geen problemen gehad. Een grote winst voor de hotels, een kant-en-klare oplossing voor hun problemen voor de vliegorganisaties. Toen ging ik doordenken over de mogelijkheden buiten afgelaste vluchten om. Elk bedrijf dat een enorme hoeveelheid mensen onderdak moest verschaffen en elk bedrijf dat onderdak had. Reisorganisaties, gevangenissen, ziekenhuizen, rampenbestrijdingsorganisaties en het leger waren maar een paar geschikte voorbeelden.

Ik had een goudmijn aangeboord.

51

Het was vloed aan de kust van Brighton & Hove, maar er was nog steeds een groot stuk open slikgrond tussen het kiezelstrand en de schuimende golven. Hoewel het al halfnegen 's avonds was en de zon bijna was ondergegaan, waren er nog steeds een heleboel mensen op het strand.

De zoetige rook van een barbecue vermengde zich met de geur van zout, zeewier en teer. Flarden steelbandmuziek van een groepje stonede muzikanten op de promenade dreven door de warme, windstille lucht. Twee kleine blote kindertjes zaten met plastic schepjes in het slik te graven. Ze werden geholpen door hun gezette, akelig verbrande vader in een felgekleurde korte broek en met een baseballpetje op, die nog een verdieping op een al mooi uitziend zandkasteel aan het metselen was.

Twee jonge geliefden, in korte broek en T-shirt, liepen blootsvoets door het koude, natte slik. Ze stapten op slakkenhuisjes, schelpen, slierten zeewier, en ontweken zorgvuldig de roestige blikjes, weggegooide flessen of lege plastic bakjes die hier en daar lagen. Ze hielden elkaars hand stevig vast en bleven om de haverklap staan om elkaar een kus te geven, met hun bungelende teenslippers in hun hand.

Zorgeloos, glimlachend, liepen ze langs een ernstige, oudere man die een gekreukelde witte hoed over zijn oren had getrokken en met een metaaldetector het gebied onderzocht, het apparaat een paar centimeter boven het slik voor hem. Vervolgens liepen ze langs een jongeman, die laarzen en een kakibroek aanhad met een open overhemd los eroverheen, een vismand naast zich op de grond. Hij schepte wormen uit het slik met een tuinspade en gooide ze in een plastic emmer.

Een eindje voor hen waren de zwartgemaakte pijlers te zien van wat er over was van de West Pier, die in het zwakker wordende licht uit de zee oprees, als een griezelig standbeeld. Het water kwam inmiddels steeds sneller, dringender, en elke minuut werd de branding luider.

Het meisje gilde en probeerde bij haar vriendje weg te komen, naar de kust toe, toen de golven opeens verder kwamen dan daarvoor en over haar blote voeten spoelden. 'Ik word helemaal nat, Ben!'

'Wat ben je toch een watje, Tamara!' zei hij, terwijl hij bleef staan. Een golf, nog dichterbij dan die daarvoor, spoelde over hun enkels, en toen nog een en nog een, bijna tot aan hun knieën. Hij wees naar de horizon, naar de rode ondergaande zon. 'Moet je kijken naar de zonsondergang. Je kunt een groene lichtflits zien als hij de horizon bereikt. Heb je dat wel eens gezien?'

Maar ze keek niet naar de zon. Ze keek naar een stuk hout dat door de golven werd meegenomen. Een stuk hout met lange slierten zeewier aan één kant. Er kwam een heel grote golf aan en het stuk hout werd teruggezogen. En heel, heel even, toen het stuk hout omgedraaid werd, zag ze een gezicht. Armen en benen. En ze besefte dat het geen zeewier was aan de ene kant. Het was haar.

Ze schreeuwde.

Ben liet haar hand los en rende het water in, ernaartoe. Een golf sloeg tegen zijn knieën aan, waardoor het water over zijn lichaam en gezicht spatte en de glazen van zijn zonnebril onder de druppels kwamen te zitten zodat hij niet goed meer kon zien. Het lijk werd weer omgedraaid, een naakte vrouw, van wie het gezicht deels weggevreten was, en met een wasbleke huid. Ze werd de zee weer in getrokken, bij Ben vandaan, opgeëist door de oceaan alsof ze maar heel even getoond had mogen worden.

De jonge man ploeterde naar voren, het water kwam inmiddels tot zijn dijen. Hij werd helemaal nat toen een golf over hem heen rolde. Hij kreeg haar pols te pakken en trok hard. De huid voelde koud en slijmerig aan, als van een reptiel. Hij rilde, maar bleef toch vasthouden. Ze was tenger, maar doordat de zee haar meetrok voelde ze loodzwaar aan. Hij trok ook, alsof hij bezig was met een grimmig spelletje touwtrekken. 'Tam!' riep hij. 'Ga iemand halen! Bel het alarmnummer op je mobieltje!'

Toen opeens, terwijl hij haar pols nog steeds stevig beet had, viel hij. Hij belandde plat op zijn rug in het slik, terwijl de golven met veel kabaal over hem heen sloegen. Hij hoorde nog iets anders, een vaag, haperend gejammer, dat steeds luider werd, steeds hoger, steeds schriller.

Het was Tamara. Ze was verstijfd, haar ogen puilden uit van de shock, haar mond wagenwijd open, en ze schreeuwde alsof het uit haar tenen kwam.

Ben had niet beseft dat de arm die hij vasthield, was losgerukt van de rest van het lijk.

52

Cleo's telefoon ging. Haar vaste telefoon thuis. Ze leunde naar voren op de bank en kon het nummer van de beller lezen. Het was Grace' gsm.

Ze pakte niet op. Wachtte. Vier keer rinkelen. Vijf. Zes. Toen nam haar voicemail het over en ging de telefoon niet meer over. Het was waarschijnlijk het vierde – misschien zelfs het vijfde – telefoontje van hem vandaag op haar telefoon thuis. Plus alle andere naar haar gsm.

Het was kinderachtig van haar dat ze niet opnam, dat wist ze, en vroeg of laat moest ze toch reageren; maar ze wist nog niet wat ze tegen hem wilde zeggen.

Met een bezwaard gemoed pakte ze haar glas wijn en zag, tot haar verrassing, dat het leeg was. Alweer. Ze pakte de fles Chileense sauvignon blanc op en zag, nog meer tot haar verrassing, dat er nog maar heel weinig in zat. 'Shit,' zei ze, terwijl ze inschonk. Er zat nauwelijks genoeg in om de bodem van haar grote glas te vullen.

Ze had dit weekend dienst, wat inhield dat ze helemaal niet zou moeten drinken, want ze zou op elk moment opgeroepen kunnen worden. Maar ze had erg veel behoefte aan alcohol. Het was een waardeloze dag geweest. Echt een waardeloze dag. Na de ruzie met Roy, en de slapeloze nacht die erop volgde, was ze om tien uur opgeroepen om in het mortuarium het stoffelijk overschot in ontvangst te nemen van een meisje van zes dat was aangereden door een auto.

Ze was een stuk harder geworden in de acht jaar dat ze haar werk deed, maar ze kon nog steeds niet tegen overleden kinderen. Het raakte haar elke keer weer. Er was een ander soort verdriet voor kinderen, op de een of andere manier dieper dan het verdriet over een teerbeminde overleden volwassene. Alsof het onbegrijpelijk was dat een kind uit je leven kon worden weggerukt. Ze vond het vreselijk als een begrafenisondernemer een klein doodskistje naar binnen droeg en ze haatte die lijkschouwingen. Die van het kleine meisje zou op maandag plaatsvinden, zodat ze er het hele weekend naar moest uitkijken.

En 's middags had ze naar een smerige flat in een verlopen rijtjeshuis in de buurt van het station van Hove moeten gaan om het stoffelijk overschot van een oudere dame op te halen. De vrouw had er al een ruim een maand gelegen, volgens haar en haar collega Walter Horderns, afgaande op hoe het lijk eraan toe was, en hoeveel vliegen en maden er aanwezig waren.

Walter was met haar meegegaan en had het busje van de lijkschouwer gereden. Een kleine, hoffelijke man van een jaar of 45, die altijd goed gekleed was alsof hij in een kantoor werkte in het financiële hart van Londen. Zijn officiële werk was hoofd van het crematorium van Brighton & Hove, maar zijn taken hielden ook in dat hij stoffelijk overschotten ophaalde van de plek waar ze waren aangetroffen en de stapels formulieren invulde die bij elk geval hoorden.

Walter en Darren hadden er een spelletje van gemaakt om uit te maken wie het dichtst bij het tijdstip van overlijden zat. Het was geen exacte wetenschap, het was afhankelijk van de weersomstandigheden en een hele rits andere factoren, en hoe langer het duurde voordat het lijk werd opgehaald, hoe moeilijker het werd. Ze konden het aantal levenscycli tellen van de aanwezige insecten, maar dat was een onaangenaam en nogal grove methode. En Walter Hordern had zich op internet goed ingelezen op een site over forensische medische wetenschap.

Vervolgens had ze een paar uur geleden haar zus Charlie, van wie ze heel veel hield, aan de lijn gehad. Die was helemaal overstuur geweest omdat haar vriendje het na een halfjaar had uitgemaakt. Charlie was tweeënhalf jaar jonger dan zij. Knap en onstuimig, viel ze altijd op de verkeerde mannen.

Net als zijzelf, besefte ze, eerder verdrietig dan bitter. Ze werd dertig in oktober. Haar hartsvriendin Millie – Gekke Millie, zoals ze als opstandige tiener op Roedean School werd genoemd – was met een ex-marineman getrouwd, die een vermogen had verdiend in vergadertechnieken, en ze was inmiddels in verwachting van haar tweede. Cleo was de peetmoeder van het oudste kind, Jessica, alsmede van twee andere kinderen van oude schoolvriendinnen. Het was net alsof dat haar levenslot was. De peetmoeder met de rare baan die nou nooit eens iets normaals kon doen, zelfs geen normale relatie kon hebben.

Neem nou Richard, de advocaat op wie ze smoorverliefd was geworden toen hij in het mortuarium een lijk had moeten bezichtigen voor een moordzaak waarvan hij de verdediging op zich had genomen. Pas nadat ze waren verloofd, twee jaar later, had hij haar zijn grote verrassing verteld. Hij had God gevonden. En daar had zij het moeilijk mee.

Aanvankelijk dacht ze dat ze er wel mee zou kunnen omgaan. Maar nadat ze een paar charismatische kerkdiensten had bijgewoond en er mensen op de grond waren gevallen omdat ze bevangen waren door de Heilige Geest, was ze gaan inzien dat ze hier nooit iets mee zou hebben. Ze had te veel gevallen gezien van een oneerlijke dood. Te veel overleden kinderen. Te veel overleden jonge, prachtige mensen, omgekomen of erger nog, verbrand bij een auto-ongeluk. Of overleden door een overdosis, bewust of onbewust. Of keurige mannen en vrouwen op middelbare leeftijd die in hun keuken waren overleden, door van een stoel te vallen of doordat ze een stekker in het stopcontact wilden steken. Of lieve oudere mensen die aangereden waren door een bus terwijl ze overstaken of door een hartaanval of een beroerte waren getroffen.

Ze keek altijd naar het journaal. Zag reportages over jonge vrouwen in Afrika die het slachtoffer waren van een groepsverkrachting, vervolgens met een mes in hun vagina werden gestoken, of er werd een revolver in gestoken die vervolgens werd afgevuurd. En, had ze Richard gezegd, het speet haar heel erg, maar ze kon gewoon niet geloven in een liefhebbende god die dat soort dingen liet gebeuren.

Hij had toen haar hand gepakt en haar aangemoedigd tot God te bidden zodat ze Zijn wil zou kunnen aanvaarden.

Toen ze het had uitgemaakt, had Richard haar genadeloos gestalkt en haar bestookt met liefde en uiteindelijk haat.

Vervolgens was Roy Grace, een man die ze al heel lang een nette vent had gevonden, en ook buitengewoon aantrekkelijk, deze zomer opeens deel van haar leven uit gaan maken. Ze had zelfs geloofd, wat natuurlijk erg naïef was, dat ze wel eens echte zielsverwanten zouden kunnen zijn. Tot deze ochtend, toen ze had beseft dat ze niets meer was dan een tijdelijke vervanging van een geest. Iets anders zou ze in deze relatie nooit worden.

Alle katernen van *The Times* en *The Guardian* van die dag lagen naast haar op de bank uitgespreid, de meeste nog ongelezen. Ze wilde eigenlijk iets doen aan haar cursus aan de Open Universiteit, maar ze kon zich niet concentreren. De roman *The Handmaid's Tale* van Margaret Atwood, die ze al heel lang had willen lezen en eindelijk deze middag in haar favoriete boekwinkel in Hove, City Books, had aangeschaft, kon haar ook maar niet boeien. Ze had de eerste bladzijde wel vier keer gelezen, maar de woorden bleven niet hangen.

Met tegenzin, omdat ze er een hekel aan had om tijd te verkwisten – en ze vond de meeste televisieprogramma's pure tijdverspilling – pakte ze de afstandsbediening en zapte langs de Sky-zenders. Ze keek even naar Discovery, in de hoop dat er een natuurdocumentaire op werd vertoond, maar een of andere fossiele professor was uit aan het wijden over de strata van de aarde. Heel interessant, maar nu even niet.

Haar telefoon ging weer over. Ze keek op het schermpje. Het nummer stond er niet in vermeld. Vast een zakelijk telefoontje. Ze nam op.

Het was een telefoniste van de meldkamer in Brighton. Er was een lijk aangespoeld op het strand vlak bij de West Pier. Ze werd verzocht het te begeleiden naar het mortuarium.

Ze hing op en maakte snel een berekening. Wanneer had ze die fles wijn opengemaakt? Om een uur of zes. Vierenhalf uur geleden. Met twee eenheden alcohol achter de kiezen mocht een gemiddelde vrouw eigenlijk al niet meer rijden. Een fles wijn bestond uit zes eenheden. Je verbrandde een eenheid per uur. Ze zou dus mogen rijden, maar het was op het randje.

Vijf minuten later verliet ze haar huis, stapte de stoep op en maakte het portier van haar MG-sportauto open.

Terwijl ze instapte en zat te hannesen met haar gordel, dook er even verderop in de straat iemand op uit de schaduw van een winkelingang en liep snel naar zijn eigen auto. Ze startte haar wagen, gaf gas en reed de straat op.

De compacte zwarte Toyota Prius, die een elektrische motor had, reed geruisloos in het donker achter haar aan.

53

Tot nu toe had nog niemand iets over haar jurk gezegd. Suzanne-Marie niet, Mandy niet, Cat niet, niet een van de vriendinnen die ze op het feestje had gezien, had hem zelfs maar opgemerkt. Wat buitengewoon ongebruikelijk was. Vierhonderdvijftig pond en niet één opmerking erover. Misschien waren ze gewoon jaloers.

Of misschien liep ze ermee voor paal.

Ze konden haar rug op. Trutten! Ze liep een kamer in, waar gekleurde lampen pulserend licht verspreidden en de mensen hutjemutje stonden. De muziek dreunde en er hing de scherpe rubberen lucht van hasjiesj in de lucht. Holly dronk haar derde Peach Martini op en besefte dat ze behoorlijk aangeschoten was.

De mannen zagen haar tenminste wel staan.

Het zwarte jurkje dat met stras was afgezet, zag er nu nog korter uit dan toen ze het in de winkel had gepast. Het had zo'n laag decolleté dat ze er met geen mogelijkheid een beha onder kon dragen, en dat hinderde ook niet, want ze had prachtige borsten. Dus die kon ze rustig laten zien, net als de jurk – wat misschien een groot woord was – zowat haar hele benen goed deed uitkomen, bij wijze van spreken bijna tot haar navel. En ze voelde zich helemaal goed erdoor, ondeugend goed!

'Sssjexy jurk. Waar kom je vandaan?'

Een man, met kleine scherpe tanden die haar aan een piranha deden denken, dook voor haar op en de rook van zijn sigaret kringelde in haar ogen. Hij had een zwarte leren broek aan, een superstrak zwart T-shirt, een riem met strassteentjes en een grote gouden oorring in. En een van de lelijkste kapsels die ze ooit had gezien.

'Mars,' zei ze terwijl ze een stap opzij zette. Ze keek om zich heen, hoe langer hoe bezorgder, op zoek naar Sophie.

'Uit het noorden of het zuiden?' lispelde hij dronken, maar ze hoorde hem amper. Sophie had haar twee berichten die ze had achtergelaten over nog wat drinken voor het feestje en samen een taxi nemen niet beantwoord. Het was al halfelf. Ze had hier toch allang moeten zijn?

Ze baande zich een weg door de menigte, en keek overal naar haar vriendin uit. Ze kwam uit bij de openslaande deuren en liep naar buiten, het relatief rustige terras op. Een stelletje zat op een bank heftig te tongzoenen. Een man met lang blond haar die helemaal daas was van de drugs, stond naar het strand te staren en herhaaldelijk te snuiven. Holly diepte haar gsm uit haar handtas en keek of ze een berichtje had gemist, maar dat was niet zo. Toen toetste ze het nummer van Sophies gsm in.

Opnieuw kreeg ze de voicemail.

Ze belde Sophies telefoonnummer thuis. Daar kreeg ze ook de voicemail.

'Aha, daar ben je! Wasj je even kwijt!' De scherpe tanden blikkerden onheilspellend in de lichtstraal van een stroboscooplamp. 'Wilde je even een frisse neusj halen?'

'En nu ga ik weer naar binnen,' zei ze, de menigte in lopend. Ze maakte zich zorgen, want ze kon altijd op Sophie rekenen. Dit zou haar vriendin nooit doen.

Maar ze maakte zich ook weer niet zó veel zorgen dat ze zich niet zou vermaken die avond.

54

Doordat er problemen waren met een bagageluik vertrok het vliegtuig een halfuur later. Roy Grace zat de hele vlucht stijf rechtop in zijn stoel, het kwam zelfs niet in zijn hoofd op om de leuning naar achteren te zetten. Hij staarde door het raampje naar de strepen op de bolvormige grijs-metalen behuizing van de stuurboordmotor.

Tijdens de bijna twee uur durende vlucht waar geen einde aan leek te komen, kon hij zich alleen maar concentreren op de plattegrond van het centrum van München en hij leerde een paar straatnamen uit zijn hoofd. De kartonnen doos waarin het plastic folie zat dat om een onsmakelijk broodje kaas had gezeten dat hij alleen maar had opgegeten omdat hij rammelde van de honger, en een beker met nog een bodempje van de tweede bittere koffie die hij had gedronken, wiebelden op het dienblaadje terwijl het vliegtuig hotsend door de wolken vloog en eindelijk de daling inzette.

Het irriteerde hem mateloos dat hij een halfuur vertraging had, waardoor de korte tijd die hij had, nog meer beperkt werd. Hij had amper de stewardess in de gaten die het dienblaadje voor zijn neus weghaalde terwijl hij naar het landschap keek dat onder hem opdoemde.

Naar de uitgestrektheid ervan.

De zenuwen kregen hem in hun greep toen hij zijn eerste blik op Duits grondgebied wierp. De lappendeken van bruine, gele en groene stukjes plat boerenland leek zich op het land zonder horizon oneindig ver uit te strekken. Hij zag witte huizen met rode en bruine daken, kreupelbosjes, de bomen zo prachtig groen en levendig dat ze wel net pasgeverfd leken. Toen een klein stadje. Nog meer huizen en gebouwen.

Een grote, jammerende paniek borrelde in hem op. Zou hij Sandy nog herkennen als hij haar zag? Soms kon hij zich niet meer herinneren hoe ze eruitzag en moest hij gauw een foto van haar erbij pakken, alsof de tijd, zonder dat hij er iets aan kon doen, haar langzaam maar zeker uit zijn herinnering verwijderde.

En als ze daar was, in die uitgestrektheid, waar dan? In de stad die hij nog niet kon zien? In een van die afgelegen dorpjes waar ze langzaam overheen vlogen? Woonde Sandy ergens op die grote open vlakte onder hem? Een anonieme Duitse *Hausfrau* van wie niemand iets af wist?

De hand van de stewardess kwam weer in zijn blikveld, ze klapte het grijze tafeltje omhoog en draaide de sluiting om zodat het bleef zitten. De grond kwam steeds dichterbij, de gebouwen werden groter. Hij kon auto's zien rijden op wegen. Hij hoorde de piloot via de intercom zeggen dat het cabinepersoneel moest gaan zitten voor de landing. Vervolgens bedankte de piloot iedereen dat ze met British Airways hadden gevlogen en wenste iedereen een fijne dag in München.

Voor Grace was München tot nu toe alleen maar een plaatsnaam in Duitsland geweest. Een plaatsnaam die voor zover hij zich kon herinneren, af en toe in de kranten stond. In documentaires op televisie werd genoemd. Tijdens de geschiedenisles op school. Een plaats waar verre familie van Sandy woonde. Familie die hij nog nooit had ontmoet, in een verleden waar zij geen band meer mee had.

Het München waar Adolf Hitler had gewoond en was gearresteerd als jonge man toen hij een mislukte coup had gepleegd. Het München waar, in 1958, het halve voetbalteam van Manchester United was omgekomen bij een vliegtuigongeluk op een met sneeuw bedekte startbaan. Het München waar in 1972 de Olympische Spelen gruwelijk vereeuwigd werden door een stel Arabische terroristen die elf Israëlische atleten afslachtten.

Het vliegtuig landde met een klap en even later perste de veiligheidsriem zich in zijn buik toen het toestel remde en de motoren brulden in hun achteruit. Toen taxiede het rustig verder. Ze kwamen langs een windsok en een oud, verroest vliegtuig waarvan het onderstel kapot was. Via de intercom werd omgeroepen waar de passagiers die moesten overstappen naartoe moesten. En Roy Grace had het gevoel dat zijn zenuwen nu allemaal tegelijk opspeelden.

De man in de stoel naast hem, die hij nauwelijks had opgemerkt, zette zijn gsm aan. Grace dook de zijne op uit zijn crèmekleurige jasje en zette hem ook aan, keek naar het schermpje in de hoop een boodschap van Cleo te zien. Overal om hem heen hoorde hij het gepiep van binnenkomende boodschappen. Plotseling begon zijn eigen gsm te piepen. Zijn hart maakte een sprongetje. Maar zonk hem toen weer in de schoenen. Het was alleen maar een bericht van een Duits telefoonbedrijf.

Tijdens de rusteloze nacht was hij diverse keren wakker geworden en had zich druk liggen maken over wat hij aan zou doen. Belachelijk natuurlijk, want hij wist dat hij Sandy niet zou zien, ook al was ze daar. Maar hij wilde er toch goed uitzien, voor het geval dat... Hij wilde eruitzien – en ruiken – zoals ze zich hem zou herinneren. Ze had altijd Bulgari Cologne voor hem gekocht, en hij had nog steeds een fles staan. Hij had het die morgen overal op zichzelf gespoten. Toen had hij een wit T-shirt aangedaan en zijn crèmekleurige jasje. Een dunne spijkerbroek, want hij had gekeken hoe warm het was in München, en het zou 28 graden zijn. En gemakkelijke schoenen, want het zat er dik in dat hij een hoop moest lopen.

Toch was hij verrast door de klamme, plakkerige warmte met een vleugje kerosine die op hem viel toen hij de trap af liep van het vliegtuig en over het asfalt naar de gereedstaande bus liep. Een paar minuten later, omdat hij geen bagage had, liep hij om kwart over tien plaatselijke tijd, door het heerlijk koele douanegedeelte van de aankomsthal, waar hij onmiddellijk de lange en glimlachende Marcel Kullen zag staan.

De Duitse rechercheur had kort zwart haar met slag erin, een paar lokken los over zijn voorhoofd en een brede grijns op zijn vriendelijke gezicht. Hij was gekleed in vrijetijdskleding: een lichtgewicht bruin bomberjacket en een geel poloshirt, wijde spijkerbroek en bruine leren instappers. Hij greep Grace' uitgestoken hand met beide handen stevig beet en zei in een keelachtig Engels: 'Roy, ik had je bijna niet herkend. Je ziet er jong uit!'

'Jij ook!'

Grace was ontroerd door de hartelijke ontvangst van iemand die hij niet eens zo goed kende. Hij was zelfs zo aangedaan dat, plotseling, en helemaal niets voor hem, de tranen hem in de ogen sprongen.

Ze praatten over koetjes en kalfjes toen ze door het bijna verlaten gebouw liepen, over de zwart-witte tegelvloer. Kullen sprak redelijk Engels, maar Grace moest net als tijdens hun telefoongesprek even aan zijn accent wennen. Ze liepen achter een eenzame figuur aan die een trolley achter zich aan trok, langs de gestreepte markies van een cadeauwinkel en naar buiten de klamme hitte in, langs een lange rij crèmekleurige taxi's, bijna allemaal Mercedessen. Tijdens het korte wandelingetje naar het parkeerterrein vergeleek Grace het rustige vliegveld met het hectische Heathrow en Gatwick. Het leek wel een spookstad.

De Duitser had net zijn derde kind gekregen, een zoon, en als er nog tijd was, wilde hij graag Grace voorstellen aan zijn gezin, vertelde Kullen hem met een brede grijns. Grace, die in de gebarsten leren passagiersstoel van de oude, maar glimmend gepoetste BMW zat, zei dat hij dat erg leuk zou vinden. Maar eigenlijk had hij er helemaal geen zin in. Hij was hier niet voor een kraamvisite, hij wilde elke kostbare minuut besteden aan de zoektocht naar Sandy.

Een heerlijk briesje uit de astmatisch klinkende airconditioning blies in zijn gezicht, terwijl ze het vliegveld verlieten en door de velden reden die hij vanuit het vliegtuig had gezien. Grace keek uit het raampje, overdonderd door de oneindige uitgestrektheid ervan. En hij besefte dat hij het niet goed had overdacht. Wat kon hij in hemelsnaam bereiken in maar één dag?

Verkeersborden flitsten voorbij, blauw met witte letters. Eentje vermeldde de naam van het vliegveld waar hij net was geland, het Franz Josef Strauss-vliegveld, en op een andere zag hij de plaatsnaam München. Kullen bleef doorpraten, had het over de politiemensen met wie hij in Sussex had gewerkt. Bijna op de automatische piloot vertelde Grace hem hoe het met elk van hen ging, voor zover hij dat wist, terwijl hij in gedachten bezig was met de moord op Katie Bishop en zijn relatie met Cleo en de taak die hij die dag moest volbrengen. Een paar tellen volgde zijn blik een zilverkleurige S-bahn-trein die naast hen reed.

Opeens werd Kullens stem een stuk levendiger. Grace ving het woord 'voetbal' op. Hij zag rechts van hen een immens groot nieuw wit stadion, in de vorm van een wiel met de woorden ALLIANZ ARENA in grote blauwe letters erop. Daarachter stond een enkele witte windturbine met een propeller eraan op wat eruitzag als een door de mens gemaakte heuvel.

'Ik rij je een beetje rond, zo leer je München een beetje kennen, dan gaan we naar het kantoor en de Englischer Garten, oké?' vroeg Kullen.

'Lijkt me prima.'

'Heb je een lijst?'

'Ja, die heb ik.'

De inspecteur had voorgesteld dat Grace een lijst zou maken van dingen die Sandy interessant vond, dan konden ze naar die plaatsen gaan, in de hoop dat ze daar was geweest. Grace keek in zijn notitieboekje. Het was een lange lijst. Boeken. Jazz. Simply Red. Rod Stewart. Dansen. Eten. Antiek. Tuinieren. Films, en in het bijzonder alles waar Brad Pitt in speelde, Bruce Willis, Jack Nicholson, Woody Allen en Pierce...

Zijn gsm ging over. Hij haalde hem uit zijn zak en keek naar het schermpje, in de hoop een van Cleo's nummers te zien.

Maar het nummer was geheimgehouden.

55

Om kwart over tien op zondagmorgen, had aspirant-agent David Curtis, op zijn tweede dag in Brighton al een gedeelte van zijn dienst erop zitten. Hij was lang, negentien, met een ernstige manier van doen en donkerbruin kortgeknipt haar, netjes en een tikje modieus. Hij zat op de passagiersstoel van een Opel-politiewagen die stonk naar patat en werd bestuurd door de saaiste man die op het politiebureau van John Street werkte.

Brigadier Bill Norris, een man van begin vijftig met een mopsneus en een krullenbol, had het allemaal al een keer gezien en meegemaakt, maar nooit goed genoeg om gepromoveerd te worden tot sergeant. Nu, een paar maanden voor zijn pensioen, gaf hij met veel plezier de groentjes tekst en uitleg. Of beter gezegd, hij vond het heerlijk dat hij een aandachtig gehoor had voor zijn heldenverslagen die verder niemand meer wilde horen.

Ze reden door West Street, waar het bezaaid lag met afval. De clubs waren nog allemaal gesloten, de stoepen lagen vol met gebroken glas, hamburger- en kebabverpakkingen, zoals gewoonlijk na zaterdagavond. Twee schoonmaakwagentjes waren schurend langs de stoeprand druk bezig de boel schoon te vegen.

'Natuurlijk was het toen allemaal anders,' zei Bill Norris. 'Toentertijd hadden we onze eigen informanten, weet je wel. Ik zat een keer in het drugsteam, en we hielden een restaurantje in Waterloo Street al twee maanden lang in de gaten nadat ik er een paar tips over had gekregen. Ik wist dat mijn informant gelijk had.' Hij tikte op zijn neus. 'Ik heb de neus van een politieman voor dat soort dingen. Dat heb je of dat heb je niet. Daar kom je nog wel achter, knul.'

De zon scheen pal in hun ogen, over Het Kanaal heen achter in de straat. David Curtis stak zijn hand op om zijn ogen af te schermen en hield de stoep en de langsrijdende auto's in de gaten. De neus van een politieman. Ja, hij was ervan overtuigd dat hij die had.

'En een sterke maag. Die moet je ook hebben,' ging Norris door.

'De mijne is van beton.'

'Maar goed, we zaten dus in een vervallen huis ertegenover, waar we in konden komen door een achteringang. Het was stervenskoud daar. Twee maanden lang! Mijn ballen vroren er zowat af. Ik had een oude overjas van een beveiligingsmedewerker van de spoorwegen aan, die een of andere zwerver in het huis had laten liggen. Twee maanden zaten we daar dag en nacht de boel in de gaten te houden, overdag met verrekijkers en 's avonds met van die nachtkijkers. Er was geen reet te doen, alleen een eind weg lullen. Dat noemden we zo, weet je wel. Verhalen vertellen, een eind weg lullen. Enfin, op een avond komt er een auto aanrijden, een grote Jaguar...'

De aspirant-agent kon even niet meer naar het verhaal luisteren, dat hij al twee keer eerder had gehoord, doordat hij werd opgeroepen door de centrale meldkamer van Brighton.

'Sierra Oscar voor Charlie Charlie 109.'

David Curtis pakte zijn eigen radio, die in een plastic houdertje aan zijn kevlar vest zat gehaakt, en antwoordde: '109, zeg het maar.'

'We hebben een melding. Kunnen jullie ernaartoe?'

'Ja, ja. Weet je er iets meer van?'

'Het adres is Newman Villas 17, flat 4. De bewoonster heet Sophie Harrington. Ze is een afspraak met een vriendin gisteren niet nagekomen en ze heeft haar telefoon niet opgenomen en haar huisdeur niet opengedaan sinds gistermiddag, wat niets voor haar is. Kunnen jullie even bij haar huis langsgaan zodat ik de melding van de lijst kan schrappen?'

'Ik herhaal, Newman Villas 17, flat 4, Sophie Harrington?' zei Curtis.

'Ja, ja.'

'Akkoord. We gaan er meteen naartoe.'

Blij dat hij eindelijk wat te doen had, maakte Norris met piepende banden een U-bocht. Toen sloeg hij links af helemaal achter in Western Road en gaf meer gas dan strikt noodzakelijk was.

56

Hij verontschuldigde zich bij Marcel Kullen, drukte op het groene knopje en hield de telefoon bij zijn oor. 'Roy Grace,' zei hij.

Toen, terwijl hij de ijzige stem hoorde, wenste hij meteen dat hij die rottelefoon niet op had genomen.

'Waar zit je, Roy?' Het was zijn baas, adjunct-hoofdcommissaris Alison Vosper.

Dit telefoontje had hij eenvoudigweg niet verwacht en hij wist niets te zeggen.

Hij haalde diep adem en zei: 'München.'

Hij hoorde een geluid dat leek op een klein atoombommetje dat afging in een schuur met plaatijzeren wanden en die vol lag met kogellagers. Daarna was het even stil. Toen zei Vosper, erg kortaf: 'Ik heb net met koffie gemorst. Ik bel je zo terug.'

Zodra hij het gesprek had beëindigd, vervloekte hij zichzelf dat hij het niet beter had uitgedacht. Natuurlijk had hij recht op een vrije dag en kon hij zijn plaatsvervanger de boel laten overnemen. Maar wat Alison Vosper betrof, had hij nergens recht op. Ze had een hekel aan hem, en waarom was hem een raadsel – maar het had vast ook te maken met de slechte pers kortgeleden – en ze zocht altijd naar een reden om hem te degraderen, zijn carrière te dwarsbomen of hem naar de andere kant van het land over te laten plaatsen. Ze zou niet echt beter over hem gaan denken nu hij op de derde dag van een moordonderzoek een vrije dag had genomen.

'Gaat het?' vroeg Kullen.

'Ja hoor, prima.'

Zijn telefoon ging weer over. 'Waarom zit je in Duitsland?' vroeg Alison Vosper.

Roy had een hekel aan liegen – hij wist uit ervaring dat leugens mensen verzwakten – maar hij wist ook dat de waarheid niet erg goed ontvangen zou worden, dus verzon hij een smoes. 'Ik ga een spoor na.'

'In Duitsland?'

'Ja.'

'En wanneer kunnen we onze grote leider weer terugverwachten in Engeland?'

'Vanavond,' zei hij. 'Inspecteur Murphy heeft zolang de leiding.'

'Prachtig,' zei ze. 'Dus je kunt na de briefing morgenochtend even bij mij langskomen?'

'Ja. Ik kan er rond halftien zijn.'

'Is er nog nieuws over de zaak?'

'Het gaat goed. Ik kan al bijna iemand arresteren. Ik zit nog te wachten op een DNA-uitslag van Huntington, en die komt hopelijk morgen.'

'Mooi,' zei ze. Toen, na een paar tellen, voegde ze er zonder dat haar toon vriendelijker werd aan toe: 'Het bier moet erg lekker zijn in Duitsland.'

'Ik zou het niet weten.'

'Ik heb mijn huwelijksreis in Hamburg doorgebracht. En geloof me, het is zo. Probeer het maar. Halftien, morgenochtend.'

Ze hing op.

Shit, dacht hij, boos op zichzelf omdat hij zich zo slecht had voorbereid. Shit, shit, shit! En morgenochtend zou ze willen weten welk spoor hij hier had gevolgd. Hij kon maar beter een verdomd goede smoes bedenken.

Ze reden langs een hoge flat, met het logo van BMW boven op het dak. Vervolgens een Mariott-hotel.

Hij keek even op zijn BlackBerry of er nog berichten waren. Er waren twaalf e-mails binnengekomen sinds hij uit het vliegtuig was gestapt, de meeste over operatie Kameleon.

'Het oude Olympisch stadion!' zei Kullen.

Grace keek naar links en zag een bouwwerk in de vorm van een ingezakte circustent. Ze sloegen rechts af, een verkeerstunnel in en vervolgens links af over de tramrails. Hij vouwde de plattegrond op zijn schoot open, om te zien waar ze waren.

Kullen keek op zijn horloge en zei: 'Weet je, ik wilde eerst naar kantoor gaan om alles over Sandy in de computer te stoppen, maar ik denk dat het beter is naar de Seehausgarten te gaan. Het zal druk zijn nu, veel mensen. Misschien dat je haar ziet. Beter dat we daarna naar kantoor gaan, ja?'

'Jij bent de gids, jij mag het zeggen!' zei Grace. Hij zag een blauwe tram met een grote advertentie voor Adelholzener op het dak.

Alsof hij hem verkeerd had begrepen, gaf Kullen aan welke musea er stonden aan de brede straat waarover ze reden. 'Museum met moderne kunst,' zei hij. Toen: 'Dit is het Haus der Kunst, een kunstmuseum dat gebouwd is toen Hitler aan de macht was.'

Een paar minuten later reden ze op een lange rechte weg met rechts de Isar met bomen langs de oever en links het ene appartementengebouw na het andere. De stad was schitterend, maar erg groot. Heel erg groot. Shit. Hoe zou hij Sandy hier ooit, zo ver van huis, kunnen opsporen? En als ze niet opgespoord wílde worden, dan had ze precies de juiste plek uitgezocht.

Marcel bleef trouw alle bezienswaardigheden opnoemen waar ze langs reden en de wijken waarin ze zich bevonden. Grace luisterde en keek af en toe op de plattegrond op zijn schoot, om de locatie in zijn hoofd te prenten en dacht bij zichzelf: áls Sandy hier is, in welke wijk zou dat dan zijn? In het centrum? Een buitenwijk? Een dorp buiten de stad?

Elke keer dat hij opkeek, bekeek hij de mensen op de stoep en in de omringende auto's, voor het geval dat Sandy ertussen zat. Hij hield een tijdje een magere, studentikoze man in de gaten, die op straat slenterde in korte broek en een wijd T-shirt, met een krant onder zijn arm. Hij at van een pretzel in een blauw servet. Is er een nieuwe man in je leven? Lijkt hij op deze man? vroeg hij zich af.

'We gaan naar Osterwald Garten. Ook *biergarten*, vlak bij Englischer Garten, parkeren is eenvoudiger daar en het is een mooie wandeling naar Seehaus,' verkondigde Kullen.

Een paar minuten later draaiden ze een woonwijk in en reden ze door een smalle straat met kleine leuke huisjes aan weerskanten. Toen reden ze langs een roze en wit gebouw met zuilen en met klimop begroeid. 'Voor bruiloften, trouwregister. Je kunt hier trouwen,' zei Kullen.

Grace voelde zich koud worden. Trouwen. Zou het kunnen dat Sandy opnieuw was getrouwd en nu een heel andere naam had?

Ze reden door een straat met een heg rechts van hen en bomen links, en kwamen uit op een klein pleintje met kinderkopjes en huizen die ook waren begroeid met klimop, en als er geen auto's hadden gestaan met het stuur links en de Duitse taal op de borden, had het net zo goed ergens in Engeland kunnen zijn, dacht Grace.

De Duitse rechercheur reed een parkeerplaats op en zette de motor uit. 'Oké, hier beginnen?'

Grace knikte een tikje hulpeloos. Hij wist niet precies waar ze waren, en toen de Duitser het hem behulpzaam aanwees op de plattegrond, besefte hij dat hij helemaal verkeerd had gezeten. Hij trok het kleine kaartje uit zijn zak tevoorschijn dat Dick Pope voor hem had geprint van internet en hem had gefaxt. Er stond een cirkel op die aangaf waar zijn vrouw en hij toen ze in de stad waren de vrouw hadden gezien van wie zij geloofden dat het Sandy was. Hij gaf het aan Marcel Kullen, die het een paar minuten bestudeerde. 'Ja, oké, super!' zei hij en hij maakte zijn portier open.

Terwijl ze in de brandende hitte over de stoffige straat liepen, begon de lucht te betrekken. Grace trok zijn jasje uit en sloeg het over zijn schouder. Hij keek om zich heen op zoek naar een bar of een café. Ondanks de adrenaline die door hem heen spoot, was hij moe en had dorst, en hij had wel een glas water en een kop koffie kunnen gebruiken. Maar hij besefte dat hij dan kostbare tijd zou verspillen en hij wilde graag naar de plaats toe die op de wazige map met zwarte pen was omcirkeld.

De enige plek waar zijn vrouw, van wie hij zielsveel had gehouden, in negen jaar was gezien.

Hij ging steeds harder lopen, met Kullen, richting een groot meer. Kullen leidde hem over een brug en verder over een pad, met het meer en een eiland vol bomen rechts van hen en dichte bossen links. Grace ademde de zoete geur van gras en bladeren in, en koesterde de heerlijke koelte van de schaduw en het briesje vanaf het water.

Twee fietsers reden om hen heen, gevolgd door een jonge man en een meisje op skeelers, die druk aan het kletsen waren. Even later kwam een grote poedel langsdraven, met een boze man op zijn hielen die een scheiding midden op zijn hoofd had, en een bril met schildpadmontuur op zijn neus en hard riep: 'Adini! Adini! Adini!' Vervolgens kwam een zeer vastberaden wandelaarster van in de zestig langslopen, in een felrode legging, met opeenklemde kaken en met nordic walkingstokken die luid tikten op het asfalt. Toen ze de hoek om sloegen, hadden ze opeens een weids uitzicht.

Grace zag een groot park, vol met mensen, en daarachter het eiland en het meer dat groter was dan hij had aangenomen, toch wel bijna een kilometer lang en een paar honderd meter breed. Er dreven tientallen boten op het water, een paar mooie gestroomlijnde houten overnaadse roeiboten en verder witte en blauwe waterfietsen van fiberglas en een legertje eenden.

De bankjes aan het water waren allemaal bezet en overal lagen mensen te zonnebaden, elke centimeter gras was in beslag genomen. Sommige mensen hadden iPods in hun oren, andere luisterden naar de radio, naar muziek, of misschien, dacht Grace, in een poging het constante gekrijs van kinderen buiten te sluiten.

En overal blondines. Tientallen. Honderden. Hij keek van de een naar de ander, maar geen van hen was Sandy. Twee meisjes renden langs, een met een ijsje in haar hand, de ander schreeuwend. Een mastiff zat op de grond, zwaar hijgend te kwijlen. Kullen bleef naast een bankje staan waarop een man met een opengeknoopt overhemd een boek zat te lezen dat hij op armlengte afstand hield alsof hij zijn leesbril was vergeten, en wees naar het meer.

Grace zag een groot, mooi – maar wel wat oubollig uitziend – paviljoen, in een stijl die afgeleid zou kunnen zijn van een Engelse cottage met rieten dak. Hordes mensen zaten aan de tafels buiten en links ervan stond een klein botenhuis met een houten pier. Er lagen een paar boten aan afgemeerd, en een waterfiets die uit het water was gehaald lag op zijn kant op de grond.

Grace voelde de adrenaline opeens door hem heen schieten toen hij zich bewust werd waar hij naar keek. Dit was de plek! Hier dachten Dick Pope en zijn vrouw Lesley Sandy gezien te hebben. Zij hadden in een van die houten roeiboten gezeten. En hadden haar in de *biergarten* zien zitten.

Grace liep met grote passen het geasfalteerde pad af dat om het meer leidde, langs het ene bankje na het andere, met de Duitser in zijn kielzog, terwijl hij iedere zonaanbidster, iedere vrouw die op een bankje zat, iedere fietsster, wandelaarster, skeelerster die hem passeerde aankeek. Een paar keer zag hij lang blond haar bij iemand die hem deed denken aan Sandy, en hij reageerde dan zo heftig op haar alsof hij het hondje van Pavlov was, maar als hij beter keek, was zij het toch niet.

Misschien had ze haar haar wel kort laten knippen. Of het in een andere kleur geverfd. Ze liepen langs een mooi stenen monument op een heuveltje. Hij zag de namen die erin gegraveerd stonden: Von Werneck... Ludwig I... Toen ze bij het paviljoen aankwamen, bleef Kullen staan voor het menu dat buiten op een elegant bord in de vorm van een schild hing, met de kop SEE-HAUS IM ENGLISCHEN GARTEN.

'Zullen we wat gaan eten? Misschien in dat restaurant zitten, lekker koel, of buiten.'

Grace wierp een blik op de rijen en rijen volgepakte tafels, die onder de schaduw van bomen stonden of onder een groot bladerendak, maar de meeste toch in het volle zonlicht. 'Liever buiten, dan kan ik beter rondkijken.'

'Ja. Natuurlijk. We gaan eerst iets drinken, wil je wat?'

'Graag een Duits biertje,' zei hij met een grijns. 'En een kop koffie.'

'*Weissbier* of *Helles*? Of wil je liever een *Radler* – een shandy – of een *Russn*?'

'Ik wil een groot glas koud bier.'

'Een *Mass*?'

'Mass?'

Kullen wees naar twee mannen die aan een tafeltje een glas bier dronken zo groot als een schoorsteen.

'Nou, iets kleiner toch wel.'

'Een halve Mass?'

'Prima. Wat wil jij? Ik trakteer.'

'Nee, als jij in Duitsland bent, betaal ik!' zei Kullen verontwaardigd.

Het zag er allemaal erg aantrekkelijk uit, vond Grace. Sierlijke lantaarns langs het water, de gebouwen waar de bar en het restaurant in gehuisvest waren, waren onlangs donkergroen en wit geschilderd; op een marmeren verhoging stond een trendy bronzen beeld van een naakte, kale man, met over elkaar geslagen armen en een piepkleine penis, nette stapels plastic kratten en groene vuilnisbakken voor rotzooi, en bierglazen, en bordjes met beleefde Duitse en Engelse teksten erop.

Een caissière zat onder een houten afdak de lange rij mensen af te handelen. Obers en serveersters in rode broek en geel overhemd ruimden de tafels af als de mensen weggingen. Terwijl de Duitse politieman in de rij bij de bar ging staan, liep Grace een klein eindje weg, aandachtig het gefaxte kaartje bestuderend om uit te maken aan welke schragentafel Sandy had gezeten.

Er zaten op dit moment zeker een paar honderd mensen aan de tafels, schatte hij, ruim vijfhonderd, zo niet meer, en bijna allemaal hadden ze een groot glas bier voor hun neus staan. Hij kon het bier ruiken, en ook sigaretten- en sigarenrook, en de lekkere geur van patatjes en gegrild vlees.

Sandy wilde in de zomer nog wel eens een biertje drinken, en vaak, als ze dat deed, grapte ze dat dat kwam door haar Duitse achtergrond. Hij kon dat nu begrijpen. Hij voelde zich opeens heel erg raar. Kwam dat doordat hij zo moe was, of omdat hij dorst had, of omdat hij op deze plaats was? vroeg hij zich af. Hij had het belachelijke gevoel dat hij inbreuk deed op Sandy's plek, dat hij daar helemaal niets te zoeken had.

En opeens keek hij recht in het gezicht van een strenge man met het voorkomen van een hoofdmeester, die het zo te zien met hem eens was en hem aandachtig bekeek. Het was een grijs stenen borstbeeld van een man met een baard die hem deed denken aan de beelden van filosofen uit de oudheid die je vaak in curiosazaakjes en op rommelmarkten zag. Hij was nog maar net begonnen met zijn zelfstudie maar naar zijn idee was die man echt duidelijk een filosoof.

Toen zag hij de naam, PAULANER, prominent uitgehakt op het voetstuk. Op dat moment kwam Kullen naar hem toe lopen met twee glazen bier en twee koppen koffie op een dienblad. 'Zo, weet je al waar je wilt gaan zitten?'

'Die Paulaner, was dat een Duitse filosoof?'

Kullen keek hem grijnzend aan. 'Een filosoof? Nee, nee. De grootste bierbrouwerij in München heet Paulaner.'

'O,' zei Grace opgelaten. 'Oké.'

Kullen wees naar een tafel aan het water, waar een groep jongelui net opstond en hun rugzak op hun schouders hees. 'Daar zitten?'

'Prima.'

Terwijl ze ernaartoe liepen, bekeek Grace iedereen die aan de tafels zat waar ze langs liepen. Afgeladen met mannen en vrouwen van alle leeftijden, van tieners tot bejaarden, allemaal in vrijetijdskleren, over het algemeen een T-shirt, wijd overhemd of in blote bast, korte broek of spijkerbroek. Bijna iedereen had een zonnebril, baseballpetje, zonnehoed of een strohoed op. Ze dronken een Mass- of een halve Mass-bier, aten borden vol worstjes en patat, of spareribs, of stukken kaas zo groot als een tennisbal, of iets wat eruitzag als een bal gehakt met zuurkool.

Was Sandy hier deze week geweest? Kwam ze hier regelmatig, liep ze langs het naakte bronzen beeld op het voetstuk en het hoofd met de baard in de fontein als reclame voor Paulaner, om daar bier te drinken en naar het meer te kijken?

En met wie?

Een andere man? Nieuwe vrienden?

En, als ze nog leefde, waar dacht ze dan aan? Dacht ze aan het verleden, aan hem, hun leven samen, al hun dromen en beloften en samenzijn?

Hij pakte de plattegrond van Dick Pope weer en keek naar de vage cirkel zodat hij wist waar hij was.

'Neem een slok!'

Kullen, die een zonnebril had opgezet, hield zijn glas omhoog. Grace hield zijn eigen glas omhoog. 'Skol!'

De Duitser schudde vriendelijk zijn hoofd en zei: 'Nee, wij zeggen Prost!'

'Prost!' herhaalde Grace en ze klonken.

'Op succes,' zei Kullen. 'Of misschien wil jij dat helemaal niet?'

Grace lachte even kort en bitter, en vroeg zich af of de Duitser wel wist hoe waar dat was. En alsof het afgesproken was, piepte zijn gsm op dat moment twee keer.

Het was een berichtje van Cleo.

57

Aspirant-agent David Curtis en brigadier Bill Norris stapten uit de politiewagen vlak bij het adres dat hun was doorgegeven. Newman Villas was een typische woonwijk in Hove, met oude victoriaanse rijtjeshuizen. Vroeger waren het eengezinswoningen geweest, met bediendekamers op de bovenverdieping, maar nu waren ze onderverdeeld in kleine eenheden. Een heel regiment reclameborden van makelaars stond aan de straat waarop appartementen en studio's te huur aan werden geboden.

De voordeur van nummer 17 had zo te zien al jaren geen likje verf meer gehad, en de meeste namen bij de intercom bij de deur waren met de pen geschreven en verbleekt in de zon. De naam S. Harrington zag er nog redelijk nieuw uit.

Bill Norris drukte op de bel. 'Weet je,' zei hij, 'vroeger draaiden we met zijn vieren een surveillance. Tegenwoordig soms met zijn twintigen. Ik kwam een keer in de problemen door een hoer die klant was bij het restaurantje dat we in de gaten hielden. Ik had in het rapport geschreven: "Lekkere kont en tieten." Dat viel niet goed. Ik heb behoorlijk op mijn kop gehad daarover, van de commissaris!' Hij drukte nog een keer op de bel.

Ze stonden een tijdje zonder iets te zeggen te wachten. Toen er nog steeds niets gebeurde, drukte Norris op alle andere bellen, de een na de ander. 'Die kunnen mooi niet uitslapen.' Hij tikte op zijn horloge. 'Zou ze misschien naar de kerk zijn?' Hij grinnikte.

'Ja?' vroeg een krakende en gammele stem.

'Nummer vier. Ik ben mijn sleutel kwijt. Kun je me binnenlaten?' vroeg Norris.

Even later hoorden ze een scherp gekras en toen klikte het slot open.

De brigadier duwde de deur open, draaide zich om naar zijn jongere collega en zei zachtjes: 'Zeg nooit dat je van de politie bent, dan laten ze je niet binnen.' Hij tikte samenzweerderig tegen zijn neus. 'Daar kom je nog wel achter.'

Curtis keek hem aan en vroeg zich af hoelang hij deze ellende nog moest meemaken. Hij hoopte vurig dat iemand hem af zou schieten als hij ooit zou worden als deze zielige klojo.

Ze liepen door een kleine, bedompt ruikende gang, langs twee fietsen en een plank vol met post, merendeels folders van de plaatselijke pizzeria en Chinees. Op de eerste etage hoorden ze revolverschoten door een deur waar nummer 2 op stond, gevolgd door James Garners zware stem: 'Staan blijven!'

Ze liepen de volgende trap op, langs de volgende deur, waar 3 op stond. De trap werd smaller en bovenaan kwamen ze aan bij deur nummer 4.

Norris klopte hard aan. Geen reactie. Hij klopte nog een keer, harder nu. En nog een keer. Toen keek hij naar de aspirant. 'Oké, knul. Op een dag sta jij hier. Wat zou jij doen?'

'De deur opentrappen?' gokte Curtis.

'En als ze nou binnen een wip aan het maken is?'

Curtis haalde zijn schouders op. Hij had geen idee.

Norris klopte weer aan. 'Hallo! Mevrouw Harrington? Is er iemand? Politie!'

Stilte.

Norris draaide zijn grote lijf opzij en wierp zich tegen de deur aan. Die gaf mee, maar ging niet open. Hij zette meer kracht en deze keer vloog de deur open, waarbij de deurlijst versplinterde en hij een smalle, lege gang in viel. Hij kon zich nog net overeind houden tegen de muur.

'Hallo! Politie!' riep Norris terwijl hij naar voren liep. Toen draaide hij zich om naar de jongere politieman. 'Blijf achter me. Raak niets aan. We willen geen bewijsmateriaal verzieken.'

Curtis liep op zijn tenen met ingehouden adem achter de brigadier aan door de gang. Die duwde een deur open en bleef stokstijf staan.

'Godverdomme!' zei Norris. 'Godverdomme nog aan toe!'

De jonge agent kwam naast Norris staan en keek voor zich uit vol walging en shock. Zijn maag draaide zich om. Het liefst wilde hij een andere kant opkijken, maar dat lukte niet. Door een morbide fascinatie die veel verder ging dan zijn plicht, bleef zijn blik op het bed gericht.

58

Roy keek naar het bericht van Cleo op het schermpje van zijn telefoon:

```
Zoek uit wat je werkelijk wilt. Bel me als je weer
terug uit München bent.
```

Geen afzender. Geen zoen. Alleen een korte, nijdige mededeling.
Maar ze had wel eindelijk gereageerd.

Hij zat in gedachten al een kort antwoord te formuleren, maar vond het toch niets. Toen formuleerde hij een ander, maar ook dat was niets. Hij had haar in de steek gelaten om naar München te gaan om zijn vrouw op te sporen. Hoe moest dat wel op haar zijn overgekomen?

Maar ze kon toch wel een beetje meeleven? Hij had het feit dat Sandy was verdwenen niet geheimgehouden, Cleo wist er alles van. Wat moest hij dan doen? Iedereen zou toch hetzelfde doen als hij?

En plotseling, aangewakkerd door zijn vermoeidheid, de stress, de zon die voortdurend op zijn hoofd scheen, werd hij boos op Cleo. Jezus, mens, waarom snap je dat nou verdomme niet?

Hij zag Marcel Kullen kijken en haalde zijn schouders op. 'Vrouwen.'

'Is alles in orde?'

Grace legde zijn telefoon neer en pakte zijn zware glas met beide handen beet. 'Lekker bier,' zei hij. 'Erg lekker zelfs.' Hij nam een grote slok. Toen nam hij een slokje gloeiend hete koffie. 'Maar nee, het is niet in orde.'

Zijn Duitse collega glimlachte, alsof hij niet goed wist hoe hij moest reageren.

Een man aan de tafel naast hen zat een pijp te roken. De rook kwam hun kant op zweven en de geur deed Grace meteen denken aan zijn vader, die ook pijp had gerookt. Hij herinnerde zich nog alle rituelen eromheen. Dat zijn vader de steel schoonmaakte met een lange witte pijpenrager, die al snel bruin werd. Dat hij de kop schoon schraapte met kleine koperen instrumentjes. Dat hij de tabak met zijn lange vingers uit de tabakspot pakte, aanstak met een Swan Vesta-lucifer, aandrukte en opnieuw aanstak. Dat de zitkamer zich onmiddellijk vulde met het heerlijke aroma van de blauwgrijze rook. En, als ze in een boot aan het vissen waren, of op de Palace Pier stonden, of op de havendam van Shoreham Harbour, dan lette Roy op waar de wind vandaan kwam als zijn vader zijn pijp tevoorschijn haalde, zodat hij precies daar stond waar hij die vleugjes rook kon opsnuiven.

Hij vroeg zich af wat zijn vader had gedaan in deze situatie. Jack Grace was gek op Sandy geweest. Toen hij in het hospice had gelegen, veel te jong stervend aan longkanker op zijn vijfenvijftigste, had ze uren bij zijn bed gezeten, met hem gepraat, scrabble met hem gespeeld, hem uit *Sporting Life* voorgelezen terwijl hij uitmaakte op wie hij ging wedden, waarna zij de weddenschappen voor hem plaatste. En gewoon gekletst samen. Ze waren al de beste vrienden vanaf het moment dat Grace haar aan zijn ouders had voorgesteld.

Jack Grace was altijd iemand geweest die tevreden was met wat hij had. Hij vond het prima om tot zijn pensioen brigadier te blijven, een beetje aan auto's te knutselen en naar paardenraces te kijken in zijn vrije tijd, zonder enige ambitie om een stap hogerop te komen bij de politie. Maar hij was een degelijke man, hield zich aan de regels, lette op de kleine dingen, zette de puntjes op de i. Hij zou het goedgekeurd hebben dat Roy hiernaartoe was gegaan. Dat was zonneklaar.

Godsamme, dacht Roy opeens. München wemelt van de spoken.

'Zeg, Roy,' vroeg Kullen, 'hoe goed kende rechercheur Pope Sandy?'

Weer terug in de werkelijkheid en bij wat hij daar aan het doen was, antwoordde Grace: 'Daar vraag je zo wat. Ze waren onze beste vrienden, we gingen jarenlang elk jaar met elkaar op vakantie.'

'Dus hij zou zich niet zo snel vergissen?'

'Nee. En zijn vrouw ook niet.'

Een jonge man, lang en sportief, in een geel overhemd en een rode broek, ruimde de glazen af van de lege plaatsen naast hen. Hij had modieus kort, warrig blond haar.

'Pardon,' vroeg Grace hem. 'Spreekt u Engels?'

'Nou en of, maat!' zei hij grinnikend.

'Kom je soms uit Australië?'

'Klopt helemaal!'

'Prachtig! Misschien kun jij me helpen. Werkte je hier afgelopen donderdag ook?'

'Ik werk hier elke dag. Vanaf tien uur 's ochtends tot middernacht.'

Grace haalde een foto van Sandy uit zijn jaszak en liet het hem zien. 'Heb je haar wel eens gezien? Ze was hier tegen de lunch op donderdag.'

Hij pakte de foto aan en bekeek hem een paar minuten aandachtig. 'Afgelopen donderdag?'

'Ja.'

'Nee, maat, ze komt me niet bekend voor. Maar daarom kan ze er wel geweest zijn. Er komen hier elke dag honderden mensen.' Hij aarzelde. 'Joh, ik zie zoveel mensen, het wordt allemaal één waas. Ik kan het wel even aan mijn collega's vragen.'

'Graag,' zei Grace. 'Dat zou ik zeer op prijs stellen.'

Hij ging weg en kwam een paar minuten later terug, met een groepje jonge afruimers in hetzelfde uniform op zijn hielen.

'Sorry, maat,' zei hij. 'Dit zijn de stomste mensen ter wereld. Maar meer kon ik niet doen!'

'Me rug op, Ron!' zei een van de jonge mannen, een kleine, stevige Australiër met een kapsel dat op een speldenkussen leek. Hij wendde zich tot Grace. 'Let maar niet op mijn vriend, hij spoort niet. Al sinds zijn geboorte, we laten hem gewoon zijn gang gaan.'

Grace forceerde een glimlach en gaf hem de foto. 'Ik ben op zoek naar deze vrouw. Volgens mij was ze hier afgelopen donderdag rond lunchtijd. Heeft iemand van jullie haar gezien?'

De stevige Australiër pakte de foto aan, bekeek hem aandachtig en gaf hem toen door. De een na de ander schudde zijn hoofd.

Marcel Kullen pakte een stapeltje visitekaartjes uit zijn jaszak. Hij kwam overeind en gaf er eentje aan elk van de obers. Ze werden opeens een stuk ernstiger.

'Ik kom morgenochtend weer terug,' zei de politieman. 'Dan neem ik voor ieder van jullie een afdruk van deze foto mee. Als ze terugkomt, bel me dan meteen op mijn gsm als je wilt, of op het nummer van het Landeskriminalamt. Het is heel erg belangrijk.'

'Doen we,' zei Ron. 'Als ze terugkomt, bellen we jou.'

'Dat waardeer ik zeer.'

'Graag gedaan.'

Grace bedankte hen voor hun moeite.

Toen ze weer aan het werk gingen, pakte Kullen zijn glas bier op en keek Grace recht aan. 'Als je vrouw in München is, dan zal ik haar voor je opsporen, Roy. Hoe dan ook.'

'Zoiets, ja.' Grace pakte zijn glas op en tikte ermee tegen dat van de Duitser. 'Bedankt.'

'Ik heb ook een lijst voor je gemaakt.' Hij trok een klein notitieboekje uit zijn binnenzak tevoorschijn. 'Als we denken dat ze hier is, haar hele leven en ze heeft in Engeland gewoond, dan zal ze misschien dingen missen, ja?'

'Zoals?'

'Bepaald eten? Is er eten dat ze zou missen?'

Grace dacht even na. Dat was een goede vraag. 'Marmite!' zei hij na een paar tellen. 'Daar is ze dol op. Ze at het elke ochtend op een geroosterde boterham.'

'Oké. Marmite. Er is winkel in de Viktualienmarkt die Engels eten voor Engelsen verkoopt. Ik ga daar met jou heen. Was ze fysiek in orde? Was ze misschien allergisch?'

Grace dacht goed na. 'Ze was nergens allergisch voor, maar ze kon niet goed tegen vet eten. Dat zat in de familie. Ze kreeg vreselijk het zuur als ze vet at, daar had ze medicijnen tegen.'

'Hoe heten die medicijnen?'

'Chlomotil, geloof ik. Ik kan thuis wel even in het medicijnkastje kijken.'

'Ik kan de dokters nagaan in München, of iemand die op haar lijkt dit medicijn heeft besteld.'

'Heel slim.'

'Er zijn veel dingen die we na moeten gaan. Van welke muziek houdt ze? Ging ze naar theater? Had ze lievelingsfilms of -sterren?'

Grace ratelde een lijstje op.

'En sport? Deed ze aan sport?'

Opeens snapte Grace welke kant de Duitser op wilde. En wat een paar uur geleden nog een onmogelijke taak leek, werd opeens een stuk behapbaarder. Hij besefte dat hij er niet goed over had nagedacht. Het oude gezegde van door de bomen het bos niet kunnen zien, ging nog steeds op. 'Zwemmen!' zei hij, en hij vroeg zich af waarom hij daar niet zelf aan had gedacht. Sandy deed er alles aan om fit te blijven. Ze jogde niet, en ging ook niet naar een fitnesscentrum omdat ze een slechte knie had. Ze was gek op zwemmen. Ze ging elke dag naar een openbaar zwembad in Brighton. De ene keer naar de King Alfred, de andere keer naar de Regency, en als het warm genoeg was, zwom ze in zee.

'Dus kijken we in zwembaden in München.'

'Perfect.'

Kullen bladerde weer door zijn aantekeningen en zei: 'Houdt ze van lezen?'

'Ze verslindt ze.'

'Verslindt ze?'

'Laat maar zitten. Dat is gewoon een uitdrukking. Ja, ze is gek op boeken. En helemaal op thrillers. Engelse en Amerikaanse. Elmore Leonard was haar lievelingsschrijver.'

'Er is een boekwinkel, op de hoek van de Schelling Strasse. De Munich Readery. De eigenaar is een Amerikaan. Veel Engelssprekende mensen gaan daarnaartoe, ze kunnen boeken wisselen, weet je wel? Omruilen? Heet dat zo?'

'Is die vandaag open?'

Kullen schudde zijn hoofd. 'Dit is Duitsland. Op zondag is alles gesloten. Engeland is anders.'

'Ik had beter op een andere dag kunnen komen.'

'Morgen ga ik er voor je naartoe. Wil je wat eten?'

Grace knikte dankbaar. Hij had opeens trek.

En toen, terwijl hij weer naar alle mensen om hen heen keek, ving hij een glimp op van een vrouw, met kort blond haar, die hun richting uit kwam in een groep mensen en die zich plotseling omkeerde en snel weg beende.

Grace sprong met bonkend hart overeind, baande zich een weg langs een Japanse man die een foto aan het nemen was, rende door een groep mensen die net hun rugzak afdeden, hield haar de hele tijd in de gaten en haalde haar steeds meer in.

59

Cleo zat in een gekreukeld wit T-shirt op haar favoriete plekje: op het vloerkleed op de grond, met haar rug tegen de bank aan. De zondagskrant lag verspreid om haar heen en ze had een half leeggedronken beker koffie in haar handen die steeds meer afkoelde. Fish was druk bezig zijn langwerpige aquarium te onderzoeken, zoals altijd. Hij zwom een paar tellen langzaam, alsof hij een onzichtbare prooi op het oog had, en spurtte vervolgens ergens op af, een stukje eten misschien of een onzichtbare indringer of geliefde.

Hoewel de kamer aan de schaduwkant lag en de ramen open stonden, was het toch onaangenaam drukkend. *Sky News* stond op aan op tv, maar het geluid stond zacht en ze keek er niet echt naar, het was meer achtergrondgeluid.

Op de buis was een zwarte rookkolom te zien, mensen die stonden te huilen. Schokkerige beelden van een camera die met de hand werd vastgehouden lieten een hysterische vrouw zien, lijken, grimmige gebouwen, de verwrongen, brandende bal van wat ooit een auto was geweest, een man onder het bloed die op een brancard weg werd gedragen. Een normale zondag in Irak.

In de tussentijd verspilde zij haar eigen zondag. Het was halfeen, een stralende dag, en zij was alleen nog maar opgestaan en hier op de grond gaan zitten, in deze donkere kamer, door de katernen van de kranten bladerend totdat haar ogen niets meer konden zien. En totdat ze zo wezenloos was dat ze niets meer in zich op kon nemen. Haar huis zag eruit als een vuilnisbelt, ze zou er eens flink doorheen moeten gaan, maar ze had geen zin, geen puf. Ze keek naar haar gsm, in de hoop een bericht te zien van Roy in antwoord op haar eigen bericht. Klerevent, dacht ze. Maar eigenlijk zat ze zichzelf uit te schelden.

Toen pakte ze haar gsm op en belde haar beste vriendin Millie.

Een kind nam op. Het driejarige meisje zei op langgerekte en haperende toon: 'Hallo, met Jessica. Met wie spreek ik?'

'Is je mama thuis?' vroeg Cleo haar petekind.

'Mama heeft het hartstikke druk,' zei Jessica gewichtig.

'Kun je tegen haar zeggen dat ik het ben, tante Kilo?' Millie had haar altijd Kilo genoemd. Dat kwam doordat Millie dyslectisch was.

'Nou, weet u, tante Kilo, ze staat in de keuken, omdat er straks een heleboel mensen komen eten.'

Even later hoorde ze Millies stem. 'Hé! Hoe gaat ie?'

Cleo bracht haar op de hoogte wat er gebeurd was met Grace.

Wat ze erg waardeerde in Millie, was dat zij, hoe pijnlijk de waarheid ook mocht zijn, altijd de waarheid zei. 'Wat ben je toch een stomme idioot, K. Wat wil je nu dat hij gaat doen? Wat zou jij doen in zo'n situatie?'

'Hij heeft tegen me gelogen.'

'Mannen liegen nu eenmaal. Zo zitten ze in elkaar. Als je een relatie wilt hebben met een man, dan zul je moeten accepteren dat hij een leugenaar is. Het zit in hun karakter, in hun genen. Ze hebben het nodig om te overleven, oké? Ze zeggen wat jij graag wilt horen.'

'Lekker dan.'

'Ja, het is nu eenmaal zo. Vrouwen liegen ook, maar dan op een andere manier. Ik doe bijvoorbeeld vaak alsof, in bed met Rob.'

'Dat is toch geen goede basis voor een relatie, leugens.'

'Ik wil niet zeggen dat ze altijd liegen, ik zeg alleen maar dat als je de perfecte man wilt, je nooit met iemand zult trouwen. De enige mannen die niet tegen je liegen liggen in de koelkasten in je mortuarium.'

'Shit!' zei Cleo opeens.

'Wat is er?'

'Nee, niets. Ik moest opeens aan iets denken wat ik nog moet doen.'

'Hoor eens, ik krijg zo meteen een hele horde mensen voor de lunch, een paar cliënten van Robert! Kan ik je vanavond terugbellen?'

'Ja, hoor.'

Toen ze de verbinding verbrak, keek ze op haar horloge en ze besefte dat ze in gedachten zo bezig was geweest met Roy dat ze helemaal was vergeten naar het mortuarium te gaan. Zij en Darren hadden de vrouw die de avond ervoor van het strand was binnengebracht op de brancard laten liggen, omdat alle koelruimten vol waren. Een gedeelte stond zelfs niet aan, omdat dat zou worden vervangen. Een plaatselijke begrafenisondernemer zou twee stoffelijke overschotten die middag ophalen en zij zou hem binnenlaten en daarna de vrouw in een van de leeggekomen laden stoppen.

Ze kwam met moeite overeind. Er stond een bericht op haar voicemail van haar zus Charlie, die haar tegen tien uur had gebeld. Ze wist precies waar het over zou gaan. Ze zou moeten luisteren naar Charlies gedetailleerde verslag over hoe haar vriendje haar had laten zitten. Misschien zou ze haar kunnen overhalen om elkaar ergens buiten in de zon te treffen, in een park, of aan de kust, voor een late lunch na het mortuarium? Ze toetste het nummer in en, tot haar opluchting, was Charlie meteen enthousiast en stelde een tent voor in de Arches.

Een halfuur later, terwijl ze langzaam vooruitgekomen was in het drukke verkeer richting strand, reed ze door de poort van het mortuarium en zag ze tot haar opluchting dat de overdekte zijingang, waar de stoffelijk overschotten werden afgeleverd en opgehaald zonder dat men het kon zien, nog verlaten was. De begrafenisondernemer was er nog niet.

Ze had het dak van haar auto opengedaan en ze voelde zich opeens een stukje beter toen ze aan iets dacht wat Roy Grace een paar weken geleden tegen haar had gezegd, toen ze in haar auto naar een pub waren gegaan buiten de stad: weet je, op een warme avond, met het dak open en met jou naast me, is het bijna niet te geloven dat het in de wereld zo'n zooitje is!

Ze zette de blauwe MG op zijn gebruikelijke plek, tegenover de voordeur van het gebouw met de grijze grindpleistermuren, en maakte haar tas open om haar gsm te pakken zodat ze haar zus kon bellen dat het wat later werd. Maar de telefoon zat niet in haar tas.

'Verdorie!' zei ze hardop.

Hoe kon ze die nou vergeten zijn? Ze was nog nooit, helemaal nóóit zonder gsm de deur uit gegaan. Haar Nokia was met haar verbonden als met een onzichtbare navelstreng.

Roy Grace, je maakt me nog 'ns gek!

Ze deed het dak van de auto dicht, hoewel ze maar een paar minuten wilde blijven, en sloot hem af. Toen, terwijl ze onder de bewakingscamera stond, stak ze de sleutel in het slot van de dienstingang van het mortuarium en draaide hem om.

Een van de auto's in de dichte stroom verkeer die langzaam over Lewes Road vooruitkwam, aan de andere kant van het hek van het mortuarium, was een zwarte Toyota Prius. In tegenstelling tot de rest van het verkeer reed die niet rechtdoor naar de kust, maar draaide hij linksaf de straat naast het mortuarium in en ging vervolgens de steile heuvel op, met aan beide zijden kleine rijtjeshuizen, op zoek naar een parkeerplaats. De tijdmiljardair glimlachte. Er was plek recht voor hem, precies de juiste grootte. Speciaal voor hem.

Hij zoog weer op zijn hand. De pijn werd steeds erger, benevelde zijn brein. Het zag er ook niet goed uit. Zijn hand was 's nachts nog meer opgezwollen geraakt.

'Stom kutwijf!' schreeuwde hij in een plotselinge aanval van woede.

Hoewel Cleo al acht jaar in een mortuarium werkte, was ze nog steeds niet immuun voor de lucht die daar hing. De stank die haar tegemoetkwam toen ze de deur opende, deed haar bijna letterlijk achteruitdeinzen. Zoals iedereen die in een mortuarium werkt, had ze zichzelf al jaren geleden aangeleerd door haar mond te ademen, maar de geur van rottend vlees – zuur, brandend, smerig – was zwaar en walgelijk, omringde haar als een onzichtbare mist, kringelde om haar heen, drong zich in elke porie van haar huid.

Zo snel als ze kon, terwijl ze haar adem inhield en het telefoontje dat ze wilde plegen vergat, liep ze langs haar kantoor en ging de kleine verkleedruimte in. Ze pakte een schone jas en broek van de haak, stak haar voeten in haar witte laarzen, scheurde een paar latex handschoenen uit hun verpakking en wurmde haar klamme handen erin. Daarna zette ze een mondkapje op; de stank werd er niet veel minder door, maar wel een beetje.

Ze draaide zich om en liep door de kleine, grijs betegelde gang naar de receptie naast de autopsiekamer en deed het licht aan. De overleden vrouw was ingeschreven als 'Onbekende vrouw', de naam die alle ongeïdentificeerde vrouwen kregen die hier belandden. Cleo vond het altijd triest om én overleden én ongeïdentificeerd te zijn.

Ze lag op een roestvrijstalen tafel, naast drie andere tafels, haar afgerukte arm tussen haar benen. Haar haar hing recht naar achteren en er zat een klein stukje zeewier in. Cleo liep naar haar toe, terwijl ze hard in haar handen klapte, zodat een stuk of tien vliegen opvlogen en zich over de kamer verspreidden. Buiten de stank van bederf, rook ze nog een andere sterke lucht. Zout. De zilte zeelucht. En opeens, terwijl ze voorzichtig het zeewier uit het haar van de vrouw plukte, was ze er niet meer zo zeker van dat ze haar zus op het strand wilde ontmoeten.

Toen ging de bel van de achterdeur. De begrafenisondernemer was er. Ze keek naar het beeld op de monitor voor ze de achterdeur naar de laadruimte opendeed en ze de twee sportief geklede jonge mannen ging helpen om de stoffelijke overschotten, in een lijkenzak, achter in het onopvallend bruine busje in te laden. Daarna reden ze weg. Ze deed het hek van de laadruimte zorgvuldig op slot en ging weer terug naar de receptie.

Ze pakte een witte lijkzak uit de kast in de hoek en liep ermee naar het stoffelijk overschot. Ze vond verdronken mensen vreselijk. Hun huid had, nadat ze een paar weken onder water hadden gelegen, een spookachtige, witte kleur en de textuur leek ook anders, net geschubd varkensvlees. Officieel werd dat adipocera genoemd. De eerste obductieassistent met wie Cleo had gewerkt, en die gek op lugubere dingen was, had haar met ondeugende pretlichtjes in zijn ogen gezegd dat het ook bekendstond als grafvet.

De lippen, ogen, vingers, gedeelten van haar wangen, borsten, vagina en tenen waren weggevreten, door kleine visjes of krabben. Haar behoorlijk aangevreten borsten lagen, gerimpeld, links en rechts van haar, het meeste weefsel vanbinnen weg. Net als haar waardigheid.

Wie ben je? vroeg ze zich af, terwijl ze de lijkzak openmaakte, hem onder haar legde, en haar daarbij optilde, voorzichtig, zodat ze niet verder beschadigd raakte.

Toen ze haar de vorige avond had onderzocht, met de twee agenten in uniform erbij, een inspecteur en een politiearts, alsmede Ronnie Watson als vertegenwoordiger van de politierechter, had ze zo gauw niets kunnen ontdekken wat aangaf dat ze vermoord zou kunnen zijn. Er zaten geen wonden op het lijk, uitgezonderd de schrammen die iedereen zou hebben die een tijd in de zee had gelegen. Als er bewijs was, dan was dat waarschijnlijk al verloren gegaan. De patholoog werd op de hoogte gesteld en ze hadden toestemming gekregen het lijk naar het mortuarium te brengen waar maandag een autopsie zou plaatsvinden om haar te identificeren, waarschijnlijk aan de hand van gebitsgegevens.

Ze keek nog eens goed naar haar, of er striemen om haar nek zaten die ze misschien niet had opgemerkt, of een gat waar een kogel was ingeslagen, of wat ze dan ook maar kon ontdekken. Het was altijd moeilijk om de leeftijd te schatten van iemand die een tijd in water had gelegen. Ze kon halverwege de twintig zijn, of halverwege de veertig, dacht ze.

Ze kon een verdronken badgast zijn of iemand die overboord van een boot was geslagen. Misschien een zelfmoordenares. Of zelfs, wat af en toe gebeurde, een zeemansgraf, waarbij ze niet goed was verzwaard en los was geraakt, hoewel over het algemeen mannen een zeemansgraf kregen en niet vrouwen. Of misschien was ze wel een van die duizenden mensen die elk jaar gewoon vermist werden.

Voorzichtig pakte ze de losgeraakte arm en legde hem op de lege roest-vrijstalen tafel naast de vrouw. Toen, heel rustig, draaide ze haar op haar buik, om haar rug te onderzoeken. Terwijl ze daarmee bezig was, hoorde ze een vaag geluid in het gebouw.

Ze hief haar hoofd op en luisterde een paar seconden. Het had geleken op de voordeur die open- of dichtging.

60

'Sandy!' riep hij. 'Sandy!!!'

De afstand werd steeds groter tussen hen. Verdomme, wat rende ze hard!

De vrouw droeg een simpel wit T-shirt, blauwe fietsbroek en gympen en had een klein tasje in haar hand. Ze sprintte over het pad om het meer heen. Grace rende achter haar aan, ontweek een standbeeld en zag haar tussen een paar kinderen door slalommen die daar aan het spelen waren. Ze maak-te een bocht om twee schnauzers heen die elkaar achternazaten. Weer het pad op, langs een keurig geklede vrouw te paard en een hele rij middelbare dames die aan nordic-walking deden.

Roy had er nu spijt van dat hij bier had gedronken. Het zweet gutste van zijn voorhoofd en prikte in zijn ogen, waardoor hij bijna niets meer kon zien. Twee jongelui op skates kwamen hem tegemoet. Hij week uit naar rechts. Zij weken uit naar dezelfde kant. Links. Ze gingen ook die kant op. Hij dook wanhopig op het laatste moment naar rechts, waarbij zijn been op pijnlijke wijze in aanraking kwam met een klein bankje, en viel eroverheen. '*T'schuldigung!*' Een van de twee skaters, een lange tiener, stond over hem heen gebogen met een bezorgd gezicht. De andere ging op zijn hurken naast hem zitten en stak zijn hand uit.

'Het gaat wel,' bracht Grace hijgend uit.

'Komt u uit Amerika?'

'Engeland.'

'Het spijt me heel erg.'

'Niets aan de hand, hoor. Mijn schuld. Ik...' Hij was aangedaan en voelde zich belachelijk, pakte de hand van de jongen en liet zich omhoogtrekken. Zodra hij weer stond, keek hij om zich heen naar Sandy.

'Uw been bloedt,' zei de andere jongen.

Grace keek er amper naar. Hij zag dat er een scheur in zijn spijkerbroek zat en dat er bloed zat op zijn linkerscheen, maar het kon hem niet schelen. 'Dank jullie, *danke*,' zei hij, terwijl hij in paniek voor zich uit, naar links en naar rechts keek.

Ze was verdwenen.

Het pad ging nog een paar honderd meter rechtuit, door dichte bomen, en helemaal in de verte kwam het uit op een open plek. Maar er was ook een ander weggetje over een smal bruggetje met een metalen reling.

Godverdegodverdegodver.

Hij balde gefrustreerd zijn vuisten. Denk na!

Welke kant was ze opgegaan? Welke kant?

Hij draaide zich om naar de twee skaters. 'Hoe kom je bij de dichtstbijzijnde grote weg?'

Eentje wees naar de brug en zei: 'Ja, zo kom je het snelst bij de weg. Het is de enige grote weg hier.'

Hij bedankte hem, strompelde een paar meter naar voren, dacht na, en nam toen het pad naar rechts, tussen een groep fietsers door die hem op de brug tegemoet reden, en ging wat sneller lopen zonder op de stekende pijn in zijn been te letten. Sandy zou naar de uitgang gaan, bedacht hij. Naar de drukte toe. Hij zette een kreupele sprint in, bleef van het drukke pad af, rende op het gras ernaast, en keek af en toe naar de grond voor hem, bedacht op bankjes, spelende honden, zonaanbidders, maar voornamelijk had hij zijn blik in de verte gericht in de hoop een glimp blond haar op te vangen.

Zij wás het! Oké, hij had maar heel even haar profiel gezien en had haar gezicht niet goed kunnen bekijken, maar dat was genoeg geweest. Het wás Sandy. Dat móést wel! En waarom zou ze verdomme de benen nemen als ze het niet was geweest?

Hij rende door, voelde door zijn wanhoop geen pijn. Hij was al zo ver gekomen, dan kon ze toch niet zomaar uit zijn handen glippen?

Waar ben je?

Een felle straal zonlicht scheen heel even recht in zijn ogen, als het licht van een zaklantaarn. Weerkaatste van een bus die op de weg reed, maar honderd meter voor hem uit. Toen zag hij nog een fel licht. Dit keer was het geen zonnestraal.

Hij dook om een groepje jolige mensen heen die net werden gefotografeerd, rende over een stuk gras en kwam uit bij een verlaten weg met het bos van het park aan beide kanten. De bus remde af. Sandy was nergens te bekennen.

Opeens, toen de bus doorreed, zag hij haar een eindje voor hem uit rennen!

'SANNNNDDYYYYY!' brulde hij.

Ze bleef even staan en keek zijn richting uit, alsof ze zich afvroeg naar wie hij zo schreeuwde.

Om haar twijfel weg te nemen, zwaaide hij wild met zijn armen, rende naar haar toe en schreeuwde: 'Sandy! Sandy! Sandy!'

Maar ze rende alweer weg en sloeg een hoek om. Twee politieagenten te paard kwamen hem tegemoet en heel even vroeg hij zich af of hij hun hulp moest inroepen. Maar in plaats daarvan rende hij langs hen heen, zich ervan bewust dat ze hem in de gaten hielden.

In de verte zag hij een geel gebouw staan. Ze rende langs een verkeerslicht, een afvalcontainer, een brug over, langs het gebouw en een heleboel bussen.

Toen bleef ze bij een zilverkleurige BMW staan die langs de straat stond, en zocht naar iets in haar tas. De afstandbediening, nam hij aan.

En opeens stond hij naar adem snakkend naast haar. 'Sandy!' zei hij dolblij.

Ze draaide zwaar hijgend haar hoofd om, en zei iets tegen hem in het Duits.

Hij zag haar voor het eerst goed en besefte dat het Sandy niet was.

Ze leek er zelfs niet op.

Zijn hart zonk hem in de schoenen. Ze had hetzelfde profiel, exact hetzelfde, maar haar gezicht was breder, platter, niet zo knap. Hij kon haar ogen niet zien, omdat ze een zonnebril droeg, maar dat hoefde ook niet. Het was Sandy's mond niet; dit was een kleine, dunne mond. Het was Sandy's delicate zijdezachte huid niet, dit gezicht had acnelittekens.

'Het... het spijt me. Het spijt me heel erg.'

'Bent u Engels?' vroeg ze met een vriendelijke glimlach. 'Kan ik iets voor u doen?'

Ze had de afstandbediening inmiddels gevonden, drukte op de knop en de portieren gingen van het slot. Ze maakte het portier aan de chauffeurskant open en zocht iets in de auto. Hij hoorde een paar munten rinkelen.

'Het spijt me,' zei hij. 'Ik... ik heb me vergist. Ik dacht dat u... ik dacht dat u iemand was die ik ken.'

'Ik was de tijd vergeten!' Ze tikte op haar hoofd, om aan te geven hoe dom dat was. 'De politie deelt heel snel bonnen uit hier. Maar twee uur op het kaartje!'

Ze pakte een handvol euro's uit het binnenvak van het portier.

'Mag ik u iets vragen? Eh... was u hier, in de Englischer Garten, op donderdag? Rond deze tijd?'

Ze haalde haar schouders op. 'Dat zou best kunnen. Als het zulk mooi weer is, ga ik hier vaak naartoe.' Ze dacht even na. 'Afgelopen donderdag?'

'Ja.'

Ze knikte. 'Ja, ik was hier. Zeker weten.'

Grace bedankte haar voor de moeite en draaide zich om. Zijn kleren plakten aan zijn lijf van het zweten. Een straaltje bloed liep over zijn linkerschoen. Een paar meter verderop zag hij Marcel Kullen aan komen lopen. Hij was helemaal stuk. Hij pakte zijn gsm en hield hem omhoog terwijl de vrouw naar de parkeerautomaat liep. Maar hij wilde geen telefoontje plegen. Hij maakte een foto.

61

Cleo luisterde aandachtig. Ze had heel duidelijk een klik gehoord.

Ze was bezig geweest het slanke, tengere, grijze lijk om te draaien, maar dat liet ze weer op haar rug op de roestvrijstalen tafel zakken. 'Hallo?' riep ze, haar stem gedempt door het mondkapje.

Toen bleef ze staan luisteren, terwijl ze slecht op haar gemak door de deuropening naar de grijze tegels in de gang keek. 'Hallo? Wie is daar?' riep ze weer, dit keer harder, met een angstig gevoel. Ze deed het kapje naar beneden, zodat het aan de touwtjes om haar nek bleef hangen. 'Hallo?'

Stilte. Alleen het zachte gezoem van de koelkasten.

De angst greep haar bij de keel. Had ze de buitendeur opengelaten? Vast niet, die liet ze nóóit openstaan. Ze dacht goed na. De geur toen ze de deur openmaakte... Had ze hem misschien opengelaten voor wat frisse lucht?

Nee, dat kon niet, zo stom was ze niet. Ze deed de deur altijd dicht, het was er zo een die dan automatisch in het slot viel. Natuurlijk had ze hem dichtgedaan!

Dus waarom zei die persoon dan niets?

En in haar woest bonkende hart wist ze de reden. Er liepen een hoop mafketels rond die gefascineerd waren door mortuaria. Er was al een paar keer ingebroken, maar door de nieuwste bewakingsinstallatie was dat in zo'n anderhalf jaar niet meer gebeurd.

Plotseling dacht ze aan de monitor aan de muur en ze keek ernaar. Er was een stilstaand zwart-witbeeld te zien van de oprit voor de deur, en het bloemenperkje en de stenen muur daarachter. De achterlichten en bumper van haar auto waren nog net te zien.

Toen hoorde ze het onmiskenbare geruis van kleren in de gang.

Ze kreeg meteen kippenvel. Ze bleef even doodstil staan, koortsachtig bedenkend wat ze moest doen. Er stond een telefoon op de plank naast de kast, maar die kon ze niet op tijd bereiken. Ze keek wild om zich heen naar een wapen binnen handbereik. Heel even dacht ze, absurd genoeg, aan de afgescheurde arm van het lijk. De angst deed haar huid krimpen, haar hoofd voelde aan alsof ze er een schedelkapje op had.

Het geruis kwam dichterbij. Ze zag een schaduw op de tegels naar voren komen.

Toen opeens sloeg haar angst om in woede. Wie daar ook was, hij of zij had verdomme totaal geen recht om daar te zijn. Ze zou niet bang zijn of zich laten intimideren door de een of andere idioot die het lekker vindt om in een mortuarium in te breken. Háár mortuarium.

Ze liep snel en gedecideerd naar de kast toe, schoof de deur open en pakte een van de grootste Sabatier-messen eruit. Toen, terwijl ze het heft stevig vasthield, rende ze naar de openstaande deur. En botste met een kreet van angst, tegen een lange figuur op die een oranje T-shirt aanhad en een li-

moengroene korte broek. Hij greep haar bij de armen en drukte die tegen
haar zij aan. Het mes viel kletterend op de vloertegels.

62

Marcel Kullen zette de auto langs de stoep en wees naar de overkant van de
straat. Roy Grace zag een grote, beige geverfde winkel op de hoek. De etalages stonden vol met boeken en het interieur was donker. De lampen binnen,
die aan stangen hingen, waren aan, meer ter decoratie dan dat ze veel licht
gaven. Ze deden Grace aan vuurvliegjes denken.

In mooie grijze letters stond THE MUNICH READERY op de gevel. En
SECONDHAND BOOKS IN ENGLISH.

'Ik wilde je alleen de winkel laten zien. Ik ga er morgen heen om navraag
te doen,' zei de inspecteur.

Grace knikte. Hij had twee grote glazen bier op, een braadworst, zuurkool met aardappelen, en hij was erg soezerig. Hij kon zelfs amper zijn ogen
openhouden.

'Sandy was dol op lezen, jawel?'

Wás. Het woord bleef hangen in Grace' hoofd. Hij vond het maar niets als
mensen over Sandy in de verleden tijd praatten, alsof ze niet meer leefde.
Maar hij zei er niets van. Hij had die term onbewust zelf ook vaak genoeg gebruikt. Met opeens meer energie, zei hij: 'Ja, ze was zeker dol op lezen, altijd al geweest. Detectives, thrillers, allerlei spannende boeken. Biografieën
ook, met name over vrouwelijke ontdekkingsreizigers.'

Kullen schakelde zijn auto in zijn één en reed weg. 'Hoe heet het ook alweer, dat gezegde... Kop op!'

Grace gaf zijn vriend een klopje op zijn arm. 'Goed onthouden!'

'Zo, nu gaan we naar het politiebureau. Daar zijn de dossiers over vermiste personen. Een vriendin van me, Sabine Thomas, is hoofd van de afdeling
Polizeirat. Zij komt ook.'

'Bedankt voor de moeite,' zei Grace. 'Wat aardig van haar, en dat op een
zondag.'

Zijn optimisme had hem weer verlaten en hij voelde zich terneergeslagen,
zich bewust van de omvang van wat hem hier te doen stond. Hij keek naar

de stille straten, verlaten winkels, auto's, wandelaars die ze passeerden. Ze kon overal zijn. In een kamer achter een van die gevels, in een van die auto's, op een van deze straten. En dit was alleen nog maar München. Hoe waanzinnig veel steden waren er niet ter wereld, waar ze óók kon zijn?

Hij drukte op het knopje op zijn portier om het raampje te laten zakken. Zwoele, vochtige lucht blies in zijn gezicht. Toen hij na zijn vruchteloze achtervolging naar hun tafel terug was gegaan, had hij zich een tijdje opgelaten gevoeld, maar inmiddels voelde hij zich verloren.

Hij had op de een of andere manier na het telefoontje van Dick Pope het gevoel gehad dat hij alleen maar naar de Englischer Garten hoefde te gaan om Sandy weer te zien. Die op hem wachtte. Alsof ze een boodschap aan hem door wilde geven door zich aan Dick en Lesley Pope te laten zien.

Was dat dom of niet?

'Als je leuk vindt, kunnen we door de Marienplatz lopen naar het bureau. Het is een beetje om, maar dan kunnen we naar de Viktualienmarkt gaan, waar Engelse mensen hun eten zouden kunnen kopen, zoals ik had verteld.'

'Ja, graag.'

'Dan ga je mee naar mijn huis en ontmoet je mijn gezin.'

Grace glimlachte naar hem, vroeg zich af of de Duitser enig idee had hoeveel hij hem zijn ogenschijnlijk normale leven benijdde. Toen ging opeens zijn gsm over. Grace keek op het schermpje.

Geheim nummer.

Hij zat te twijfelen en liet het toestel nog een paar keer overgaan. Het zou zijn werk wel zijn, en hij had niet zoveel zin om een van zijn collega's aan de lijn te krijgen. Maar hij had nu eenmaal plichten. Met een bezwaard gemoed drukte hij op het groene knopje.

'Hé!'

Het was Glenn Branson.

'Gaat ie?'

'Waar zit je?'

'In München.'

'In München? Ben je daar nog steeds?'

'Zoals je merkt.'

'München, verdomme, man. Heb je wel eens de film *Night Train to Munich* gezien?'

'Nee.'

'Geregisseerd door Carol Reed.'

'Nooit gezien. Ik heb nu geen tijd om films te bespreken.'

'Ja, nou oké, je zat laatst toch ook naar *The Third Man* te kijken. Die heeft hij ook geregisseerd.'

'Bel je me daarvoor?'

'Nee.' Hij wilde er nog iets aan toevoegen, toen Kullen zich naar Grace boog, en naar een nogal saai gebouw wees.

'Wacht even.' Grace sloeg zijn hand over de microfoon.

'De *Bierkeller* waar Hitler uit werd gegooid omdat hij zijn rekening niet betaalde! zei hij. 'Zegt men!'

'Ik rij net langs Adolf Hitlers stamkroeg,' lichtte Grace Branson in.

'O, ja? Nou, gewoon doorrijden, want we hebben een probleem.'

'Wat dan?'

'Hartstikke groot. Gigantisch, oké?'

'Zeg het maar.'

'Wat klink je chagrijnig. Heb je soms gedronken?'

'Nee,' zei Grace, die zichzelf vermande. 'Vertel op.'

'Er is weer een moord gepleegd,' zei de rechercheur. 'Bepaalde dingen komen overeen met de moord op Katie Bishop.'

En opeens zat Roy Grace recht overeind, helemaal bij de les. 'Wat voor dingen dan?'

'Een jonge vrouw, ze heet Sophie Harrington. Ze had een gasmasker op toen ze ontdekt werd.'

De rillingen liepen over Grace' rug. 'Shit. Wat nog meer?'

'Heb je nog meer nodig dan? Echt, man, je moet zo snel mogelijk terugkomen.'

'Inspecteur Murphy is de baas nu. Zij kan het wel aan.'

'Ze is jouw vervangster,' zei hij kleinerend.

'Als je haar zo wilt noemen. Maar wat mij betreft is ze mijn stand-in.'

'Weet je wat ze zeiden over Greta Garbo's stand-in?'

Hij kon zich geen enkele film voor de geest halen waarin de filmdiva ooit had gespeeld, en antwoordde kribbig: 'Nee, wat dan?'

'Greta Garbo's stand-in kan alles doen wat Greta Garbo kan doen, behalve dan wat Greta Garbo doet.'

'Zeer complimenteus.'

'Snap je 't?

'Jawel.'

'Nou, zorg dan dat je in het eerste het beste vliegtuig hiernaartoe zit. Alison Vosper denkt dat ze je bij je taas heeft. Dat kan me allemaal niet schelen, maar jij kan me wel schelen. En we hebben je nodig.'

'Heb je Marlon nog gevoerd?' vroeg Grace.

'Marlon?'

'Mijn goudvis.'

'O, shit.'

63

Cleo wilde schreeuwen, maar ze kon geen geluid uitbrengen. Ze worstelde als een gek om haar armen los te krijgen, het gezicht van de man onduidelijk door haar wazige blik. Ze haalde uit met haar been, schopte hem tegen zijn scheen.

Toen hoorde ze zijn stem.

'Cleo!'

Rustig, bedachtzaam. 'Cleo! Ik ben het. Het is in orde.'

Zwarte stekeltjes. Een verbijsterde uitdrukking op zijn jonge, vriendelijke gezicht. Gekleed in een oranje shirt en groene korte broek, iPod-oordopjes in zijn oren.

'O, verdorie.' Ze stond stil en haar mond zakte open. 'Darren!'

Hij liet heel langzaam en voorzichtig haar armen los, alsof hij er nog niet van overtuigd was dat ze hem niet zou neersteken. 'Gaat het, Cleo?'

Ze ademde diep in, terwijl haar hart zo tekeerging dat ze het gevoel had dat het zich een weg naar buiten zou hameren door haar borst. Ze zette een stap naar achteren, keek haar collega aan, toen naar het mes op de grond, toen weer naar zijn bruine ogen. Lamgeslagen. Zo lamgeslagen dat ze even geen woord uit kon brengen.

'Ik schrok me wild van je,' fluisterde ze ademloos.

Darren trok zijn oordopjes uit zijn oren en liet ze aan hun witte draadje bungelen. Toen stak hij zijn handen op alsof hij zich over wilde geven. Hij trilde, besefte ze.

'Sorry, hoor.' Ze was nog steeds aan het hyperventileren, haar stem was bibberig. Toen glimlachte ze, om het goed te maken.

Nog steeds onzeker vroeg hij: 'Vind je me zo eng dan?'

'Ik... ik hoorde de deur opengaan,' zei ze, terwijl ze zich opgelaten voelde. 'Ik riep maar ik kreeg geen antwoord. Ik dacht dat je een inbreker was. Ik... ik was...' Ze schudde haar hoofd.

Hij liet zijn armen zakken, pakte zijn oordopjes. 'Ik had de muziek hard aanstaan,' zei hij. 'Ik hoorde je niet.'

'Het spijt me echt heel erg.'

Hij wreef over zijn scheenbeen.

'Doet het veel pijn?'

'Behoorlijk! Maar ik overleef het wel.' Er zat een grote rode plek op zijn been. 'Ik besefte opeens dat we het lijk buiten de koeling hadden gelaten. En met deze hitte leek het me beter dat het in de koeling werd gestopt. Ik heb je gebeld, maar je nam niet op, thuis niet en op je gsm niet, dus ben ik hiernaartoe gegaan om het zelf te doen.'

Ze voelde zich inmiddels weer een stuk beter en bood nogmaals haar verontschuldigingen aan.

Hij haalde zijn schouders op. 'Geeft niet. Maar ik had mijn werk in het mortuarium nooit zo geassocieerd met vechtsporten.'

Ze lachte. 'Ik vind het echt heel, heel erg. Ik heb echt een rotdag achter de rug. Ik...'

'Laat maar. Niets aan de hand.'

Ze keek naar de rode plek op zijn scheenbeen. 'Wat fijn dat je bent gekomen. Bedankt.'

'Maar ik weet nog niet of ik dat de volgende keer ook weer doe,' zei hij plagend. 'Ik had maar beter mijn vorige baan kunnen behouden, die was lang niet zo gewelddadig.'

Ze grinnikte. Darren was vroeger leerling-slager geweest, wist ze nog. 'Fijn dat je op je vrije zondag wilde werken,' zei ze.

'Dan hoefde ik niet naar een barbecue bij de ouders van mijn vriendin,' zei hij. 'Dat is een van de nadelen van dit vak. Ik kan niet meer tegen barbecues sinds ik hier werk.'

'Dat heb ik ook.'

Ze moesten allebei aan verbrande slachtoffers denken. Hun huid was vaak zwart en knapperig als uitgebakken spek. Afhankelijk van hoelang ze in brand hadden gestaan, was hun vlees soms grijs en hard, soms rauw en bloederig, net als ongaar heel even gebakken varkensvlees. Cleo had ooit gelezen dat kannibalen in Centraal-Afrika blanke mensen lange varkens noemden. Ze begreep precies waarom. Daarom vonden de meeste mensen die in mortuaria werkten barbecues maar niets. En al helemaal niet als er varkensvlees op het menu stond.

Samen draaiden ze het lijk op haar buik en bekeken haar rug op zoek naar tatoeages, moedervlekken en kogelwonden, maar ze zagen niets. Opgelucht deden ze haar uiteindelijk in een lijkzak, ritsten die dicht en stopten haar in la nummer 17. De volgende dag zouden ze op zoek gaan naar identificatie. Het vlees van haar vingers was weg, waardoor ze geen vingerafdrukken konden nemen. Haar kaak was nog wel intact, dus ze konden tandartsgegevens vergelijken. DNA werd moeilijker, ze zou al in de computer moeten staan om haar daarmee te vinden. Haar beschrijving en foto's en afmetingen zouden naar de Vermiste Personen Hulptelefoon worden gestuurd en de politie van Sussex zou contact opnemen met vrienden en familieleden van iedereen die als vermist was opgegeven en overeenkwam met de beschrijving van deze vrouw.

En de volgende morgen zou de patholoog, dr. Nigel Churchman, een autopsie uitvoeren om de doodsoorzaak te achterhalen. Als hij tijdens dit onderzoek iets verdachts zou ontdekken, dan zou hij meteen zijn werk onderbreken en de politierechter ervan op de hoogte stellen. Dan zou een patholoog van Binnenlandse Zaken, Nadiuska of dr. Theobald de taak overnemen.

Voorlopig hadden Cleo en Darren de tijd om van de heerlijke zondagmiddag in augustus te genieten.

Darren ging als eerste weg, in zijn kleine rode Nissan, naar de barbecue waar hij liever niet naartoe was gegaan. Cleo stond hem in de deur na te kijken, terwijl ze hem beneed. Hij was jong, levenslustig, had een fijne relatie met zijn vriendin en had het naar zijn zin in zijn werk.

Zij liep al tegen de dertig. Ze hield van haar werk, maar aan de andere kant zat ze er ook mee. Ze wilde kinderen voordat ze er te oud voor was. Maar elke keer dat ze dacht de Ware te hebben ontmoet, kwam hij weer met een onaangename verrassing aanzetten. Roy was een fijne man. Maar net toen ze dacht dat alles op rolletjes liep, dook zijn vermiste vrouw opeens op als een duveltje uit een doosje.

Ze schakelde het alarm in, liep naar buiten en deed de voordeur op slot, met maar één gedachte: kijken of er thuis een bericht van Roy op de telefoon staat. Toen, terwijl ze over de oprit naar haar blauwe MG liep, bleef ze opeens stokstijf staan.

Iemand had het zwarte canvas dak opengesneden. Van de voorruit helemaal tot aan de achterruit.

64

De vrouw achter het loket gaf hem een lichtgeel vel papier. 'U moet uw naam en adres en andere gegevens op dit formulier invullen,' zei ze vermoeid. Ze zag eruit alsof ze er al veel te lang had gezeten, deed hem denken aan een voorwerp in een vitrine in een museum dat al jaren stof lag te vergaren. Haar gezicht was bleek en haar bruine haar hing futloos op haar schouders als een stel gordijnen die losgeraakt waren.

Boven de receptie van de eerstehulppost in het Royal Sussex County Hospital hing een groot lcd-scherm waar met gele letters op een zwarte achtergrond WACHTTIJD 3 UUR stond.

Hij bekeek het formulier aandachtig. Ze wilden zijn naam, adres, geboortedatum en naaste familieleden weten. Er was ook ruimte waar je kon invullen waarvoor je allergisch was.

'Alles in orde?' vroeg de vrouw.

Hij stak zijn opgezwollen rechterhand omhoog. 'Ik kan hier niet zo goed mee schrijven,' zei hij.

'Zal ik het voor je doen?'

'Nee, het gaat wel.'

Hij leunde over de balie en staarde naar het formulier. Zijn hersens, verdoofd door de pijn, werkten niet zo goed. Hij deed zijn best snel na te denken, maar het lukte hem niet. Hij werd opeens duizelig.

'Je kunt het ook zittend invullen,' zei ze.

Hij viel naar haar uit: 'Ik zei toch dat het wel ging!!!'

Om hem heen keek iedereen geschrokken op van hun harde oranje plastic stoelen. Niet zo slim, dacht hij. Helemaal niet slim om de aandacht te trekken. Snel vulde hij het formulier in en toen, om het goed te maken, schreef hij bij Allergieën: pijn. Best wel grappig, vond hij.

Maar ze scheen het niet op te merken toen ze het formulier aanpakte. 'Als u daar gaat zitten, komt een zuster u zo halen.'

'Over drie uur?' vroeg hij.

'Ik zal doorgeven dat het spoed heeft,' zei ze mat, en ze keek argwanend toe terwijl de eigenaardige man met het lange, wilde bruine haar, een grote snor en baard en een zonnebril met grote glazen, gekleed in een wit overhemd over een nethemd, grijze broek en sandalen naar een lege stoel liep en tussen een man met een bloedende arm en een oudere vrouw met haar hoofd in het verband ging zitten. Toen pakte ze de hoorn van de telefoon.

De tijdmiljardair pakte de BlackBerry uit zijn houder, die vastzat aan zijn riem, maar voordat hij er iets mee kon doen, viel er een schaduw over hem heen. Een vriendelijk uitziende vrouw in een verpleegstersuniform met donker haar en achter in de veertig, stond over hem heen gebogen. Op het naamkaartje op haar revers stond BARBARA LEACH, EERSTEHULPPOST.

'Dag!' zei ze opgewekt. 'Ga je met me mee?'

Ze begeleidde hem naar een klein hokje en vroeg hem plaats te nemen.

'Wat zijn de klachten?'

Hij hield zijn hand op. 'Ik heb hem bezeerd toen ik een auto aan het repareren was.'

'Hoelang geleden?'

Hij dacht even en na en zei: 'Op donderdagmiddag.'

Ze bekeek het zorgvuldig, draaide zijn hand om en vergeleek hem met zijn andere hand. 'Zo te zien is het ontstoken,' zei ze. 'Heb je onlangs nog een tetanusinjectie gehad?'

'Niet dat ik weet.'

Ze bekeek het weer een tijdje aandachtig. 'Aan een auto?' vroeg ze.

'Een oude auto. Ik ben hem aan het opknappen.'

'Ik zorg ervoor dat de dokter zo snel mogelijk ernaar kijkt.'

Hij ging weer op zijn stoel in de wachtkamer zitten en pakte zijn BlackBerry weer. Hij meldde zich aan op internet en klikte toen op zijn favoriete zoekmachine Google.

Toen het scherm verscheen, tikte hij een zoekopdracht in voor MG TF.

Dat was de auto waarin Cleo Morey reed.

Ondanks de pijn, en ondanks zijn duffe hoofd, kwam er toch een plannetje bij hem op. Eigenlijk best wel een goed plan.

'Briljant!' zei hij hardop, zo enthousiast dat hij zich niet in kon houden. Maar hij kroop onmiddellijk weer terug in zijn schulp.

Hij trilde.

Dat was het teken dat de Heer het ermee eens was.

65

Het lukte Grace een eerdere vlucht te krijgen, hoewel hij daarmee met tegenzin zijn tijd in München beperkte. Het weer in Engeland was inmiddels drastisch omgeslagen en toen hij even na zes uur 's middags zijn auto uit de parkeergarage voor kort verblijf ging halen in Heathrow, was de lucht betrokken en stond er een kille wind, die de regen over de voorruit blies.

Het was het soort wind waarvan je vergat dat die ook nog bestond in de lange zomerse dagen die ze de laatste tijd hadden gehad, bedacht hij zich. Zo liet Moeder Natuur weten dat de zomer bijna voorbij was. De dagen werden al korter. Over een maand zou het al herfst zijn. Dan winter. Weer een jaar.

Hij voelde zich mat en moe, en vroeg zich af wat hij die dag had bereikt, behalve dan dat hij weer een slechte aantekening had gekregen in Alison Vospers boekje. Had hij verder nog iets bereikt?

Hij stopte het kaartje in de gleuf en de slagboom ging omhoog. Zelfs het geluid van de motor terwijl hij gas gaf, wat hij normaal gesproken een fijn geluid vond, leek dit keer vals over te komen. Hij draaide duidelijk niet op vol vermogen. Net als zijn eigenaar.

```
Zoek uit wat je werkelijk wilt. Bel me als je weer
terug uit München bent.
```

Terwijl hij naar de rotonde reed en de rijbaan nam naar de M25, stopte hij zijn gsm in de handsfreehouder en toetste Cleo's nummer in. Hij ging over. Toen hoorde hij haar stem, een tikkeltje aangeschoten en moeilijk te verstaan boven de herrie van jazzmuziek op de achtergrond uit.

'Hé, insjpecteur Roy Grace! Waar zit je?'

'Ik rij net van Heathrow weg. En jij?'

'Ik zit mezelf te bezatten met mijn jonge zusje, we hebben net onze derde Sea Breeze voor onze neus staan... Nee, sorry, dat klopt niet! Onze vijfde Sea Breeze, in de Arches. Het waait als de zenuwen, maar er is een heel goede band. Kom je ook?'

'Ik moet naar een plaats delict toe. Erna?'
'Ik denk niet dat we nog lang bij bewustzijn zullen zijn!'
'Je hebt dus geen dienst vandaag?'
'Vrije dag!'
'Mag ik later vandaag even langskomen?'
'Ik weet niet of ik dan nog wakker ben. Maar kom gerusjt langsj!'

Toen hij nog jong was, was Church Road in Hove achtergebleven gebied geweest vergeleken met Brightons drukke, bruisende winkelstraat Western Road, ten westen van de Waitrose supermarkt. Het was in de afgelopen jaren behoorlijk bijgetrokken, er waren nu trendy restaurants, speciaalzaken en winkels met spullen die iedereen onder de negentig wel zou willen hebben.

Zoals overal in deze stad, waren de bekende namen uit dit gedeelte van Church Road allemaal verdwenen: kruidenier Cullen, de drogisterijen Paris en Greening, de warenhuizen Hills of Hove en Plummer Roddis. Er waren er maar een paar overgebleven. Eentje daarvan was bakkerij Forfars. Hij reed langs de winkel een straat voor eenrichtingsverkeer in, sloeg aan het einde ervan rechts af, en sloeg weer rechts af, Newman Villas in.

Zoals met de meeste wijken met lage huren in deze vergankelijke stad het geval was, stond de straat vol met borden van verhuurbedrijven. Er stond ook een duidelijk zichtbaar voor nummer 17. Het bord was van RAND & CO. die een tweekamerappartement te huur aanbod. Een paar centimeter eronder stond een gezette agent met een clipboard in zijn hand voor een geel en zwart politielint dat een gedeelte van de stoep afschermde. Langs de stoep stonden een paar bekende auto's geparkeerd. Grace zag de bus van de afdeling Zware Criminaliteit, nog een paar andere dubbelgeparkeerde politiewagens, waardoor de smalle straat nog smaller werd, en een verzameling journalisten, met goeie ouwe Kevin Spinella in hun midden, zag hij.

Onopgemerkt in zijn eigen Alfa reed hij langs hen heen en zette de auto op een plekje op een dubbele gele lijn om de hoek, weer in Church Road. Hij zette de motor uit, en bleef even rustig zitten.

Sandy.

Wat moest hij nu doen? Afwachten of Kullen iets zou ontdekken? Weer naar München gaan en daar nog meer rondkijken? Hij had nog meer dan veertien dagen verlof staan, Cleo en hij hadden het er al over gehad om ergens samen naartoe te gaan, bijvoorbeeld naar het politiecongres in New Orleans aan het einde van deze maand. Maar op dit moment wist hij het gewoon niet meer.

Als Sandy inderdaad in München zat, dan zou hij haar kunnen vinden als hij genoeg tijd had, dat wist hij. Hij had het dit keer helemaal verkeerd aangepakt. In een paar uur kon hij niet genoeg doen. Maar hij had in elk geval de bal aan het rollen gebracht, hij had gedaan wat hij kon. Op Marcel Kullen kon hij rekenen, die zou zijn best voor hem doen. Als hij er een week naartoe kon, zou dat wellicht genoeg zijn. Hij zou daar een week kunnen doorbrengen en een week in New Orleans met Cleo. Dat zou mooi zijn, als zij dat tenminste ook wilde. En dat was nog de vraag.

Hij richtte zich weer op de taak die hem te doen stond, tilde zijn plaatsdelictuitrusting uit de kofferbak en liep terug naar nummer 17. Een paar journalisten riepen naar hem, een overijverige jonge vrouw duwde een in schuimrubber verpakte microfoon onder zijn neus en er werd druk geflitst.

'Geen commentaar,' zei hij vastberaden.

Opeens blokkeerde Spinella zijn pad. 'Is dit er weer eentje, inspecteur?' vroeg hij zachtjes.

'Hoezo, weer eentje?'

Spinella ging nog zachter praten, en keek hem veelbetekenend aan. 'U weet wel wat ik bedoel. Toch?'

'Je hoort het wel als ik het met eigen ogen heb gezien.'

'Maakt u zich niet druk, inspecteur. Als ik het niet van u hoor, dan hoor ik het wel van iemand anders.' Spinella tikte op de zijkant van zijn neus. 'Bronnen!'

Grace zag al voor zich hoe hij de journalist knock-out sloeg en hoorde bijna het gekraak van de neus van Spinella die brak. Hij duwde hem opzij zodat hij zijn naam kon noteren op het clipboard. De agent gaf door dat hij op de bovenste etage moest zijn.

Hij dook onder het lint door, haalde een nieuwe witte papieren overall uit zijn tas en trok die onhandig aan. Hij schaamde zich rot toen hij bijna omviel ten overstaan van de voltallige pers van Sussex toen hij allebei zijn voeten in één broekspijp stak. Hij kreeg een rood hoofd en deed het wat rustiger aan, trok wegwerpoverschoenen en een stel latex handschoenen aan en ging naar binnen.

Hij deed de deur achter zich dicht, bleef in de hal staan en snoof. Hij rook de gebruikelijke muffe geur van oude vloerbedekking en gekookte groenten die er altijd hing in de duizenden oude gebouwen waar hij voor zijn werk was geweest. Hij rook geen rottend lijk, dus het slachtoffer was nog niet zo lang dood; door de zomerse dagen de afgelopen tijd zou de stank van een rottend stoffelijk overschot allang opgevallen zijn. Dat was tenminste íéts, dacht hij, toen hij het lint zag dat op de trap lag, dat de route naar binnen en naar buiten aangaf. Het politieteam dat hier aan de slag was, wist waar het mee bezig was, zodat de plaats delict niet besmet zou raken, constateerde hij tevreden.

Hij moest zelf ook opletten. Het zou niet slim zijn om de trap op te lopen, omdat hij op die manier de verdediging de kans gaf te wijzen op het feit dat hij de plaats delict had besmet. In plaats daarvan pakte hij zijn gsm en belde Kim Murphy dat hij in de hal stond.

Op de eerste etage zag hij opeens Eddie Gribble, een medewerker van de technische recherche, in een witte overall met capuchon opduiken. Hij knielde neer op de grond om iets op te schrapen. Hij knikte tevreden. Een andere medewerker, Tony Monnington, identiek gekleed, kwam ook in zicht. Hij was op zoek naar vingerafdrukken op de muur.

'Ha die Roy!' riep hij opgewekt naar beneden.

Grace stak zijn hand op. 'Leuke zondag?'

'Zo loop ik thuis tenminste niet in de weg. Kan Belinda lekker zien op tv wat ze wil.'

'Gelukkig maar,' zei Grace sarcastisch.

Even later kwamen twee andere mensen in overall met capuchon de trap af. Een van hen was Kim Murphy, die een videocamera bij zich had, en de andere was hoofdinspecteur Brendan Duigan, een lange, forse, aardige politieman met een vriendelijk rood gezicht en grijs haar dat kort geschoren was. Duigan was het waarnemend hoofd die als eerste naar het plaats delict was gegaan, had Grace al gehoord. Duigan had vervolgens Kim Murphy erbij geroepen, vanwege de overeenkomsten met de moord op Katie Bishop.

Nadat ze elkaar begroet hadden, liet Murphy Grace de video zien die op de plaats delict was gefilmd. Hij bekeek het op het kleine schermpje achter op de camera.

Als je dit werk al een tijdje deed, dan had je zo langzamerhand het gevoel dat niets je meer raakte, dat je het allemaal al een keer had gezien, dat niets je meer kon verrassen of shockeren. Maar het filmpje dat hij nu bekeek, bezorgde hem een ijzige steek van angst diep binnen in hem.

Hij keek naar de lichtelijk schokkerige beelden van twee medewerkers in witte overall met capuchon van de technische recherche, die op handen en knieën op de grond aan het werk waren, en eentje die stond, en Nadiuska De Sancha die op haar hurken bij het voeteneind zat waarop een naakte albastbleke vrouw lag met lang bruin haar en een gasmasker op haar gezicht.

Zo had Katie Bishop er ook bij gelegen.

Alleen had Katie zich waarschijnlijk niet verzet. Het filmpje liet zien dat deze jonge vrouw zich wel degelijk had verzet. Er lag een gebroken bord op de grond, met in de muur erboven een buts waar het bord de muur had geraakt. De spiegel van de kaptafel lag in scherven, flesjes parfum en potjes crème lagen verspreid door de kamer, er zat een veeg bloed op de muur, net boven het hoofdeinde van het bed. Toen was er een lange opname van een ingelijste abstracte print van een hele rij strandstoelen, die op de grond lag, het glas gebroken.

Brighton had in de loop der jaren al heel wat moorden gekend, maar er was godzijdank nooit een seriemoordenaar geweest. Grace had daar dan ook nooit iets vanaf hoeven te weten, tot nu toe.

Er ging vlakbij een autoalarm af. Hij negeerde het terwijl hij naar het stilgezette beeld van de overleden jonge vrouw keek. Hij had regelmatig de jaarlijkse lezingen over seriemoorden bijgewoond bij de International Homicide Investigators Association, die over het algemeen in de Verenigde Staten werden gehouden. Hij zat te bedenken wat er moest gebeuren. Tot dusver had Spinella zijn woord gehouden en had er nog niets in de krant gestaan over het gasmasker, dus een na-aper was onwaarschijnlijk.

Er stond hem één ding nog duidelijk bij van een lezing en dat was de discussie over de angst die in een buurt ontstond als er aangekondigd werd dat er een seriemoordenaar rondliep. Maar aan de andere kant had de buurt het recht het te weten, ze móést het weten.

Grace wendde zich tot hoofdinspecteur Duigan. 'Wat hebben we tot nu toe?' vroeg hij.

'Nadiuska denkt dat de jonge vrouw al zo'n dag of twee dood is.'

'Weet ze hoe ze is overleden?'

'Ja.' Kim Murphy zette de camera weer aan en zoomde in, wijzend naar de hals van de jonge vrouw. Een donkere striem was zichtbaar, die even felverlicht werd door de flits van een fotocamera.

En Grace' hart zonk hem in de schoenen nog voordat Kim het bevestigde.

'Net als bij Katie Bishop,' zei ze.

'We hebben dus te maken met een seriemoordenaar?' vroeg Grace.

'Wat ik tot zover heb gezien, Roy, is het nog te vroeg om dat te beamen,' antwoordde Duigan. 'En ik ben bepaald geen expert in seriemoordenaars. Gelukkig heb ik er nog nooit eentje meegemaakt.'

'Ik ook niet.'

Grace dacht diep na. Twee aantrekkelijke vrouwen vermoord, op dezelfde manier, met een dag ertussen. 'Wat weten we over haar?'

'We geloven dat ze Sophie Harrington heet,' zei Murphy. 'Ze is 27 en werkt voor een filmproductiemaatschappij in Londen. Ik heb net een telefoontje beantwoord van een jonge vrouw genaamd Holly Richardson, die zei dat ze haar beste vriendin was. Ze had haar gisteren al de hele dag gebeld, ze zouden gisteravond samen naar een feestje gaan. Holly heeft haar om een uur of vijf op vrijdagmiddag voor het laatst gesproken.'

'Daar hebben we wat aan,' zei Grace. 'Nu weten we tenminste dat ze toen nog leefde. Is Holly Richardson al ondervraagd?'

'Nick is onderweg.'

'En juffrouw Harrington heeft zich behoorlijk te weer gesteld,' voegde Duigan toe.

'De kamer ziet eruit als een slagveld,' zei Grace.

'Nadiuska heeft iets onder de nagel van haar grote teen gevonden. Een heel klein stukje vlees.'

Grace voelde de adrenaline opeens door zijn aderen stromen. 'Van een mens?'

'Dat denkt ze wel.'

'Zou het van haar aanvaller zijn, tijdens de worsteling?'

'Zou kunnen.'

En opeens zag Roy Grace de wond op Brian Bishops hand voor zich. En hij was er op vrijdagavond een paar uur vandoor gegaan. 'Ik wil dat er een DNA-test op wordt gedaan,' zei hij. 'En wel zo snel mogelijk.'

Terwijl hij dat zei, was hij al in de weer met zijn gsm.

Linda Buckley, de gezinscontactpersoon, nam op nadat de telefoon twee keer was overgegaan.

'Waar is Bishop?' vroeg hij.

'Die zit te eten met zijn schoonouders. Ze zijn terug uit Alicante,' antwoordde ze.

Hij vroeg naar het adres en belde toen Bransons gsm.

'Hé, ouwe, wattiser?'

'Wat ben je aan het doen?'

'Ik ben een onappetijtelijke, gezonde, vegetarische cannelloni uit je vriezer aan het eten, zit naar je vreselijke muziek te luisteren en kijk naar je antieke tv. Man, waarom heb je geen breedbeeld, zoals iedereen?'

'Je hoeft niet meer te lijden. Je gaat lekker werken.' Grace gaf hem het adres door.

66

De stilte werd af en toe kort onderbroken door het getinkel van het thee-lepeltje toen Moira Denton haar thee in het tere, porseleinen kopje roerde. Brian Bishop had nooit goed met zijn schoonouders op kunnen schieten. Gedeeltelijk kwam dat, zo wist hij, doordat het stel niet met elkaar kon opschieten. Hij kon zich een uitspraak herinneren die hij ooit had gelezen, die ging over mensen die een leven van stille wanhoop leidden. Dit, leek hem toe, was helaas een juiste omschrijving van de relatie tussen Frank en Moira Denton.

Frank was ondernemer, maar een erg slechte. Brian had wat geld in zijn laatste onderneming gestoken, een fabriek in Polen die tarwe in biodiesel omzette. Hij had dat gedaan omdat hij familie was en niet omdat hij er echt iets van verwachtte. En dat was maar goed ook, want de hele handel was failliet gegaan, net als alle andere dingen die Frank ooit had ondernomen. Frank Denton was lang, nog net geen zeventig, en zag er pas sinds kort zo oud uit als hij was. Hij was ook nog eens een notoire schuinsmarcheerder. Zijn haar was modieus lang, hoewel er nogal vies uitziende oranjekleurige strepen doorheen zaten, door een niet zo'n beste haarverf, en zijn linker-ooglid was een beetje lui, waardoor het altijd halfgesloten was. Vroeger had hij Brian doen denken aan een vriendelijke, liederlijke piraat. Maar op dit moment, terwijl hij stil in zijn leunstoel voorovergebogen zat in de kleine benauwde flat, zag hij er meer uit als een zielige, slonzige, gebroken oude man. Zijn glas cognac stond nog vol naast hem, samen met een kleine fles Torres 10 Gran Reserva.

Moira zat tegenover hem. Op de houten bewerkte salontafel tussen hen in lag de *Argus* met de grimmige kop van de dag ervoor. In tegenstelling tot haar echtgenoot, had zij zich wel met zorg aangekleed. Ze was halverwege de zestig en zag er goed uit, en ze zou er zelfs nog beter uitzien als ze niet van die verbitterde lijnen naast haar mond had. Haar zwart geverfde haar was kunstig opgestoken, ze had een eenvoudige wijde grijze blouse aan, een blauwe plooirok en platte, zwarte schoenen, en ze had make-up op.

Op televisie, met het geluid uit, was een eland te zien die over open grasland rende. Omdat de Dentons meestal in hun appartement in Spanje woonden, vonden ze het in Engeland, ook midden in de zomer, ondraaglijk koud. Dus stond de verwarming in hun flat aan de kust van Hove altijd zo rond de 27 graden. En de ramen waren potdicht.

Brian zat in een groenfluwelen leunstoel en zweette zich rot. Hij zat aan zijn derde San Miguel-biertje en zijn maag rammelde, hoewel hij net had gegeten. Hij had de kipsalade die Moira had geserveerd nauwelijks aangeraakt, en de schijfjes perzik uit blik als toetje evenmin. Ze hadden sinds hij een paar uur eerder was gearriveerd, bijna geen woord tegen elkaar gezegd. Ze hadden besproken of Katie begraven of gecremeerd zou worden. Brian had het er nooit over gehad met zijn vrouw, maar Moira was er zeker van dat Katie gecremeerd had willen worden.

Daarna hadden ze het over de dingen eromheen gehad, wat allemaal moest wachten totdat de lijkschouwer het stoffelijk overschot, dat Frank en Moira de dag ervoor hadden gezien in het mortuarium, had vrijgegeven. Toen ze erover praatten, barstten ze allebei in snikken uit.

Het was begrijpelijk dat zijn schoonouders zoveel verdriet hadden over Katies dood. Ze was niet alleen hun enig kind geweest, ze was ook het enige geweest wat ertoe deed in hun leven, de enige reden dat ze nog bij elkaar waren. Tijdens een zeer ongemakkelijke kerstviering, toen Moira te veel sherry, champagne en Baileys had gedronken, had ze tegen Brian gezegd dat ze Frank na al die buitenechtelijke verhoudingen alleen maar terug had genomen vanwege Katie.

'Vind je het bier lekker, Brian?' vroeg Frank. Hij sprak bekakt Engels, wat hij zichzelf had aangeleerd om zijn arbeidersverleden te maskeren. Moira sprak ook met een aardappel in haar keel, behalve als ze te veel op had, dan verviel ze weer in het accent van haar geboortestreek Lancaster.

'Ja, lekker hoor. Bedankt.'

'Dat is typisch Spaans, hè? Kwaliteit!' Frank raakte opeens enthousiast en stak zijn hand op. 'Een land dat erg onderschat wordt... hun eten, hun wijn, hun bier... En de prijzen, natuurlijk. Er worden dingen uitbesteed, maar er liggen nog meer dan genoeg kansen, als je weet waar je moet kijken.'

Ondanks dat de man verdriet had, zat er een verkooppraatje aan te komen, vermoedde Brian. Hij had gelijk.

'Landprijzen verdubbelen daar elke vijf jaar, Brian. Als je slim bent, zoek je uit waar de volgende hotspot is. Het kost geen drol om een huis te laten bouwen en ze kunnen heel goed werken daar, die Spanjaarden. Ik heb een perfecte plek ontdekt, net aan de andere kant van Alicante. Ik zal je dit zeggen, Brian, het is kat in het bakkie.'

Brian zat bepaald niet te wachten op het zoveelste zakenplan van Frank, wat altijd heel wat leek, maar nooit iets werd. Hij had de drukkende stilte beter gevonden, toen kon hij tenminste nog nadenken.

Hij nam nog een slokje bier en besefte dat het glas alweer bijna leeg was. Hij moest voorzichtig zijn, wist hij, want hij moest nog rijden, en hij wist niet wat de gezinscontactpersoon, die beneden als een bewaker in haar auto op hem zat te wachten, zou doen als ze rook dat hij gedronken had.

'Wat heb je aan je hand?' vroeg Moira opeens terwijl ze naar de pleister keek.

'Ik... ik heb me gestoten, toen ik uit de auto stapte,' zei hij onverschillig. Er werd aangebeld.

De Dentons keken elkaar aan, toen kwam Frank moeizaam overeind en schuifelde de gang in.

'We verwachten helemaal niemand,' zei Moira tegen Brian.

Even later kwam Frank weer de kamer in. 'De politie,' zei hij, terwijl hij zijn schoonzoon een eigenaardige blik toewierp. 'Ze komen naar boven.' Hij bleef Brian aankijken, alsof hij zich opeens iets vreselijks had bedacht toen hij even uit de kamer was.

Brian vroeg zich af of de politie iets had gezegd wat de oude man niet wilde doorvertellen.

67

In de getuigenverhoorkamer zette Glenn Branson de video- en taperecorder aan en zei luid en duidelijk terwijl hij ging zitten: 'Het is twaalf over negen 's avonds, zondag 6 augustus, inspecteur Grace en rechercheur Branson nemen de heer Brian Bishop een verhoor af.'

Het hoofdbureau van politie werd tot zijn verdriet hoe langer hoe meer bekend terrein voor Bishop. De trap bij de voordeur op, langs de vitrines met wapenstokken op een achtergrond van blauw vilt, dan door de ruimte met kantooreilanden en de crèmekleurige gangen met schema's aan de muur, deze kleine kamer in met de drie rode stoelen.

'Het lijkt Groundhog Day wel,' zei hij.

'Fantastische film,' merkte Branson op. 'Beste film die Bill Murray ooit heeft gemaakt. Ik vond hem beter dan Lost in Translation.' Bishop had hem ook gezien en kon met de man meevoelen die Murray in die film speelde en die elke ochtend als hij opstond ontdekte dat het precies dezelfde dag bleek te zijn als de dag ervoor. Maar hij had geen zin om het over films te hebben. 'Zijn jullie nu al klaar in mijn huis? Wanneer kan ik er weer intrekken?'

'Het zal helaas nog een paar dagen duren,' zei Grace. 'Fijn dat u hiernaartoe bent gekomen vanavond. Het spijt me dat we uw zondagavond moesten bederven.'

'Dat zou bijna grappig kunnen zijn,' zei Bishop ijzig. Hij had er bijna aan toegevoegd dat hij het niet echt erg had gevonden om onder de grimmige ellende van zijn schoonouders en het zakenpraatje van Frank over zijn nieuwste plannen uit te komen. 'Is er nieuws?'

'We hebben helaas niets nieuws momenteel, maar we zitten te wachten op de uitslag van een DNA-test die morgen komt en dan komen we wellicht wat verder. Maar we willen u nog wel wat dingen vragen, als u dat goedvindt?'

'Ga uw gang.'

Grace merkte op dat Bishop behoorlijk geïrriteerd was. Dat was wel wat anders dan de vorige keer, toen hij verdrietig en verloren was geweest tijdens het verhoor. Maar hij had al te veel gezien om daar veel belang aan te hechten. Woede was een van de vele fasen van rouw en iemand die in de rouw was, kon zo naar iemand uithalen.

'Kunt u ons vertellen, meneer Bishop, wat uw werk inhoudt?'

'Mijn bedrijf levert logistieke computerprogramma's. We ontwerpen software, installeren het en werken ermee. We houden ons voornamelijk bezig met inroosteren.'

'Inroosteren?' Grace zag dat ook Branson zijn voorhoofd fronste.

'Ik zal u een voorbeeld geven. Een vliegtuig dat van Gatwick wil opstijgen bijvoorbeeld, heeft om de een of andere reden vertraging – technisch gebrek, het weer, wat dan ook – en kan pas de volgende dag vertrekken. De vliegtuigmaatschappij moet opeens overnachting zien te regelen voor driehonderdvijftig passagiers. En het werkt ook door op andere fronten: andere vliegtuigen op de verkeerde plaats, het rooster van de bemanning klopt niet meer, sommige bemanningsleden moeten langer werken dan zou mogen, maaltijden, vergoedingen. Passagiers die op een andere vlucht moeten worden geboekt zodat ze hun volgende vlucht kunnen halen. Dat soort dingen.'

'U hebt dus verstand van computers?'

'Ik ben zakenman. En ja, ik weet ook wel het een en ander van computers af. Ik ben afgestudeerd in computerwetenschappen, aan de universiteit van Sussex.'

'U doet goede zaken, neem ik aan?'

'Verleden jaar stonden we in de top honderd van de *The Sunday Times* als een van de snelst groeiende bedrijven in Engeland,' zei Bishop. Er was ondanks de misère een glimp van trots bij hem te zien.

'Ik hoop dat dit alles geen negatief effect heeft op u.'

'Dat maakt allemaal niet meer uit, nietwaar?' zei hij vlak. 'Ik deed alles voor Katie. Ik...' Zijn stem brak. Hij haalde een zakdoek tevoorschijn en stopte zijn gezicht erin. Toen, in een plotselinge vlaag van woede, schreeuwde hij: 'Arresteer die klootzak! De teringlijder! De verdomde...' Hij barstte in snikken uit.

Grace wachtte even, vroeg toen: 'Wilt u misschien iets drinken?'

Bishop schudde snikkend zijn hoofd.

'Sorry,' zei Bishop terwijl hij zijn ogen afveegde.

'U hoeft u niet te verontschuldigen, meneer.' Grace gaf hem nog wat tijd en vroeg toen: 'Hoe zou u uw relatie met uw vrouw omschrijven?'

'We hielden van elkaar. Het ging prima. Ik denk dat we elkaar aanvullen...' Hij onderbrak zichzelf, en zei zwaarmoedig: 'Aanvulden.'

'Hebt u onlangs nog ruzie gehad?'

'Nee, ik kan u verzekeren dat we geen ruzie hebben gehad.'

'Maakte uw vrouw zich ergens zorgen over? Zat ze ergens mee?'

'Behalve dan dat ze geen enkele creditcard meer kon gebruiken?'

Grace en Branson glimlachte dunnetjes, niet zeker of dit als grapje bedoeld was.

'Wat hebt u vandaag gedaan, meneer?' vroeg Grace om van onderwerp te veranderen.

Hij liet de zakdoek zakken. 'Wat ik vandaag heb gedaan?'

'Ja.'

'Ik ben vanochtend in de weer geweest met mijn e-mails. Mijn secretaresse gebeld, haar de vergaderingen doorgegeven die afgezegd moeten worden. Ik zou woensdag naar de Verenigde Staten gaan om een eventueel nieuwe klant te spreken in Houston, en dat moest ze ook voor me afzeggen. Toen heb ik met een vriend van mij en zijn vrouw geluncht, bij hen thuis.'

'Kunnen ze dat voor u bevestigen?'

'Jezus! Jazeker.'

'Uw hand is verbonden.'

'De vrouw van mijn vriend is verpleegster, ze vond dat er een verband om moest.' Bishop schudde zijn hoofd. 'Waar bent u mee bezig? De Spaanse inquisitie of zo?'

Branson hief zijn handen. 'We maken ons alleen maar ongerust over u, meneer. Mensen die in de rouw zijn, vergeten wel eens iets. Meer niet.'

Grace had Bishop graag verteld dat de taxichauffeur, in wiens taxi hij had gezegd dat hij zijn hand had verwond, daar helemaal niets vanaf wist. Maar hij wilde dit liever bewaren voor een andere keer. 'Nog een paar vragen, meneer Bishop, dan hebben we het weer gehad.' Hij glimlachte, maar Bishop keek hem strak aan.

'Kent u ene Sophie Harrington?'

'Sophie Harrington?'

'Zij is een jongedame die in Brighton woont en in Londen voor een filmproductiemaatschappij werkt.'

'Sophie Harrington? Nee,' zei hij beslist. 'Nee, ken ik niet.'

'U hebt nog nooit van deze jongedame gehoord?' drong Grace aan.

Zowel Grace als Branson merkte op dat hij even aarzelde.

'Nee, nog nooit.'

De man zat te liegen, wist Grace. Zijn ogen waren duidelijk twee keer naar de creatieve kant gegaan.

'Zou ik haar moeten kennen?' informeerde hij onhandig.

'Nee,' zei Grace. 'Het was gewoon maar een vraag, je weet maar nooit. Dan wil ik het als laatste met u hebben over de levensverzekering die u hebt afgesloten op mevrouw Bishop.'

Bishop schudde zijn hoofd en was oprecht verbijsterd. Of hij deed heel goed alsof.

'Een halfjaar geleden, meneer,' zei Grace, 'hebt u een leveringsverzekering op uw vrouw afgesloten bij de HSBC-bank, ter grootte van drie miljoen pond.'

Bishop grinnikte dommig en schudde heftig met zijn hoofd. 'Nee, hoor. Sorry, maar ik heb helemaal niets met levensverzekeringen. Ik heb er nog nooit eentje afgesloten!'

Grace keek hem een paar tellen aan. 'Even voor de goede orde, meneer. U zegt dat u geen levensverzekering hebt afgesloten op mevrouw Bishop?'

'Beslist niet!'

'Er is er wel een. U kunt maar beter uw bankafschriften nakijken. Het wordt elke maand van uw rekening afgeschreven.'

Bishop schudde sprakeloos zijn hoofd.

En dit keer zag Grace aan zijn ogen dat hij niet loog.

'Het lijkt me het beste als ik verder niets meer zeg,' zei Bishop. 'Althans niet zonder advocaat erbij.'

'Dat lijkt me inderdaad een goed idee, meneer.'

68

Een paar minuten later stonden Roy Grace en Glenn Branson buiten Sussex House te wachten tot de achterlichten van Bishops donkerrode Bentley rechts de hoek om gingen, langs de enorme winkel van British Bookstores.

'En, wat vind je ervan, ouwe?' vroeg Branson hem.

'Ik vind dat ik wel een borrel verdiend heb.'

Ze reden naar de Black Lion in Patcham, en gingen binnen aan de bar staan. Grace trakteerde Glenn op een Guinness en nam zelf een grote Glenfiddich met ijs, waarna ze aan een tafel gingen zitten.

'Ik krijg geen hoogte van die vent,' zei Grace. 'Hij is slim. Hij heeft iets heel kils. En ik heb zo het vermoeden dat hij Sophie Harrington kent.'

'Zijn ogen, hè?'

'Heb jij dat ook gezien?' vroeg Grace, die in zijn nopjes was dat zijn protegé iets van hem had geleerd.

'Hij kent haar.'

Grace nam een slokje whisky en snakte opeens naar een sigaret. Verdomme. Nog een jaar en dan mocht er niet meer worden gerookt in pubs. Hij kon maar beter nog de gelegenheid te baat nemen. Hij liep naar de sigarettenautomaat en kocht een pakje Silk Cut. Hij trok het cellofaan eraf, pakte er een sigaret uit en ging een vuurtje vragen aan de jonge barkeepster. Hij inhaleerde diep, en genoot van elke seconde terwijl hij de rook naar binnen zoog.

'Je zou ermee moeten stoppen. Die dingen zijn slecht voor je.'

'Het leven op zich is slecht voor me,' zei hij. 'We gaan er allemaal aan dood.'

Branson zakte weer in een dip. 'Ik weet er alles van. Die kogel. Ja? Twee centimeter naar rechts en hij had mijn wervelkolom geraakt. Had ik in een rolstoel gezeten de rest van mijn leven.' Hij schudde zijn hoofd en nam een grote slok bier. 'Ik onderga die hele kloterevalidatie, kom thuis, en in plaats

dat ik vertroeteld word door mijn vrouw, word ik er verdomme uitgegooid!'
Hij boog naar voren en stopte zijn gezicht in zijn handen.

'Je hoefde toch alleen maar een paard voor haar te kopen?' vroeg Grace
vriendelijk.

Zijn vriend reageerde niet.

'Ik heb geen idee hoeveel een paard kost en hoeveel het onderhoud is,
maar je krijgt smartengeld voor je verwonding, en knap veel ook. Meer dan
genoeg, zou ik zo denken, om een paard te kopen.'

De jonge barkeepster, die hem een vuurtje gegeven had, stond plotseling
bij hun tafel. 'Willen jullie nog wat drinken? We gaan zo dicht.'

Grace glimlachte naar haar. 'We hebben genoeg, bedankt.' Hij sloeg zijn
arm om Bransons schouders en voelde het zachte suède van het jasje.

'Weet je wat zo grappig is?' vroeg de rechercheur. 'Dat heb ik je al verteld,
hè? Ik ben bij de politie gegaan zodat mijn kinderen trots op me konden
zijn. Nu mag ik ze niet eens goedenacht kussen.'

Grace nam nog een slok whisky en een trek van zijn sigaret. Het smaakte
nog steeds lekker, maar niet zo lekker als daarvoor. 'Jongen, je weet hoe het
zit. Ze kan je niet tegenhouden.'

Hij keek naar de lange houten toog. Naar de omgekeerde flesjes en naar
de lege barkrukken en de lege stoelen om hen heen. Het was een lange dag
geweest. Niet te geloven dat hij bij een meer in München had geluncht.

'Roy,' zei Glenn Branson opeens. 'Ik heb je helemaal nog niet gevraagd
hoe het gegaan is. Ben je wat verder gekomen?'

'Nee,' zei hij. 'Helemaal niet.'

'Kijk uit, Roy. Verknal het niet, zoals ik heb gedaan. Cleo en jij hebben het
leuk samen. Waardeer dat. Ze is echt een leuke meid.'

Cleo was dronken toen hij om even over halftwaalf voor het gietijzeren hek
van haar huis stond.

'Heb je hulp nodig,' zei ze door de intercom. 'Shit, ik ben sjtrontlazerus!'

Het elektronische slot sprong met een harde klik open, als de haan van
een pistool die werd gespannen. Grace liep naar binnen, over de door neon-
lampen zacht verlichte tegels naar Cleo's huis. Toen hij bij de deur kwam,
ging die open. Cleo stond daar, naast wat leek op een omgekeerde schaal
van een gigantische gemuteerde blauwe krab.

Ze draaide hem haar wang toe toen hij haar op de lippen wilde kussen en
gaf zo in haar beschonken toestand aan dat ze nog steeds boos op hem
was. 'Het dichte dak van mijn MG. Een of andere klootzak heeft mijn linnen

dak vandaag kapotgemaakt. Kun jij me een handje helpen om hem erop te zetten?'

Hij had nog nooit zoiets zwaars getild. 'Gaat het?' vroeg hij een paar keer kreunend terwijl ze ermee naar buiten wankelden. Haar ijzige gedrag stelde hem teleur.

'Een stuk lichter dan een lijk!' antwoordde ze luchtig, waarna ze bijna omviel.

Ze liepen over de donkere, stille straat, langs zijn Alfa Romeo, tot ze bij haar MG waren. Ze zetten hun vrachtje op de grond. Grace keek naar de grote scheur in haar dak.

'Klootzakken!' zei hij. 'Waar is het gebeurd?'

'Vanmiddag bij het mortuarium. Het heeft geen nut om het te repareren. Dan doen ze het gewoon nog een keer.'

Ze stond te klungelen met de afstandsbediening, kreeg de auto open, stapte in en liet het linnen dak zakken. Met veel moeite, gezweet en gevloek, kregen ze het andere dak op zijn plaats.

Ze waren zo in beslag genomen met waar ze mee bezig waren, dat noch Roy Grace noch Cleo Morey de persoon opmerkte die zich een eindje verderop in de schaduw van een steegje had verscholen en hen met een tevreden glimlach gadesloeg.

69

Roy Grace had meteen op maandagochtend om halfacht een vergadering in zijn kantoor met inspecteur Kim Murphy, hoofdinspecteur Brendan Duigan, leider plaats delict Joe Tindall en Glenn Branson. Hij legde zo veel mogelijk verantwoordelijkheden op zijn vriends schouders, om de aandacht af te leiden van de problemen met zijn vrouw. Eleanor, zijn managementassistente, was ook aanwezig. Duigan ging ermee akkoord dat zijn ochtend- en middagbriefing een halfuur na die van Murphy was, zodat Grace ze allebei kon bijwonen, maar de eerste briefing zouden ze combineren, zodat beide teams wisten hoever het ermee stond.

Even voor acht uur ging Grace zijn tweede beker koffie van die ochtend halen. Terug in zijn kantoor downloadde hij de drie foto's van zijn gsm die hij de dag ervoor van de blonde Duitse vrouw in de Englischer Garten had gemaakt, tikte toen een e-mail naar Dick Pope, die die dag weer aan het werk zou zijn.

Dick, is dit de vrouw die jij en Lesley in de Englischer Garten hebben gezien? Roy

Toen keek hij naar de foto's. Eén foto liet haar hele gezicht zien en de twee andere haar gezicht van opzij van allebei de kanten. Allemaal redelijk dichtbij. Hij verstuurde ze.

Vervolgens tikte hij snel een mailtje, met dezelfde foto's als bijlage, naar Marcel Kullen. Hij had ze al op het kleine schermpje van zijn gsm laten zien, maar ze zouden op de computer duidelijker zijn. Toen opende hij het incidentenrapport om te zien wat er die nacht was gebeurd. Op zondagavond was het over het algemeen rustig, behalve dan in de zomer op de weg, als de dagjesmensen moe en sommige dronken waren en naar huis reden. Er waren een paar kleine overtredingen, wat straatcriminaliteit, auto-inbraken, een echtelijke ruzie in Patcham, een aanrijding waarbij een oudere voetganger betrokken was en de dader doorgereden was, een inbraak in een hengelclub en een gevecht in een restaurant, zag hij zo gauw. Niets wat direct te maken had met de moord op Katie Bishop of op Sophie Harrington.

Hij verstuurde nog een paar e-mails, haalde toen de agenda voor de briefing van halfnegen bij zijn managementassistente en liep de gang door naar de vergaderruimte, waar de twee teams, bestaande uit meer dan veertig mensen, al aanwezig waren.

Hij verwelkomde iedereen en legde uit, in het bijzonder voor het andere team, hoe het onderzoek in elkaar stak. Hij vertelde dat hij de algehele leiding had van beide onderzoeken, met inspecteur Kim Murphy als de leider voor het onderzoek naar de moord op Sophie Harrington. Vervolgens gaf hij door dat hij een opname zou laten zien die gemaakt was op de plek waar Sophie Harrington was vermoord, en dat hij daarna beide onderzoeken zou doornemen zodat iedereen op de hoogte was.

Toen de video was afgelopen, was er even stilte, die werd onderbroken door Norman Potting. Hij zat met zijn ellebogen op tafel, ineengedoken in zijn verkreukelde roomwitte linnen pak vol met vetvlekken.

'Zo te zien zijn we op zoek naar een moordenaar met zweetvoeten,' gromde hij en hij keek om zich heen met een brede grijns op zijn gezicht. De enige persoon die glimlachte was Alfonso Zafferone. Maar de jonge rechercheur lachte niet omdat hij het zo'n leuk grapje vond, hij lachte meer uit medelijden.

'Bedankt, Norman,' zei Grace ijzig, kwaad op Potting omdat hij zo bot en ongevoelig was. Hij wilde niet afwijken van de uitgetikte agenda die voor hem lag, die hij zo zorgvuldig 's ochtends vroeg had opgesteld samen met Kim Murphy en Eleanor. Maar hij wilde toch de kans aangrijpen om Norman op zijn nummer te zetten. 'Misschien zou jij deze ochtend willen beginnen met bewijzen voor deze aanname.'

Potting trok de knoop van zijn Sussex County Cricket Club das recht, die er net zo gerafeld uitzag als zijn haar, en keek zelfgenoegzaam om zich heen. 'Nou, volgens mij hebben we iets anders.' Hij was nog steeds met de knoop bezig.

'Ik ben benieuwd,' zei Grace.

'Katie Bishop had een verhouding!' verklaarde de oudgediende rechercheur triomfantelijk.

Veertig paar ogen richtten zich meteen op hem.

'Zoals jullie je misschien kunnen herinneren,' ging Potting door, met een blik op zijn notitieboekje, 'had ik vastgesteld dat een BMW cabrio, op naam van mevrouw Bishop, was gefilmd door een beveiligingscamera. Dat was bij een BP-pompstation aan de A27, ruim drie kilometer ten oosten van Lewes, net voor middernacht afgelopen donderdag, de avond waarop ze werd vermoord,' voegde hij er overbodig aan toe. 'En ik heb vervolgens mevrouw Bishop op de video van het benzinestation herkend. Toen we het onderhavige voertuig op het terrein van de Bishops op vrijdagmiddag onderzochten, vond ik een parkeerkaartje, waarop staat dat het om' – hij keek weer even in zijn notitieboekje – 'elf over vijf op donderdagmiddag was afgegeven door een parkeerautomaat in Southover Road, Lewes.' Hij was even stil en zat weer te hannesen met de knoop.

Grace keek naar het raam. De lucht was blauw en helder. Het was weer zomer. Alsof de vorige middag een kleine uitglijer was geweest, alsof iemand een vergissing had gemaakt.

'Ik heb John Smith bij de Telecoms Unit op het hoofdkwartier om een gunst gevraagd,' vervolgde Potting. 'Hij heeft gisteren de gsm van mevrouw Bishop onderzocht. En hij ontdekte vier nummers uit Lewes die onder de sneltoetsen zaten. Eentje daarvan hoorde bij een meneer Barty Chancellor, portretschilder met internationale roem, heb ik begrepen, die aan de Southover Street in Lewes woont.'

Potting leek nu nog tevredener met zichzelf. 'Ik ben gistermiddag om vier uur naar die meneer Chancellor toe gegaan, naar zijn huis, waar hij toegaf dat hij en mevrouw Bishop al een jaar of wat een verhouding hadden. Hij was nogal aangedaan, had over de moord op mevrouw Bishop in de krant gelezen en was behoorlijk blij – als dat het juiste woord is – dat hij zijn hart kon luchten.'

'Wat ben je te weten gekomen?' vroeg Grace.

'De Bishops waren toch niet zo'n gelukkig stelletje als iedereen dacht dat ze waren. Volgens Chancellor was Bishop bezeten van zijn werk en was hij nooit thuis. Hij scheen niet te begrijpen dat zijn vrouw eenzaam was.'

'Mag ik even,' onderbrak Bella Moy hem nijdig. 'Norman, dat is echt weer een typisch mannelijke manier om een verhouding te rechtvaardigen. O, haar echtgenoot begrijpt haar niet, daarom werd ze in mijn armen gedreven, zo ging het echt hoor, meneer!' De jonge inspecteur keek om zich heen met een rood hoofd van kwaadheid. 'Ik bedoel maar, hoe vaak hebben we dat wel niet gehoord? Het ligt niet altijd aan de man hoor, er zijn ook genoeg vrouwen die buiten de pot piesen!'

'Vertel mij wat,' zei Potting. 'Ik was met drie van hen getrouwd.'

'Wist Bishop er vanaf?' vroeg Glenn Branson.

'Chancellor denkt van niet,' antwoordde de inspecteur.

Grace schreef de naam op in zijn notitieboekje. 'Dus nu hebben we nog een mogelijke verdachte.'

'Hij is best een goede schilder. Maar dat moet ook wel,' zei Potting. 'Hij rekent tussen de vijf- en de twintigduizend pond voor een portret. Daar kun je een auto voor kopen! Of een huis, in het land waar mijn nieuwe vrouw vandaan komt.'

'Hebben we daar iets aan, Norman?' vroeg Grace.

'Deze artistieke types, sommigen kunnen gewoon een beetje pervers zijn, wil ik maar zeggen. Ik heb gelezen dat Picasso nog steeds vrouwen naaide toen hij al in de negentig was.'

'O, hij is portretschilder, dus moet hij wel pervers zijn. Bedoel je dat soms?' Bella Moy had deze dag duidelijk de pik op Potting. 'Dus hij heeft vast ook een gasmasker op Katie Bishops hoofd gezet en haar gewurgd, toch? Waarom verspillen we nog tijd, we kunnen maar beter meteen naar het Openbaar Ministerie gaan met onze bewijslast, een arrestatiebevel voor Chancellor regelen en de hele boel afhandelen?'

'Bella!' zei Grace ferm. 'Dank je, zo is het wel genoeg!'

Ze keek Potting vuil aan. Grace vroeg zich even af of haar vijandigheid jegens de rechercheur een onderliggende reden had. Hadden ze iets met elkaar gehad? Dat betwijfelde hij, als hij hen zo zag: de foeilelijke oude veteraan en de frisse, aantrekkelijke 35-jarige gescheiden brunette. Dat kon gewoon niet.

'Heb je iets in zijn huis gevonden wat erop duidde dat hij pervers is?' vroeg Kim Murphy. 'Hingen er gasmaskers aan de muur? Of zag je iets op zijn schilderijen?'

'Er hingen een paar geile naakten aan zijn muur, dat kan ik je wel vertellen! Niet het soort schilderijen dat je je oude moedertje wilt laten zien. En hij vertelde me nog iets interessants: hij was bij mevrouw Bishop op donderdagavond. Tot middernacht zowat.'

'Hij moet verhoord worden, en wel zo snel mogelijk,' zei Grace.

'Hij komt om tien uur langs.'

'Mooi. Wie is er bij je?'

'Hoofdagent Nicholl.'

Grace keek naar Nick Nicholl. De jonge vader onderdrukte net een geeuw en kon maar amper zijn ogen openhouden. Hij was duidelijk weer de halve nacht wakker geweest door de baby. Hij wilde niet dat een zombie die amper had geslapen, bij een verhoor zat met zo'n belangrijke getuige. Hij keek naar Zafferone. Hoewel hij de eigenwijze jongeman niet erg mocht, zou Zafferone toch perfect zijn, bedacht hij. Door zijn arrogantie ergerde hij iedereen, en ongetwijfeld ook een gevoelige artiest. Heel vaak kon je het best iets uit een getuige krijgen door ze op te naaien, zodat ze tot een uitbarsting kwamen.

'Nee,' zei Grace. 'Hoofdagent Zafferone zal bij het verhoor aanwezig zijn.' Hij keek op zijn uitgetikte agenda, toen naar het geschoren hoofd van de 37-jarige Joe Tindall, met zijn streepje baard en blauwe brillenglazen. 'Oké,' zei hij formeel. 'Nu graag een verslag van de leider plaats delict.'

'Ten eerste,' lichtte Joe Tindall hen in, 'verwacht ik vanmiddag de uitslag van een DNA-test op sperma, aangetroffen in de vagina van mevrouw Bishop.' Hij raadpleegde even zijn papieren. 'We sturen vanochtend verschillende spullen uit juffrouw Harringtons flat naar het laboratorium. Onder andere een klein stukje vlees dat onder de teennagel van haar grote rechterteen zat, en een gasmasker dat op het gezicht van het slachtoffer zat en overeenkomt met het gasmasker dat bij mevrouw Bishop was aangetroffen, wat type en merk aangaat.' Hij nam een slok bronwater. 'We sturen ook wat kledingvezels mee die we hebben aangetroffen in juffrouw Harringtons flat, en bloedmonsters. We denken dat de bloedmonsters iets op kunnen leveren. We hebben een veeg bloed, die niet overeenkomt met de verwondingen van het slachtoffer, aangetroffen op de muur waar het bed waar het slachtoffer op lag tegenaan stond. Dus het zou het bloed van de dader kunnen zijn.' Hij keek weer in zijn aantekeningen. 'Alle vingerafdrukken die we op beide plaatsen delict hebben aangetroffen zijn nutteloos, wat zou betekenen dat de dader van beide vrouwen óf handschoenen droeg – wat het meest waarschijnlijk is – óf ze heeft weggeveegd. Met een chemische spray hebben we voetsporen ontdekt op de vloer van de badkamer die niet van het slachtoffer zijn. We zullen nagaan van wat soort schoenen ze komen.'

Vervolgens vertelde de stoere en opmerkzame hoofdagent Pamela Buckley dat ze alle eerstehulpposten in de buurt – in het district Sussex, Eastbourne, Worthing, Lewes en Haywards Heath – had gevraagd naar mensen die behandeld moesten worden voor een wond op hun hand. 'We zitten natuurlijk weer wel met de rechten van de patiënt die niet geschonden mogen worden,' zei ze met meer dan een vleug sarcasme in haar stem. Toen las ze een lijst op die ze had samengesteld met diverse soorten wonden op handen in elk ziekenhuis – zonder namen, natuurlijk – die daar waren behandeld. Geen ervan kwam overeen met de wond die Grace op Brian Bishops hand had gezien en geen enkele verpleegkundige had Bishop herkend van zijn foto.

Daarna was brigadier Guy Batchelor aan de beurt. De lange, stevige politieman deed zijn verslag, zoals gebruikelijk, op een zakelijke toon. 'Nou,' zei hij, 'volgens mij heb ik iets interessants ontdekt.' Hij gaf Norman Potting een waarderend knikje. 'Norman heeft het voor elkaar gekregen dat zijn vriend John Smith bij de telefoonafdeling zijn vrije zondag opgeofferd heeft. John heeft de gsm die in Sophie Harringtons flat lag onder handen genomen.' Hij nam even een slok koffie uit een grote piepschuim beker van Starbucks en keek toen glimlachend op. 'Het laatste nummer dat juffrouw Harrington volgens haar gsm heeft gebeld, is' – hij keek even in zijn aantekeningen – '07985 541298. Ik heb gekeken van wie dat nummer is.' Hij keek Roy Grace recht in zijn gezicht en zei triomfantelijk: 'Het is de gsm van Brian Bishop.'

70

Ze zeggen dat het recept om te slagen in het leven voor 1 procent uit inspiratie bestaat en voor 99 procent uit hard werken. Ze vertellen je er niet bij dat wanneer je een zaak opstart, je ook nog geld nodig hebt. Je hebt een advocaat en een boekhouder nodig om een bedrijf te beginnen, het octrooibureau om patent aan te vragen voor je eigen software, een ontwerpbedrijf dat je logo en huisstijl ontwerpt, en verpakkingsmateriaal voor je spullen, dat je moet hebben als je wereldwijd wilt gaan, en natuurlijk een website. Je hebt een kantoor nodig, meubels, telefoons, een fax en een secretaresse. Dit is allemaal niet goedkoop. Een jaar nadat ik mijn Grote Inval had gehad, was ik al meer dan honderdduizend pond kwijt en kon ik nog steeds niet aan de slag. Maar het scheelde niet veel.

Ik had een tweede hypotheek afgesloten op mijn flat, alles verkocht wat ik had, en bovendien had ik een bankier getroffen die achter me stond en me een hogere lening had gegeven dan hij eigenlijk had gemogen. Ik had dus alles op het spel gezet.

Ik las de financiële bijlagen van alle kranten en abonneerde me op de bladen die zich toespitsten op de bedrijven die ik wilde benaderen. Dus je kunt je mijn teleurstelling wel voorstellen toen ik op een dag de financiële bijlage van The Financial Times opensloeg en een artikel zag van een verslaggever genaamd Gautam Malkani dat over mijn soort bedrijf ging.

Het leek sprekend op alles wat ik wilde gaan doen. En ze deden al zaken.

En mijn foto stond op die bladzijde.

Alleen was de naam van het bedrijf anders dan ik had bedacht.

En de naam onder de foto was niet van mij, ik had zelfs nog nooit van de man gehoord.

71

Marija Djapic toetste de toegangscode in en liep door het smeedijzeren hek naar binnen. Het was net negen uur geweest en ze was die ochtend later dan normaal door haar dochter. Ze merkte de man meteen op die buiten de voordeur van nummer 4 stond en zo te zien al een tijdje op haar stond te wachten.

Ze wandelde over de kinderkopjes van de binnenplaats, hijgend door de lange wandeling hiernaartoe. Die was zwaar, doordat ze zoals altijd de zware tas bij zich had waar haar werkkleren, -schoenen, lunch en wat te drinken in zaten. En door de warmte zweette ze behoorlijk. Ze had ook nog eens een rotbui na de zoveelste ruzie met Danica.

Wie was die vent die daar stond? Wat wilde hij van haar? Was hij van een of ander incassobureau waar ze geld aan schuldig was door haar creditcard?

De 35-jarige Servische vrouw ging overal te voet naartoe, om geld uit te sparen op buskaartjes. Ze kon al haar werkgevers in minder dan een uur lopen bereiken vanuit haar arbeidersflatje in Whitehawk waar ze samen met haar opstandige, veertienjarige prima donna in woonde. Bijna elke zuurverdiende penny ging op aan het beste van het beste dat ze maar voor Danica kon kopen in haar nieuwe leven hier in Engeland. Ze kocht gezond eten, zorgde ervoor dat Danica de kleren kon dragen die ze wilde, nou ja, zo veel mogelijk dan. En ook nog de spullen die ze nodig had om mee te komen met haar vrienden: een computer, een gsm en voor haar verjaardag, twee weken geleden, een iPod.

En als dank kwam het meisje die ochtend om tien over vier thuis! Haar make-up helemaal uitgelopen en haar pupillen verwijd.

En nu stond er een gluiperd bij de deur, die vast het geld van haar wilde jatten dat voor haar op de keukentafel klaarlag. Ze keek hem achterdochtig aan terwijl ze in haar tas zocht naar de sleutels van Cleo Moreys huis. Hij was lang, had achterover gekamd bruin haar, een knap gezicht dat haar deed denken aan een acteur op wiens naam ze even niet kon komen, en was netjes genoeg gekleed in een wit overhemd en een nette das, blauwe broek, zwarte schoenen en een donkerblauw katoenen jasje dat eruitzag alsof het bij een uniform hoorde, met een badge op het borstzakje.

Marija keek op haar hoede om zich heen of er nog iemand anders op de binnenplaats aanwezig was en zag tot haar opluchting een jonge vrouw in een korte stretchbroek en topje met een mountainbike uit een van de huizen verderop komen. Hierdoor aangemoedigd, stak ze de sleutel in het slot en draaide ze hem om.

De man kwam naar voren en liet haar een identiteitsbewijs zien met zijn foto erop. Het was geplastificeerd en hing om zijn nek aan een dun wit koordje. 'Pardon,' zei hij uiterst beleefd. 'Gasbedrijf. Zou ik de meterstand mogen opnemen?'

Toen zag ze het kleine metalen apparaatje met een toetsenbordje erop dat hij bij zich had. 'Hebt u een afspraak met mevrouw Morey?' vroeg ze bits en een tikje agressief.

'Nee. Deze wijk is vandaag aan de beurt. Ik heb maar een paar minuten nodig. Als u me de meters aanwijst.'

Ze aarzelde. Hij zag er normaal genoeg uit en hij had een identiteitsbewijs. Ze had al een paar keer gehad dat er iemand langs was gekomen op haar werk om de meterstand op te nemen. Dat was normaal. Zolang ze maar een identiteitsbewijs hadden. Maar ze had strikte instructies gekregen niemand binnen te laten. Misschien moest ze eerst mevrouw Morey bellen en het vragen. Maar om haar nu op haar werk lastig te vallen omdat iemand de meterstand op wilde nemen... 'Mag ik uw identiteitsbewijs nog een keer zien?'

Hij toonde haar weer het kaartje. Haar Engels was niet zo goed, maar ze kon zijn gezicht zien en het woord SEEBOARD. Het zag er indrukwekkend uit. Officieel. 'Oké,' zei ze.

Toch was ze op haar hoede, ze liep naar binnen en liet de voordeur voor hem open. Toen marcheerde ze rechtstreeks door de grote woonkamer, een paar treden op naar de open keuken, zonder dat ze hem ook maar een seconde uit het oog verloor.

Haar geld lag op de vierkante grenen tafel, onder een aardewerken fruitschaal. Ernaast lag een briefje van Cleo, waarop stond wat ze in het huis gedaan wilde hebben die ochtend. Marija pakte snel de twee briefjes van twintig pond op en stopte ze in haar portemonnee. Toen wees ze naar een deur links van de grote zilverkleurige koelkast. 'Volgens mij is de meter daar,' zei ze, en opeens viel haar zijn verbonden hand op.

'Scherpe hoeken!' zei de man, die had gezien dat haar ogen opeens wat groter waren geworden. 'Het is niet te geloven waar sommige meters zitten! Hartstikke gevaarlijk soms.' Hij glimlachte. 'Heb je misschien iets waar ik op kan staan zodat ik erbij kan?'

Ze schoof een houten keukenstoel naar hem toe en hij bedankte haar en boog voorover om zijn schoenen uit te doen. Hij lette niet op de meter, maar hield de hele tijd de sleutels van de werkster in de gaten die op de tafel lagen. Hij bedacht hoe hij haar af kon leiden en uit de kamer kon krijgen, toen haar gsm plotseling overging.

Hij keek toe terwijl de vrouw een kleine groene Nokia uit haar handtas pakte, een blik op het schermpje wierp en toen, zichtbaar aangedaan, zei: 'Ja, Danica?' gevolgd door driftig geratel in een taal die hij niet kende. Na een paar minuten werd de ruzie die de vrouw met deze Danica had nog feller. Ze ijsbeerde door de keuken, ging steeds harder praten, stormde toen naar buiten en bleef boven aan het trapje bij het woongedeelte staan, waar het gesprek ontaardde in iets wat klonk als een ordinaire scheldpartij.

Ze verloor hem nog geen minuut uit het oog, maar dat was voor hem meer dan genoeg om de sleutel te pakken, hem in de zachte was te drukken die in het blikje zat dat hij in zijn hand had verborgen en hem weer op tafel te leggen.

72

Malling House, het hoofdbureau van de politie van Sussex, was vijftien minuten rijden bij Grace' kantoor vandaan. Het was een samenraapsel van gebouwen, en lag in een buitenwijk van Lewes, de hoofdstad van East Sussex,
waar de administratie en het bestuur voor de vijfduizend politiemensen en -
medewerkers werden afgehandeld.

Er waren twee grote gebouwen. De ene, opgetrokken uit futuristisch glas
en bakstenen, met drie etages, huisvestte de controlekamer, de afdeling Criminaliteit, de meldkamer en het commandocentrum, alsmede bijna alle
computers voor de hele politiemacht. Het andere, waar het hoofdkwartier
zijn naam aan had te danken, was een imposante, uit rode bakstenen opgetrokken Queen Anne-villa, dat vroeger een woonhuis was geweest en nu een
perfect onderhouden monument. Het stak fier af naast de slordige parkeerterreinen, lage prefabwoningen, moderne bungalows en een donker gebouw zonder ramen met een lange schoorsteen dat Grace altijd deed denken
aan een textielfabriek uit Yorkshire. Het huisvestte het kantoor van de korps-
chef, de adjunct-korpschef en adjunct-hoofdcommissarissen, onder wie
Alison Vosper, alsmede hun ondersteunende staf en een aantal ervaren politiemensen die tijdelijk of permanent daar werkten.

Vospers kantoor zat op de begane grond voor in het gebouw. Het grote
schuifraam keek uit op de inrit van gravel en het ronde perkje daarachter.
Terwijl hij naar haar bureau toe liep, ving Grace een glimp op van een lijster
die zich onder een sprinkler op het gras stond te wassen.

Alle ontvangstruimten hadden prachtig houtsnijwerk, mooi pleisterwerk
en indrukwekkende plafonds, die zorgvuldig waren gerestaureerd nadat een
paar jaar geleden een brand het gebouw bijna in de as had gelegd. Het huis
was oorspronkelijk gebouwd om aangenaam in te vertoeven en om bezoekers te imponeren met de rijkdom van de eigenaar.

Het was vast fijn om in zo'n kamer te werken, dacht hij, in deze rustige
oase, ver weg van de benauwde, donkere ruimten in Sussex House. Soms
dacht hij dat hij de verantwoordelijkheid wel prettig zou vinden, en het
machtsgevoel dat erbij hoorde, maar dan vroeg hij zich af of hij wel met de

politiek om kon gaan. Met name die verdomde, verraderlijke politieke correctheid die de hotemetoten nu eenmaal veel meer moesten naleven dan de gewone politiemensen. Maar op dit moment had hij niet zozeer een promotie in zijn gedachten dan wel een manier om degradatie te voorkomen.

Een paar jaar geleden, vanwege haar buien, had een lolbroek Alison Vosper de bijnaam 'Nummer 27' gegeven, naar een zoetzuur gerecht op het menu van een Chinees afhaalrestaurant, en daar was ze niet meer vanaf gekomen. De adjunct-hoofdcommissaris kon de ene dag je beste vriend zijn en de volgende je ergste vijand. Naar Grace' gevoel was het lang geleden dat ze iets anders dan een vijand voor hem was, toen hij voor haar bureau stond. Hij was gewend aan het feit dat ze hem zelden een stoel aanbood, omdat ze het altijd zo kort mogelijk wilde houden.

Het verbaasde hem dan ook dusdanig – zozeer dat het hem een akelig voorgevoel bezorgde – dat ze zonder van het document op te kijken dat met een groen touwtje ingebonden was, naar een van de twee rechte stoelen wees voor haar enorme glanzende rozenhouten bureau.

Ze was begin veertig, had kort, blond haar in een zakelijke coupe, een hard maar niet onaantrekkelijk gezicht, en was gekleed in een schone witte blouse die ondanks de warmte helemaal tot bovenaan was dichtgeknoopt, en een op maat gemaakt blauw mantelpakje, met een kleine diamanten broche op een van de revers gespeld.

Hij zag dat zoals gewoonlijk de landelijke dagbladen over haar bureau lagen verspreid. Grace kon de licht zure parfum ruiken die ze altijd ophad, vermengd met de veel zoetere lucht van versgemaaid gras dat samen met een welkom briesje door het open raam naar binnen kwam.

Hij kon er niets aan doen. Zodra hij een voet in het kantoor zette, ebde zijn zelfvertrouwen helemaal weg, net als wanneer hij vroeger, als kind, bij de hoofdmeester geroepen werd. En het feit dat ze nog steeds deed of hij er niet was, dat ze door bleef lezen, wakkerde zijn nervositeit alleen maar nog meer aan. Hij luisterde naar de sprinkler buiten. Toen hoorde hij heel zachtjes een gsm twee keer overgaan in een andere kamer.

Alison Vosper zou meteen over München beginnen, en hij had zijn smoes al klaar, hoewel die nogal slap was. Maar toen ze hem eindelijk aankeek, straalde ze dan wel niet van blijdschap, maar glimlachte ze hem toch vriendelijk toe.

'Sorry, Roy,' zei ze. 'Moet deze verrekte EU-richtlijn lezen over de standaardaanpak van asielzoekers die het slechte pad opgaan. Ik wilde de draad niet kwijtraken. Wat een onzin is dit toch!' ging ze door. 'Het is niet te geloven hoeveel de belastingbetaler – jij en ik dus – kwijt is aan dit soort kolder.'

'Zeg dat wel!' zei Grace, die wellicht een tikje te enthousiast reageerde, maar ondertussen zat te wachten tot haar uitdrukking zou veranderen en ze hem zou aanvallen, met wat ze dan ook had.

Ze stak haar vuist in de lucht. 'Je zou niet geloven hoeveel tijd ik aan dit soort dingen kwijt ben, terwijl ik gewoon mijn werk voor de politie van Sussex zou moeten doen. Ik krijg echt een grondige hekel aan die hele EU. Een interessant feitje voor je – ken je de Gettysburg Address?'

'Ja. Ik kan hem waarschijnlijk zelfs helemaal opzeggen, moest hem op school voor een opdracht uit mijn hoofd leren.'

Ze luisterde amper. In plaats daarvan spreidde ze haar handen uit op haar bureau, alsof ze zichzelf wilde ondersteunen. 'Toen Abraham Lincoln die toespraak hield, had het tot gevolg dat de twee heiligste principes ter wereld, vrijheid en democratie, deel uit gingen maken van de Amerikaanse grondwet.' Ze dronk een slokje water. 'Die toespraak bestond uit nog geen driehonderd woorden. Weet je hoeveel woorden de EU-richtlijn bevat over hoe groot een kool moet zijn?'

'Geen idee.'

'Zesenvijftigduizend woorden!'

Grace grinnikte en schudde zijn hoofd.

Ze glimlachte ook, vriendelijker dan hij zich ooit kon herinneren. Hij vroeg zich af of ze iets had ingenomen of zo. Toen, van onderwerp veranderend, maar nog steeds vriendelijk, vroeg ze: 'En hoe was München?'

Meteen op zijn hoede, en in de verdediging, zei Roy: 'Nou, het was een Noorse kreeft.'

Ze fronste haar wenkbrauwen. 'Pardon? Een Noorse kreeft?'

'Die uitdrukking gebruik ik als iets tegenvalt.'

Ze hield haar hoofd schuin en fronste nog steeds haar wenkbrauwen. 'Hoezo?'

'Een paar jaar geleden zat ik in een restaurant in Lancing. Op het menu stond een Noorse kreeft. Die bestelde ik, want ik had wel trek in een lekker stukje kreeft. Maar wat ik op mijn bord kreeg waren drie kleine garnalen, zo groot als mijn pink.'

'Heb je er wat van gezegd?'

'Ja, en toen kreeg ik meteen de Basil Fawlty uit Sussex op mijn nek, die met een oud kookboek aan kwam dragen waarin stond dat deze garnalen soms Noorse kreeften werden genoemd.'

'Je kunt dus maar beter niet naar dat restaurant toe gaan.'

'Tenzij je de behoefte voelt om teleurgesteld te worden.'

'Zeg dat wel.' Ze glimlachte weer, een tikkeltje minder vriendelijk, alsof ze besefte dat zij en deze man elkaar nooit zouden begrijpen. 'Dus je hebt je vrouw niet gevonden in München?'

Hij vroeg zich af hoe ze wist dat hij daarom daarheen was geweest, en schudde zijn hoofd.

'Hoe lang is het inmiddels geleden?'

'Iets meer dan negen jaar.'

Ze stond op het punt nog iets te zeggen, maar schonk in plaats daarvan haar glas bij. 'Wil je ook wat water? Thee? Koffie?'

'Nee, bedankt. Hoe was uw weekend?' vroeg hij om van het onderwerp Sandy af te stappen, en hij vroeg zich nog steeds af wat hij daar deed.

'Ik heb een congres bijgewoond in Basingstoke over de verbetering van de werkwijze van de politie, of beter gezegd, hoe het publiek de werkwijze van de politie ziet. Weer zo'n Tony Blair-klopkloptoestand. Staat daar een gelikt stelletje marketinggoeroes ons te vertellen hoe we een beter resultaat kunnen krijgen en hoe we dat proces in kaart kunnen brengen en kunnen sturen.' Ze haalde haar schouders op.

'En?' vroeg Grace.

'Je moet eerst achter de onderste schakel aangaan.' Haar gsm ging over. Ze keek op het schermpje en drukte het gesprek weg. 'Maar goed, voorlopig hebben de moorden nog steeds hoge prioriteit. Gebeurt er al wat? Trouwens, ik ga naar de persconferentie toe vanochtend.'

'O, ja?' Grace was aangenaam verrast, en opgelucht, dat hij het niet allemaal hoefde te doen. Hij had het akelige gevoel dat als de tweede moord tijdens de conferentie om elf uur bekend werd gemaakt, het allemaal een flinke kluif zou worden.

'Kun je me vertellen hoe het ervoor staat?' vroeg ze. 'Kunnen we ze iets geven? Hebben we verdachten? En hoe staat het met het lijk dat gisteren ontdekt is? Heb je genoeg mensen, Roy? Heb je alle menskracht die je nodig hebt?'

De opluchting die hij voelde omdat ze München verder liet rusten was zo intens dat het bijna tastbaar was. Hij bracht de adjunct-hoofdcommissaris snel op de hoogte. Nadat hij haar had verteld dat de Bentley van Brian Bishop was gefilmd toen hij om dertien voor twaalf op donderdagavond naar Brighton reed, en vervolgens de details doorgaf van de levensverzekering, stak ze een hand op om hem te onderbreken.

'Dat lijkt me wel genoeg, Roy.'

'Hij heeft twee ijzersterke alibi's van twee verschillende mensen. Zijn financieel adviseur, met wie hij heeft gegeten, is nogmaals verhoord en kan zich de exacte tijd herinneren, wat niet gunstig is voor ons. Als hij de waarheid vertelt, kan Bishop nooit om 23.47 uur door de camera zijn geregistreerd. En de tweede persoon is de huismeester in zijn flat in Londen, meneer Oliver Dowler, die verhoord is en heeft bevestigd dat hij die ochtend vroeg om een uur of halfzeven Bishop heeft geholpen met het inladen van golfspullen in zijn auto.'

Vosper zweeg een paar tellen, dacht na, liet dit bezinken. Toen zei ze: 'Daar zit hem dus de kneep.'

Grace glimlachte grimmig.

De telefoon ging over. Ze stak verontschuldigend een vinger op en nam op.

Even later ging zijn gsm over. De woorden 'geheim nummer' op het schermpje gaven aan dat het waarschijnlijk werk was. Hij stond op en liep weg bij het bureau om op te nemen. 'Met Roy Grace.'

Het was brigadier Guy Batchelor. 'We hebben wat, Roy. Sandra Taylor, een analiste bij de Inlichtingendienst die op deze zaak zit, belde net. Wist je dat Brian Bishop een crimineel verleden heeft?'

73

Paul Packer zat aan een tafel buiten de Ha! Ha! Bar in de Pavilion Parade voor de toegangshekken van het Royal Pavilion in Brighton van een latte te genieten en mensen te kijken. Hij glimlachte. Het was halfelf, een zonnige maandagochtend in augustus, en er waren genoeg plekken waar het slechter was dan hier, vond hij. En dit was een stuk beter dan werken! Wat een grapje van hem was, want hij was natuurlijk aan het werk.

Niet dat de serveerster dat vond, of de mensen die langsliepen. Zij zagen een man van in de twintig, klein en gezet, met een kaalgeschoren hoofd en een sikje, slordig gekleed in een vormloos grijs T-shirt, en een opengeslagen schrift voor hem, waarin hij af en toe iets in aantekende, zoals een van de vele studenten die in de cafés in de stad rondhingen.

Hij zag alles. Hij bekeek iedereen die langskwam.

Mensen in zakenkleren, sommigen met een tas of aktetas, die zich naar een vergadering haastten, of soms gewoon te laat voor hun werk waren. Hij bekeek de toeristen; een ouder echtpaar dat rondjes liep en een plattegrond probeerde te doorgronden. De man wees een kant op, de vrouw schudde haar hoofd en wees in een andere richting. Hij zag een middelbaar echtpaar, Nederlanders, dacht hij, die vastberaden doorstapten in belachelijke kleren en met zware rugzakken om, alsof ze op safari waren en hun eigen spullen mee moesten dragen. Daarna keek hij naar twee kinderen in wijde kleding, die een sprong oefenen over een informatiebordje dat op straat stond.

Een paar daklozen, van wie hij er een paar van gezicht kende, waren in het afgelopen halfuur langsgekomen. Ze gingen waarschijnlijk naar het veld bij het Pavilion toe om daar de dag door te brengen voordat ze naar hun volgende drempel of portiek trokken, met al hun bezittingen in plastic tasjes of in winkelwagentjes, en de zure lucht van vochtige kleren om hen heen. En langzaam maar zeker kwam het uitschot van Brighton – de dealers, de drugshandelaars, de gebruikers – naar buiten. De junkies van wie hun laatste shot alweer uitgewerkt was, gingen zoals elke dag op zoek naar geld, op welke manier ook, zodat ze weer konden scoren.

Als er even niemand langs kwam wandelen, maakte hoofdagent Packer echt aantekeningen in zijn schrift. Hij wilde eigenlijk schrijver worden, en was momenteel bezig met een filmscript over een groep buitenaardsen wier navigatiesysteem het begeven had en die een noodlanding hadden moeten maken op aarde, net buiten Brighton, op zoek naar hulp. Al na een paar dagen wilden ze dolgraag weg. Twee van hen waren overvallen, hun ruimteschip was gemolesteerd en toen in beslag genomen, omdat ze het niet van de grote weg waar ze waren geland, konden laten wegslepen, en ze vonden het eten maar niets. Bovendien konden ze ook geen hulp krijgen zonder een formulier online in te vullen waar ze een postcode en een creditcardnummer voor nodig hadden en die hadden ze natuurlijk niet. Soms vroeg Packer zich af of zijn werk hem te cynisch had gemaakt.

Toen werd hij weer teruggeroepen in de werkelijkheid. In zijn ooghoek had hij een bekende met gebogen rug langs zien slenteren. En deze al heerlijke ochtend werd opeens nog heerlijker toen de man langs hem heen liep zonder hem te zien.

Paul keek naar de uitgeteerde jonge man met het ingevallen gezicht en een versleten shirt met capuchon, trainingsbroek en smerige gympen. Het vervulde hem met afkeer, walging en medeleven. Het rode haar van de jonge man was, net als dat van hemzelf, heel kort geschoren, en hij had, zoals altijd, alleen een dun streepje haar vanaf zijn onderlip naar zijn kin. Paul keek hem na terwijl hij net toen een jonge man een foto van zijn vriendin of vrouw wilde nemen door het beeld liep, zich totaal onbewust van wat er om hem heen gebeurde. Hij baande zich een weg door een groep toeristen die door een gids rondgeleid werd en opeens wist de hoofdagent precies waar hij naartoe ging.

Naar de muur tegenover het plein, waar een rij pinautomaten stond. En ja hoor, de jonge man ging ertussen op de grond zitten. Dat was een populaire plek om te bedelen. En hij had al iemand op het oog, een jonge vrouw die net haar bankpas invoerde.

Paul Packer liep ernaartoe en bleef recht voor de man staan die net schor vroeg: 'Heb je wat kleingeld voor me, lieverd?'

Bij wijze van groet stak Packer het verminkte stompje van zijn rechterwijsvinger naar hem op. 'Hé, Skunk,' zei hij. 'Ken je me nog?'

Skunk keek op zijn hoede naar hem op. De vrouw zocht in haar portemonnee naar kleingeld. Packer draaide zich naar haar om. 'Ik ben van de politie. Bedelen is illegaal. Bovendien weet deze gozer wel andere manieren om aan geld te komen, nietwaar?' vroeg hij, en hij draaide zich weer om naar Skunk. Hij zwaaide met zijn afgebeten stompje heen en weer en liet zijn tanden luid op elkaar komen, waarbij hij deed of hij beet, om zijn vroegere aanvaller spottend na te doen.

'Geen idee waar dit over gaat,' zei Skunk.

'Problemen met je geheugen? Misschien gaat het beter als je een dagje in de cel hebt gezeten? Daar kun je niet zo goed aan drugs komen, hè?'

'Lazer op. Laat me met rust.'

Packer keek naar de jonge vrouw, die niet wist wat ze moest doen. Ze pakte het geld en haar bankpasje uit de automaat en liep snel weg.

'Ik gebruik niet,' zei Skunk nors.

'Weet ik toch, knul. Ik wil je niet oppakken. Ik vroeg me alleen af of je wat nieuws voor me had.'

'Wat krijg ik er voor?'

'Weet je iets over Barry Spiker?'

'Ken ik niet.'

Een brandweerauto kwam North Street in rijden met gillende sirene en Packer wachtte even tot de herrie voorbij was. 'Jawel. Je werkt af en toe voor hem.'

'Ik ken hem niet.'

'Dus die Audi cabrio waar je afgelopen vrijdagavond in rondreed aan de kust, dat was jouw auto?'

'Ik weet niet waar je het over hebt.'

'Volgens mij wel. Je werd gevolgd door een onopvallende politiewagen. Ik zat erin. Je reed best goed,' gaf hij met tegenzin toe.

'Nee. Geen idee waar je het over hebt.'

Packer hield zijn stompje vlak bij Skunks neus. 'Ik heb een heel goed geheugen, Skunk. Snap je?'

'Daar heb ik voor gezeten.'

'En toen kwam je weer vrij, maar mijn vinger heb ik er niet mee terug, en daar ben ik knap pissig over, dus ik ga iets met je afspreken. Ik ga de rest van je kutleventje flink vergallen of je gaat me helpen.'

Na een paar seconden stilte, zei Skunk: 'Wat voor hulp?'

'Inlichtingen. Alleen maar een telefoontje, meer niet. Gewoon een telefoontje de volgende keer dat Spiker je iets vraagt.'

'En dan?'

Packer legde uit wat Skunk moest doen. Toen hij klaar was, zei hij: 'En dan hoor je me er niet meer over.'

'En dan word ik gearresteerd?'

'Nee, jij gaat vrijuit. En je hebt van mij geen last meer. Afgesproken?'

'Krijg ik ook nog wat geld?'

Packer keek op hem neer. Hij was zo'n zielenpoot, de hoofdagent had opeens medelijden met hem. 'Je krijgt na afloop wel wat, als beloning. Oké?'

Skunk haalde halfslachtig zijn schouders op.

'Ja, dus, neem ik aan.'

74

De persconferentie op zaterdag was al erg genoeg geweest, maar deze was zelfs nog erger. Er stonden ongeveer vijftig mensen op elkaar gepakt in de briefingruimte en veel meer dan op zaterdag stonden in de gang gepropt. Het was afgeladen, constateerde Grace grimmig. Gelukkig maar dat hij hulp had deze ochtend.

Aan zijn ene kant stond adjunct-hoofdcommissaris Alison Vosper. Ze had zich omgekleed nadat hij haar kantoor had verlaten en droeg nu haar schone, pasgestreken uniform. Aan zijn andere kant de districtscommandant van Brighton, hoofdinspecteur Ken Brickhill, een botte, normale taal gebruikende politieman van de oude stempel, eveneens onberispelijk in uniform. Ze vormden een rijtje van drie voor het bord waar het logo van de politie van Sussex op stond en het adres van de website. Brickhill was een taaie rakker en vond dat politiek correcte gedoe helemaal niets. Hij zou het liefst de meeste misdadigers in Brighton & Hove ophangen, als hij de kans kreeg. Uiteraard werd er tegen hem opgezien door iedereen die ooit onder hem gediend had.

Een paar van de ramen stonden open, maar zelfs dan, met het zonlicht dat door de jaloezieën scheen, was het snikheet. Iemand maakte een grapje over het Zwarte Gat van Calcutta, terwijl de woordvoerder van de politie, de opzichtige maar ietwat slordig geklede Dennis Ponds, zich een weg naar voren baande langs een tafel om bij het drietal te komen. Hij mompelde een verontschuldiging voor zijn late komst.

Ponds stond te dicht bij de microfoon zodat zijn woorden onhoorbaar waren door een luid gepiep. 'Goedemorgen,' begon hij opnieuw, zijn nogal zalvende, innemende stem een stuk beter te verstaan dit keer. 'Op deze persconferentie zal eerst inspecteur Grace een overzicht geven van het onderzoek naar de moord op mevrouw Katherine Bishop en op Sophie Harrington. Vervolgens zullen adjunct-hoofdcommissaris Vosper en hoofdinspecteur Brickhill, districtscommandant van de politie van Brighton, de gemeenschap en het publiek in het algemeen toespreken.' Hij maakte een zwierig gebaar naar Grace, dat hij het over kon nemen, en liep bij de microfoon vandaan.

Er werd druk geflitst terwijl Roy Grace de bijzonderheden gaf van de onderzoeken. Hij vertelde ze uiteraard niet alles, maar hield het bij de tijdstippen waarop alles was gebeurd, bevestigde een hoop dingen die ze toch al wisten. Hij vroeg voor beide zaken of eventuele getuigen naar voren wilden komen, in het bijzonder mensen die een van de vrouwen hadden gekend en hen de afgelopen dagen hadden gezien. Hij benadrukte tevens het feit dat hij iedereen wilde spreken die iets verdachts had gezien in de omgeving van de plaatsen delict.

Nadat hij alles had gezegd over de moorden wat hij wilde zeggen, vroeg Grace of er nog vragen waren.

Een vrouwenstem, helemaal achterin, dus Grace kon niet zien van wie, schreeuwde: 'Naar verluidt is het een seriemoordenaar. Kunt u ons verzekeren dat de mensen in Brighton & Hove veilig zijn, inspecteur?'

Grace wist zoals gewoonlijk niet waar hij zijn handen moest laten, en was zich ervan bewust dat zijn lichaamstaal net zo belangrijk was als wat hij zei. Hij sloeg zijn armen niet over elkaar, wat hij eigenlijk wilde, maar liet ze langs zijn zijden hangen en boog voorover naar de microfoon. 'Er zijn momenteel nog geen aanwijzingen dat het om een seriemoordenaar gaat. Maar iedereen zou voorzichtig moeten zijn en een beetje meer op hun hoede zijn dan anders.'

'Hoe kunt u nu beweren dat het geen seriemoordenaar is terwijl er twee vrouwen zijn vermoord in één dag tijd?' vroeg een oude verslaggever van verschillende plaatselijke krantjes met krakende stem. 'Inspecteur Grace, kunt u de jonge vrouwen in Brighton verzekeren dat ze geen gevaar lopen?'

Een druppel zweet viel in Grace' rechteroog en prikte. 'Het lijkt me het beste als mijn collega's die het over de algemene zaken zullen hebben, daarop reageren,' zei hij, met een blik op Alison Vosper en vervolgens Ken Brickhill.

Ze knikten en de hoofdinspecteur zei, op zakelijke toon: 'Niemand kan ooit voor honderd procent verzekeren dat je geen gevaar loopt in een moderne stad. Maar de politie en het gemeentebestuur doen alles wat ze kunnen, met bronnen van buitenaf, om de moordenaar, of moordenaars, te pakken.'

'Het is dus mogelijk dat er maar één persoon verantwoordelijk is voor beide moorden?' drong de verslaggever aan.

Brickhill antwoordde ontwijkend: 'Als iemand bang is, moet hij of zij contact met de politie opnemen. De politiepatrouilles zullen worden uitgebreid. Als iemand iets verdachts ziet, moet hij of zij meteen de politie bellen. We willen niet dat het publiek in paniek raakt. Er zijn al veel mensen bezig met het onderzoek en we doen alles om de bewoners van Brighton & Hove te beschermen.'

Toen zei Kevin Spinella, die vlakbij stond, vooraan in de menigte: 'Bent u niet van plan toe te geven, inspecteur, dat er een gestoorde seriemoordenaar in Brighton los rondloopt?'

Grace reageerde hier rustig op door een overzicht te geven van beide plaatsen delict. Toen voegde hij eraan toe: 'We zijn nog maar net begonnen met ons onderzoek, maar zo te zien zijn er inderdaad wat overeenkomsten tussen de beide zaken.'

'Inspecteur, hebt u al een hoofdverdachte?' vroeg een jonge verslaggever van de *Mid-Sussex Times*.

'We onderzoeken een paar mogelijkheden en we krijgen steeds meer informatie binnen. We bedanken het publiek voor alle informatie die ze tot nu toe hebben verstrekt. Momenteel zijn beide teams bezig een groot aantal telefoontjes na te trekken en we wachten op resultaten van het forensisch lab. Onze rechercheurs zijn dag en nacht bezig om de dader op te sporen en hem voor de rechter te slepen.'

'U wilt dus zeggen,' zei Kevin Spinella, luid en gewichtig, 'dat de bewoners van Brighton & Hove zich in hun huis op moeten sluiten en niet naar buiten moeten gaan totdat de dader opgepakt is.'

'Nee,' antwoordde Grace, 'dat zeggen we helemaal niet. De politie heeft er geen idee van wie mevrouw Bishop of wie mevrouw Harrington heeft vermoord en waar deze persoon, of personen, zich ophoudt, dus alle vrouwen kunnen gevaar lopen. Maar dat betekent nog niet dat er paniek hoeft uit te breken.' Hij draaide zich om naar zijn baas. 'Adjunct-hoofdcommissaris Vosper kan deze vraag beter beantwoorden.'

Als blikken konden doden, zou Vospers glimlach Grace open hebben gesneden en hem van zijn ingewanden hebben ontdaan.

Een stevige oermoeder die bijna helemaal achterin stond, riep luid: 'Adjunct-hoofdcommissaris, zou inspecteur Grace van u de hulp van een medium mogen inroepen?'

Er werd even gegrinnikt. De vrouw had een gevoelige snaar geraakt. Grace vertrok geen spier, maar hij moest in zichzelf glimlachen toen hij zag hoe Alison Vosper opeens slecht op haar gemak was, wat hij zeer vermakelijk vond. Hij was aan de kaak gesteld over een zaak een paar maanden geleden, toen het in de rechtszaal naar buiten was gekomen dat hij een schoen, een bewijsstuk in een moordzaak, had meegenomen naar een medium. De pers had het prachtig gevonden. En Vosper had het prachtig gevonden hem op het matje te roepen.

'Normaal gesproken roept de politie dit soort hulp niet in,' antwoordde ze scherp. 'Maar daarentegen willen we naar iedereen luisteren die informatie voor ons heeft en vervolgens beoordelen hoeveel we eraan hebben.'

'U sluit het dus niet uit?' drong de verslaggever aan.

'Ik heb u daar al antwoord op gegeven.' Ze keek om zich heen. 'Verder nog vragen?'

Na de conferentie, toen Grace op het punt stond weg te gaan, vatte Allison Vosper hem bij zijn kraag en liepen ze een leeg kantoor in.

'Iedereen houdt ons in de gaten, Roy. Als jij naar een van die paragnosten wilt gaan, laat me dat dan weten.'

'Dat ben ik nu nog niet van plan.'

'Goed zo!' zei ze, net zo enthousiast als iemand die een puppy prijst omdat hij op de juiste plek heeft geplast. Heel even had hij het gevoel dat ze hem een aai over zijn bol en een koekje zou geven.

75

Een halfuur later stond Grace in de overvolle kleedkamer in het mortuarium te hannesen met de bandjes aan de groene overall, waarna hij een paar witte laarzen aantrok.

Terwijl hij bezig was, stak Cleo haar zeer katerige hoofd om de deur en keek hem ondoorgrondelijk aan. 'Het spijt me van gisteravond!' zei ze. 'Ik was echt niet van plan om in slaap te vallen!'

Hij glimlachte terug. 'Word je altijd zo lazarus als je gaat stappen met je zus?'

'Ze is net gedumpt door die eikel van een vriendje van haar en ze wilde zat worden. Uit beleefdheid heb ik meegedaan.'

'Tuurlijk. Hoe gaat het?'

'Maar een tikkeltje beter dan hoe Sophie Harrington eruitziet. Ik was knap duizelig daarnet!'

'Coca-Cola, dat helpt het best,' zei hij.

'Ik heb al twee blikjes op.' Ze keek hem weer ondoorgrondelijk aan. 'Ik heb je nog niet gevraagd hoe het in Duitsland was. Heb je je vrouw gezien? Was het een gezellig weerzien?'

'Je hebt het wel gevraagd, al vijf keer.'

Ze keek stomverbaasd. 'En heb je het verteld?'

'Waarom gaan we vanavond niet uit eten, en dan breng ik je helemaal op de hoogte.'

Ze keek hem weer aan, en heel even was hij vreselijk bang dat ze zou gaan zeggen dat hij haar rug op kon. Toen glimlachte ze, maar zonder warmte. 'Kom maar naar mij toe. Ik regel wel iets gemakkelijks en zonder alcohol. Gewoon lekker eten. We moeten praten.'

'Ik kom naar je toe als de briefing is afgelopen.' Hij gaf haar een klein kusje.

Ze deinsde achteruit. 'Je hebt me diep gekwetst en ik ben erg boos op je, Roy.'

'Ik vind het leuk als je boos bent,' zei hij.

Opeens smolt ze een beetje. 'Klootzak,' zei ze grinnikend.

Hij gaf haar nog een kusje, wat uitliep op een langere kus. Hun kleding ritselde toen ze elkaar steviger vasthielden, maar Grace hield de deur in de gaten voor het geval iemand naar binnen kwam.

Toen trok Cleo zich terug en keek grinnikend omlaag. 'Dit is dus niet de bedoeling. Ik ben nog steeds boos op je. Wel opwindend, hè, deze kleding?'

'Nog lekkerder dan zwart zijden ondergoed!'

'We kunnen maar beter aan de slag gaan, inspecteur. Een paginagroot artikel in de Argus dat je betrapt werd terwijl je het deed in de kleedkamer van het mortuarium, zou niet zo goed zijn voor je reputatie.'

Hij liep met haar mee door de betegelde gang, terwijl hij nadacht over Cleo, over Sandy en over werk. De pers was over hen heen gevallen die ochtend en dat snapte hij best. De moord op een aantrekkelijke jonge vrouw kon een keer gebeuren, wellicht iets in de relatiesfeer. Maar de moord op twee vrouwen kon een stad, of een heel district, in paniek brengen. Als de pers achter de gasmaskers kwam, zou het een heksenketel worden.

Hij had nog niet bekendgemaakt dat Sophie Harrington Brian Bishop had gebeld, de hoofdverdachte in de moord op Katie Bishop. En dat Brian Bishop, achter zijn façade van nette en geslaagde zakenman, vooraanstaand inwoner van Brighton & Hove, lid van het bestuur van de golfclub en donateur van goede doelen, wiens voor de buitenwereld even eerzame Rotaryvrouw een verhouding had gehad, een bijzonder onaangenaam crimineel verleden had.

Op vijftienjarige leeftijd, volgens de PNC, het computerprogramma van de landelijke politie, was Bishop tot twee jaar veroordeeld in een jeugdgevangenis nadat hij een veertienjarig meisje op school had verkracht. Vervolgens had hij toen hij eenentwintig was, twee jaar voorwaardelijk gekregen omdat hij een vrouw aangevallen, en ernstig verwond had.

Hoe meer zijn team in Bishops achtergrond dook, hoe meer bewijzen ze tegen de man verzamelden. Alison Vosper had het die ochtend over zijn alibi in Londen gehad. Maar dat was niet het enige. Brian Bishop had heftig ontkend dat hij een levensverzekering had afgesloten op zijn vrouw. Het zat Grace dwars dat hij zo te zien de waarheid sprak.

Maar toch, het was duidelijk genoeg dat Brian Bishop een oog voor zaken had. Men kon nu eenmaal niet zo rijk worden als hij was, alleen maar door vriendelijk te zijn, volgens Grace. Dit werd bevestigd door het gewelddadige verleden van de man. En hij wist dat hij ook niet te veel waarde moest hechten aan het feit dat Bishop niets afwist – of net deed alsof – van de levensverzekering.

Het was allemaal zo ingewikkeld dat zijn hoofd er pijn van deed. Hij wilde ergens in een donker hoekje rustig gaan zitten en alles nagaan over de zaak-Bishop en de zaak-Harrington. De technische recherche zou nog wel een paar dagen in Bishops huis bezig zijn en daar was Grace blij om. Hij wilde dat de man zich niet op zijn gemak voelde, buiten zijn vertrouwde woonomgeving. In een hotelkamer, als een gekooid dier, zou hij onzeker zijn en dus beter reageren als hij ondervraagd werd.

Er kwam beslist steeds meer bewijs tegen Bishop, maar het was nog te vroeg om hem te arresteren. Als ze dat zouden doen, zouden ze hem maar een dag in hechtenis kunnen houden – met een uitloop van twaalf uur – zonder hem officieel aan te klagen. Er was nog niet genoeg echt bewijs en, hoewel het alibi van de man niet waterdicht was, was er nog genoeg reden om te twijfelen. Twee onafhankelijke getuigen hadden gezegd dat hij in Londen was toen de moord plaatsvond, en een verkeerscamera toonde aan dat hij dat niet was. Er waren al zoveel zaken geweest waarin misdadigers vervalste kentekenplaten hadden gebruikt. Vooral tegenwoordig, om geen bon voor te hard rijden te krijgen als ze geflitst werden. Een slimme advocaat kon gemakkelijk de jury aan het twijfelen brengen over de vraag of het kenteken echt was of vals.

Hij was ook zeer geïnteresseerd in de kunstschilder met wie Katie Bishop omging. De man was nog steeds een mogelijke verdachte.

Diep in gedachten liep hij de sobere, felverlichte autopsiekamer in. Sophie Harrington was aan zijn blik onttrokken door de in een groene jas geklede mensen die om haar heen stonden en haar aandachtig bekeken als studenten in een klaslokaal, terwijl Nadiuska De Sancha iets aanwees.

Behalve de patholoog, Cleo en Darren, waren hoofdinspecteur Duigan en Ronnie Watson, de lange medewerker bij de politierechter, en een gepensioneerde politieagent van in de vijftig in de ruimte aanwezig.

Grace liep naar de patholoog toe en onderging zoals altijd de onaangename verrassing die hij elke keer kreeg dat hij een lijk hier of waar dan ook zag. Ze zagen er allemaal haast hemels uit, de huid van blanke slachtoffers – behalve als ze door brand waren omgekomen of al ernstig vergaan waren – had altijd een spookachtig witte tint. Het was net alsof de dood hen aftekende in zwart-wit, terwijl alles om hen heen nog steeds in kleur was.

Sophie Harrington lag op haar buik en Nadiuska wees met vinger naar tientallen kleine rode gaatjes op de rug van de vermoorde vrouw. Het leek wel een tatoeage over haar hele bovenlijf, die bijna alle huid bedekte.

'Zien jullie wat dit is?' vroeg ze.

Terwijl hij zich naar voren boog, kon Grace alleen maar een onherkenbaar patroon ontdekken.

'Als ik kijk naar hoe netjes en eender de gaatjes eruitzien, dan is het gedaan met een boormachine,' ging de patholoog door.

'Toen het slachtoffer nog leefde?' vroeg inspecteur Duigan. 'Of toen ze al dood was?'

'Ik zou zeggen nadat ze overleden was,' antwoordde Nadiuska, die naar voren boog en een stuk van de rug van de overleden vrouw beter bekeek. 'Het zijn diepe gaten en er is heel weinig bloed. Haar hart werkte niet meer toen ze werden gemaakt.'

Wat een geluk voor de arme vrouw, dacht Grace. Toen, net zo plotseling als je opeens een verborgen woord kunt lezen in een visuele puzzel, zag hij wat er stond.

OMDAT JE VAN HAAR HOUDT.

76

De chagrijnige schoonmaakster ging om even na halftwaalf bij Cleo Morey weg. De tijdmiljardair, in zijn Toyota Prius, maakte daar een aantekening van. Dat was goede timing, net een paar minuten voordat zijn parkeerkaartje was verlopen. Terwijl zij de heuvel op stampte en kwaad in haar gsm sprak, vroeg hij zich af of ze drieënhalf uur lang aan de telefoon had gehangen. Hij wist zeker dat Cleo Morey graag wilde weten waar ze de vrouw voor betaalde. Hoewel dat hem natuurlijk helemaal niets aan ging.

Hij schakelde, zoefde zachtjes met zijn elektrische motor langs haar en vervolgde toen zijn weg door de wirwar van straatjes naar Queens Road, dan langs de klokkentoren en rechtsaf naar de kust.

Hij reed langs de gemeentegrens van Hove, langs het King Alfred-nieuwbouwproject, stopte voor de verkeerslichten onder aan Hove Street, sloeg een paar straten verder rechts af, Westbourne Villas in, via een brede straat met grote, halfvrijstaande victoriaanse huizen. Toen sloeg hij weer rechts af een steeg in, waar een paar garageboxen stonden. Hij huurde de achterste twee, nummer 11 en 12.

Hij zette de auto voor nummer 11 neer en stapte uit. Hij maakte de garagedeur open en trok hem omhoog, liep naar binnen, deed het licht aan, en trok de deur weer naar beneden. Hij ging dicht met een harde, weergalmende dreun. Toen stilte. Alleen een heel zacht geluid van de twee klimaatregelaars.

Rust!

Hij ademde de warme luchtjes in die hij zo lekker vond: benzine, oud leer, oude carrosserie. Dit was zijn thuis. Zijn heiligdom! In deze garage – en soms ook in de garage ernaast, waar de afgedekte caravan stond – bracht hij veel van de tijd door die hij op zijn bankrekening had staan. Tientallen uren tegelijk! Honderden elke maand! Duizenden elk jaar!

Hij keek verliefd naar de op maat gemaakte hoes, naar de golvende lijnen van de auto waar hij overheen lag: de glanzende, maansteenwitte 3,8 Jaguar MK 11 saloon uit 1962, die zo veel ruimte innam dat hij er zich zijdelings langs moest wurmen.

De muren hingen vol met gereedschap, in een patroon opgehangen, elk stuk zo schoon dat het spiksplinternieuw leek, allemaal op de juiste plaats. De hamers hingen keurig bij elkaar. De ringsleutels, de steeksleutels, de voelermaat, de schroevendraaiers waren allemaal kunstwerken op zich. Op de planken stonden blikjes en flessen met lak, schoonmaakspul voor de wielen, voor chroom, voor de ramen, voor leer, sponzen, zemen, borstels, pijpenragers, en allemaal zo te zien gloednieuw.

Hij wurmde langs de auto, streek over de hoes, betastte de ramen, toen de motorkap. Hij kende elk stroomdraadje, elk paneeltje, elke schroef en elke moer, elke millimeter staal, chroom, leer, glas, hout en bakeliet. Ze was zijn kindje. Hij was zeven jaar bezig geweest om een wrak waarin kippen, ratten en muizen op een vervallen boerenerf hadden gewoond, met veel zorg weer mooi te maken. Ze was nu mooier dan toen ze, ruim veertig jaar geleden, de fabriek uitkwam. Er hingen tien Concours d'Elégance-rozetten voor de eerste plaats aan de muur van de garage om dat te bewijzen. Ze waren afkomstig uit het hele land. Hij had ook tientallen rozetten voor de tweede, derde en zelfs vierde plaats gewonnen. Maar die gooide hij altijd meteen weg.

Hij moest straks, herinnerde hij zichzelf, aan de binnenkant van de bumpers werken, waar een normaal mens nooit zou kijken. Maar de jury keek daar wel eens, en dan kon je het wel schudden, en aan het eind van deze maand was er een grote bijeenkomst van de Jaguar Drivers' Club.

Maar hij had voorlopig iets belangrijkers aan zijn hoofd. Zoals de sleutelmachine, compleet met een ruime voorraad sleutels waarvan de baard nog moest worden gemaakt – geschikt voor elk slot, had in de advertentie op internet gestaan – en die nog steeds ingepakt was in het bruine pakpapier waar BREEKBAAR op stond. Het ding stond al een paar maanden lang naast zijn werktafel op de grond.

Dat was het grote voordeel als je een tijdmiljardair was. Je kon vooruitdenken. Plannen maken. Hij had ooit in de krant een citaat gelezen van ene Victor Hugo, waarin hij zei: 'Er is maar één ding sterker dan alle legers ter wereld, en dat is een idee waarvoor de tijd rijp is.'

Hij klopte in zijn jaszak op het blikje met was, waarin de afdruk van de voordeursleutel van Cleo Morey zat. Toen maakte hij het pakket met een glimlach op zijn gezicht open. Het was beslist een goed idee geweest om dit te kopen.

Het zou zijn nut bewijzen.

77

Grace draaide zijn Alfa Romeo het voorste parkeerterrein van de Royal Sussex County Hospital op, en reed langzaam rond, op zoek naar een plekje. Toen wachtte hij geduldig terwijl een oudere vrouw het portier van haar kleine Nissan Micra openmaakte, instapte, haar gordel vastmaakte, de sleutel in het slot stak, de achteruitkijkspiegel een tikje naar zich toe trok, de motor startte, zat te bedenken wat ze met het ronde wiel voor haar neus moest doen, zich opeens de versnellingspook herinnerde en eindelijk de auto in zijn achteruit zette. Vervolgens reed ze als een dolle achteruit, waarbij ze zijn auto op een haar na miste. Hij reed het plekje op waar zij had gestaan, en zette de motor af.

Het was bijna halfdrie en zijn maag rammelde, want hij had al een tijd niet gegeten, maar hij had eigenlijk geen trek. Als hij in het mortuarium geweest was, had hij zelden trek in eten, en het beeld van de gruwelijke tatoeage op Sophie Harringtons rug stond hem nog levendig bij, verwarrend en verontrustend.

Omdat je van haar houdt.

Wat betekende dat verdomme? Aangenomen dat 'haar' verwees naar het slachtoffer, Sophie Harrington. Maar wie was 'je'? Haar vriendje?

Zijn gsm ging over. Het was Kim Murphy die hem op de hoogte bracht van wat er die dag was gebeurd. Het grootste nieuws was dat het laboratorium bevestigd had dat ze de uitslagen van de DNA-tests die middag voor hem zouden hebben. Toen hij de verbinding verbrak, gaf de telefoon met een piepje aan dat er nog een telefoontje voor hem was. Het was hoofdinspecteur Duigan, die verslag deed van de stand van het onderzoek naar Sophie Harrington, en hij klonk verheugd.

'Een oudere buurvrouw aan de overkant ging een uur geleden naar de politieagent die op wacht stond toe. Ze zei dat ze een man had opgemerkt die zich op vrijdagavond om een uur of acht rond het gebouw waar Sophie Harrington woonde vreemd gedroeg. Hij had een rode plastic tas bij zich en een capuchon op. Maar toch heeft ze hem goed kunnen zien.'

'Heeft ze een beschrijving van zijn gezicht kunnen geven?'

'Er is iemand onderweg om haar te spreken. Maar wat ze tot zover heeft verteld, komt overeen met Bishop, wat lengte en bouw betreft. En heb ik het goed begrepen dat hij voor dat tijdstip geen alibi heeft?'

'Klopt. Zou ze hem eruit kunnen pikken?'

'Dat ga ik als eerste na.'

Grace vroeg Duigan of ze er al achter waren of Sophie een vriendje had gehad. De hoofdinspecteur zei dat ze dat nog niet wisten, maar dat ze binnenkort de vriendin zouden verhoren die haar als vermist had opgegeven.

Toen zijn collega klaar was, bekeek Grace zijn e-mails op zijn BlackBerry, maar er zat niets bij wat met een van de zaken te maken had. Hij stopte het apparaatje weer in de houder aan zijn riem en dacht even na. Duigans nieuwtje zou wel eens heel belangrijk kunnen zijn. Als deze vrouw Bishop zou kunnen identificeren, dan zou dat behoorlijk bijdragen aan de bewijslast.

Zijn maag rammelde weer. De zon scheen fel door het open dak en hij deed het dicht, blij met de schaduw. Toen pakte hij het broodje ei met spek op dat hij onderweg bij een benzinestation had gekocht, scheurde het plastic open en pakte het broodje eruit. De eerste hap smaakte vaag naar karton met een vleugje spek. Hij zat langzaam en met lange tanden te eten toen hij de *Argus* oppakte die hij tegelijkertijd had gekocht, en keek naar de koppen op de voorpagina. Zoals altijd verbaasde hij zich erover hoe ze het voor elkaar kregen om zo snel een verhaal te plaatsen. Hij zou toch een keer moeten uitzoeken wie de bron was van Spinella. Maar momenteel stond dat onderaan op zijn lijstje.

Er stond een bijzonder leuke foto van Sophie Harrington bij waarop haar hoofd en schouders waren te zien. Ze droeg een T-shirt en een eenvoudige kralenketting, en haar lange bruine haar glansde in de zon. Ze glimlachte rechtstreeks in de camera, of naar degene die de foto nam.

Toen las hij het artikel, door Kevin Spinella, dat ook de tweede en de derde bladzijde in beslag nam. Het was goed opgezet, met een aantal foto's van Katie Bishop en ook, zoals hij had verwacht, de gebruikelijke bedroefde commentaren van Sophie Harringtons ouders en haar beste vriendin. En natuurlijk een klein fotootje van hemzelf dat de krant altijd plaatste.

Het was echt iets voor Spinella, zo'n sensationeel verslag, bedoeld om zo veel mogelijk paniek te veroorzaken in de stad en de verkoop van de krant de volgende dagen tot grote hoogte te brengen. Dat zou Spinella's cv goed doen, zodat de gladjakker een betere kans kreeg bij een landelijk dagblad, waar hij ongetwijfeld op uit was. Grace kon het de man eigenlijk niet kwalijk nemen, en zijn redacteur ook niet: hij had waarschijnlijk hetzelfde gedaan als hij hen was geweest. Maar toch, citaten als 'De districtscommandant, hoofdinspecteur Ken Brickhill, gaf het advies aan alle vrouwen in Brighton & Hove om hun deur op slot te doen', maakten hem niet echt blij.

Een van de redenen om goed geregelde persconferenties te houden, zoals die van die ochtend, was om het publiek in te lichten over de misdaden die waren begaan, in de hoop dat ze aanwijzingen zouden krijgen. Maar paniekzaaierij zoals dit zou alleen maar de telefooncentrale van de politie blokkeren door de honderden telefoontjes van angstige vrouwen.

Hij at zo veel mogelijk op van het broodje, spoelde het weg met een lauwe cola light, stapte toen uit en gooide de rest van het broodje en de verpakking in een prullenbak. Hij kocht netjes een parkeerkaartje en legde het op zijn dashboard. Toen liep hij naar de bloemenkiosk en kocht een klein boeketje. Hij liep door naar de brede entree van het ziekenhuis, die deels wit, deels crèmekleurig, deels grijs geverfd was, onder de grote perspex boog door, langs een ziekenwagen waar voorop het woord AMBULANCE in grote groene letters in spiegelbeeld stond.

Roy vond het hier vreselijk. Hij werd er kwaad om en schaamde zich dat een stad als Brighton & Hove zo'n akelig, verlopen ziekenhuis had. Het mocht dan een grootse naam hebben en bestaan uit een grote hoeveelheid bijgebouwen, en zeker, sommige afdelingen, zoals de hartafdeling, waren heel goed. Maar over het algemeen zou een dokterspost, gevestigd in een hutje in een derdewereldland, beter overkomen dan dit.

Hij had ooit gelezen dat de Tweede Wereldoorlog de eerste keer in de geschiedenis was dat er meer soldaten stierven aan hun verwondingen, dan aan een infectie die ze opliepen in het ziekenhuis waarin ze werden behandeld. De meeste inwoners van Brighton & Hove gingen liever niet naar dit ziekenhuis, omdat er verteld werd dat je eerder zou overlijden aan iets wat je in het ziekenhuis opliep dan aan hetgene waarvoor je daar kwam te liggen.

Het lag niet aan het personeel, dat waren over het algemeen prima mensen die zich een slag in de rondte werkten. Dat had hij zelf vaak genoeg meegemaakt. Hij legde de schuld bij het bestuur en de regering door wier beleid het niveau van de medische zorg drastisch was gedaald.

Hij liep langs de cadeauwinkel en de goedkope Nuovo Caffè-snackbar die eruitzag alsof het in een wegrestaurant langs de snelweg thuishoorde, en ging opzij voor een oudere patiënte in een ziekenhuisgewaad, die met een lege uitdrukking in haar ogen op hem af kwam lopen.

Hij werd nog bozer op het ziekenhuis toen hij naar de ronde houten receptiebalie liep die onbemand was en het bordje naast een boeket plastic bloemen zag liggen.

EXCUSES VOOR HET ONGEMAK, DE RECEPTIE IS GESLOTEN

Gelukkig had Eleanor de jonge agente al voor hem opgespoord; ze was een paar dagen geleden overgeplaatst van orthopedie naar een afdeling genaamd Chichester. Een bord aan de muur gaf aan dat die afdeling zich op de tweede verdieping van deze vleugel bevond.

Hij liep de wenteltrap op, waarvan de muren versierd waren met kleurige schilderingen, liep door een gang met blauw linoleum op de vloer, nog twee trappen op met houten relingen en bleef staan in een haveloze, grauwe gang. Een jonge Aziatische verpleegster in een blauw bloesje en zwarte broek kwam naar hem toe gelopen. Het rook vaag naar aardappelpuree en kool, net als vroeger in de schoolkantine. 'Ik ben op zoek naar de afdeling Chichester,' zei hij.

Ze wees recht naar voren. 'Die kant op.'

Hij liep langs een stel gascilinders, door een deur met een glazen ruit erin die volhing met waarschuwingsbordjes en liep een afdeling op met een stuk of zestien bedden. Het rook hier nog erger naar een schoolkantine, met een vleugje verschaalde urine en ontsmettingsmiddel. Er lag oud linoleum op de vloer en de muren waren buitengewoon smerig. De ramen stonden wijd open, en keken uit op een andere vleugel van het ziekenhuis en een schoorsteen waar rook uit kwam. Een paar bedden waren gedeeltelijk afgeschermd met gordijnen die te smerig waren voor woorden.

Er lagen zowel mannen als vrouwen op de afdeling, met over het algemeen bejaarde en demente patiënten. Grace keek even naar een klein oud vrouwtje met kleine plukjes haar in de kleur van ongebleekt katoen, passend bij haar ingevallen wangen. Ze lag met open, tandeloze mond diep te slapen. Er stonden een paar televisies aan. Een jonge man lag in bed hardop tegen zichzelf te praten. Een andere oude vrouw, die in een bed helemaal achterin lag, riep hard en onverstaanbaar naar niemand in het bijzonder. In het bed rechts van hem lag een gekrompen kleine oude man te slapen, ongeschoren, het beddengoed naast hem, en twee lege colaflesjes op het tafeltje dat over het bed geschoven was. Hij had een gestreepte pyjama aan, waarvan de broek los was, zodat zijn slappe penis die op zijn scrotum lag, duidelijk te zien was.

En in het bed ernaast, lag tot zijn afgrijzen, omringd door stoffig uitziende apparatuur, de persoon die hij kwam bezoeken.

Een van zijn favoriete jonge agenten, Emma-Jane Boutwood, was ernstig gewond geraakt toen ze een vrachtwagen wilde aanhouden in dezelfde zaak waarbij Glenn Branson werd neergeschoten. Ze was tussen de vrachtauto en een geparkeerde auto bekneld geraakt en had zwaar inwendig letsel opgelopen, waaronder diverse botbreuken, en ze was haar milt kwijtgeraakt. De 25-jarige vrouw had ruim een week in coma gelegen, aan de beademingsmachine, en toen ze bijkwam, waren de dokters bang geweest dat ze nooit meer zou kunnen lopen. Maar in de afgelopen weken was ze op wonderbaarlijke wijze vooruitgegaan, kon ze zonder hulp staan en praatte ze alweer over het moment waarop ze weer aan de slag kon gaan.

Grace was erg op haar gesteld. Ze was een goede politieagente en hij dacht dat ze een gouden toekomst had bij de politie. Maar toen hij haar zo zag liggen, zwakjes naar hem glimlachend, zag ze eruit als een verdwaald, verloren kind. Ze was altijd al mager geweest, maar nu leek ze bijna uitgemergeld in de wijde ziekenhuiskleding en met een oranje label aan haar pols. Haar blonde haar, dat alle glans was kwijtgeraakt en eruitzag als droog stro, was slordig opgestoken, en een paar lokken waren losgeraakt. Op het tafeltje naast haar bed lagen een heleboel kaarten en wat fruit, en er stond een vaas met bloemen.

Hij kon aan haar ogen zien hoe ze zich voelde en er knapte iets in hem.

'Hoe gaat het?' vroeg hij, terwijl hij de bloemen nog even vasthield.

'Prima!' zei ze en ze deed haar best zich voor hem op te peppen. 'Ik zei gisteren nog tegen mijn vader dat ik hem weer met tennis zal verslaan vóór het herfst is. Maar dat zal een makkie zijn, hoor. Hij kan er niets van!'

Grace grinnikte en vroeg toen vriendelijk: 'Waarom lig je verdomme op deze afdeling?'

Ze haalde haar schouders op. 'Ze hebben me drie dagen geleden overgeplaatst. Zeiden dat ze het bed in de andere afdeling nodig hadden.'

'O, is dat zo? En wil je hier blijven?'

'Nee, niet echt.'

Grace deed een stap naar achteren, keek om zich heen, op zoek naar een zuster, en liep toen naar een jong Aziatisch meisje in een verpleegstersuniform die een ondersteek weghaalde. 'Pardon,' zei hij. 'Ik wil graag degene spreken die hier de leiding heeft.'

De verpleegster draaide zich om en wees toen naar een afgematte verpleegster van een jaar of veertig, met opgestoken haar en een streng gezicht met een bril met grote glazen, die net de afdeling op kwam met een clipboard in haar hand.

Grace liep met grote passen op haar af en ging voor haar staan. Op het naamkaartje dat aan haar blauwe blouse hing stond ANGELA MORRIS, AFDELINGSHOOFD.

'Pardon,' zei hij, 'mag ik u even spreken?'

'Het spijt me,' zei ze koel en op een vijandige en hooghartige toon. 'Ik ben ergens mee bezig.'

'Nou, u hebt nu iets anders te doen,' zei hij, en hij stond zowat te trillen van woede. Hij hield zijn penning voor haar neus.

Ze schrok ervan. 'Waar... waar gaat dit over?' Haar stem was opeens een stuk zachter.

Grace wees naar Emma-Jane. 'U hebt precies vijf minuten de tijd om die jongedame uit dit riool over te plaatsen naar een eigen kamer of een afdeling voor vrouwen. Hebt u dat begrepen?'

Weer uit de hoogte zei het afdelingshoofd: 'Misschien zou u zich eens moeten verdiepen in de problemen die we in dit ziekenhuis ondervinden, inspecteur.'

Grace schreeuwde nog net niet toen hij antwoordde: 'Deze jongedame is een heldin. Zij is gewond geraakt terwijl ze op uitzonderlijk heldhaftige wijze haar plicht deed. Ze heeft deze stad gered van een monster, dat nu in de cel zit en binnenkort berecht zal worden, en heeft zo het leven van twee onschuldige mensen gered. Ze is verdomme bijna omgekomen! En als dank wordt ze in een geriatrische afdeling gestopt voor zowel mannen als vrouwen, naast een man met zijn pik uit zijn broek. Ze ligt hier geen uur langer meer. Hebt u dat goed begrepen?'

De verpleegster keek geïrriteerd om zich heen en zei: 'Ik zal straks wel zien wat ik voor haar kan doen.'

Met nog meer volume zei Grace: 'U hebt me niet goed verstaan, denk ik. Niks stráks. U gaat dit nú regelen. Want ik blijf hier net zolang staan totdat ze naar een afdeling is verplaatst waar ik vrede mee kan hebben.' Hij hield zijn gsm omhoog en maakte snel een paar foto's van de zaal en van Emma-Jane. 'Tenzij u natuurlijk wilt dat ik deze foto's van agente Boutwood, de heldin van Brighton, die er nu mensonwaardig bij ligt door jullie enorme incompetentie, naar de *Argus* en welke verdomde krant dan ook stuur.'

'Gsm's zijn hier niet toegestaan. En u hebt het recht niet om foto's te maken.'

'U hebt het recht niet om mijn agente zo te behandelen. En haal nu de ziekenhuismanager erbij. En vlug een beetje!'

78

Een halfuur later werd Emma-Jane Boutwood door een doolhof van gangen naar een veel moderner gedeelte van het ziekenhuis gereden.

Grace wachtte tot de jonge agente was geïnstalleerd in haar zonnige eigen kamer, met uitzicht op het Engelse Kanaal over de daken heen, gaf haar toen de bloemen en ging weg. Hij had de toezegging gekregen van de hoge pief van het ziekenhuis, die hem vanuit zijn ivoren toren had gebeld, dat ze in die kamer kon blijven totdat ze ontslagen werd uit het ziekenhuis.

Hij volgde de aanwijzingen op die hij had gekregen om weer bij de hoofdingang te belanden, bleef voor een lift staan en drukte op de knop. Hij wilde al bijna de trap nemen, omdat er na een tijd wachten nog geen lift was, toen opeens de deuren opengingen. Hij stapte naar binnen en knikte naar een vermoeid uitziende Indiase man die net een hap nam van een mueslireep.

Hij had groene dokterskleding aan, een stethoscoop om zijn hals, en een naamkaartje op waarop DR. RAJ SING, EERSTE HULP stond. Terwijl de deuren dichtgingen, sloeg de warmte op Grace neer; het leek wel een oven. Hij zag dat de dokter hem nieuwsgierig opnam.

'Warm vandaag,' zei Grace beleefd.

'Ja, een beetje te warm,' zei de man met een beschaafd Engels accent, en hij fronste zijn wenkbrauwen. 'Ik wil niet nieuwsgierig zijn, maar u komt me bekend voor. Kennen we elkaar?'

Grace had een uitstekend geheugen voor gezichten, bijna fotografisch soms. Maar deze man kwam hem niet bekend voor. 'Volgens mij niet,' zei hij.

De lift stopte en Grace stapte uit. De dokter liep met hem mee. 'Uw foto stond toch in de *Argus* van vandaag?'

Grace knikte.

'Dat zal het zijn! Ik heb hem net een paar minuten geleden gelezen. Ik zat er zelfs aan te denken om contact met uw team op te nemen.'

Grace, die graag terug wilde naar zijn kantoor om verder te gaan, luister-de maar met een half oor. 'O, ja?'

'Moet u horen, het zal waarschijnlijk niets zijn, maar in de krant stond dat u de mensen opriep om op te letten en als er iets verdachts was dat te melden.'

'Dat klopt.'

'Nou, ik moet natuurlijk voorzichtig zijn met de rechten van de patiënt, maar ik heb hier gisteren een man gezien bij wie ik me behoorlijk slecht op mijn gemak voelde.'

'Hoezo?'

De dokter keek om zich heen in de verlaten gang, keek vastberaden naar een brandkraan, draaide zich toen weer om naar de gesloten liftdeuren. 'Nou, hij gedroeg zich erg grillig. Hij stond te schreeuwen tegen de recep-tioniste, bijvoorbeeld.'

Daar is niets grilligs aan, dacht Grace. Hij was ervan overtuigd dat er hier vaak werd geschreeuwd, en niet voor niets.

'Toen ik hem behandelde,' ging de dokter door, 'was hij erg opgewon-den. Begrijp me niet verkeerd, ik zie genoeg mensen met psychische pro-blemen, maar deze man scheen zich vreselijk druk te maken over iets.'

'Waarom was hij in het ziekenhuis?'

'Hij had een wond op zijn hand die geïnfecteerd was geraakt.'

Opeens was Grace weer helemaal bij de les. 'Hoe was dat gebeurd?'

'Nou, hij zei dat hij hem tussen de deur had gekregen, maar zo zag het er niet naar uit.'

'Tussen de deur?' vroeg Grace, die opeens moest denken aan de verkla-ring die Bishop had gegeven voor zijn verwonding, dat het was gebeurd toen hij in een taxi wilde stappen.

'Ja.'

'En wat vond u ervan?'

'Het leek mij meer een beet. Ik zou zelfs zeggen een beet van een mens. Er zaten namelijk tandafdrukken aan beide kanten van de hand, op de pols, en aan de andere kant, net onder de duim.'

'Als hij hem tussen een deur of een kofferdeksel had gekregen, dan zouden er toch ook afdrukken aan beide kanten zijn?'

'Ja, maar niet met boogjes,' antwoordde de dokter. 'Er waren halvemaans afdrukken zichtbaar, die overeenkwamen met een boven- en ondergebit. En er waren putjes die overeenkwamen met tandafdrukken.'

'Waarom denkt u dat het van een mens was? Kon het niet van een beest geweest zijn? Een grote hond, bijvoorbeeld?'

De dokter kreeg een rood hoofd. 'Ik ben nogal verslaafd aan detectives, met name over de technische recherche, als ik tijd heb, en ik kijk graag naar CSI op tv.' Zijn pieper ging. Hij onderbrak zichzelf om het bericht op het schermpje af te lezen. 'Wat ik me zat te bedenken, was waarom hij het zou ontkennen als het een hondenbeet was. Als het een mensenbeet was, die hij op had gelopen toen hij iemand aanviel, dán kan ik begrijpen dat hij het wil ontkennen. En toen ik het vreselijke nieuws zag op tv over die jonge vrouw die vermoord was, viel het kwartje.'

Grace glimlachte. 'Volgens mij zou u een goede rechercheur zijn! Maar het is wel een twijfelgeval,' zei Grace. 'Kunt u de man beschrijven?'

'Ja. Hij was ongeveer een meter tachtig lang, erg slank, met vrij lang bruin haar, een zonnebril en een zware baard. Zijn gezicht was nauwelijks goed te zien. Hij had een blauw linnen jasje aan, een crèmekleurig overhemd, spijkerbroek en gympen. Hij zag er een beetje verslonsd uit.'

Grace' hart zonk hem in de schoenen. De beschrijving paste helemaal niet op Bishop, tenzij hij de moeite had genomen zich te vermommen, wat natuurlijk altijd mogelijk was. 'Zou u hem herkennen als u hem weer zag?'

'Zeker weten!'

'Zou deze man misschien door een van uw beveiligingscamera's gefilmd kunnen zijn?'

'Er hangt er eentje in de eerstehulppost, daar moet hij zeker op staan.'

Grace bedankte hem voor de moeite, schreef zijn naam en telefoonnummers op en ging op zoek naar de monitorruimte van het ziekenhuis. Ondertussen bekeek hij op zijn BlackBerry zijn binnengekomen e-mails.

Er was een e-mailtje van Dick Pope, in antwoord op het bericht dat hij hem die ochtend had gestuurd met de foto die hij in München had genomen als bijlage. Hij bleef stokstijf staan toen hij het las.

Roy, dit is niet de vrouw die Lesley en ik vorige week hebben gezien.
We zijn er echt van overtuigd dat het Sandy was. Groetjes, Dick.

79

Het was bijna halfvier toen Nadiuska De Sancha de autopsie had afgerond
en het mortuarium had verlaten, samen met hoofdinspecteur Duigan en de
politierechter.

Door de striemen in de hals van Sophie Harrington en de bloeduitstortingen in haar ogen, was de patholoog geneigd te denken dat de arme jonge
vrouw gewurgd was. Maar ze moest wachten op de uitslag van de bloedtests
en het onderzoek van de maaginhoud alsmede de urinemonsters uit de
blaas van de vrouw om eventueel andere doodsoorzaken uit te sluiten. Doordat er sperma in haar vagina had gezeten, was de mogelijkheid aanwezig dat
ze voor of na haar overlijden was verkracht.

Cleo en Darren hadden nog een hoop werk te doen. Ze moesten nog een
autopsie verrichten op de onbekende vrouw die op het strand was aangespoeld. Bovendien hadden ze nog de gruwelijke taak om de autopsie op het
zesjarige meisje te verrichten dat zaterdag bij een auto-ongeluk was omgekomen. En er lagen nog vier lijken die ze moesten afhandelen, waaronder
dat van een 47-jarige man die hiv-positief was en die ze in de afgesloten
kamer hadden gelegd voor de lijkschouwing.

De ouders van het kleine meisje waren de vorige dag in de loop van de
middag langs geweest. Darren had hen toen opgevangen, en een paar uur
geleden weer, waar Cleo bij aanwezig was geweest. Ze was er nog steeds van
overstuur.

Dr. Nigel Churchman, de plaatselijke patholoog, die de meeste lijkschouwingen verrichte die niet veel onderzoek vergden, zou over een halfuur aankomen. Christopher Ghent, de forensisch tandheelkundige, die zou assisteren bij de identificatie van de onbekende vrouw, zat al in het kantoor
thee te drinken, geïrriteerd omdat hij moest wachten.

Cleo en Darren haalden de vrouw uit de koelkast en trokken het laken van
haar af. De walm van rottend vlees sloeg hen onmiddellijk tegemoet. Ze lieten Ghent alleen zodat hij zijn werk kon doen.

Ghent, een lange, sterke persoonlijkheid van een jaar of 45, met bril en kalend, had om twee redenen een internationale reputatie. Hij had een zeer vooraanstaand boek geschreven over forensische tandheelkunde, om zijn rivaal Robert Dorion die hét naslagwerk op zijn vakgebied, *Bitemark Evidence*, had geschreven te evenaren. Maar hij was bovendien een zeer bedreven vogelaar, en uiterst deskundig wat zeemeeuwen betrof.

Geheel gekleed in de groene ziekenhuisuitrusting, ging Ghent vlug maar zorgvuldig aan de slag, met op de achtergrond het geluid van Darren, die de ribben kraakte en de schedel openzaagde van de andere lijken die er nog lagen. De sfeer die er hing was bedrukt, zonder de gebruikelijke grapjes die er werden gemaakt. Het lijkje van het kind greep hen veel meer aan dan een moordslachtoffer.

Ghent nam een aantal foto's, normale en met een röntgenapparaat, tekende toen gedetailleerd op hoe elke tand en kies eruitzag en sloot het onderzoek af met een wasafdruk van het boven- en ondergebit. Op verzoek van de politierechter zou hij deze uitgebreide gegevens naar elke tandarts in de buurt van Brighton & Hove sturen. Als dat niets opleverde, zou hij geleidelijk aan de verzendlijst uitbreiden, totdat, als dat noodzakelijk was, iedere tandarts in Engeland op de hoogte was.

Er was nog geen internationaal opgezet systeem voor het uitwisselen van tandartsgegevens. Als geen enkele tandarts in Engeland het gebit had behandeld en als de DNA-gegevens niets opleverden, dan zou de vrouw uiteindelijk belanden in een gemeentegraf, bekostigd door Brighton & Hove, en niets meer dan een tragische statistiek worden voor het nageslacht.

Nigel Churchman had onlangs uitgerekend dat hij de afgelopen vijftien jaar meer dan zevenduizend lijkschouwingen in dit mortuarium had gedaan. Toch benaderde hij elk lijk met een bijna jongensachtig enthousiasme alsof het zijn eerste was. Hij hield oprecht van zijn werk, en geloofde dat iedereen die hij onder ogen kreeg, het beste van het beste verdiende.

Hij was een knappe, sportieve man, dol op raceauto's, met een jongensachtig gezicht – momenteel bijna niet te zien door het groene mondkapje terwijl hij de onbekende vrouw bestudeerde – waardoor hij er veel jonger uitzag dan zijn 49 jaar.

Hij verjaagde wat aasvliegen die om haar hersens vlogen die op een metalen blaadje lagen boven haar geopende borstholte, en toog aan het werk. Hij sneed de hersens voorzichtig met een lang mes open, op zoek naar zaken als kogels, of letsel door een mes, of bloeduitstortingen die aan zouden kunnen geven dat ze door een zware klap was gedood. Maar de hersens zagen er gezond en onbeschadigd uit.

Haar ogen, die bijna helemaal waren weggevreten, gaven geen informatie prijs. Haar hart zag er sterk uit, wat hoorde bij een sportief mens, zonder dichtgeslibde aderen. Hij kon nog niet zo goed haar leeftijd schatten. Afgaande op de conditie en de kleur van haar tanden, haar algehele toestand, hoe haar borsten eruitzagen, die ook gedeeltelijk waren verdwenen, dacht hij dat ze tussen de vijfentwintig en begin veertig zou zijn.

Darren liep met het hart naar de weegschaal en tekende het gewicht op in een kolom. Churchman knikte; het gewicht klopte. Hij ging aan de slag met de longen, sneed ze los en tilde ze druipend en wel met gehandschoende handen op het onderzoeksblaadje.

Na een paar minuten draaide hij zich om naar Cleo. 'Dat is interessant,' zei hij. 'Ze is niet verdronken. Er zit geen water in haar longen.'

'Dus?' vroeg Cleo. Dat was een stomme vraag. Doordat ze met de ouders van het overleden meisje had gepraat, door de kater, de werkdruk en haar zorgen om de geest van Sandy die over haar relatie met Roy Grace hing, had ze die gesteld zonder erover na te denken. Natuurlijk wist ze wat het betekende, dat wist ze precies.

'Ze was al overleden voordat ze in de zee terechtkwam. Ik moet deze lijkschouwing helaas afbreken. Je zult de politierechter ervan op de hoogte moeten stellen.'

Een van de andere pathologen – waarschijnlijk Nadiuska De Sancha weer – zou de autopsie over moeten nemen. De onbekende vrouw had inmiddels de status van 'sterfgeval onder verdachte omstandigheden' gekregen.

80

Roy Grace wilde nooit meer op een warme dag samen met Norman Potting in een kleine ruimte opgesloten zitten. Ze zaten naast elkaar voor een monitor in het hokje dat zich naast de getuigenverhoorkamer bevond. De zon scheen op de gesloten jaloezieën van het raam en de airconditioning werkte voor geen meter. Grace zweette uit alle poriën. Potting, die een wit overhemd met korte mouwen aanhad, had grote natte plekken onder zijn oksels en stonk naar een paar oude sokken.

Daar kwam nog bij dat de rechercheur iets had gegeten met veel knoflook en zijn adem rook er dan ook naar. Grace viste een kauwgummetje uit zijn jasje, dat over zijn stoel hing, en bood het Potting aan, in de hoop dat hij zo verlost zou zijn van zijn slechte adem.

'Gebruik ik nooit, Roy,' zei hij. 'Maar bedankt. Mijn vullingen komen er door los.' Hij zat met de knoppen te spelen en spoelde een band terug. Grace keek naar de monitor waarop Potting, Zafferone en nog iemand versneld achteruit de kamer uit liepen. Potting stopte de band en speelde hem toen weer af, zodat de drie mannen dit keer door de deur naar binnen kwamen. 'Sta je al op MySpace, Roy?' vroeg hij opeens.

'Op MySpace? Daar ben ik toch wel een beetje te oud voor.'

Potting schudde zijn hoofd. 'Dat is voor alle leeftijden. Maar goed, Li is pas 24. We staan er allebei op, als Norma-Li. Snap je 'm? Ze heeft al drie Thaise vrienden in Engeland, eentje in Brighton. Goed, hè?'

'Zeg dat wel,' zei Grace, die meer bezig was Pottings adem te vermijden dan dat hij luisterde.

'Maar ik kan je wel vertellen,' zei Potting grijnzend, 'dat er heel wat geile stukken op zitten. Zo!'

'Ik dacht dat je gelukkig getrouwd was met je nieuwe vrouw.'

Heel even zag Potting er oprecht gelukkig uit, met een tevreden uitdrukking op zijn mopsgezicht. 'Ze is me er eentje, Roy! Ze heeft me heel wat nieuwe trucjes geleerd. Godsamme! Heb je wel eens een oosterse vrouw gehad?'

Grace schudde zijn hoofd. 'Ik geloof je graag.' Hij concentreerde zich op de beelden. Wilde niet aan Sandy denken maar aan zijn werk. Er rustte een gigantische verantwoordelijkheid op zijn schouders en de manier waarop hij de komende dagen het een en ander zou afhandelen, zou bepalend zijn voor de rest van zijn carrière. Hij was zich ervan bewust, door het belang van de zaak, dat niet alleen Alison Vospers kritische blik op hem gericht zou zijn.

Op het beeld liet een lange, magere man zich op een van de drie rode stoelen in de getuigenverhoorkamer zakken. Hij had een opmerkelijk gezicht, eerder interessant dan knap, met warrig ongekamd haar en een grote baard. Hij droeg een wijd hawaïhemd dat openhing, een blauwe spijkerbroek en leren sandalen. Hij was bleek, alsof hij bijna de hele zomer binnen had gezeten.

'Is dit Katie Bishops minnaar?' vroeg Grace.

'Ja,' antwoordde Potting. 'Barty Chancellor.'

'Rare naam,' zei Grace.

'Rare zak,' zei Potting, en hij zette het geluid harder.

Grace keek naar het verhoor, waarbij beide rechercheurs regelmatig aantekeningen maakten in hun notitieboekje. Ondanks zijn eigenaardige uiterlijk sprak Chanchellor met een zelfverzekerd kostschoolaccent. Zijn lichaamstaal was ontspannen en zeker, de enige aanwijzing dat hij zenuwachtig was, was dat hij af en toe aan de zelfgemaakte armband om zijn pols zat.

'Heeft mevrouw Bishop het met u wel eens over haar man gehad, meneer Chancellor?' vroeg Norman Potting hem.

'Ja, natuurlijk.'

'Vond u dat lekker?' vroeg Zafferone.

Grace glimlachte. De jonge, arrogante politieagent deed precies waar hij op had gehoopt: Chancellor opnaaien.

'Hoe bedoelt u?' vroeg Chancellor.

Zafferone bleef hem aankijken. 'Wond het feit dat u met een vrouw naar bed ging die haar man bedroog u op?'

'Ik wil u graag helpen met uw onderzoek naar de moordenaar van mijn lieve Katie. Ik vind die vraag niet relevant.'

'Dat maken wij wel uit, meneer,' zei Zafferone ijskoud.

'Ik ben hier uit eigen vrije wil,' zei Chancellor, die zich duidelijk zat op te winden, met harde stem. 'Ik ben niet van uw toon gediend.'

'Ik snap best dat u erg van streek bent, meneer Chancellor,' zei Norman Potting beleefd, de klassieke vriendelijke agent spelend tegenover Zafferones onvriendelijke rol. 'Ik kan me enigszins voorstellen hoe u zich voelt. Maar het zou ons een eind op weg helpen als u ons wat meer kunt vertellen over de relatie tussen meneer en mevrouw Bishop.'

Chancellor zat even met zijn armband te spelen. 'De man was een beest,' zei hij opeens.

'In welk opzicht?' vroeg Potting.

'Sloeg hij mevrouw Bishop?' vroeg Zafferone. 'Was hij gewelddadig?'

'Niet fysiek, maar mentaal. Hij had altijd wat op haar te vitten: hoe ze eruitzag, hoe ze het huishouden deed... Hij was nogal fanatiek. En hij was ongelooflijk jaloers, daarom was ze ook zo voorzichtig. En...' Hij was even stil, alsof hij met zichzelf zat te overleggen of hij wel door moest gaan. 'Nou ja, ik weet niet of dit belangrijk is, maar hij was behoorlijk pervers, vertelde ze me.'

'Hoe dan?' vroeg Potting.

'Seksueel. Hij hield van bondage. Fetisjisme.'

'Wat voor soort?'

'Leer, rubber, dat soort dingen.'

'Heeft ze u dat verteld?' vroeg Zafferone.

'Ja.'

'Raakte u daar opgewonden van?'

'Wat is dat godverdomme voor vraag!' viel Chancellor naar hem uit.

'Vond u het lekker als Katie u dit soort dingen vertelde?'

'Ik ben geen vieze perverseling, als u dat soms wilt weten,' antwoordde hij.

'Meneer Chancellor,' zei Norman Potting, weer als vriendelijke politie-agent. 'Heeft mevrouw Bishop het wel eens over een gasmasker gehad?'

'Wat?'

'Gebruikte meneer Bishop ook wel eens een gasmasker zover u weet?'

De kunstenaar dacht even na. 'Ik geloof niet... nee... Daar heeft ze het nooit over gehad.'

'Weet u dat zeker?' vroeg Zafferone.

'Zoiets zou ik toch nog niet vergeten, dacht ik zo.'

'U was toch ook vergeten dat ze getrouwd was,' merkte Zafferone venij-nig op.

'Volgens mij moet ik er maar eens een advocaat bij halen,' zei Chancellor. 'U gaat veel te ver.'

'Hebt u mevrouw Bishop vermoord?' vroeg Zafferone rustig.

Chancellor zag eruit alsof hij zou ontploffen. 'Wát?'

'Ik vroeg of u mevrouw Bishop hebt vermoord.'

'Ik hield van haar, we zouden de rest van ons leven samen doorbrengen, waarom zou ik haar in hemelsnaam vermoorden?'

'U zei net dat u uw advocaat erbij wilde hebben,' ging Zafferone door, zich vastbijtend als een rottweiler. 'Mijn ervaring is dat mensen alleen een advocaat erbij willen hebben als ze schuldig zijn.'

'Ik hield ontzettend veel van haar. Ik...' Zijn stem brak. Hij boog opeens voorover, stopte zijn gezicht in zijn handen en barstte in snikken uit.

Potting en Zafferone keken elkaar even aan en wachtten. Na een tijdje kwam Barty Chancellor weer overeind en vermande hij zichzelf. 'Het spijt me.'

Toen stelde Zafferone de vraag waar Grace de hele tijd al op had zitten wachten. 'Wist meneer Bishop van uw relatie af?'

'Beslist niet.'

Norman Potting bemoeide zich er weer mee. 'Meneer Bishop is toch zeker een intelligente man. Mevrouw Bishop en u hadden een relatie die al meer dan een jaar duurde. Denkt u nu echt dat hij er niets vanaf wist?'

'We waren heel erg voorzichtig, en trouwens, hij zat toch altijd in Londen.'

'Misschien wist hij ervan, maar zei hij niets,' stelde Zafferone voor.

'Zou kunnen,' beaamde Chancellor met tegenzin. 'Maar dat denk ik niet. Katie was ervan overtuigd dat hij er niets vanaf wist.'

Zafferone bladerde in zijn notitieboekje. 'U hebt gezegd dat u geen alibi hebt voor de periode tussen het moment dat mevrouw Bishop bij u wegging en de geschatte tijd, ongeveer een uur later, dat ze werd vermoord.'

'Dat klopt.'

'U was in slaap gevallen.'

'Het was al bijna middernacht. We hadden gevrijd. Maar misschien hebt u nog nooit met iemand gevrijd? Als u het ooit zou doen, dan zou u merken dat je erna slaperig bent.' Hij keek Zafferone minachtend aan.

Grace maakte in gedachten aantekeningen. De relatie had langer dan een jaar geduurd. Een halfjaar geleden had Brian Bishop een leveringsverzekering voor drie miljoen pond afgesloten op zijn vrouw. Hij had een gewelddadig verleden. Stel dat hij achter de relatie gekomen was?

Chancellor had gezegd dat hij en Katie de rest van hun leven samen wilden doorbrengen. Dit was niet zomaar een affaire. Misschien kon Bishop de gedachte dat hij zijn vrouw kwijt zou raken niet verdragen.

Het klopte allemaal. De man had een reden.

Misschien had hij dit al maanden geleden helemaal uitgedokterd. Het perfecte alibi in Londen, uitgezonderd een kleine vergissing waar hij zich niet van bewust was: de foto van zijn auto die door de beveiligingscamera bij Gatwick was genomen.

Grace keek naar de rest van het verhoor, Zafferone die Chancellor hoe langer hoe meer op zat te naaien. Zeker, deze kunstenaar was een mogelijke verdachte. Hij was duidelijk smoorverliefd op de vrouw geweest. Genoeg om haar te vermoorden als ze het uit had willen maken? Zou kunnen. Was hij slim genoeg om haar te vermoorden en het zo eruit te laten zien dat het leek alsof haar man het had gedaan? Ook dat was mogelijk. Maar voorlopig leek de bewijslast tegen Brian Bishop steeds toe te nemen.

Hij keek op zijn horloge. Het was kwart over vijf. Hij had de band van de beveiligingscamera in het Royal Sussex County Hospital, met daarop de man die in de eerstehulpafdeling zat te wachten, linea recta aan een beeld-specialist van de technische recherche gegeven om het beeld te verscherpen en te vergroten. Hij kon nog even snel naar hem toe gaan om te zien hoe het ermee stond voordat hij een vergadering met Kim Murphy en Brendan Duigan had om zich voor te bereiden op de gezamenlijke briefing van half-zeven.

Op de korrelige band uit het ziekenhuis was het moeilijk te zien hoe de man eruitzag omdat zijn gezicht verstopt zat achter zijn lange haar, de zonne-bril, snor en baard. Met de technologie die ze tot hun beschikking had-den, konden ze het beeld beduidend scherper maken. Toen hij de gang op liep, ging zijn telefoon. Het was rechercheur Bella Moy, die met haar mond vol chocola opgewonden vertelde dat de uitslag van de DNA-tests binnen was.

Toen ze hem vertelde wat de uitslag was, stak hij triomfantelijk zijn vuist in de lucht.

81

Er zat geen airconditioner in het kantoor van Robert Vernon, dat gelegen was op de eerste etage van een mooi Queen Anne-huis in Brighton's Lanes, met uitzicht – door een smal straatje met huizen met vuurstenen muren – op de kust. Door het open raam klonk de herrie van een drilboor en die verer-gerde de hoofdpijn waarmee Brian Bishop die ochtend wakker was gewor-den, na de zoveelste praktisch slapeloze nacht.

Het was een mooi, licht kantoor, met planken aan de muur vol met lijvi-ge wetboeken en archiefkasten. Twee prachtige oude etsen van het oude Brighton hingen aan de pastelblauwe muren, een van de pier en de andere van de Old Steine. Stapeltjes brieven lagen op het bureau en op de grond.

'Let maar niet op de rotzooi, Brian,' zei Vernon, even hoffelijk als altijd. 'Ik ben vanochtend teruggekomen van vakantie, dus ik weet nog niet waar ik mee moet beginnen!'

'Ik vraag me wel eens af of het wel de moeite is om op vakantie te gaan,' zei Bishop, 'gezien de hoeveelheid papieren die je weg moet werken voordat je weg kunt, en alles wat op je ligt te wachten als je terug bent.'

Hij roerde een paar keer in het tere porseleinen theekopje terwijl hij naar de ingelijste foto van Vernons vrouw Trish keek, die op de vensterbank naast het bureau stond. Ze was aantrekkelijk en blond, en stond in golfkleding bij een tee te poseren. Ernaast stond nog een zilveren lijstje met drie ovale openingen erin waarin foto's zaten van Vernons drie jonge kinderen. Oude foto's, besefte Bishop, want ze waren inmiddels al tieners. Vernon had het maar mooi voor elkaar, bedacht hij opeens verbitterd. Hij had zijn gezin nog. Hij had zijn hele leven nog. Met wat voor problemen zijn cliënten ook binnenkwamen. Hij zou de zaak bestuderen, advies geven en ze weer met hun problemen de deur uit zien stappen, waarna hij in zijn Lexus zou springen en naar de golfbaan zou rijden met een zonnige glimlach op zijn gezicht.

De man, die tegen de 65 liep, was elegant, hoffelijk en charmant. Zijn zilvergrijze haar zat altijd netjes, zijn kleding was keurig en klassiek, en hij kwam wijs en betrouwbaar over. Hij was altijd al Bishops advocaat geweest, had hij het gevoel. Ze hadden alles geregeld na het overlijden van Bishops vader en vervolgens nadat zijn moeder was heengegaan. Brian Bishop was naar Vernon toe gegaan toen hij iets ontdekte wat hij nooit had geweten, terwijl hij zo'n vijf jaar geleden door zijn moeders papieren ging in haar bureau op haar slaapkamer vlak na haar overlijden. Hij was geadopteerd.

Vernon had hem geadviseerd niet op zoek te gaan naar zijn echte ouders. Bishop had een heerlijke jeugd gehad, zei Vernon. Zijn adoptiefouders, die te oud waren getrouwd om zelf nog kinderen te kunnen krijgen, hadden hem vertroeteld en verwend tot en met, evenals zijn zusje, dat twee jaar later erbij was gekomen, maar die tragisch genoeg op dertienjarige leeftijd was overleden aan hersenvliesontsteking.

Ze waren rijk geweest en hij was opgegroeid in een mooi, vrijstaand huis met uitzicht op de speelweiden van Hove. Ze hadden hem naar een eigenlijk te dure kostschool gestuurd, hem meegenomen op vakantie naar het buitenland, en een klein autootje voor hem gekocht toen hij slaagde voor zijn rijexamen. Bishop had erg veel van hen gehouden, en ook van hun familieleden. Hij was zeer aangedaan geweest toen zijn vader overleed, maar het was nog erger geweest toen zijn moeder stierf. Ook al was hij toen net een paar maanden met Katie getrouwd geweest, toch voelde hij zich opeens vreselijk eenzaam. Helemaal verlaten.

Toen had hij dat document in zijn moeders bureau ontdekt.

Maar Vernon had hem gerustgesteld. Hij had hem erop gewezen dat Bishops ouders het hem niet hadden verteld omdat ze dachten dat het zo beter was voor hem. Ze hadden hem liefde en een gevoel van veiligheid willen geven, zodat hij van het heden kon genieten en sterk kon zijn voor de toekomst. Ze waren bang geweest dat als ze het hem hadden verteld, hij in een maalstroom terecht zou komen op zoek naar een verleden dat niet meer bestond, of nog erger, dat heel anders zou zijn dan hij zich voorstelde.

Vernon was het met hem eens geweest dat het een ouderwetse opvatting was, maar dat er toch wel waarheid in school. Het ging Brian voor de wind, hij was zelfverzekerd – in elk geval aan de buitenkant – geslaagd en redelijk tevreden. Natuurlijk zou het emotioneel zeer bevredigend zijn als hij een of beiden van zijn echte ouders zou opsporen, maar het zou ook bijzonder enerverend zijn. Stel dat hij het vreselijke mensen zou vinden? Of dat ze niets van hem wilden weten?

Toch nam het knagende gevoel dat hij meer over zijn achtergrond wilde weten steeds meer toe. En het werd aangewakkerd door de wetenschap dat de kans dat een of beiden van zijn ouders nog zouden leven, steeds kleiner werd.

'Wat erg voor je, Brian, en het spijt me dat ik je niet eerder kon ontvangen. Ik was in de rechtszaal.'

'Natuurlijk, Robert. Het hindert niet. Ik had genoeg dingen die ik moest afhandelen. Zo had ik tenminste iets anders aan mijn hoofd.'

'Het is toch ongelooflijk?'

'Ja.' Brian wist niet goed of hij iets over Sophie Harrington moest zeggen. Hij wilde het dolgraag aan iemand kwijt, maar tegelijkertijd had hij het gevoel dat hij het beter nu nog niet kon vertellen.

'En hoe gaat het? Red je het een beetje?'

'Min of meer.' Bishop glimlachte dunnetjes. 'Ik zit hier zo goed als vast in Brighton. Ik mag pas over een paar dagen naar huis. Van de politie mag ik niet naar Londen, dus ik moet wel hier blijven en gewoon maar zo goed mogelijk doorgaan met mijn werk.'

'Als je een logeerplek nodig hebt, dan kun je zo bij Trish en mij komen, hoor.'

'Nee, bedankt, ik heb al wat.'

'Weet je al wat er is gebeurd? Wie zoiets afschuwelijks heeft gedaan?'

'Door de manier waarop ze mij behandelen, lijkt het of ze ervan overtuigd zijn dat ik het heb gedaan.' De twee mannen keken elkaar even aan.

'Ik ben geen pleitbezorger, Brian, maar ik weet dat de echtgenoten in eerste instantie altijd verdacht zijn in moordzaken.'

'Dat zal wel.'

'Je hoeft je daar echt niet ongerust over te maken. Als ze jou van hun lijst schrappen kunnen ze eindelijk de persoon op gaan sporen die het heeft gedaan. Tussen haakjes, waar zijn de kinderen eigenlijk?' De advocaat stak verontschuldigend zijn hand op. 'Sorry hoor, ik wil me er niet mee bemoeien.'

'Nee, dat maakt niet uit. Max zit met een vriend in Zuid-Frankrijk, Carly logeert bij nichtjes in Canada. Ik heb ze allebei gebeld en gezegd dat ze daar moesten blijven, ze kunnen hier toch niets doen. Volgens de politie duurt het nog wel een maand voordat ik... voordat de patholoog...' Hij struikelde over zijn woorden, overmand door emotie.

'Er zijn helaas nogal een hoop formaliteiten. Bureaucratie. Regeltjes. Dat valt niet mee, als je graag alleen gelaten wilt worden met je verdriet.'

Bishop knikte, trok een zakdoek tevoorschijn en depte zijn ogen ermee.

'Trouwens, wij moeten ook nog wat dingen regelen. Zullen we daar maar mee beginnen?'

'Goed.'

'Ten eerste, wat gebeurt er met Katies spullen, heeft ze een testament nagelaten, voor zover je weet?'

'Er is nog iets heel eigenaardigs. De politie zei dat ik een levensverzekering, ter grootte van drie miljoen pond, had afgesloten op Katie.'

De advocaat liet de telefoon die plotseling was gaan rinkelen gewoon gaan en keek hem aan. 'En dat heb je niet gedaan?'

Godzijdank viel het geluid van de drilboor opeens weg.

'Nee. Zeer zeker niet, ik kan het me althans niet herinneren, en dat zou ik me toch echt wel herinneren.'

Vernon zat even na te denken. 'Heb je niet onlangs een tweede hypotheek op je huis aan Dyke Road Avenue afgesloten? Om geld te verzamelen voor je bedrijf?'

Bishop knikte. 'Ja, dat klopt.'

Zijn zaak liep als een trein, maar ironisch genoeg liep het zelfs te goed, en hadden ze problemen met de cashflow zoals zoveel zaken die explosief groeiden. Toen ze ermee waren begonnen, hadden hij en een kleine groep rijke vrienden het gefinancierd met een betrekkelijk kleine hoeveelheid geld. Om uit te breiden hadden ze veel in de nieuwste techniek, grotere gebouwen en betere IT-mensen moeten investeren. Bishop en zijn vrienden wilden liever zelf het geld bij elkaar krijgen dan aandelen uit te geven en hij had zijn eigen bijdrage geleverd door een tweede hypotheek.

'De bank wil over het algemeen een levensverzekering bij zo'n grote lening, misschien heb je dat wel gedaan.'

De advocaat zou gelijk kunnen hebben, dacht hij. Er stond hem vaag iets van bij. Maar het bedrag klopte niet. En hij kon het niet nakijken in zijn papieren omdat hij verdomme niet in zijn eigen huis mocht.

'Zou kunnen,' zei hij twijfelend. 'En ja, ze heeft een testament nagelaten, een erg kort. Ik ben een van de executeurs-testamentair, samen met David Crouch, mijn accountant. Het ligt thuis.'

'Natuurlijk, dat is ook zo. Ze had wel wat geld, toch? Ze had behoorlijk wat geld gekregen van haar ex na de scheiding. Weet je nog wat er in het testament staat?'

'Jazeker. Ze liet een paar pond na aan haar ouders, maar ze was enig kind en heeft het meeste aan mij nagelaten.'

Robert Vernon kreeg opeens een slecht gevoel erover. Hij fronste heel licht zijn wenkbrauwen. Zo licht dat het Bishop niet opviel.

82

'Het is halfzeven maandagavond,' las Roy Grace hardop voor van zijn aantekeningen. Voor de verandering was hij eens in een opgewekte bui. 'Dit is de tweede gezamenlijke briefing van operatie Kameleon en operatie Mistral.'

De politiecomputer had de naam Mistral willekeurig gegeven aan het onderzoek naar de moord op Sophie Harrington. De vergaderkamer in Sussex House was tot de nok toe vol met politieagenten en ondersteunend personeel die pal naast elkaar om de tafel zaten. Er hing bijna een elektrische lading in de kamer. En zowaar deed de airconditioning het een keer.

Grace ging snel door de inleiding en sloot af met de woorden: 'Er zijn in de loop van de dag een paar dingen naar voren gekomen waar we gelukkig wat aan hebben.' Hij keek naar de lange, jonge vader, hoofdagent Nick Nicholl. 'Wil jij beginnen?'

Nicholl, die zijn jasje uit had gedaan, het bovenste knopje van zijn overhemd open en zijn das los had gemaakt, raadpleegde zijn notitieboekje. 'Ik heb juffrouw Holly Richardson op haar werk, het Regent Public Relations Agency op Trafalgar Street 16 in Brighton, om elf uur vanochtend gesproken. Zij verklaarde dat zij en juffrouw Harrington samen een opleiding tot secretaresse hadden gevolgd en sindsdien bevriend waren. Mevrouw Richardson meldde dat Sophie haar had verteld dat ze al zes maanden een verhouding had met Brian Bishop. Sophie had haar verteld dat Bishop af en toe nogal gewelddadig was geweest, wat haar had afgeschrikt. En hij wilde dat ze steeds sadistischer en perversere seksuele handelingen uitvoerde.'

Hij veegde zijn voorhoofd af en ging door, nadat hij de bladzijde van zijn notitieboekje had omgeslagen. 'Een medewerker van de afdeling Telecommunicatie, Rod Stanley, die zowel de gsm van juffrouw Harrington als die van Brian Bishop is nagegaan, vertelde me dat ze elkaar in het afgelopen halfjaar allebei meerdere keren per dag belden. Het meest recent was een belletje van juffrouw Harrington naar meneer Bishop om negen voor zes op vrijdagmiddag, een paar uur voordat ze werd vermoord.'

Grace bedankte hem en draaide zich naar de gezette Guy Batchelor.

De brigadier vertelde de verzamelde teams over het telefoontje over geld dat Bishop had gepleegd met de investeerders in zijn bedrijf International Rostering Solutions PLC. Hij sloot af met de woorden: 'Hoewel zijn bedrijf aan het uitbreiden is en hij in hoog aanzien staat, zit Bishop tot over zijn nek in de schulden.'

Het was iedereen in de kamer duidelijk wat dat betekende. Maar hij had nog een verrassing in petto: het criminele verleden van Bishop.

Grace hield hen in de gaten. Het effect dat deze mededeling had gehad, was bijna tastbaar.

Vervolgens had hij een verkorte versie geregeld van het verhoor van Norman Potting en Alfonso Zafferone met Barty Chancellor dat op het videoscherm zou worden afgespeeld. Toen dat afgelopen was, vertelde Potting het team dat hij inlichtingen had ingewonnen over de fabrikant en het model gasmasker dat bij de slachtoffers was aangetroffen. De fabrikant was inmiddels bekend, en het wachten was nu op het serienummer en een lijst van alle leveranciers in Engeland.

Toen was hoofdinspecteur Duigan aan de beurt, die doorgaf wat de buurvrouw die tegenover Sophie Harrington had gewoond, had gezien. Ze had Bishop van de foto die in de *Argus* had gestaan, herkend en zou graag aan een Oslo-confrontatie meewerken.

Ten slotte wendde Roy Grace zich tot Bella Moy.

De inspecteur liet een foto zien van de kentekenplaat van Brian Bishops Bentley, waarbij ze vertelde dat die door een camera op donderdagavond om dertien voor twaalf op de M23 richting het zuiden, vlak bij Gatwick, was genomen. Ze wees erop dat hoewel Bishop een alibi in Londen had, zijn auto een halfuur later was gefotografeerd richting Brighton. Dat zou hem tijd genoeg had gegeven om zijn vrouw te vermoorden.

Maar Grace was hier niet erg gerust op, omdat de foto 's nachts was genomen. De kentekenplaat was duidelijk te zien, maar het merk auto niet. Het
was aanvullend bewijs, maar meer ook niet. Een pleitbezorger die maar een
klein beetje verstand had zou er gehakt van maken. Maar het was de moeite
waard om erbij te hebben. Nog iets waarover de jury zou kunnen discussiëren.

Bella voegde toe dat Bishops thuiscomputer momenteel onderzocht werd
door Ray Packham, en dat ze zijn verslag afwachtte. En toen kwam de gena-
deslag.

'We hebben de uitslag van het lab van de DNA-tests van het sperma dat in
de vagina van mevrouw Bishop is aangetroffen,' zei ze nuchter, terwijl ze op
haar papieren keek. 'Er zijn twee verschillende spermatozoa-ejaculaten aanwezig in de monsters die de patholoog had genomen tijdens de autopsie,'
vertelde ze. 'Volgens de patholoog hebben beide ejaculaties in de nacht van
donderdag 3 augustus binnen een paar uur van elkaar plaatsgevonden, te
zien aan de bewegingen van de spermatozoa. Eentje is tot nog toe niet vastgesteld, maar we hebben het vermoeden dat de test zal aantonen dat één
ervan van de minnaar van mevrouw Bishop zal zijn, die heeft toegegeven dat
ze donderdagavond gemeenschap hebben gehad. De andere komt honderd
procent overeen met het DNA dat is afgenomen van Brian Bishop.'

Ze liet het even bezinken. 'Dit betekent natuurlijk, dat ondanks zijn alibi
dat hij in Londen zat, Bishop in Brighton was en gemeenschap had met zijn
vrouw, rond de tijd dat ze werd vermoord.'

Grace wachtte geduldig, terwijl iedereen dat in zich opnam. Hij kon de
spanning voelen in de kamer. 'Jullie hebben het allemaal prima gedaan. We
gaan vanavond Brian Bishop oppakken, op verdenking van moord op zijn
vrouw. Maar ik ben er nog niet zeker van dat hij Sophie Harrington heeft vermoord. Dus ik wil morgen niet in de *Argus* lezen dat we deze moorden hebben opgelost. Is dat duidelijk?'

De stilte die daarop volgde gaf aan dat het voor iedereen heel duidelijk was.

83

Brian Bishop kwam onder de douche van het hotel vandaan, droogde zichzelf af, keek toen in de reistas die Maggie Campbell hem een uur geleden

had gebracht, en waar schone kleren in zaten die zij uit zijn huis had gehaald.

Hij trok een donkerblauw poloshirt en een marineblauwe broek aan. Het windje bracht de geur van een barbecue mee door het open raam. Dat rook lekker, hoewel hij door de spanningen weinig trek had. Hij had spijt dat hij de uitnodiging had aangenomen van Glenn en Barbara Mishon, Katies en zijn beste vrienden, om bij hen te komen eten. Normaal gesproken vond hij het gezellig bij hen en toen Barbara hem had gebeld, had ze hem overgehaald om te komen.

Op dat moment had hij dat een beter vooruitzicht gevonden dan weer een avond in zijn eentje in deze kamer door te brengen met alleen zijn gedachten en een serveerwagentje van de roomservice. Maar door het gesprek met Robert Vernon die middag was hij met zijn neus op de feiten gedrukt en voelde hij zich nu enorm neerslachtig. Tot nog toe was het net alsof het alleen maar een nachtmerrie was geweest. Maar nu drukte de waarheid zwaar op hem. Er was zoveel om over na te denken, veel te veel. Hij wilde eigenlijk gewoon rustig zitten en alles op een rijtje zetten.

Zijn bruine suède schoenen stonden op de grond. Het was te warm om sokken aan te doen, maar het zou te relaxed, te respectloos overkomen naar Katie als hij zich zo nonchalant zou kleden. Dus ging hij op bed zitten en trok hij een lichtblauw stel sokken aan, en vervolgens zijn schoenen. Buiten, in een van de tuinen waar hij op keek, hoorde hij mensen kletsen, een kind gillen, muziek, gelach.

Toen werd er op zijn deur geklopt.

Waarschijnlijk roomservice die alvast zijn bed wilden voorbereiden voor de nacht, dacht hij, terwijl hij opendeed. In plaats daarvan zag hij de twee politieagenten die hem destijds hadden verteld dat Katie was overleden.

De zwarte politieman hield zijn identificatiebewijs op. 'Rechercheur Branson en hoofdagent Nicholl. Mogen we even binnenkomen, meneer?'

Bishop vertrouwde de uitdrukking op hun gezicht niet. 'Ja, natuurlijk,' zei hij, terwijl hij een stap achteruit deed en de deur openhield. 'Is er nieuws?'

'Brian Desmond Bishop,' zei Branson, 'er is bepaald bewijs aan het licht gekomen, met als gevolg dat we u arresteren op verdenking van de moord op mevrouw Katherine Bishop. U hoeft niets te zeggen, maar het zal tegen u kunnen werken als u tijdens het verhoor dingen achterhoudt die u in de rechtbank aan wilt voeren. Alles wat u zegt, kan als bewijs worden gebruikt. Is dat duidelijk?'

Bishop reageerde even niet. Toen zei hij: 'Dat meent u toch zeker niet?'

'Mijn collega, hoofdagent Nicholl, gaat u nu even fouilleren.'

Bishop stak automatisch zijn armen omhoog zodat Nicholl aan de slag kon. 'Het... het spijt me,' zei Bishop toen, 'maar ik wil mijn advocaat bellen.'

'Dat kan helaas nu niet, meneer. U krijgt de kans als we in het huis van bewaring zijn.'

'Ik heb het recht om...'

Branson stak zijn grote handen in de lucht. 'Meneer, we weten wat uw rechten zijn.' Hij liet zijn handen weer zakken en pakte een stel handboeien van zijn riem. 'Wilt u even uw handen op uw rug doen?'

Het beetje kleur dat Bishop nog op zijn wangen had, trok helemaal weg. 'U gaat me toch geen handboeien om doen! Ik ga er heus niet vandoor. Dit is allemaal een misverstand. Er klopt niets van. Ik kan dit oplossen.'

'Op uw rug graag, meneer.'

Volkomen in paniek, keek Bishop rond in de kamer. 'Ik heb wat spullen nodig. Mijn jasje... portefeuille... ik... Mag ik even mijn jasje aantrekken dan?'

'Waar is uw jasje?' vroeg Nicholl.

Bishop wees naar de gangkast. 'Het camelkleurige.' Toen wees hij naar zijn gsm en BlackBerry, die op het nachtkastje lagen. Nicholl klopte op het jasje, en Bishop mocht het toen van Branson aantrekken, en zijn portefeuille, de gsm, de BlackBerry en een leesbril erin proppen. Toen vroeg Branson hem weer of hij zijn handen op zijn rug wilde doen.

'Moet dit echt?' smeekte Bishop. 'Dat is zo gênant. We lopen straks door het hotel.'

'We hebben met de manager geregeld dat we een brandtrap kunnen gebruiken aan de zijkant. Is uw hand in orde, meneer?' vroeg Branson, die een van de handboeien dichtklikte.

'Nee, anders zat er verdomme geen pleister op, natuurlijk,' viel Bishop uit. Hij keek nog steeds de kamer rond en zei opeens paniekerig: 'Mijn laptop?'

'Die wordt helaas in beslag genomen, meneer.'

Nick Nicholl pakte de sleutels van Bishops auto. 'Staat uw auto op het parkeerterrein, meneer Bishop?'

'Ja. Ja, inderdaad. Ik zou die kunnen nemen, jullie kunnen met me mee komen.'

'Die zal ook in beslag worden genomen, om doorzocht te worden,' zei Branson.

'Dit is toch niet te geloven,' zei Bishop. 'Dit is toch verdomme niet te geloven!'

Maar geen van de mannen had medelijden met hem. Ze stonden nu heel anders tegenover hem dan toen ze op vrijdagochtend het slechte nieuws aan hem hadden gegeven.

'Ik moet even mijn vrienden afbellen, ik zou vanavond bij hen eten.'

'Een medewerker van het huis van bewaring belt ze wel voor u af.'

'Ja, maar ze gaan speciaal voor mij koken.' Hij wees naar de telefoon van het hotel. 'Mag ik ze alstublieft even bellen? Het duurt maar een halve minuut.'

'Het spijt me,' zei Branson, zichzelf herhalend als een robot. 'Een medewerker van het huis van bewaring belt ze wel voor u af.'

En opeens sloeg de schrik Brian Bishop om het hart.

84

Bishop zat naast hoofdagent Nicholl achter in de grijze Vectra. Het was even na acht uur en het was nog behoorlijk licht buiten.

De stad gleed langs, als een stomme film geprojecteerd op de ramen van de auto, en leek helemaal niet op de stad die hij zijn hele leven al kende. Het was net alsof hij de straten, huizen, winkels, bomen, parken waar ze voorbij kwamen, voor het eerst zag. Geen van de politiemannen zei iets. De stilte werd alleen af en toe onderbroken door gekraak en de stem van de telefonist over de mobilofoon. Hij had het gevoel dat hij een vreemdeling was, die naar een parallel universum keek waar hij niet thuishoorde.

Opeens remden ze af en draaiden ze naar een stevig groen stalen hek dat langzaam opengleed. Rechts stond een hek met spitse punten erop en verderop een saai stenen gebouw.

Ze stopten naast een blauw bordje met witte letters waarop BRIGHTON HUIS VAN BEWARING stond totdat het hek wijd genoeg openstond om erdoor te kunnen. Ze reden een steile helling op, langs de achterkant van het bakstenen gebouw waar allemaal uitlaadperrons waren, als bij een fabriek, en draaiden naar links, zo'n ruimte in. Het werd onmiddellijk donker in de auto. Bishop zag een gesloten groene deur rechts voor hen, met een klein raampje erin.

Rechercheur Branson zette de motor af en stapte uit. Het zwakke interieurlampje ging aan, maar daar werd het duister in de auto nauwelijks minder van. Hij maakte het achterportier open en gebaarde naar Bishop dat hij uit moest stappen.

Bishop, met zijn handen geboeid op zijn rug, schuifelde moeizaam naar het portier toe, zwaaide zijn benen uit de auto en op de betonnen vloer. Branson pakte zijn arm om hem overeind te helpen. Even later gleed de groene deur open en werd Bishop een krappe, volkomen lege kamer ingeduwd, van zo'n 4,5 bij 2,5 meter, en achterin nog een groene deur, met een raampje.

Er stond een harde, lange bank in en verder geen meubilair.

'Gaat u zitten,' zei Glenn Branson.

'Ik blijf liever staan,' zei Bishop recalcitrant.

'Het kan wel even duren.'

Bishops gsm ging over. Hij worstelde even, alsof hij vergeten was dat zijn handen geboeid waren. 'Kunt u die even voor me opnemen?'

'Dat mag helaas niet, meneer,' zei hoofdagent Nicholl terwijl hij de telefoon uit Bishops zak haalde en de oproep wegdrukte. De jonge agent bekeek de gsm even, zette hem toen uit en stopte het toestel weer in Bishops zak.

Brian Bishop keek naar het geplastificeerde bordje dat met vier stukken plakband aan de muur was gehangen. Er stond op, in blauwe letters: MINISTERIE VAN JUSTITIE. Daaronder:

IEDEREEN DIE AANGEHOUDEN IS ZAL
ZORGVULDIG GEFOUILLEERD WORDEN DOOR DE BEWAKER.
ALS U VERBODEN SPULLEN IN UW BEZIT HEBT,
KUNT U DAT BETER DIRECT AAN DE POLITIEAGENTEN MELDEN.

Hij las ook het bordje dat boven de groene deur hing:

HET GEBRUIK VAN GSM'S IS VERBODEN

Op een ander bordje stond:

U BENT IN HECHTENIS GENOMEN, UW VINGERAFDRUKKEN
ZULLEN WORDEN GENOMEN, ALSMEDE EEN FOTO,
EN DNA ZAL WORDEN AFGENOMEN.

De twee agenten gingen zitten. Bishop bleef staan. Hij was ziedend. Maar, zei hij tegen zichzelf, hij had te maken met twee robots. Hij had er niets aan als hij in woede uit zou barsten. Hij moest het voorlopig maar gewoon ondergaan. 'Kunt u zeggen wat er aan de hand is?' vroeg hij hun beiden. Maar net toen hij het vroeg ging de deur open. Branson liep ernaartoe en hoofdagent Nicholl gebaarde Bishop dat hij mee moest lopen. 'Deze kant op, meneer.'

Bishop liep een grote, ronde kamer in, waarin een soort verhoogde balie stond, als de brug in Star Trek, dacht hij, verrast door het moderne uiterlijk. Het was gemaakt van glimmend, gespikkeld grijs spul dat hem deed denken aan het granieten werkvlak dat Katie had uitgezocht voor hun waanzinnig dure keuken. Een paar mannen en vrouwen, sommigen van hen politie-agenten, en sommigen ondersteunend personeel, allen gekleed in hetzelfde witte overhemd met zwarte epauletten, zaten ieder aan een werkplek rond-om de balie. In de muren van de felverlichte ruimte zaten zware groene deu-ren, met raampjes die uitkeken op de wachtkamer.

Er werd rustig en ordelijk gewerkt. Bishop zag dat de balie uitlopers had naar elke werkplek, zodat er een ruimte met wat privacy werd gecreëerd. Een knul met een kaalgeschoren hoofd, in wijde kleren en onder de tatoeages, stond verslagen tussen twee politieagenten in uniform bij een van de werk-plekken. Het was allemaal erg onwerkelijk.

Toen werd hij begeleid naar de ruimte in het midden, geheel bekleed met marmer, waar een balie in stond die tot aan zijn nek kwam. Erachter zat een dikke man met stekeltjeshaar. Veiligheidsdienst, en zijn zwarte das was ver-sierd met een gouden speld van het Engelse rugbyteam die Bishop, als aan-deelhouder in Twickenham, meteen herkende.

Op het blauwe scherm van een monitor die midden in de balie zat, net onder zijn blikveld, las Bishop:

BRIGHTON AFDELING GEDETINEERDEN
HOU MISDADEN UIT HET VERLEDEN NIET ACHTER.
DE AGENT ZAL HET MET U HEBBEN OVER ANDERE MISDADEN
DIE U HEBT BEGAAN.

Branson gaf de wachtmeester een verslag van Bishops arrestatie. Daarna keek de man met de korte mouwen vanaf zijn verhoogde positie op Bishop neer en zei met rustige stem: 'Meneer Bishop, ik ben de wachtmeester. U hebt gehoord wat er net is gezegd. Uw arrestatie is rechtsgeldig en terecht. Ik geef toestemming voor uw inhechtenisname om uw getuigenis veilig te stellen en dat u wat betreft de aantijging, kunt worden verhoord.'

Bishop knikte, hij wist even niet wat hij moest zeggen.

De wachtmeester overhandigde hem een opgevouwen geel A4'tje, waarop stond SUSSEX POLICE, UW RECHTEN EN AANSPRAKEN.

'Alstublieft, meneer. U hebt het recht iemand over uw arrestatie in te lichten en uw advocaat erbij te halen. Wilt u een pro-Deoadvocaat, of hebt u er zelf een?'

'Kunt u de heer Glenn Mishon voor me bellen en hem vertellen dat ik vanavond niet kan komen eten?'

'Hebt u zijn nummer?'

Bishop gaf het door. Toen zei hij: 'Ik zou graag mijn eigen advocaat, Robert Vernon van Ellis, Cherril and Ansell willen spreken.'

'Ik zal hem voor u bellen,' zei de wachtcommandant. 'Bij dezen geef ik de agent die u gearresteerd heeft, rechercheur Branson, toestemming om u te fouilleren.' De bewaker haalde vervolgens twee groene plastic bakjes tevoorschijn.

Tot zijn afschuw zag Bishop dat rechercheur Branson een paar wegwerphandschoenen aantrok. Branson begon bij zijn hoofd en klopte toen op zijn kleding. De rechercheur haalde Bishops leesbril uit zijn borstzak en legde die in een bakje.

'Hé, die heb ik nodig, ik kan niet lezen zonder bril!' zei Bishop.

'Het spijt me, meneer,' zei Branson. 'Ik moet ze voor uw eigen veiligheid van u afnemen.'

'Doe niet zo belachelijk!'

'Het is mogelijk dat de wachtmeester u na verloop van tijd de bril teruggeeft, maar voorlopig bewaart hij al uw bezittingen,' zei Branson.

'Doe verdomme niet zo stom! Ik ga mezelf echt niet om zeep helpen! En hoe kan ik verdomme deze formulieren lezen zonder bril?' vroeg hij, terwijl hij met het A4'tje onder Bransons neus wapperde.

'Als u moeite met lezen hebt, zal ik iemand regelen die het voor u kan lezen, meneer.'

'Doe me een lol, wees een beetje redelijk!'

Branson legde Bishops smeekbeden naast zich neer en nam diens hotelsleutel, portefeuille, gsm en BlackBerry af, en legde ze allemaal in een bakje. De wachtmeester registreerde het allemaal, telde het geld dat in de portefeuille zat en schreef dat apart op.

Branson verwijderde Bishops trouwring, zijn Marc Jacobs-horloge en een koperen armband om zijn rechterpols, en legde die ook in een bakje.

Toen gaf de wachtmeester Bishop een formulier waar diens bezittingen op stonden vermeld, en een pen om te ondertekenen.

'Moet je horen,' zei Bishop, die met grote tegenzin ondertekende, 'ik wil jullie graag helpen met jullie onderzoek. Maar dit is belachelijk. U moet me de spullen laten houden die ik nodig heb voor mijn werk. Ik moet toch kunnen e-mailen en bellen en lezen!'

Glenn Branson besteedde geen aandacht aan hem en zei tegen de wachtmeester: 'Gezien de ernst van de aanklacht, wil ik ook de kleding van de man.'

'Daar geef ik toestemming voor,' zei de wachtmeester.

'Wel godverdomme!' schreeuwde Bishop. 'Wat ben je...'

Terwijl ze hem aan weerskanten aan zijn armen vasthielden, begeleidden Branson en Nicholl hem bij de balie vandaan door een donkergroene deur. Ze liepen een oplopende vloer op, met gebroken witte muren en een rode streep links over de hele muur, langs een geel bord waar een gevarendriehoek op stond met een vallend figuurtje en in grote letters GLADDE VLOER. Toen sloegen ze een hoek om en kwamen uit in de gang met de cellen.

Zodra hij de cellen zag, raakte Bishop in paniek. 'Ik... ik heb claustrofobie, ik...'

'Er zal iemand zijn die u 24 uur per dag in de gaten houdt, meneer,' zei Nick Nicholl vriendelijk.

Ze deden een stap opzij om een vrouw door te laten met een karretje vol met beduimelde paperbacks en bleven toen staan voor een celdeur die gedeeltelijk openstond.

Glenn Branson duwde hem verder open en liep naar binnen. Nicholl, die Bishops arm stevig vast had, liep achter hem aan.

Wat Bishop meteen opmerkte toen hij naar binnen liep, was de penetrante, misselijkmakende lucht van ontsmettingsmiddel. Hij keek verbijsterd rond in de kleine, ovale kamer. Keek naar de crèmekleurige muren, de bruine vloer, dezelfde soort harde bank die in de wachtruimte had gestaan, met dezelfde nepgranieten bovenkant als bij de balie erbuiten, en een dunne blauwe matras daarbovenop. Hij keek naar het kleine getraliede raampje waar je niets door zag, de doorkijkspiegel die buiten bereik aan het plafond hing, schuin naar de deur, en de bewakingscamera, ook buiten bereik, die op hem gericht was alsof hij meedeed aan *Big Brother*.

Er was een modern uitziende wc, met ook nepgraniet op de bril en een spoelknop op de muur, en een verrassend moderne wastafel, ook al uit hetzelfde gespikkelde materiaal. Hij zag een intercomspeaker met twee knoppen, een ventilatiegat met een rooster erover en het glazen luikje in de deur.

Jezus christus. Hij kreeg een brok in zijn keel.

Hoofdagent Nicholl had een bundeltje in zijn handen dat hij openvouwde. Bishop zag dat het een blauwe papieren overall was. Een jonge man van in de twintig, gekleed in een wit overhemd met het embleem van de beveiligingsdienst erop en een zwarte broek, kwam naar de deur met een stel bruine bewijszakjes die hij aan rechercheur Branson gaf. Toen sloot Branson de celdeur.

'Meneer Bishop,' zei hij, 'zou u al uw kleren, dus ook uw sokken en ondergoed, uit willen trekken?'

'Ik wil mijn advocaat spreken.'

'Hij wordt gebeld.' Hij wees naar de speaker. 'Zodra de wachtmeester hem te pakken heeft, verbindt hij hem door.'

Bishop kleedde zich uit. Nicholl stopte alles in een aparte bewijszak, zelfs zijn sokken kregen elk een eigen zak. Toen hij helemaal naakt was, gaf Branson hem de papieren overall en een paar zwarte gympen.

Hij had net de overall helemaal dichtgeknoopt, toen de intercom begon te kraken en hij de rustige, zelfverzekerde, maar bezorgde stem van Robert Vernon hoorde.

Opgelucht en beschaamd tegelijk liep Bishop op zijn blote voeten naar de intercom toe. 'Robert?' zei hij. 'Fijn dat je terugbelt. Hartstikke bedankt.'

'Hoe gaat het?' vroeg de advocaat.

'Slecht.'

'Hoor eens, Brian, ik kan me voorstellen dat je erg overstuur bent, ik heb even gesproken met de wachtmeester, maar ik weet natuurlijk nog niet alles.'

'Kun je me hieruit krijgen?'

'Ik zal alles doen wat ik kan, als vriend, maar ik ben geen expert wat dit deel van de wet betreft en die heb je wel nodig. In onze firma is niemand geschikt. De beste die ik hier ken is Leighton Lloyd. Uitstekende reputatie.'

'Hoe snel kun je hem te pakken krijgen, Robert?' Bishop was zich er opeens van bewust dat hij alleen in de cel was en dat de deur dicht was.

'Ik ga er meteen mee aan de slag. Hopelijk is hij niet op vakantie. De politie wil je vanavond verhoren. Ze hebben je opgepakt om verhoord te worden, dus ze kunnen je maar 24 uur vasthouden, dacht ik, met een verlenging van 12 uur. Spreek met niemand en doe of zeg niets totdat Leighton er is.'

'En als hij er niet is?' vroeg hij paniekerig.

'Er zijn nog meer goede advocaten. Maak je niet ongerust.'

'Ik wil de beste, Robert. De allerbeste. Geld is geen punt. Het is te gek voor woorden, ik zou hier helemaal niet moeten zijn. Het is gewoon belachelijk. Ik heb geen idee wat er verdomme aan de hand is.'

'Ik kan maar beter ophangen, Brian,' zei de advocaat, een beetje gespannen. 'Ik moet snel aan de slag.'

'Ja, natuurlijk.' Bishop bedankte hem en toen was het stil.

Het was doodstil in de cel, alsof hij volkomen geluiddicht was.

Hij ging zitten op de blauwe matras en deed zijn gympen aan. Ze waren te klein en hij voelde zijn tenen. Er zat hem iets dwars over Robert Vernon. Waarom had de man niet meer medeleven getoond? Zo te horen had hij al verwacht dat zoiets zou gaan gebeuren.

Waarom?

De deur ging open en hij werd naar een kamer gebracht waar zijn foto werd genomen, zijn vingerafdrukken elektronisch werden genomen en een DNA-uitstrijkje werd gemaakt van zijn speeksel. Toen kon hij weer terug naar zijn cel.

Helemaal van streek.

85

Voor een aantal politiemensen betekende een baan bij de politie een constante, niet altijd voorspelbare stroom veranderingen. Je kon van de ene dag op de andere van de straat worden geplukt als wijkagent en bij het ondersteunende team worden geplaatst, waar je mensen moest arresteren, relletjes in de hand houden, vervolgens in burgerkleding werken als undercover drugsagent en dan weer naar Gatwick worden gestuurd om bagagediefstallen te onderzoeken. Anderen vinden hun plek, net als een slang zijn hol vindt, of een inktvis een scheur in de rotswand in zee, en blijven daar dertig jaar lang zitten tot ze met pensioen kunnen gaan, en een zeer keurig pensioen, toevallig.

Rechercheur Jane Paxton was er zo een die haar plek had gevonden en er was gebleven. Ze was een grote, lelijke vrouw van veertig, met sluik bruin haar en een bruuske, no-nonsensehouding, en was verhoorcoördinator.

Ze was een paar jaar geleden de lieveling van alle vrouwelijke personeelsleden van Sussex House geworden, toen ze, naar verluidt, Norman Potting een klap in zijn gezicht had gegeven. Er gingen zeker zes versies rond van wat er toen gebeurd was. Grace had gehoord dat Potting onder tafel zijn hand op haar rechterdij had gelegd tijdens een bespreking met de vorige hoofdcommissaris.

Rechercheur Paxton zat aan de ronde tafel in Grace' kantoor tegenover hem, met een blouse aan die zo wijd zat dat het leek alsof haar hoofd uit een tent stak. Naast haar zaten Nick Nicholl en Glenn Branson. Rechercheur Paxton had een glas water voor zich staan, de drie mannen een kop koffie. Het was maandagavond, halfnegen, en ze wisten alle vier dat ze mazzel hadden als ze het hoofdkwartier voor middernacht zouden verlaten.

Terwijl Brian Bishop in zijn eentje zat te navelstaren in zijn cel, en wachtte op de komst van zijn advocaat, was het team bezig een strategie op te stellen voor het verhoor van Bishop. Branson en Nicholl, die beiden een cursus hadden gevolgd in verhoortechniek, zouden het verhoor afnemen. Roy Grace en Jane Paxton zouden toekijken in de observatieruimte.

Volgens het handboek werden verdachten drie keer achter elkaar verhoord, binnen de 24 uur dat ze hen vast konden houden. Het eerste verhoor, dat zou plaatsvinden als de advocaat er was, hield in dat Bishop aan het woord zou zijn en zijn versie te berde zou brengen. Hij zou aangemoedigd worden zijn verhaal te vertellen, zijn achtergrond toe te lichten en een verslag te geven van wat hij allemaal had gedaan de 24 uur voordat zijn vrouw was vermoord.

In het tweede verhoor, dat 's ochtends plaats zou vinden, zouden er vragen worden gesteld over dingen die Bishop had gezegd tijdens het eerste verhoor. Men zou beleefd en opbouwend blijven, maar de agenten zouden wel steeds aantekeningen maken van dingen die niet klopten. Pas tijdens het derde verhoor, dat in de loop van de dag zou plaatsvinden, nadat Bishop en het team even pauze hadden gehad – en het team alles had doorgenomen – zou men hem het vuur na aan de schenen leggen. In dat derde verhoor zouden alle dingen die niet klopten, of mogelijke leugens, naar voren worden gebracht.

Ze hoopten na dat derde verhoor, met de informatie die ze uit de verdachte zouden hebben gekregen, gecombineerd met het bewijs dat ze al hadden – het DNA in dit geval – genoeg in handen te hebben om een van de openbare aanklagers zover te krijgen dat hij het bewijs voldoende achtte om tot vervolging over te gaan, en toestemming te geven dat de verdachte formeel werd aangeklaagd.

De vragen die moesten worden gesteld en tevens welke informatie ze juist moesten achterhouden, droegen bij tot een geslaagd verhoor. Ze waren het er allemaal over eens dat het feit dat Bishops Bentley was gefilmd terwijl deze richting Brighton reed vlak voor de moord op mevrouw Bishop, zou worden verzwegen tijdens het verhoor.

Toen overlegden ze een tijdje over de kwestie van de levensverzekering. Grace wees erop dat Bishop er al naar gevraagd was en had gezegd niets van de verzekering af te weten, en dat het daarom tijdens het eerste verhoor nog eens naar voren zou moeten worden gebracht om te zien of hij zijn verhaal had aangepast.

Ze waren het erover eens dat ze tijdens het tweede verhoor het gasmasker ter sprake zouden brengen. Jane Paxton stelde voor dat ze het moesten aanstippen als ze specifieke vragen over het seksleven van Bishop en zijn vrouw gingen stellen. De anderen waren het ermee eens.

Grace vroeg Branson en Nicholl naar een uitgebreid verslag over hoe Bishop zich had gedragen tijdens de arrestatie en hoe hij zich over het algemeen opstelde.

'Hij is een beetje een koude kikker,' zei Branson. 'Ik kon het niet geloven toen Nick en ik hem het slechte nieuws moesten vertellen dat zijn vrouw niet meer leefde.' Hij keek voor bevestiging naar Nicholl, die knikte. Branson ging door: 'Ja, hij was natuurlijk wel geschokt, maar weet je wat hij toen zei?' Hij keek Grace aan en toen Paxton. 'Hij zei: "Dit komt eigenlijk helemaal niet goed uit, ik zit midden in een golfwedstrijd." Dat is toch niet te geloven?'

'Ik vind het eigenlijk helemaal niet zo vreemd,' antwoordde Grace.

Iedereen keek de inspecteur aandachtig aan.

'Hoe bedoel je?' vroeg Branson.

'Zover ik hem ken, is Bishop te slim om zo'n kille opmerking te plaatsen waardoor hij verdacht zou worden,' zei Grace. 'Het is het soort opmerking dat iemand maakt die totaal verbijsterd is. Wat zou betekenen dat hij oprecht geschrokken was.'

'Denk jij dat hij onschuldig is?' vroeg Jane Paxton.

'Nee, ik denk dat we harde bewijzen tegen hem hebben. We moeten ons tot de bewijzen beperken. Zo'n opmerking kan handig zijn tijdens de rechtszaak, de openbaar aanklager zou het kunnen gebruiken om de jury tegen Bishop op te zetten. We zouden het niet tijdens het verhoor erover moeten hebben, want dan zegt hij vast dat je hem verkeerd hebt begrepen en is hij voorbereid.'

'Dat is zo,' zei Nick Nicholl gapend, waarvoor hij zich meteen verontschuldigde.

Grace wist dat het erg was dat Nicholl nog zo laat moest blijven, met een baby thuis, maar het kon nu eenmaal niet anders. Nicholl was perfect geschikt om de aardige tegenover Bransons onaardige agent te spelen tijdens de verhoren.

'Dan staat vervolgens op mijn lijst,' zei Jane Paxton, 'de relatie tussen Bishop en Sophie Harrington.'

'Dat moet tijdens het derde verhoor,' zei Grace.

'Nee, volgens mij tijdens het tweede,' bracht Branson naar voren. 'We vragen hem opnieuw of hij haar kende en wat hun relatie inhield. Zo komen we erachter hoe eerlijk hij is, als hij nog steeds ontkent dat hij niets van haar afweet. Goed?'

'Daar heb je gelijk in,' zei Grace. 'Maar hij weet dat we zijn telefoontjes controleren, dus hij zou wel erg stom zijn als hij het nog steeds ontkende.'

'Ja, maar ik vind het toch beter het hem tijdens het tweede verhoor te vragen,' hield Branson vol. 'En wel hierom: we hebben een getuige die tegenover Sophie Harrington woont en die hem heeft gezien rond de tijd dat de moord plaatsvond. Afhankelijk van zijn antwoord op de vraag over de telefoon, kunnen we hem tijdens het derde verhoor ermee confronteren.'

Grace keek Jane Paxton aan. Ze knikte bij wijze van instemming. 'Oké,' zei hij. 'Goed plan.'

Zijn telefoon ging. Hij stond op en liep naar zijn bureau om op te nemen. 'Roy Grace.' Hij luisterde een paar tellen, en zei toen: 'Goed. Oké. Bedankt. We zullen er zijn.'

Hij legde de telefoon weg en ging weer aan de ronde tafel zitten. 'De advocaat komt om halftien.' Hij keek op zijn horloge. 'Over drie kwartier.'

'Wie is zijn advocaat?' vroeg Jane Paxton.

'Leighton Lloyd.'

'Ach ja.' Branson haalde zijn schouders op. 'Wie anders?'

Ze richtten zich op wat Lloyd zou moeten worden verteld en wat er voorlopig voor hem zou worden achtergehouden. Vervolgens verlieten de vier het gebouw en wandelden ze met stevige passen via een kortere weg door een paar struikjes achterom naar de supermarkt, om even snel een paar broodjes te kopen.

Tien minuten later kwamen ze terug via de straat. Branson en Nicholl liepen de poort door en gingen naar het cellenblok. Binnen werden ze begeleid naar een verhoorkamer, waar ze Bishops advocaat de reden dat zijn cliënt was gearresteerd zouden toelichten, zonder dat Bishop daarbij aanwezig was. Daarna zou hij ook in de kamer worden gelaten, voor het eerste verhoor.

Jane Paxton en Grace gingen terug naar hun eigen kantoor, waar Grace het komende halfuur zijn e-mails wilde lezen. Hij ging aan zijn bureau zitten, belde Cleo en ontdekte dat ze nog steeds in het mortuarium aan het werk was.

'Hoi, ben jij het!' zei ze, zo te horen blij dat ze hem aan de lijn had.

'Hoe gaat het?' vroeg hij.

'Ik ben kapot. Maar lief dat je belt.'

'Ik vind je stem zo mooi als je moe bent. Dan wordt hij een beetje schor, heel lief!'

'Zolang je me maar niet ziet. Ik voel me ongeveer honderd jaar oud. En jij? Gebeurt er al wat?'

Hij bracht haar snel op de hoogte, vertelde haar dat hij pas tegen middernacht klaar zou zijn, en vroeg of ze wilde dat hij daarna nog naar haar toe zou komen.

'Ik zou je graag willen zien, lieverd, maar zodra ik hier weg ben, neem ik een bad en duik vervolgens mijn bed in. Kom anders morgen.'

'Dat lijkt me een goed plan!'

'Eet je wel goed?' vroeg ze opeens moederlijk. 'Heb je warm gegeten?'

'Ja, hoor.'

'Een bakje noodles uit de supermarkt?'

'Een broodje,' gaf hij toe.

'Dat is helemaal niet gezond! Wat voor broodje?'

'Met rosbief.'

'Jezus, Roy. Rood vlees en koolhydraten!'

'Er zat een blaadje sla bij.'

'O, maar dat verandert de zaak,' zei ze sarcastisch. Toen zei ze opeens zakelijk: 'Kun je even wachten? Er staat iemand buiten.' Ze klonk bezorgd.

'Is er iemand bij je?'

'Nee, ik ben alleen. Die arme Darren en Walter waren vanochtend om vier uur al aan het werk. Ik heb ze een tijdje geleden naar huis gestuurd. Ik ga alleen maar even kijken, oké? Ik bel je zo terug.'

De verbinding werd verbroken.

86

Ik heb vanochtend een brief gekregen van ene Lawrence Abramson, die voor een advocatenpraktijk werkt in Londen genaamd Harbottle and Lewis. Het is een erg onvriendelijke brief.

Ik heb onlangs de man die sprekend op me lijkt en die dit bedrijf heeft opgericht, geschreven dat omdat het mijn idee was – en ik de papieren heb van mijn octrooiagent meneer Christopher Pett van Frank B. Dehn & Son om het te bewijzen – hij me een percentage van zijn inkomsten moet geven.

Meneer Abramson dreigt me aan te klagen als ik zijn cliënt ooit weer benader.

Ik ben razend.

87

Zo te zien had Leighton Lloyd een lange dag achter de rug. Hij gaf een vage lucht van tabak af terwijl hij in de raamloze, benauwde, afgesloten verhoorkamer zat, gekleed in een duur maar gekreukeld grijs pak, roomwit overhemd en een mooie zijden das. Een oude lederen aktetas stond naast hem op de grond waar hij een rood, gelinieerd A4-schrijfblok uit pakte.

Lloyd was een magere, pezige man, met kortgeknipt haar en een oplettend roofdierengezicht dat Branson een beetje deed denken aan de acteur Robert Carlyle toen hij de slechterik speelde in de Bond-film *The World is Not Enough*. Branson vond het leuk om advocaten te koppelen aan een slechterik uit een film; ze werden daardoor wat minder intimiderend, zeker in de rechtszaal bij een kruisverhoor door de verdediging.

Veel politiemensen konden goed opschieten met advocaten. Het hoorde er nu eenmaal bij, vonden ze, het was als een spelletje dat ze soms wonnen en soms niet. Maar voor Branson was het veel persoonlijker. Hij wist dat advocaten alleen maar hun werk deden en een belangrijk onderdeel vormden van de vrijheden in Groot-Brittannië. Maar een jaar of tien voordat hij politieagent was geworden, werkte hij een paar avonden in de week als uitsmijter in deze stad. Hij had zo'n beetje elk stuk tuig wel gezien en was ermee op de vuist gegaan, van dronken opscheppers tot gladde gangsters, tot een paar zeer slimme misdadigers. Hij wilde oprecht de stad veiliger maken zodat zijn kinderen het beter hadden dan hij als kind had gehad. Daarom had hij iets tegen de man die nu tegenover hem zat, in zijn op maat gemaakte kostuum en zijn zwarte instappers en zijn grote BMW en ongetwijfeld een chic, afgelegen huis in een van de mooiere straten van Hove, die allemaal waren betaald met geld van tuig van de richel om uit de gevangenis te kunnen blijven en vrij rond te kunnen lopen.

Bransons bui was er niet op vooruitgegaan na een knallende ruzie met zijn vrouw Ari via zijn gsm terwijl hij naar het cellenblok onderweg was. Hij had gebeld om zijn kinderen welterusten te wensen en zij had er ijzig op gewezen dat ze al een tijdje in bed lagen te slapen. Waarop hij had geantwoord dat het niet meeviel om om negen uur 's avonds nog te werken. Daarop had hij alleen een sarcastisch antwoord gekregen. Daarna was het een ordinaire schreeuwpartij geworden die pas was opgehouden toen Ari de verbinding had verbroken.

Nick Nicholl sloot de deur, trok een stoel bij tegenover Branson en ging zitten. Lloyd zat aan het hoofd van de tafel, alsof hij het voor het zeggen had.

De advocaat maakte een aantekening in zijn rode schrijfblok met een pen. 'En, heren, hoe is de stand van zaken?' Hij had een levendige, afgemeten stem, zijn toon was vriendelijk maar zakelijk. De airconditioning boven in de muur pompte met veel lawaai koude lucht naar binnen.

Branson werd nerveus door Lloyd. De rechercheur had geen moeite met brute kracht, maar slimme mensen brachten hem altijd van zijn stuk. En Lloyd zat iedereen te bekijken met een stalen gezicht. Hij sprak langzaam, elk woord articulerend alsof hij het tegen een klein kind had, en dacht goed na voordat hij iets zei.

'We hebben de heer Bishop de afgelopen vier dagen gesproken, wat normaal is onder de gegeven omstandigheden, zoals u weet, om achtergrondinformatie te verkrijgen inzake hemzelf en zijn vrouw. We hebben wat dingen besproken die we in het verhoor te berde zullen brengen, onder meer waar hij was op het moment van de moord.'

'Goed,' zei Leighton Lloyd enigszins ongeduldig, alsof hij wilde aangeven dat hij geen zin had in gezeur. 'Kunt u me vertellen waarom u mijn cliënt hebt gearresteerd?'

Branson overhandigde hem een vel papier waarop stond wat ze tot nu toe hadden. 'Als u dit even leest, dan kunnen we daarna uw eventuele vragen bespreken.'

Lloyd pakte het papier aan, een enkel A4'tje, en las het in stilte. Daarna las hij bepaalde gedeelten hardop voor. 'Mogelijke verstikking door een wurg-koord, nog te bevestigen door pathologische tests... Er is DNA-bewijs dat ter sprake zal komen tijdens het verhoor.'

Hij keek even op naar de twee politiemannen, en ging toen verder met hardop voorlezen maar nu met verbazing in zijn stem. 'We hebben reden aan te nemen dat meneer Bishop niet volledig de waarheid heeft verteld. Daarom willen we hem een paar vragen stellen terwijl hij in hechtenis is.'

De advocaat liet het vel papier op tafel vallen. 'Kunt u dit waarmaken?' vroeg hij aan Branson.

'Wat weet u er verder van?' vroeg Branson.

'Heel weinig. Ik heb natuurlijk in de kranten en op het journaal de moord op mevrouw Bishop gevolgd. Maar ik heb nog niet met mijn cliënt gesproken.'

Vervolgens bestookte Lloyd de politiemannen twintig minuten lang met vragen. Hij vroeg als eerste over de hulp in de huishouding en over wat er op de plaats delict was aangetroffen. Glenn Branson vertelde hem alleen de dingen die strikt noodzakelijk waren. Hij gaf verslag van de manier waarop Katie Bishop dood was aangetroffen en het tijdstip van overlijden dat de pa-tholoog had geschat, maar zei niets over het gasmasker. En hij vertikte het ook maar iets te zeggen over het DNA.

De advocaat probeerde Branson zover te krijgen dat hij vertelde waarom hij dacht dat Brian Bishop had gelogen. Maar Branson trapte er niet in.

'Heeft mijn cliënt u een alibi gegeven?' vroeg hij.

'Jazeker,' antwoordde Branson.

'En u bent er dus niet tevreden mee.'

De rechercheur aarzelde even en zei toen: 'Daar zullen we het tijdens het verhoor over hebben.'

Lloyd maakte nog een aantekening in zijn schrijfblok. Toen glimlachte hij naar Branson. 'Kunt u me verder nog iets vertellen?'

Branson keek even naar Nicholl en schudde toen zijn hoofd.

'Goed. Dan wil ik nu graag mijn cliënt spreken.'

88

Het was nu bijna helemaal donker buiten. Roy Grace keek op zijn monitor naar de bladzijden vol voorvallen die de afgelopen dagen hadden plaatsgevonden, op zoek naar iets wat van belang kon zijn voor de twee zaken. Maar nee. Hij controleerde zijn inbox, wiste een paar mailtjes en beantwoordde er snel wat. Toen keek hij op zijn horloge. Een kwartier geleden had Cleo gezegd dat ze hem meteen terug zou bellen.

Hij voelde opeens een steek van angst en besefte hoeveel hij van haar hield; hij moest er niet aan denken dat er iets met haar zou gebeuren. Net als Sandy was Cleo zijn anker in het leven geworden. Een goed, betrouwbaar, mooi, grappig, liefdevol, zorgzaam en wijs anker. Maar niet altijd perfect natuurlijk.

Roy, dit is niet de vrouw die Lesley en ik vorige week hebben
gezien. We zijn er zeker van dat het Sandy was.
Groeten, Dick.

Jezus, dacht hij, het zou een stuk eenvoudiger zijn geweest als Dick had gemaild dat dit wél de vrouw was die ze hadden gezien. Het had hem niet verder gebracht, maar dan kon hij München tenminste vergeten. Nu zou hij er weer naartoe moeten. Maar voorlopig had hij geen tijd om daaraan te denken. Hij zag opeens weer helder voor zich hoe de een of andere engerd het dak van Cleo's MG de dag ervoor had opengesneden, op klaarlichte dag, bij het mortuarium.

Het gebouw trok een hoop engerds en zieke geesten aan, en daar had Brighton er nogal wat van rondlopen. Hij begreep nog steeds niet dat ze daar zo graag werkte, zoals ze zei. Zeker, alles wende op een gegeven moment. Maar daarom hoefde je het nog niet graag te doen.

Autodaken werden over het algemeen in buitenwijken opengesneden, door inbrekers om iets te stelen of door branieschoppers die high of dronken langs liepen. Niemand kwam 'toevallig' langs het parkeerterrein van het mortuarium, en zeker niet op een warme zondagmiddag. Er was niets uit de auto gestolen. Het was gewoon een daad van akelig, opzettelijk vandalisme. Waarschijnlijk door een ettertje dat jaloers was op de auto.

Maar was die persoon nu bij het mortuarium?

Bel me. Bel me nou.

Hij opende een bijlage en probeerde de agenda voor het jaarlijkse symposium van de International Homicide Investigators Association te lezen dat over een paar weken in New Orleans zou worden gehouden. Maar hij kon zich niet concentreren.

Toen ging zijn telefoon. Hij pakte snel op en riep opgelucht: 'Hoi!'

Maar het was Jane Paxton, die hem vertelde dat Bishop op het punt stond zijn advocaat te spreken en dat zij naar de observatiekamer ging in het cellenblok. Ze stelde voor dat hij over tien minuten ook erbij kwam.

89

Brian Bishop zat in zijn eentje in zijn stille cel, voorovergebogen op de rand van de bank die ook dienstdeed als zijn bed. Hij kon zich niet herinneren dat hij zich ooit zo gedeprimeerd had gevoeld. Hij had het gevoel dat zijn halve wereld van hem was afgenomen en dat de rest zich tegen hem had gekeerd. Zelfs de vriendelijke, onbevooroordeelde Robert Vernon was wat minder aardig geweest over de telefoon dan anders. Waarom? Had hij te horen gekregen dat hij een gevaar was, dat hij hem links moest laten liggen? Gevaarlijk voor zijn carrière?

Zouden Glenn en Barbara hierna aan de beurt zijn? En het andere stel waar Katie en hij veel mee was omgegaan, Ian en Terrina? En de andere mensen die ze als vrienden had beschouwd?

Het blauwe papieren pak zat te strak onder zijn oksels en zijn tenen hadden amper ruimte in de gympen, maar het kon hem niets schelen. Het was allemaal een nachtmerrie en hij zou snel weer wakker worden, en Katie zou stralend naast hem in bed de roddelrubriek in The Daily Mail liggen lezen, de pagina die ze altijd als eerste opsloeg, met een kopje thee op haar nachtkastje.

Hij had het gele vel papier in zijn handen dat hij had gekregen, en tuurde naar de wazige woorden, die hij zonder zijn leesbril nauwelijks kon lezen.

SUSSEX POLITIE
Uw rechten en aanspraken
Ken uw rechten

De deur van zijn cel werd plotseling opengemaakt door een man van een jaar of dertig met een bleek gezicht, geen nek en het lijf van een dikzak die eruitzag alsof hij vroeger veel aan gewichtheffen had gedaan, maar nu overal vet had in plaats van spieren. Hij had het uniform van de beveiligingsdienst aan, een wit overhemd met monogram en zwarte epauletten, een zwarte das en zwarte broek, en hij zweette als een otter.

Hij had een beleefde, nogal schelle stem, en vermeed elk oogcontact, alsof je zo elk stuk tuig behandelde dat hier in een cel zat. 'Meneer Bishop, uw advocaat is er. Ik begeleid u naar hem toe. Wilt u voor me uit lopen?'

Bishop ging, zoals verzocht, voor hem lopen, door een wirwar van kale, roomwitte gangen, met als enig kleuraccent de doorlopende rode streep die omlijst was door een metalen rand. Daarna liepen ze de verhoorkamer in, die Branson en Nicholl even hadden verlaten, zodat hij onder vier ogen met zijn advocaat kon spreken.

Leighton Lloyd gaf hem een hand en wees hem een stoel aan. Hij controleerde of alle recorders uit waren en ging toen zelf zitten.

'Fijn dat u er bent,' zei Bishop.

De advocaat glimlachte meelevend en Bishop mocht de man meteen, ook al wist hij dat hij zelfs Attila de Hun had gemogen als die hier zijn hulp was komen aanbieden.

'Daar ben ik voor,' zei Lloyd. 'Nou, hebben ze u fatsoenlijk behandeld?'

'Ik heb niet veel vergelijk, ik heb dit nog niet eerder aan de hand gehad,' zei Bishop, die een grapje wilde maken. Het ging echter volledig langs de advocaat heen. 'Maar er is wel iets waar ik erg boos om ben: ze hebben me mijn leesbril afgenomen.'

'Dat doen ze altijd.'

'Mooi is dat. Als ik contactlenzen had gehad, had ik die in kunnen houden, maar omdat ik een bril heb, kan ik nu niets meer lezen.'

'Ik zal mijn best doen om hem voor u terug te krijgen.' Hij schreef het op in zijn schrijfblok. 'Meneer Bishop, ik ben me ervan bewust dat het al laat is en dat u moe bent. De politie wil vanavond een verhoor afnemen – dus we zullen het nu zo kort mogelijk houden – en morgenochtend opnieuw.'

'Hoelang moet ik hier blijven? Kunt u me op borgtocht vrij krijgen?'

'Ik kan pas om borgtocht vragen als u aangeklaagd bent. De politie mag u 24 uur vasthouden zonder u aan te klagen, en dat kunnen ze nog eens 12 uur verlengd krijgen. Daarna zullen ze u vrij moeten laten, u aanklagen of naar de rechtbank gaan om toestemming te krijgen om u opnieuw in hechtenis te nemen.'

'Dus ik kan hier tot woensdagochtend zitten?'

'Ja, dat klopt helaas.'

Bishop viel stil.

Lloyd hield een vel papier omhoog. 'Dit is een samenvatting van de informatie die de politie ons op dit moment wil mededelen. Als u het niet goed kunt lezen, zal ik het dan voor u voorlezen?'

Bishop knikte. Hij voelde zich zo beroerd en uitgeput dat hij zelfs de kracht niet had om wat te zeggen.

De advocaat las het formulier voor en ging er toen op door, waarbij hij hem op de hoogte bracht van het kleine beetje dat hij uit rechercheur Branson had kunnen krijgen. 'Is het allemaal duidelijk?' vroeg hij vervolgens aan Bishop.

Bishop knikte opnieuw. Door het allemaal zo te horen, werd het nog erger. De woorden zonken als donkere stenen diep in zijn ziel. En hij raakte zelfs nog meer gedeprimeerd. Hij had het gevoel alsof hij helemaal onder in de diepste mijnschacht ter wereld zat.

Bishop werd op de hoogte gebracht van de vragen die hem waarschijnlijk zouden worden gesteld tijdens het eerste verhoor, en wat hij zou moeten antwoorden. De advocaat gaf hem de instructie spaarzaam woorden te gebruiken en zo kort mogelijk te antwoorden. Als er vragen waren die een van hen niet ter zake doend vond, dan zou de advocaat inspringen. Hij vroeg ook hoe Bishop zich voelde, of hij de beproeving die voor hem lag wel aankon, of hij een dokter of medicijnen nodig had. Bishop zei dat hij in orde was.

'Ik moet u nog één ding vragen,' zei Leighton Lloyd. 'Hebt u uw vrouw vermoord?'

'Nee. Beslist niet. Dat is belachelijk. Ik hield van haar. Waarom zou ik haar vermoorden? Nee, ik heb haar niet vermoord, echt niet. U moet me geloven. Ik heb gewoon geen idee wat er aan de hand is.'

De advocaat glimlachte. 'Goed. Ik geloof u.'

90

Grace liep al piekerend langs een rij vuilnisbakken op het stuk asfalt dat de achteringang van Sussex House scheidde van het huis van bewaring. Hij had zijn gsm tegen zijn oor aan gedrukt en de baksteen in zijn maag werd steeds zwaarder. Zijn mond was droog van angst. Het was nu al meer dan twintig minuten. Waarom had Cleo niet teruggebeld? Hij hoorde voor de zoveelste keer haar voicemail en belde toen het mortuarium. Net als eerder werd die na vier keer overgaan beantwoord door het antwoordapparaat. Hij dacht eraan om gewoon in een auto te springen en ernaartoe te rijden. Maar dat zou onverantwoordelijk zijn. Hij moest hier zijn en toezicht houden op het verhoor.

Dus belde hij de meldkamer en legde hij aan de dienstdoende wachtcommandant uit wie hij was en waarom hij bezorgd was. Tot zijn opluchting vertelde de man dat er net in dat deel van de stad een team was, dus die kon hij rechtstreeks naar het mortuarium sturen. Grace vroeg of hij hem terug kon bellen, of een van de agenten die ernaartoe gingen, zodat hij wist wat er aan de hand was.

Hij had een slecht gevoel erover. Erg slecht. Hoewel hij wist dat Cleo de deuren van het mortuarium altijd op slot deed en er bewakingscamera's hingen, vond hij het toch maar niets dat ze daar 's nachts in haar eentje was. Al helemaal niet na wat er de dag ervoor was gebeurd.

Hij hield zijn identificatiebewijs voor het grijze Interflex-oog naast de deur, liep het huis van bewaring in, langs de balie, waar zoals gewoonlijk tuig van de richel zat dat werd ingeschreven – dit keer een magere rasta met een smoezelige trui, camouflagebroek en sandalen aan, en door naar een beveiligingsdeur die leidde naar de trap naar de eerste verdieping.

Jane Paxton zat al in de kleine observatiekamer, voor de kleurenmonitor die aanstond maar geen beeld gaf. Zowel de video als de geluidsband stond uit zodat Brian Bishop met zijn advocaat kon praten, totdat het verhoor officieel zou beginnen. Ze had heel attent twee flesjes water voor hen bij zich. Grace legde zijn notitieboekje op het bureau voor de lege stoel, liep toen door naar het kleine keukentje achter in de gang en zette een beker sterke koffie.

Het was een goedkoop merk in een groot blik dat er zo te zien al een tijdje stond en muf rook. De een of andere eikel had de melk op het aanrecht laten staan zodat die zuur was geworden, dus hij moest zijn koffie zwart drinken. Terwijl hij met de beker naar de kamer terugliep, zei hij: 'Jij wilde toch geen thee of koffie, hè?'

'Ik moet er niet aan denken,' zei ze afkeurend, alsof hij haar een harddrug had aangeboden.

Terwijl hij de beker neerzette, kraakte de speaker en de monitor kwam tot leven. Nu kon hij de vier mannen in de verhoorkamer zien: Branson, Nicholl, Bishop en Lloyd. De politiemannen en de advocaat hadden hun jasje uitgetrokken. De twee rechercheurs hadden hun das om maar hun mouwen opgestroopt.

In de observatiekamer konden ze twee camera's uitkiezen en Grace schakelde naar degene die Bishops gezicht vol liet zien.

Glenn Branson richtte zich tot Bishop en begon met de standaardzinnen die bij alle verhoren werden gebruikt. 'Dit verhoor wordt op band en op video opgenomen en kan ergens anders worden bekeken.'

Grace zag hem even brutaal de camera in kijken.

Branson las Bishop opnieuw zijn rechten voor, waarna die knikte.

'Het is kwart over tien, maandagavond, 7 augustus,' vervolgde hij. 'Ik ben rechercheur Branson. Kunnen jullie voor de opname zeggen wie jullie zijn?'

Brian Bishop, Leigthon Lloyd en hoofdagent Nicholl stelden zich vervolgens voor. Toen dat gebeurd was, ging Branson door. 'Meneer Bishop, kunt u ons, zo uitgebreid mogelijk, vertellen wat u de dag voordat hoofdagent Nicholl en ik u op vrijdagmorgen op de North Brighton Golf Club hebben gesproken, hebt gedaan?'

Grace keek aandachtig toe terwijl Brian Bishop zijn verhaal deed. Hij legde eerst uit dat hij normaal gesproken maandagochtend vroeg op de trein naar Londen stapte en doordeweeks in zijn eentje in zijn flat in Londen in Notting Hill zat, dat hij hard werkte, vaak vergaderingen 's avonds had, en op vrijdagavond weer naar Brighton ging voor het weekend. De afgelopen keer, zei hij, was hij vanwege een golfwedstrijd die op vrijdagochtend begon en die ter ere van het tienjarig bestaan van de club was, zondagavond laat naar Londen gereden met zijn auto, zodat hij zijn auto zou hebben en hij vrijdagochtend meteen naar de golfclub kon rijden.

Grace noteerde deze afwijking van Bishops normale week in zijn notitieboekje.

Bishop vertelde over zijn werk die dag, in het Hanover Square-kantoor van zijn bedrijf, International Rostering Solutions PLC, tot hij die avond naar Piccadilly was gelopen naar een restaurant met de naam Wolseley om daar met zijn financieel adviseur Phil Taylor te gaan eten.

Phil Taylor, legde hij uit, regelde zijn jaarlijkse schatting voor ondernemers. Na het eten was hij naar zijn flat gegaan, iets later dan hij had verwacht, en hij had veel meer gedronken dan hij had gewild. Hij had slecht geslapen, zei hij, gedeeltelijk door twee grote espresso's en een cognac, en gedeeltelijk doordat hij bang was dat hij zich zou verslapen en te laat zou aankomen bij de golfclub de volgende ochtend.

Branson hield zich strikt aan zijn script en behandelde het hele verslag, vroeg hier en daar naar nog wat meer details, in het bijzonder over de mensen die Bishop die dag had gesproken. Hij vroeg of hij zich kon herinneren met zijn vrouw te hebben gesproken en Bishop zei dat hij Katie om een uur of twee aan de lijn had gehad over de aanschaf van een paar planten voor de tuin, omdat Bishop een tuinfeestje voor zijn werknemers zou geven op een zondag in september.

Bishop voegde eraan toe dat hij, toen hij thuis was gekomen na zijn etentje met Phil Taylor, British Telecom had gebeld om hem om halfzes wakker te bellen.

Terwijl Grace dat aan het opschrijven was, ging zijn gsm over. Het was een zo te horen jonge agent, die zichzelf voorstelde als David Curtis en hem vertelde dat ze voor het mortuarium van Brighton & Hove stonden en dat het licht in het gebouw uit was, en er zo te zien niets aan de hand was.

Grace liep het kantoortje uit en vroeg aan hem of hij een MG-sportauto buiten zag staan. Politieagent Curtis vertelde hem dat het parkeerterrein verlaten was.

Grace bedankte hem voor de moeite en verbrak de verbinding. Hij belde meteen Cleo's telefoon thuis. Ze nam op na twee keer overgaan.

'Hoi!' zei ze buiten adem. 'Hoe gaat het?'

'Hoe gaat het met jóú?' vroeg hij, onmetelijk opgelucht toen hij haar stem hoorde.

'Met mij? Goed! Ik heb een glas wijn in mijn hand en stond net op het punt in bad te stappen!' zei ze slaperig. 'En hoe gaat het met jou?'

'Ik was doodongerust.'

'Hoezo?'

'Hoezo? Jezus! Je zei dat er iemand bij het mortuarium was! Dat je me meteen terug zou bellen! Ik was... ik dacht...'

'Het waren een paar dronkenlappen,' zei ze. 'Ze waren op zoek naar de

Woodvale-begraafplaats. Ze mompelden iets over hun moeder die daar lag begraven.'

'Dit moet je niet meer doen!' zei hij.

'Wat niet?' vroeg ze onschuldig.

Hij schudde opgelucht zijn hoofd. En zei glimlachend: 'Ik moet ophangen.'

'Natuurlijk. Je bent een belangrijke inspecteur, met een grote zaak.'

'Je neemt me in de maling, hè?'

'Hoe kom je erbij! Nu ga ik lekker in bad. Slaap lekker!'

Hij liep met een brede glimlach terug naar de observatiekamer, getergd maar opgelucht. 'Heb ik iets gemist?' vroeg hij aan Jane Paxton.

Ze schudde haar hoofd. 'Rechercheur Branson is een goeie,' zei ze.

'Vertel hem dat straks maar. Hij kan wel een complimentje gebruiken. Zijn ego heeft een flinke deuk opgelopen.'

'Wat is dat toch met mannen en hun ego!' zei ze.

Grace keek naar haar gezicht boven de wijde tentblouse, haar onderkin en haar ontkroesde haar, en toen naar de trouwring en ring met diamant om haar mollige vinger. 'Heeft jouw man dan geen ego?'

'Hij zou niet durven.'

91

De tijdmiljardair wist alles af van pilletjes om blij te worden. Maar hij had er nog nooit eentje ingenomen. Niet nodig gehad. Hé, waarom zou je dat soort pilletjes nemen als je maandagavond thuiskwam en het pakje zag dat de pakketbezorger op je stoep had achtergelaten met de handleiding voor een MG TF-sportwagen uit 2005 erin die je zaterdag had besteld?

Het was het laatste jaar dat dit model werd gemaakt voordat MG ermee ophield en werd overgenomen door een Chinees bedrijf. Het was het soort auto waar Cleo in reed. Marineblauw. Inmiddels voorzien van het bijbehorende blauwe dak, ondanks de zinderende hitte, omdat een of andere idioot het linnen dak met een mes had bewerkt. De klootzak! De gluiperd! De godvergeten hufter!

En het was dinsdagochtend! Op die dag kwam die stomme mopperkont van een werkster met haar ondankbare dochter niet langs. Dat had ze hem zelf de vorige dag verteld.

Het beste was nog dat Brian Bishop was gearresteerd. Het had breeduit op de voorpagina van de ochtendeditie van de *Argus* gestaan. Het was zelfs op de plaatselijke radiozender! Het zou vast ook op de lokale televisie komen. Misschien zelfs op het landelijke journaal! Heerlijk! Eigen schuld, dikke bult.

Cleo Morey had het beste van het beste, de TF 160, met motor met variabele kleptiming. Hij zat er nu naar te luisteren, de 1,8-litermotor startte prachtig in de koele vroege ochtend. Acht uur. Ze maakte lange dagen, dat moest hij haar nageven.

Ze reed haar parkeerplekje uit, de straat op, iets te lang in de eerste versnelling, maar misschien vond ze het geluid van de uitlaat wel mooi.

Het was een eitje om het hek door te komen van het appartementengebouw waar Cleo Morey woonde. Maar vier nummers op het toetsenbordje. Hij was daar gemakkelijk achter gekomen door de andere bewoners door zijn verrekijker in de gaten te houden, terwijl hij lekker in zijn auto zat.

De binnenplaats was verlaten. Als er al een nieuwsgierige buurvrouw door haar gordijnen gluurde, dan zou ze dezelfde netjes aangeklede man met klembord zien met het Seeboard-embleem op zijn jaszak geborduurd als de dag ervoor en aannemen dat hij weer de gasmeter op kwam nemen. Of zoiets.

Zijn pasgemaakte sleutel draaide soepel om in het slot. Dank zij Gods hulp! Hij ging naar binnen, de grote open ruimte in en deed de deur achter zich dicht. Het rook naar boenwas en naar vers gemalen koffiebonen. Hij hoorde het zachte gezoem van een koelkast.

Hij keek om zich heen, nam alles goed op, daar had hij de vorige dag de kans niet voor gehad met die mopperkont in zijn kielzog. Hij zag abstracte schilderijen aan de roomwitte muren die hij niet begreep. Op de glimmende eiken vloer lagen hier en daar moderne kleden. Twee rode banken, zwart gelakte meubels, een grote televisie, een dure stereo-installatie. En onaangestoken kaarsen. Tientallen kaarsen. Tientallen en nog eens tientallen stomme kaarsen, in zilveren kandelaars, in doorzichtige glazen potjes, in vazen: was ze soms een godsdienstfanaat? Woonde ze zwarte missen bij? Nog een reden waarom ze dood moest. God zou daar blij om zijn!

Toen zag hij het langwerpige aquarium op de salontafel staan, met een goudvis erin die om wat op de miniatuur-ruïne van een Griekse tempel leek heen zwom.

'Jij moet vrijgelaten worden,' zei de tijdmiljardair. 'Je mag dieren niet opsluiten.'

Hij slenterde naar de overvolle boekenplanken die een hele muur in beslag namen. Hij zag Brighton Rock van Graham Greene. En een boek van James Herbert: Nobody True. Een detective van Natasha Cooper. Een paar boeken van Ian Rankin.

'Wauw!' zei hij hardop. 'We hebben dezelfde smaak wat boeken betreft! Jammer dat we de kans niet zullen krijgen om over boeken te praten! Weet je, we zouden best wel goede vrienden kunnen zijn geweest.'

Hij trok een la open in een tafel. Er lagen elastiekjes in, een boekje parkeerknipkaarten, een kapotte afstandbediening voor de garage, een enkele batterij, enveloppen. Hij rommelde erdoor, maar vond niet wat hij zocht. Hij deed hem dicht. Toen keek hij om zich heen, trok nog twee laden open, deed ze weer dicht, zonder dat hij iets had gevonden. In de laden in de keuken lag ook niets wat hij nodig had.

Zijn hand deed nog steeds pijn. Het stak de hele tijd, werd steeds erger, ondanks de pillen. En hij had hoofdpijn. Zijn hoofd klopte voortdurend en hij voelde zich een beetje koortsig. Maar daar kon hij allemaal wel tegen.

Hij liep langzaam, op zijn gemak, naar boven. Cleo was nog maar net naar haar werk gegaan. Hij had alle tijd van de wereld. Zoveel uur als hij nodig had!

Op de eerste etage was een kleine badkamer. Ertegenover was haar studeerkamer. Hij ging naar binnen. Het was een rommelige chaos in de kamer, die vol stond met boeken, waarvan de meeste over filosofie gingen. Het bureau dat voor het raam stond met uitzicht op de daken van Brighton en in de verte de zee, lag vol met stapels papier, en daartussen een laptop. Hij trok elke la van het bureau open en keek wat erin zat voordat hij hem weer voorzichtig sloot. Vervolgens keek hij in de vier laden van de metalen archiefkast.

Haar slaapkamer was op de etage erboven, naast een wenteltrap die zo te zien naar het dak leidde. Hij liep naar binnen en rook aan haar bed. Toen trok hij het paarse sprei eraf en drukte, diep inademend, zijn neus in de kussens. Door de geur spande zijn kruis. Hij trok voorzichtig het dekbed eraf, terwijl hij snoof aan elke centimeter stof. Haar geur! Nog steeds haar geur! Niets van inspecteur Grace! Geen spermavlekken van hem op het laken! Alleen haar geur en luchtjes! Alleen van haar! Waar hij van kon genieten.

Hij legde voorzichtig het dekbed weer terug, toen het sprei. Heel voorzichtig. Niemand zou weten dat hij er was geweest.

Er stond een moderne zwartgelakte kaptafel in de kamer. Hij trok de ene la ervan open en daar, tussen haar juwelendoosjes, zag hij het liggen! De zwarte leren sleutelhanger met de letters MG in goud erop gestanst. De twee glimmende, ongebruikte sleutels en de ring waar ze aan zaten.

Hij deed zijn ogen dicht en zei een kort dankgebedje tot God, die hem naar ze toe had geleid. Toen hield hij de sleutels tegen zijn lippen aan en kuste ze. 'Prachtig!'

Hij deed de la dicht, stopte de sleutels in zijn zak en ging naar beneden, rechtstreeks naar het aquarium. Hij trok de mouw van zijn jasje omhoog, toen de mouw van zijn overhemd en stak zijn hand in het lauwe water. Het was net alsof hij een stuk zeep wilde pakken in bad! Maar eindelijk had hij de wriemelende, gladde goudvis te pakken en hij hield hij het stomme beest in zijn hand.

Toen gooide hij hem op de grond.

Hij hoorde hem rond flapperen terwijl hij door de voordeur naar buiten ging.

92

De gezamenlijke ochtendbriefing voor operatie Kameleon en Mistral was even na negen uur afgelopen. Er hing een optimistische stemming omdat er een verdachte was aangehouden. En dan had een getuige, de oudere dame die tegenover Sophie Harrington woonde, Bishop ook nog eens aangewezen als degene die in de buurt van haar huis was geweest toen ze was vermoord. Met een beetje geluk, hoopte Grace, zou het DNA van het sperma dat was aangetroffen in Sophie Harringtons vagina overeenkomen met dat van Bishop. Hunton zette haast achter de tests en hij zou de uitslag in de loop van de dag krijgen.

Niemand twijfelde er meer aan dat de twee moorden met elkaar verband hielden, maar ze hielden een hoop informatie achter voor de media.

De mensen en tijdstippen die Bishop tijdens het eerste verhoor had opgegeven, werden nagekeken en Grace was met name geïnteresseerd in de lijst van British Telecom om te zien of Bishop inderdaad had gebeld voor een wekkertelefoontje nadat hij op donderdagavond in zijn flat was aangekomen. Hoewel dat natuurlijk ook door een medeplichtige had kunnen worden gedaan. Met de drie miljoen pond die hij uitgekeerd zou krijgen van de levensverzekering op zijn vrouw, bestond de kans dat Bishop een medeplichtige had – of zelfs een paar – en dat moest goed worden nagegaan.

Hij liep de vergaderruimte uit, hij moest nodig een paar brieven dicteren aan zijn management ondersteunend assistente. Eentje over de voorbereidingen voor de rechtszaak tegen een walgelijke figuur genaamd Carl Venner, die gearresteerd was voor de moord die Grace hiervoor had onderzocht. Hij liep snel door de gangen en door de grote gedeeltelijk open ruimte waar groen tapijt in lag en waar de hogere officieren van de politie en hun ondersteunende staf waren gehuisvest.

Tot zijn verrassing, zag hij toen hij door de veiligheidsdeur liep tussen zijn gedeelte en de afdeling Zware Criminaliteit, een hele menigte voor zijn bureau staan, onder wie Gary Weston, de hoofdcommissaris van de politie van Sussex en technisch gesproken zijn directe chef, hoewel hij eigenlijk het meest met Alison Vosper te maken had.

Hij vroeg zich even af of er een verloting was. Of iemands verjaardag. Toen hij dichterbij kwam, zag hij dat niemand in een feeststemming was. Iedereen zag eruit alsof ze in shock waren, zelfs Eleanor, die er altijd wel zo uitzag.

'Wat is er aan de hand?' vroeg hij haar.

'Weet je het nog niet?'

'Wat niet?'

'Over Janet McWhirter.'

'Onze Janet, van de computerafdeling?'

Eleanor knikte hem aanmoedigend toe, alsof ze hem een handje hielp met hints.

Janet McWhirter had tot een maand of vier geleden een hoge positie gehad in het Sussex House als hoofd van de Nationale Computerafdeling, een groot kantoor met veertig mensen. Een van haar functies was het verzamelen van informatie voor de rechercheurs.

Ze was een lelijk, vrijgezel meisje van een jaar of 35, stil en nauwgezet, en ze kwam een tikkeltje ouderwets over, maar ze was zeer populair omdat ze altijd klaarstond om je te helpen, zolang doorwerkte als nodig was en altijd vriendelijk bleef. Ze deed Grace, zowel in uiterlijk als in haar ijverige gedrag, denken aan een relmuis.

Janet had iedereen verrast toen ze in april ontslag nam en zei dat ze een jaar rond ging reizen. Toen, heel in het geheim en verlegen, had ze twee van

haar beste vriendinnen op de afdeling verteld dat ze verliefd was geworden
op een man. Ze waren al verloofd en ze zou met hem naar Australië emigreren en daar trouwen.

Brian Cook, manager van de afdeling Wetenschappelijke Ondersteuning
en een van Grace' vrienden daar, draaide zich naar hem om. 'Ze is dood,
Roy,' zei hij bruusk. 'Aangespoeld op het strand afgelopen zaterdagavond,
heeft een tijd in zee gelegen. Ze is net aan de hand van haar gebit geïdentificeerd. En zo te zien was ze al dood toen ze het water in ging.'

Grace was even stil. Stomverbaasd. Hij had veel met Janet te maken gehad
in de loop van de jaren en had haar erg gemogen. 'Shit,' zei hij. Het leek net
alsof er een donkere wolk voor de ramen schoof en hij voelde opeens een
koude rilling. Er gingen nu eenmaal mensen dood, maar hij had het gevoel
dat dit helemaal verkeerd zat.

'Ze heeft Australië dus niet gehaald,' zei Cook bitter.

'En de trouwerij ook niet?'

Cook haalde zijn schouders op.

'Is de verloofde al op de hoogte gesteld?'

'We weten het zelf pas een paar minuten. Hij is misschien ook wel dood.'
Toen zei hij: 'Jullie kunnen misschien beter even langsgaan bij haar afdeling
en het vertellen. Ik denk dat ze allemaal erg van streek zullen zijn.'

'Zodra ik even tijd heb. Wie gaat het onderzoek leiden?'

'Dat weten we nog niet.'

Grace knikte en leidde toen zijn geschokte ondersteunend managementassistente bij de groep vandaan en terug naar haar kantoor. Hij had amper
tien minuten de tijd om haar verslag te doen, en ging toen naar het huis van
bewaring voor het tweede verhoor van Brian Bishop.

Maar hij kon het beeld van Janet McWhirters nikszeggende gezichtje
maar niet uit zijn hoofd krijgen. Ze was zo'n aardig en behulpzaam mens
geweest. Waarom zou iemand haar willen vermoorden? Een overvaller? Een
verkrachter? Had het te maken met haar werk?

Terwijl hij erover piekerde, dacht hij: ze heeft vijftien jaar voor de politie
van Sussex gewerkt, bijna altijd bij de computerafdeling, wordt verliefd op
een man, gooit het roer helemaal om. Gaat weg. En sterft.

Hij was er een sterk voorstander van om eerst naar de meest voor de hand
liggende dingen te kijken. Hij wist waar hij zou beginnen als hij het onderzoek zou moeten leiden. Maar voorlopig was de dood van Janet McWhirter,
hoe schokkend en verdrietig ook, niet zijn probleem.

Dacht hij.

93

'Sss hit, man! Zet godverdomme dat kutding eens uit! Hij gaat al de hele ochtend over, verdomme! Kun je niet gewoon opnemen?'

Skunk deed een oog open, dat aanvoelde alsof er met een hamer op was geslagen. Zo voelde zijn hoofd ook aan. En alsof iemand met een kaaszaag door zijn hersens sneed. En de hele caravan deinde op en neer alsof het een bootje was in een storm.

Priep-priep-zzzzzz-priep-priep-zzzzzz. Hij realiseerde zich opeens dat zijn telefoon op de grond rondtolde, al trillend en knipperend en piepend.

'Neem zelf op, achterlijke lul!' mompelde hij tegen zijn nieuwe, onwelkome gast, een of andere klootzak die hij vanochtend vroeg in een bar in Brighton had ontmoet, en die hem zover had gekregen dat hij bij hem mocht slapen. 'Dit is godverdomme het Hilton niet! Er is hier geen roomservice, hoor!'

'Als ik opneem, knul, dan stop ik hem meteen in je reet, zo verdomde diep, dat je je vingers in je keel moet steken om hem eruit te halen.'

Skunk deed ook zijn andere oog open, maar deed hem meteen weer dicht toen het verblindende zonlicht er recht in scheen. Het ging dwars door zijn hersens, door de achterkant van zijn schedel helemaal naar de kern van de aarde, en drukte zijn hoofd tegen het smerige, bultige kussen als een speld door een vlieg. Hij kwam met moeite overeind en werd beloond voor zijn moeite door met zijn hoofd tegen het dak aan te knallen.

'Godver! Kut!'

Dit was zijn dank dat hij die godvergeten klojo's hier liet slapen! Inmiddels klaarwakker, en kotsmisselijk, stak hij zijn arm uit, die aanvoelde alsof hij niet bij hem hoorde, alsof iemand hem met een draadje aan zijn schouder had vastgemaakt in de loop van de nacht. Hij tastte met gevoelloze vingers rond op de grond totdat hij de gsm te pakken had.

Hij pakte het ding op, zijn hand beefde, zijn hele lijf beefde, drukte op de groene knop en hield het bij zijn oor. 'Hè?' zei hij.

'Waar blijf je verdomme, stuk stront?'

Het was Barry Spiker.

En opeens was hij klaarwakker, terwijl hij koortsachtig nadacht.

'Het is verdomme midden in de nacht,' zei hij korzelig.

'Misschien op jouw planeet, lulhannes. Maar op de mijne is het elf uur 's ochtends. Je hebt de heilige communie weer overgeslagen, hè?'

En opeens wist Skunk het weer. Paul Packer. Hoofdagent Paul Packer!

Hij voelde zich opeens een stuk beter. De deal die hij met hoofdagent Packer had gesloten, kwam langzaam weer bovendrijven door de nevelachtige, naar drugs snakkende maalstroom van pijn in zijn hoofd. Hij had Packer iets beloofd. Dat hij hem door zou geven als Barry Spiker weer iets voor hem te doen had. Hij zou zichzelf ermee in de vingers snijden, als hij Spiker verraadde. Maar dat kon hem niet schelen, het zou het waard zijn. Spiker had hem belazerd de laatste keer. Packer had hem geld beloofd.

De politie betaalde niet veel. Maar als hij echt slim was, kon hij zich aan de deal houden, door Spiker worden betaald én door de politie. Dat zou gaaf zijn!

Tsjink. Tsjink. Tsjink.

Al de hamster zat weer in zijn tredmolen en draafde zoals gewoonlijk rond, ondanks zijn gespalkte pootje. Hij moest weer met hem naar de dierenarts. Hij was geld schuldig aan Beth. Twee vliegen in een klap! Spiker en hoofdagent Packer. Al en Beth! Het was kat in het bakkie!

'Ik ben net terug van de mis,' zei hij.

'Mooi. Ik heb een klusje voor je.'

'Ik ben benieuwd.'

'Dat is altijd het probleem met jou: nieuwsgierig genoeg, maar geen verstand.'

'Wat voor klusje dan?'

Spiker lichtte hem in. 'Ik heb hem vanavond nodig,' zei hij. 'Maakt niet uit hoe laat. Ik ben er de hele avond. Honderdvijftig als je het allemaal goed doet, dit keer. Kun je het aan?'

'Ik voel me hartstikke goed.'

'Verknal het niet, hè?'

De verbinding werd verbroken.

Skunk kwam opgetogen overeind. En brak opnieuw bijna zijn schedel tegen het dak.

'Godver!' zei hij.

'Krijg jij ook de klere, Jimmy!' riep iemand achter in zijn caravan.

94

Glenn Branson sloot het tweede verhoor met Brian Bishop om tien voor halfeen af. Toen liet hij Bishop alleen achter met zijn advocaat in de verhoor- kamer voor een lunchpauze, terwijl het verhoorteam bijeenkwam in Grace' kantoor.

Branson had zich aan de voorschriften gehouden. Ze hadden, zoals afge- sproken, de belangrijkste vragen achtergehouden voor het derde verhoor, dat die middag plaats zou vinden.

Terwijl ze aan de kleine ronde tafel in Grace' kantoor gingen zitten, gaf de inspecteur Branson een klopje op zijn schouder. 'Goed gedaan, Glenn, uitstekend werk. Goed, nou, zoals ik het zie...' en hij gebruikte de frase van Alison Vosper die hij heel bruikbaar had gevonden, 'hier zit hem de kneep.'

Alle drie keken ze hem verwachtingsvol aan.

'Bishops alibi. De maaltijd die hij die avond in het Wolseley restaurant met die Phil Taylor heeft gegeten. Daar zit hem de kneep.'

'De uitslag van de DNA-test ondermijnt toch zijn alibi?' zei Nicholl.

'We zitten met de jury,' zei Grace. 'Het hangt ervan af hoe betrouwbaar die Taylor is. Je kunt er zeker van zijn dat Bishop goed verdedigd zal worden. Dat alibi zal uitentreuren worden uitgemolken. Een eerlijke burger tegen- over de nukken van de wetenschap? En dan wellicht ook nog met de beves- tiging van British Telecom dat Bishop inderdaad heeft gevraagd om wakker gebeld te worden, zodat dat ook nog bewezen is?'

'Ik denk dat we Bishop in het derde verhoor wel te pakken kunnen nemen, Roy,' zei Jane Paxton. 'We hebben al een heleboel tegen hem.'

Grace knikte, dacht goed na, er nog niet van overtuigd dat ze genoeg had- den.

Ze gingen om een uur of twee door. Roy Grace was zich ervan bewust, ter- wijl hij weer op de ietwat gammele stoel in de observatiekamer ging zitten, dat ze nog maar zes uur de tijd hadden voordat ze Brian Bishop vrij moesten laten, tenzij ze een verlenging aanvroegen of hem in staat van beschuldiging stelden. Ze konden natuurlijk naar de rechtbank stappen om hem nog langer vast te houden, maar Grace deed dat liever niet tenzij het niet anders kon.

Alison Vosper had hem gebeld om te vragen of ze Bishop al konden aanklagen. Toen hij verslag gaf van de feiten, leek ze tevreden. Nog steeds in een goed humeur.

Het feit dat er iemand zo snel na de moord op Katie Bishop was aangehouden, zette de politie in een goed daglicht richting de media en het was geruststellend voor de gemoedsrust van de inwoners van Brighton & Hove. Nu moesten ze hem in staat van beschuldiging stellen. Dat zou de carrière van Grace natuurlijk een hoop goed doen. En met de positieve uitslag van de DNA-tests, hadden ze genoeg bewijs om toestemming te krijgen van de officier van justitie om Bishop aan te klagen. Maar Grace wilde de man niet alleen in staat van beschuldiging stellen. Hij wilde zeker weten dat hij veroordeeld zou worden.

Hij wist dat hij blij zou moeten zijn hoe alles liep, maar er zat hem iets dwars en hij kon er maar niet achter komen wat.

Opeens was de stem van Glenn Branson luid en duidelijk te horen, en zag hij even later het beeld van de vier mannen in de verhoorkamer op de monitor verschijnen. Brian Bishop dronk van een glas water en zag er ziek uit.

'Het is drie minuten over twee, dinsdag 8 augustus,' zei Branson. 'Bij het verhoor, verhoor nummer drie, zijn aanwezig meneer Brian Bishop, meneer Leighton Lloyd, hoofdagent Nicholl en ik, rechercheur Branson.' Hij keek Bishop rechtstreeks aan.

'Meneer Bishop,' zei hij. 'U hebt ons verteld dat u en uw vrouw een goed huwelijk hadden en dat jullie uitstekend bij elkaar pasten. Wist u dat mevrouw Bishop een relatie had? Een seksuele relatie met een andere man?'

Grace keek aandachtig naar Bishops ogen. Ze gingen naar links. Hij wist dat dit Bishops geheugenkant was.

Bishop wierp een blik op zijn advocaat, alsof hij zich afvroeg of hij wel iets moest zeggen, en keek toen Branson weer aan.

'U hoeft geen antwoord te geven,' zei Lloyd.

Bishop dacht even na. Toen zei hij bedrukt: 'Ik vermoedde al zoiets. Was het die kunstenaar in Lewes?'

Branson knikte, schonk Bishop een meelevende glimlach, ervan bewust dat de man aangedaan was.

Bishop liet zijn hoofd in zijn handen zakken en bleef stil.

'Wilt u even pauze nemen?' vroeg zijn advocaat.

Bishop schudde zijn hoofd en legde zijn armen op tafel. Hij huilde. 'Het gaat wel. Het gaat wel. Laten we er nou maar gewoon mee doorgaan. Jezus...' Hij haalde zijn schouders op, keek diep ongelukkig en veegde zijn ogen af met de rug van zijn hand. 'Katie was vreselijk lief, maar ze had een gedrevenheid in zich. Alsof ze een duiveltje bij zich droeg waardoor ze met niets tevreden kon zijn. Ik dacht dat ik haar kon geven wat ze wilde.' De tranen stroomden hem weer over de wangen.

'We kunnen maar beter even pauzeren, heren,' zei Leighton Lloyd.

Ze liepen alle drie de kamer uit, zodat Bishop even tijd voor zichzelf had, en hervatten het verhoor na tien minuten. Nick Nicholl, die de aardige agent speelde, stelde de eerste vraag.

'Meneer Bishop, kunt u ons vertellen wanneer u begon te vermoeden dat uw vrouw u ontrouw was?'

Bishop keek de hoofdagent verbitterd aan. 'Bedoelt u soms of ik haar wilde vermoorden?'

'Dat zijn uw woorden, meneer, niet de onze,' gaf Branson meteen terug.

Grace vond het interessant dat Bishop zo geëmotioneerd was. Misschien waren het alleen maar krokodillentranen ten behoeve van de verhoorders.

Haperend zei Bishop: 'Ik hield van haar, ik heb haar nooit willen vermoorden. Mensen hebben nu eenmaal affaires, zo gaan die dingen. Toen Katie en ik elkaar leerden kennen, waren we allebei al getrouwd. We hadden een affaire. Ik denk dat ik wel wist dat als we inderdaad zouden trouwen, dat ze mij ook zou bedriegen.'

'Was dat de reden waarom u haar bedroog?' vroeg Nicholl.

Bishop nam de tijd om antwoord te geven. 'Bedoelt u soms Sophie Harrington?'

'Inderdaad.'

Zijn ogen gingen weer naar links. 'We flirtten met elkaar. Dat was leuk voor mijn ego, maar verder ging het niet. Ik ben nooit met haar naar bed geweest, hoewel zij het leuk vindt... vond om net te doen dat het wel was gebeurd.'

'U bent nooit met juffrouw Harrington naar bed geweest? Niet een enkele keer?'

Grace keek aandachtig naar de ogen van de man. Ze gingen weer naar links.

'Nee, echt nooit. Zeker weten.' Bishop glimlachte nerveus. 'Ik wil niet beweren dat ik dat niet wílde. Maar ik ben een fatsoenlijk mens. Ik was dom, ik was gevleid door haar interesse in mij, vond het leuk bij haar, maar u moet weten dat ik zoiets al een keer gedaan heb. Als je met iemand naar bed gaat, dan is het met een beetje mazzel waardeloos. Maar met een beetje pech is het een fantastische ervaring en word je verliefd. Want dan zit je in de problemen. Dat is Katie en mij overkomen: wij werden smoorverliefd op elkaar.'

'Dus u bent nooit met juffrouw Harrington naar bed geweest?' vroeg Branson met klem.

'Nee, nooit. Ik wilde een goed huwelijk.'

'En u dacht dat u dat door perverse seks zou bereiken?' vroeg Branson.

'Pardon? Hoe bedoelt u?'

Branson keek in zijn aantekeningen. 'Een van onze mensen heeft gisteren met een mevrouw Diane Rand gesproken. We hebben van haar gehoord dat ze een zeer goede vriendin was van uw vrouw, klopt dat?'

'Ze zaten zo'n vier keer per dag met elkaar te kletsen. God mag weten waarover allemaal!'

'Meer dan genoeg, zou ik zo denken,' zei Branson zonder een spoortje humor. 'Mevrouw Rand vertelde onze agente dat uw vrouw zich zorgen maakte over de perverse seksuele activiteiten die u met haar wilde doen. Zou u dat willen uitleggen?'

Leighton Lloyd sprong er snel en ferm tussen. 'Nee, dat doet mijn cliënt niet.'

'Ik heb hier nog één belangrijke vraag over,' zei Branson tegen de advocaat.

Lloyd gebaarde dat hij door kon gaan.

'Meneer Bishop,' zei Branson, 'hebt u een replica van een gasmasker uit de Tweede Wereldoorlog in uw bezit?'

'Wat is het nut van deze vraag?' vroeg Lloyd aan de rechercheur.

'Het heeft voor ons nut, meneer,' zei Branson.

Grace hield Bishops ogen in de gaten. Ze gingen naar rechts. 'Ja,' zei hij.

'Gebruikten u en mevrouw Bishop dat tijdens de seks?'

'Mijn cliënt mag daar geen antwoord op geven.'

Bishop hief zijn hand op om zijn advocaat gerust te stellen. 'Het hindert niet. Ja, ik heb het gekocht.' Hij haalde blozend zijn schouders op. 'We waren dingen aan het uitproberen. Ik... ik had een boek gelezen over hoe je je liefdesleven interessant kon houden, weet u wel? Het wordt na een tijdje nu eenmaal wat minder tussen twee mensen, als de oorspronkelijke opwinding – de nieuwigheid van de relatie – voorbij is. Ik heb wat spullen gekocht om uit te proberen.' Hij had inmiddels een knalrood hoofd.

Branson richtte zich weer op het etentje dat Bishop met zijn financieel adviseur Phil Taylor had gehad. 'Meneer Bishop, het klopt toch, nietwaar, dat u een donkerrode Bentley Continental bezit?'

'Dat klopt.'

'Met het kenteken C16-BDB?'

Bishop moest even nadenken en knikte toen.

'Om dertien minuten voor twaalf is afgelopen donderdagavond deze wagen gefotografeerd door een verkeerscamera, terwijl hij in de buurt van Gatwick op de M23 reed richting het zuiden. Kunt u ons vertellen wat hij daar deed en wie er aan het stuur zat?'

Bishop keek zijn advocaat aan.

'Hebt u de foto?' vroeg Leighton Lloyd.

'Nee, maar u kunt wel een afdruk krijgen,' zei Branson.

Lloyd maakte een aantekening in zijn schrijfblok.

'Dat moet een vergissing zijn,' zei Bishop. 'Echt.'

'Hebt u uw auto aan iemand uitgeleend die avond?' vroeg Branson.

'Dat doe ik nooit. Hij stond in Londen die avond omdat ik ermee naar de golfclub wilde rijden de volgende dag.'

'Zou iemand hem geleend kunnen hebben zonder uw toestemming, zonder dat u het wist?'

'Nee. Dat denk ik niet tenminste. Het lijkt me hoogst onwaarschijnlijk.'

'Wie had nog meer de sleutels van de auto, meneer, behalve u?'

'Niemand. We hadden wat overlast in de parkeergarage onder mijn appartement. Er is ingebroken in een paar auto's.'

'Kunnen joyriders hem hebben gepikt?' wilde Leighton Lloyd weten.

'Het zou kunnen,' zei Bishop.

'Als joyriders een auto meenemen, dan zetten ze hem normaal gesproken niet terug op hun plek,' zei Grace. Hij zag dat Lloyd iets in zijn schrijfblok noteerde. De advocaat zou daar wel wat mee kunnen.

Toen zei Glenn Branson: 'Meneer Bishop, we hebben u al verteld dat we tijdens het doorzoeken van uw huis aan Dyke Road Avenue 97 een levensverzekeringpolis hebben aangetroffen bij de Southern Star Assurance Company. De polis is op het leven van uw vrouw afgesloten ten bedrage van drie miljoen pond. U bent de enige begunstigde.'

Grace keek van Bishop naar de advocaat. Lloyds uitdrukking veranderde nauwelijks, maar zijn schouders zakten iets. Brian Bishops ogen schoten alle kanten op en hij was opeens niet meer kalm.

'Ik heb u verteld... ik... eh... ik heb u al verteld... Ik weet daar niets vanaf! Helemaal niets!'

'Denkt u dat uw vrouw deze polis zelf heeft afgesloten, stiekem, omdat ze zo'n goed hart had?' draaide Branson hem de duimschroeven aan.

Grace moest erom glimlachen. Hij was trots dat zijn collega die hij de afgelopen jaren zo intensief had begeleid omdat hij gek op hem was en in hem geloofde, zo goed bezig was.

Bishop stak zijn armen in de lucht en liet ze toen weer op de tafel vallen. Zijn ogen schoten nog steeds alle kanten op. 'Geloof me toch, ik weet er helemaal niets van.'

'Er moet toch een pittige premie hangen aan drie miljoen pond, zou ik zo denken,' zei Branson. 'We zullen wel aan uw bankrekening zien – of aan die van mevrouw Bishop – hoe die is betaald. Of misschien was er iemand zo goed het voor u te betalen?'

Leighton Lloyd was met een stalen gezicht driftig op zijn blocnote aan het schrijven. Hij draaide zich naar Bishop toe. 'U hoeft daar geen antwoord op te geven, tenzij u dat zelf wilt.'

'Ik weet er niets van,' zei Bishop smekend. Oprecht. 'Echt niet!'

'Er zijn inmiddels heel wat dingetjes waar u niets van weet, meneer Bishop,' ging Glenn Branson door. 'U weet niets van uw auto die net voordat uw vrouw werd vermoord richting Brighton reed. U weet niets van een levensverzekering van drie miljoen pond, die een halfjaar vóór uw vrouw werd vermoord werd afgesloten.' Hij keek even in zijn aantekeningen, nam een slok water. 'In het verhoor van verleden avond, zei u dat u en uw vrouw de laatste keer gemeenschap hadden op zondag 30 juli. Klopt dat?'

Bishop knikte, met een beschaamde uitdrukking op zijn gezicht.

'Kunt u mij dan uitleggen hoe het kan dat uw sperma aanwezig was in de vagina van mevrouw Bishop tijdens de sectie op vrijdagochtend 4 augustus?'

'Dat kan helemaal niet!' zei Bishop. 'Dat is absoluut onmogelijk!'

'Wilt u soms beweren, meneer, dat u geen gemeenschap hebt gehad met mevrouw Bishop op donderdagavond 3 augustus?'

Bishops ogen draaiden overtuigend naar links. 'Dat wil ik inderdaad beweren. Ik zat verdomme in Londen!' Hij draaide zich om naar zijn advocaat. 'Het kán gewoon niet! Het kan gewoon écht niet!'

Roy Grace had de afgelopen jaren de uitdrukking op het gezicht van menig advocaat gezien als de ene na de andere cliënt hem overduidelijk voor zat te liegen. Leighton Lloyds gezicht bleef onbewogen. De man zou een goede pokerspeler zijn, dacht hij.

Om tien over vijf, nadat Glenn Branson opnieuw door de verklaring ploeterde die Bishop tijdens het verhoor van de vorige avond had gegeven, en de vragen die hem waren gesteld tijdens het tweede verhoor van die ochtend, en praktisch elk woord dat Bishop had gezegd in twijfel trok, vond hij dat hij voorlopig niets meer uit de man zou krijgen.

Bishop gaf niet toe op de drie belangrijkste punten: zijn alibi in Londen, de levensverzekeringpolis en de laatste keer dat hij met zijn vrouw had gevrijd. Maar Branson was tevreden, en ook uitgeput.

Bishop werd weer naar zijn cel gebracht, waardoor de advocaat achterbleef met de twee politiemannen.

Lloyd keek nadrukkelijk op zijn horloge en richtte zich toen tot de twee mannen. 'Ik neem aan dat u zich ervan bewust bent dat u mijn cliënt binnen drie uur vrij moet laten, tenzij u hem wilt aanklagen.'

'Wat gaat u in de tussentijd doen?' vroeg Branson hem.

'Ik ga terug naar kantoor.'

'We bellen u wel.'

Daarna liepen de politiemannen terug naar Sussex House, naar Roy Grace' kantoor, en gingen daar aan de ronde tafel zitten.

'Goed gedaan, Glenn, dat ging heel goed,' zei Grace.

'Uitstekend zelfs,' zei Nick Nicholl.

Jane Paxton zat na te denken. Ze stond niet gauw klaar met schouderklopjes. 'We moeten onze volgende stap beramen.'

Toen ging de deur open en Eleanor Hodgson kwam naar binnen met een klein stapeltje papier, bijeengehouden met een paperclip. Ze zei tegen Grace: 'Sorry voor de onderbreking, Roy, maar volgens mij wil je dit wel zien. Het is net binnen van het Huntington lab.'

Het waren twee DNA-uitslagen. Eentje van het sperma dat in Sophie Harringtons vagina was aangetroffen, en de andere van het minieme stukje vlees, dat erg veel weg had van mensenvlees, dat onder de teennagel van de overleden vrouw had gezeten.

Ze kwamen allebei voor honderd procent overeen met Brian Bishops DNA.

95

Cleo Morey liep om even voor halfzes samen met Darren het mortuarium uit. Ze deed de voordeur op slot en zei, terwijl ze in de stralend warme zon stond: 'Wat ga jij vanavond doen?'

'Ik wilde met mijn vriendin naar de bioscoop, maar het is te warm,' zei hij. De zon scheen recht in zijn gezicht, dus hij kneep zijn ogen toe terwijl hij zijn bazin antwoord gaf. 'We gaan nu naar de haven, wat drinken. Er is een nieuwe tent die heel cool is, Rehab, en daar wil ik wel eens naartoe.'

Ze keek hem vol twijfel aan. Twintig jaar, zwarte stekeltjes, een opgewekt gezicht met trendy ongeschoren wangen. Als hij één verkeerde stap had gezet in zijn leven, had hij net als zoveel van de uitzichtloze jongeren elke nacht langs de straten gezworven: hyper, slapend, bedelend, stelend. Maar hij was duidelijk uit ander hout gesneden. Hij werkte hard en hij was aangenaam gezelschap. Hij zou het wel redden in het leven. 'Rehab?'

'Ja, het is een bar annex restaurant. Chic. Hartstikke duur, want 't is een heel speciaal meisje. Ik zou bijna zeggen, ga mee, maar dan zou je het vijfde wiel aan de wagen zijn, weet je wel?'

Ze grijnsde. 'Brutale aap! En hé, wie zegt er dat ik zelf geen afspraakje heb vanavond?'

'Is dat zo?' Hij was duidelijk blij voor haar. 'Eens kijken of ik kan raden met wie.'

'Dat gaat je geen bal aan!'

'Hij werkt zeker niet voor de politie, hè?'

'Ik zei toch dat het je geen bal aan gaat!'

'Dan moet je hem maar niet zoenen in het kantoortje.' Hij knipoogde naar haar.

'Wat!' riep ze uit.

'Je was zeker vergeten dat daar een beveiligingscamera hangt, hè?' Hij grijnsde breed, zwaaide vrolijk naar haar en liep naar zijn auto toe.

'Gluurder!' riep ze achter hem aan. 'Voyeur! Perverseling!'

Hij draaide zich om, terwijl hij het portier van zijn kleine rode Nissan openmaakte. 'Als je het mij vraagt, zijn jullie een leuk stel bij elkaar!'

Ze stak haar middelvinger naar hem op. En toen zei ze nog: 'En niet te veel drinken. We hebben vanavond oproepdienst.'

'Moet jij nodig zeggen!'

Een paar minuten later zat ze nog te grinniken toen ze op de rotonde reed naar de parkeergarage van Sainsbury's. Ze zat nu te bedenken wat ze die politieman – die ze had staan zoenen in het kantoortje, zoals Darren zo tactloos had gezegd – te eten zou geven. Het was zo'n heerlijke avond dat ze wilde gaan barbecuën op het dakterras. Roy Grace was dol op schaaldieren en vis.

Ze zag een plekje en parkeerde haar auto. Ze zou eerst naar de visafdeling gaan en een paar verse garnalen in hun schaal kopen, als ze er waren, en tonijnfilet. Een paar maïskolven. Wat sla. En een paar zoete aardappelen in de schil, die verrukkelijk waren op de barbecue. En een heerlijke fles rosé. Nou ja, misschien een paar flessen.

Ze keek uit naar de avond en hoopte dat Grace zich redelijk vroeg vrij kon maken van het onderzoek. Het was al een tijdje geleden dat ze een hele avond samen hadden doorgebracht en het zou leuk zijn om bij te kunnen praten. Ze had hem gemist, besefte ze, de hele tijd dat ze hem niet had gezien. Maar de schaduw van Sandy en zijn bezoekje aan München hing nog altijd over hen heen, en ze wilde daar alles over horen.

Ze had van haar vorige relatie geleerd dat net als je dacht dat alles op rolletjes liep, je wereld in één klap kon veranderen.

96

'Zijn alibi,' zei Grace, die met zijn gebalde rechtervuist in zijn linkerhand sloeg. 'Daar moeten we duidelijkheid over krijgen. Ik heb het al eerder gezegd: daar zit de kneep.'

Paxton, Branson en Nicholl, nog steeds aan de tafel in zijn kantoor, zaten er verdiept in gedachten bij. Jane vulde haar glas bij met water. 'Vind je niet dat we al genoeg bewijs hebben, Roy?' vroeg ze. 'Het wordt wel erg krap als je hem tot morgen vasthoudt, tenzij we vanavond een verlenging aanvragen bij de rechtbank.'

Grace dacht hier even over na. Het feit dat Bishop de avond ervoor om acht uur was aangehouden, pakte nu ongunstig uit. Het hield in dat ze hem om acht uur deze avond vrij moesten laten. Ze zouden zonder meer een verlenging van twaalf uur kunnen krijgen. Maar dan zou hij nog maar tot acht uur de volgende ochtend mogen blijven. Als ze hem langer wilden vasthouden, zouden ze naar de politierechter moeten stappen met een aanvraag voor langere inhechtenisneming. En als ze geen telefoontjes wilden plegen bij zonsopgang en mensen wakker maken die het recht hadden om nog lekker te slapen, dan zou dat deze avond geregeld moeten worden.

Hij keek op zijn horloge. Het was halfzes. Hij pakte de telefoon en belde Kim Murphy.

'Kim, een van jouw mensen heeft Bishops financieel adviseur Phil Taylor ondervraagd. Ik heb Taylors telefoonnummer dringend nodig. Kun je het me geven? Of nog beter, bel hem voor me en verbind hem naar me door.'

Terwijl hij daarop wachtte, hadden ze het over de implicaties van wat er aan nieuw bewijs was binnengekomen. Grace bleef bij zijn standpunt.

'Maar het DNA-bewijs op Sophie Harrington dan, Roy?' zei Nick Nicholl. 'Dat lijkt me toch duidelijk genoeg.'

Grace werd ongeduldig, maar hield zich in. 'Nick, snap het dan. Als Bishops alibi geldig is, dat hij in Londen was ten tijde van de moord op zijn vrouw, dan hebben we niets aan dat DNA-bewijs. De advocaat zal aanvoeren dat het daar met opzet is achtergelaten. Als we te snel de twee moorden met elkaar in verband brengen, is de kans groot dat het bewijs van het DNA in die zaak ook ongeldig wordt verklaard, om dezelfde reden.'

Gerechtigheid, had Grace uit bittere ervaring geleerd, was ongrijpbaar, onvoorspelbaar en vond maar af en toe plaats. Er konden te veel dingen verkeerd gaan bij een rechtszaak. Een jury, die over het algemeen bestond uit mensen die totaal niets van de wet afwisten, kon een richting op geduwd worden, overgehaald worden, gemanipuleerd, verleid en verward worden; ze waren vaak bevooroordeeld, of zo stom als het achtereind van een varken. Sommige rechters waren veel te oud; andere leken soms van een andere planeet afkomstig te zijn. Het was geen waterdichte zaak, niet genoeg bewijs om hem te veroordelen. Je zou een flinke portie geluk nodig hebben om een veroordeling rond te krijgen.

'Er is een getuige die Bishop bij haar huis heeft gezien,' zei Jane Paxton ter geruststelling.

'Ja, en?' Hij raakte steeds geïrriteerder. Kwam dat door de warmte, vroeg hij zich af, of omdat hij zo hondsmoe was? Of omdat hij ook nog eens een logé had? Of omdat Sandy een gevoelige snaar raakte?

'Nou, ik vind dat sterk bewijs,' zei ze in de verdediging gedrongen.

'We moeten die getuige een formele identificatie laten verrichten en nogmaals de tijd controleren voordat we er echt iets aan hebben. En dan kan er vandaag of morgen nog meer bewijs aan het licht komen. Als we Bishop aangeklaagd hebben, dan hebben we even wat meer tijd voor juffrouw Harrington. En dan kunnen we tenminste ook de pers weer even zoet houden.'

De telefoon ging. Het was Kim, die Grace doorgaf dat ze Phil Taylor aan de lijn had en hem door zou verbinden. Grace liep naar zijn bureau en gebruikte de telefoon die daar stond.

Toen hij klaar was, ging Grace weer staan. 'Hij wil vanavond in Londen met me praten. Zo te horen is het een eerlijke man.' Hij keek Branson aan. 'We vragen een verlenging voor twaalf uur aan voor Bishop, en we gaan na de briefing van halfzeven direct door naar Londen. Ik wil graag dat je met me meegaat.'

Vervolgens belde hij Norman Potting en verzocht hem bij de juiste instantie een aanvraag voor verlenging van twaalf uur in te dienen. Toen draaide hij zich weer om naar het drietal in zijn kantoor. 'Goed, ik zie jullie allemaal in de vergaderruimte om halfzeven. Bedankt voor jullie moeite.'

Hij ging aan zijn bureau zitten. Nu lag er een taak op hem te wachten die op zijn eigen manier ook erg moeilijk was. Hoe kon hij aan Cleo uitleggen dat hij vanavond naar Londen moest gaan en dat hij onmogelijk voor middernacht terug zou zijn?

Tot zijn verrassing, waarschijnlijk omdat zij gewend was aan het feit dat politiewerk dag en nacht doorging, deed ze niet moeilijk.

'Dat maakt niet uit,' zei ze. 'Ik sta net bij de kassa in Sainsbury met een lading verse garnalen en sint-jakobsschelpen. Zonde om ze weg te gooien, dus ik zal ze allemaal zelf moeten opeten.'

'Verdorie, het spijt me echt.'

'Hindert niet. De moorden zijn een stuk belangrijker dan een paar garnalen. Maar je kunt maar beter snel langskomen als je terug bent!'

'Dan heb ik waarschijnlijk al gegeten, ik eet wel wat in de auto.'

'Ik heb het helemaal niet over eten!'

Hij gaf haar een kushandje.

'Tien terug!' zei ze.

Hij glimlachte toen hij de verbinding verbrak, opgelucht dat Cleo – voorlopig althans – zijn bezoekje aan München vergeten was.

Maar was hij dat ook?

Dat lag eraan, wist hij, of Marcel Kullens onderzoek iets opleverde. En opeens, voor het eerst, wilde hij – bijna – dat het niets zou opleveren.

97

Er was geen parkeerplaats in de straat voor het hek van haar huis, wat ongebruikelijk was, dus Cleo moest omkeren en er eentje zoeken. De tijdmiljardair bleef op veilige afstand en zag de achterkant van de blauwe MG met knipperende richtingaanwijzer de hoek om slaan. Toen glimlachte hij.

En hij prevelde een dankgebed tot God.

Deze straat was veel beter! Aan de rechterkant was een muur zonder ramen. Eén groot klif van rode bakstenen. Aan de linkerkant waren ze aan het bouwen en de hele straat was afgezet met een blauwe houten schutting met afgesloten hekken. Een groot bord met een tekening erop hoe het eruit ging zien – allemaal chique flats en winkels – schepte met grote letters erover op:

LAINE WEST

NIET ZOMAAR EEN NIEUWBOUWPROJECT

MAAR EEN ECOVRIENDELIJKE

MANIER VAN LEVEN!

Ze had een plekje gevonden en parkeerde achteruit in. Joepie!

Hij hield haar achterlichten in de gaten. Ze leken steeds feller te worden terwijl hij zat te kijken. Bloedrood voor gevaar, rood voor geluk, rood voor seks! Hij was dol op achterlichten; hij keek ernaar zoals sommige mensen naar een houtvuur keken. En hij wist alles over de achterlichten van Cleo Moreys auto. Hoe groot het lampje was; hoe sterk; hoe ze vervangen konden worden; hoe ze verbonden waren met de bedrading van de wagen; hoe ze aan werden gezet. Hij wist álles over deze auto. Hij had de hele nacht de handleiding doorgespit, en ook op internet van alles nagelezen. Dat was het mooie van internet. Hoe laat het ook was, je kon altijd wel een of ander triest figuur te pakken krijgen die je meer kon vertellen over het automatische portierslot van een MG TF 160 uit 2005 dan de fabrikant ooit zou weten.

Ze was uitgestapt! Ze had een capri spijkerbroek aan. Roze gympen. Een wit T-shirt. Ze tilde drie boodschappentassen van Sainsbury uit de kofferbak en sloeg de riem van haar grote canvas handtas over haar schouder.

Hij reed langs haar en sloeg aan het eind van de straat rechts af. Toen weer rechtsaf. Toen weer rechtsaf, en nu was hij in de buurt van haar huis. Hij zag haar voor het hek staan, hannesend met de boodschappentassen terwijl ze de toegangscode intikte. Toen ging ze naar binnen en het hek sloeg achter haar dicht.

Nu maar hopen dat ze niet weer uitging die avond. Daar moest hij maar van uitgaan. Maar hij had natuurlijk de hulp van God.

Hij reed nog een keer helemaal rond, voor het geval ze iets vergeten was in de auto en ernaartoe zou rennen. Vrouwen deden dat soort dingen nu eenmaal, wist hij.

Na tien minuten vond hij het veilig genoeg. Hij dubbelparkeerde de Prius naast een stoffige Volvo die onder de vogelpoep zat en er niet naar uitzag dat iemand er snel gebruik van zou maken. Er kon nu niemand meer langs, maar er kwam ook niemand aan. Hij maakte het portier van de MG open, reed de straat op en dubbelparkeerde die ook even terwijl hij weer in de Prius sprong en het parkeerplekje in reed, tussen de Volvo en een kleine Renault.

Klus geklaard.

Het eerste gedeelte dan.

Zonde dat de MG het gewone dak erop had, dacht hij, terwijl hij naar zijn garage reed. Het zou heerlijk zijn geweest als het dak open had gekund.

98

Zodra de briefing van halfzeven voorbij was, pakte Grace de sleutels van de dienstauto die Tony Case voor hem had geregeld, en haastte zich naar de parkeergarage onder het gebouw, met Glenn Branson op zijn hielen.

'Mag ik rijden?'

'Je weet hoe eng ik dat vind,' antwoordde Grace. 'Nee, ik zal dat anders formuleren. De manier waarop jij rijdt jaagt me doodsangsten aan.'

'O, ja?' zei Branson. 'Moet jij nodig zeggen, jij rijdt helemaal waardeloos. Je rijdt als een vrouw. Nee, zelfs dat niet. Je rijdt als een ouwe lul, en dat ben je dan ook!'

'En jij bent pasgeleden gezakt voor die cursus!'

'De examinator was gek. Mijn instructeur zei dat ik een natuurlijke aanleg heb voor achtervolgingen op hoge snelheid. Mijn rijstijl is vet cool!'

'Die man zou opgenomen moeten worden in een inrichting.'

'Eikel!'

Grace gooide hem de sleutels toe toen ze bij de Mondeo kwamen. 'Zolang je maar geen indruk wilt gaan maken.'

'Heb je *The Fast and the Furious* gezien, met Vin Diesel?'

'Dat is toch wel zo'n stomme naam voor een acteur.'

'Is dat zo? Nou, hij vindt jouw naam ook knap stom.'

Grace wist niet zeker waarom hij met zijn stomme kop zijn vriend de sleutels had gegeven. Misschien omdat hij hoopte dat als Glenn zich concentreerde op het rijden, hij zich de zoveelste eindeloze discussie – of eigenlijk meer een monoloog – zou besparen over wat er allemaal mis was gegaan in zijn huwelijk. Hij had de vorige avond nadat hij thuis was gekomen na het verhoor met Bishop, drie uur lang naar de zieleroerselen van zijn vriend geluisterd. De fles Glenfiddich, die ze samen soldaat hadden gemaakt, had maar deels de pijn verlicht. Vervolgens had hij die ochtend weer Glenn moeten aanhoren tijdens het scheren en aankleden en daarna bij het ontbijt, en dat met een kleine kater.

Tot zijn opluchting reed Branson heel normaal, uitgezonderd het stuk heuvel afwaarts bij Handcross, waar hij de snelheid opvoerde tot ruim 200 kilometer per uur, zodat Grace zijn behendigheid om op de stoel te blijven zitten tijdens twee scherpe bochten weer kon bijschaven. 'Je moet gewoon een goede wegligging hebben en weten wanneer je gas moet geven, ouwe,' zei hij.

Wat Grace betrof, wiens maag in zijn keel zat, was het belangrijker dat je niet tegen de bijzonder stevig uitziende bomen aan knalde die in beide bochten stonden. Toen waren ze bij de M23 en Grace' opmerkingen dat er snelheidscamera's hingen en verkeersagenten op de loer lagen die graag collega-politiemensen op de bon slingerden, hadden gelukkig wat resultaat.

Dus Branson ging wat langzamer rijden en ging vervolgens handsfree bellen op zijn mobieltje.

'Kreng!' zei hij. 'Ze neemt niet op. Ik heb toch zeker het recht om met mijn kinderen te praten?'

'Je hebt het recht om in je huis te wonen,' herinnerde Grace hem.

'Zeg jij dat maar eens tegen haar. Dan kun je – weet je wel – haar het officiële standpunt van de politie vertellen.'

Grace schudde zijn hoofd. 'Ik doe mijn best, maar ik kan niet voor jou de kastanjes uit het vuur halen.'

'Ja, je hebt gelijk. Dat had ik niet moeten vragen. Sorry.'

'Hoe zit het nou met dat paard?'

'Nou, ze had het er weer over toen we elkaar spraken. Ze wil aan concoursen mee gaan doen. Dat kost erg veel geld.'

Grace vond eigenlijk dat ze beter naar een psycholoog kon gaan. 'Jullie zouden eens in relatietherapie moeten gaan,' zei hij.

'Dat heb je al een keer gezegd.'

'O, ja?'

'Om twee uur vannacht. En gisteren. Je bent jezelf aan het herhalen, ouwe. Aderverkalking?'

'Weet je wat het met jou is?' zei Grace.

'Buiten dan dat ik zwart ben? Kaal? Een kansarme achtergrond?'

'Ja, dat ook allemaal.'

'Nou, zeg het maar.'

'Je hebt geen respect voor je gelijken.'

Branson hield het stuur vast met een hand en stak de andere op. 'Respect!' zei hij eerbiedig.

'Zo hoort het.'

Even na negenen zette Branson de Mondeo langs een enkele gele streep in Arlington Street, vlak bij het Ritz Hotel en tegenover het Caprice-restaurant.

'Fijne auto,' zei hij terwijl ze de heuvel op liepen en langs een Ferrari kwamen. 'Je zou er zo eentje moeten kopen. Beter dan die stomme Alfa waar je in rondscharrelt. Beter voor je imago.'

'Ik kom daar zo'n honderdduizend pond voor tekort, maar dat is natuurlijk maar een klein detail,' zei Grace. 'En met jou in mijn team zijn de kansen op een salarisverhoging toch ietwat afgenomen.'

Boven aan de straat sloegen ze de hoek om naar Picadilly en ze zagen meteen het mooie, indrukwekkende in zwart en goud geverfde gebouw. Het was gigantisch, de etalages waren felverlicht en binnen zag het zwart van de mensen. Een deftig bordje aan de muur gaf aan dat het The Wolseley was.

Ze werden uitgebreid welkom geheten door een portier in livrei en hoge hoed. 'Goedenavond, heren,' zei hij met een vleugje Iers accent.

'Restaurant The Wolseley?' vroeg Grace, die zich daar niet echt op zijn gemak voelde.

'Maar natuurlijk! Erg fijn dat u er beiden bent!' Hij hield de deur voor hen open en gebaarde dat ze naar binnen konden gaan.

Grace stapte naar binnen, met Branson op zijn hielen. Er stond een groepje mensen bij de receptie. Een ober draafde langs met een dienblad vol met cocktails naar een enorme eetzaal met een koepeldak en galerijen, elegant uitgevoerd in zwart en wit en bomvol met mensen. Er werd druk geroezemoesd. Hij keek even rond. Er hing een sfeer van oude grandeur, en toch gaf het ook een buitengewoon moderne indruk. De bediening droeg allemaal hip zwart en de meeste gasten zagen er cool uit. Hij dacht dat Cleo het hier wel leuk zou vinden. Misschien zou hij een keer met haar naar Londen gaan en hier gaan eten. Hoewel hij maar beter eerst kon kijken wat het allemaal kostte.

Een jonge receptioniste glimlachte naar hen, waarna een lange man, die trendy lang en warrig rood haar had, hen begroette. 'Goedenavond, heren. Wat kan ik voor u doen?'

'We hebben een afspraak met meneer Taylor.'

'Meneer Phil Taylor?'

'Inderdaad.'

Hij wees naar de bar. 'Hij zit daar, heren, het eerste tafeltje aan de rechterkant. Loopt u maar mee.'

Toen Grace de bar binnenliep, zag hij een man van begin veertig, in een geel poloshirt en blauwe broek, die hem verwachtingsvol aankeek.

'Meneer Taylor?'

'Zeker!' Hij kwam half overeind. 'Inspecteur Grace?' Hij had een uitgesproken Yorkshire-accent.

'Ja. En rechercheur Branson.' Grace nam hem snel op en probeerde hem in te schatten. Hij was ontspannen en zag er sportief uit, een tikje te zwaar, met een vriendelijk, eerlijk gezicht, een verbrande neus, dunner wordend haar en scherpe, intelligente ogen. Slimme vent, dacht hij meteen. Een bos autosleutels, met het Ferrari-logo op de sleutelhanger, lag op de tafel naast een groot glas met een cocktail erin die eruitzag als gewoon water met een takje munt.

'Fijn u te ontmoeten, heren. Neemt u toch plaats. Wilt u iets drinken? Ik kan u de Mojito's aanbevelen, ze zijn heerlijk.' Hij zwaaide om de aandacht van een ober te trekken.

'Ik rij, dus geef mij maar een cola light,' zei Branson.

'Ik ook,' zei Grace, hoewel hij beter een single malt whisky kon nemen, want hij moest straks weer terug met Branson aan het stuur. 'We betalen voor onszelf, meneer. Heel vriendelijk dat we u zo snel kunnen spreken,' begon Grace.

'Maar natuurlijk. Wat kan ik voor u doen?'

'Kunt u mij vertellen hoelang u Brian Bishop kent?' vroeg Branson, en hij legde zijn notitieboekje op tafel.

Grace hield de ogen van de man in de gaten, terwijl deze nadacht.

'Ongeveer zes jaar... ja, bijna zes jaar nu.'

Branson schreef het op.

'Is dit een officieel verhoor?' vroeg Phil Taylor, ten dele gekscherend.

'Nee,' antwoordde Branson. 'We willen alleen maar een paar tijdstippen bevestigd zien.'

'Daar heb ik het gisteren al met een van uw medewerkers over gehad. Wat is er eigenlijk aan de hand? Zit Brian in de problemen?'

'We willen daar voorlopig nog niets over zeggen,' antwoordde Grace.

'Hoe hebt u hem leren kennen?' vroeg Branson.

'Bij een Pr-bijeenkomst.'

'Pr?'

'Dat is een privéclub voor autoliefhebbers, geleid door Damon Hill, de autocoureur en voormalig wereldkampioen. Je betaalt elk jaar contributie en dan mag je in verschillende soorten sportauto's rijden. We hebben elkaar tijdens een van de cocktailparty's ontmoet.'

Terwijl hij naar de sleutelhanger keek, vroeg Glenn Branson: 'Is de Ferrari die om de hoek in Arlington Street staat van u?'

'De 430? Ja, die is van mij.'

'Mooi hoor,' zei Branson. 'Prachtige auto.'

'Zou nog beter zijn als er niet overal van die snelheidscamera's hingen!'

'Kunt u ons wat over uzelf vertellen, meneer Taylor?' vroeg Grace, die er niet op inging.

'Over mezelf? Ik ben afgestudeerd als accountant, heb daarna vijftien jaar bij de belastingdienst gewerkt, het langst bij een team waar voornamelijk belastingonderduikingen werden onderzocht. Daardoor zag ik dat zelfstandige accountants heel veel geld verdienen. Dat leek mij ook wel wat. Dus heb ik Taylor Financial Planning opgezet. Nooit spijt van gehad. Even daarna heb ik Brian leren kennen. Hij was een van mijn eerste cliënten.'

'Kunt u meneer Bishop voor ons beschrijven?' vroeg Branson.

'Hem beschrijven? Hij is een prima vent. Beter kan bijna niet.' Hij dacht even na. 'Volkomen eerlijk, intelligent, betrouwbaar, efficiënt.'

'Hebt u wel eens een levensverzekering voor hem geregeld?'

'Dat is vertrouwelijk, heren.'

'Goed,' zei Grace. 'Dan wil ik u toch nog iets vragen, en als u daar niet op wilt reageren, is dat prima. Hebt u ooit een levensverzekering geregeld voor Brian Bishops vrouw?'

'Daar kan ik volmondig nee op zeggen.'

'Dank u wel.'

'Klopt het, meneer Taylor, dat u en meneer Bishop op donderdag 3 augustus hier in dit restaurant, hebben gegeten?' ging Grace door.

'Ja, dat klopt inderdaad,' zei hij, enigszins in de verdediging.

'Gaat u hier regelmatig naartoe?' vroeg Branson.

'Ja. Ik vind het prettig hier met cliënten af te spreken.'

'Weet u nog, bij benadering, hoe laat u hier wegging?'

'Dat weet ik zelfs precies,' zei Phil Taylor een tikkeltje vergenoegd. Hij viste zijn portefeuille uit de zak van zijn jas, die naast hem op de bank lag, en haalde er een creditcardbonnetje uit van het restaurant.

Grace bekeek het. Bishop had niet gelogen, constateerde hij, toen hij zag welke drankjes de mannen hadden besteld. Twee Mojito's. Twee flessen wijn. Vier cognacjes. 'Zo te zien hebt u het wel naar uw zin gehad!' zei hij. Het viel hem trouwens op dat de prijzen niet hoger waren dan in de duurdere restaurants van Brighton. Hij kon het zich wel veroorloven Cleo hier mee naartoe te nemen. Ze zou het prachtig vinden.

'Inderdaad.'

Grace maakte in gedachten een berekening. Ervan uitgaande dat allebei de mannen min of meer gelijk op waren gegaan met drinken, dan zou Bishop ruim over het toelaatbare alcoholpercentage hebben gezeten toen hij het restaurant verliet. Was hij door de drank misschien woedend geworden over de ontrouw van zijn vrouw? En had het hem het lef gegeven om als een dolle te rijden?

Hij bekeek het bonnetje nauwkeurig en zag opeens rechtsboven staan wat hij had gezocht: TIJD 22.54.

'Hoe kwam Brian Bishop die donderdagavond op u over?' vroeg Grace aan Phil Taylor.

'Hij was in een fantastische bui. Heel erg opgewekt. Goed gezelschap. Hij moest naar een golftoernooi in Brighton de volgende ochtend, dus hij wilde het niet te laat maken, en ook niet te veel drinken, maar dat is toch gebeurd!' Hij grinnikte.

'Weet u nog wanneer u hier wegging nadat u de rekening had betaald?'

'Meteen daarna. Brian wilde duidelijk naar huis, hij moest de volgende dag vroeg op.'

'Hij nam dus een taxi?'

'Ja. De portier, John, riep er een voor hem. Hij mocht van mij de eerste nemen.'

'En dat was rond elf uur.'

'Ja, rond die tijd. Ik kan niet zeggen wanneer precies. Misschien een paar minuutjes voor elven.'

Grace betaalde voor de cola's, bedankte hem voor de moeite en ging weg. Terwijl ze de hoek om sloegen en Arlington Street in liepen, was Grace druk bezig met alles uit te rekenen. Toen ze bijna bij de Mondeo waren, gaf hij Branson een hartelijk klopje op zijn rug. 'Iedereen heeft wel eens zijn dag!'

'Wat bedoel je daar nu weer mee?'

'Mijn beste vriend, ik ga je heel blij maken.'

'Sorry, ouwe, ik heb geen idee waar je het over hebt.'

'Over je rijstijl. Jij krijgt de kans om jezelf te bewijzen. We gaan eerst, keurig netjes binnen de maximumsnelheid, naar Bishops flat in Notting Hill. Daarna mag je rijden als een idioot! We gaan eens kijken in hoeveel tijd Bishop die reis kan hebben afgelegd.'

De rechercheur keek hem stralend aan.

99

Wat was er aan de hand? Gisteren struikelde je in Brighton verdomme over de MG TF's. Nu was er nergens in de hele stad een te bekennen. Skunk keek kwaad door de ruit van de kleine Peugeot van de moeder van Beth.

'Maak me klaar!' zei Beth.

'Rot op,' zei hij. 'Zoek liever een MG voor me, verdomme.' Vrouwen! Godver!

Het was halfelf. Ze hadden al alle gebruikelijke parkeerplaatsen rond gereden. Niets gevonden. Niets althans wat overeenkwam met wat Barry Spiker wilde, en na zijn vorige ervaring met de autohandelaar wilde hij niet weer aankomen met het verkeerde model. Een MG TF 160. Blauw. Details maakten niet uit. Duidelijker dan dat kon niet.

Hij zat helemaal te stuiteren. Had heel erg wat bruin nodig. Hij had het twee uur geleden uitgeknobbeld. Agent Packer was ermee akkoord gegaan. Hij zou de auto jatten en ermee naar Spiker rijden. Packer zou wachten tot hij met het geld van Spiker weg was gegaan. Helemaal geregeld. Packer zou hem de volgende dag betalen. Hij zou deze avond wat bruin kopen met het geld van Spiker.

En wat gebeurde er? Nergens een MG TF 160 te bekennen. Niet een. Alsof ze door de aarde verzwolgen waren.

Ze reden op Shirley Drive, een van de grootste en chicste verkeersaders van Hove. Er stroomde zo te zien geld in plaats van bloed doorheen. Protserige huizen, opvallende auto's op de opritten. Alles wat je zou willen kopen als je de loterij won. Beemers, Mercedessen, Porsches, Bentleys, Ferrari's, Range Rovers, je kon het zo gek niet bedenken. Glanzend, duur metaal zo ver het oog en de creditcard reikte.

'Rechtsaf,' droeg hij op.

'Vinger me dan in elk geval!'

'Ik heb het druk, ik ben aan het werk.'

'Je zou zo laat niet meer op kantoor moeten zitten,' zei ze verwijtend.

'Is dat zo? Nou, weet je wat, als jij zo'n auto voor me kunt vinden, dan neuk ik je de hele avond. Ik koop wel iets wat we allebei kunnen gebruiken.'

Bethany boog zich naar hem toe en kuste hem. De ring in haar lip kriebelde zijn wang. 'Ik ben helemaal gek op je, weet je dat?'

Skunk keek naar haar. Ze was soms best wel knap, met haar wipneus en korte pony. Er borrelde iets diep binnen in hem naar boven. Hij had dat gevoel in zijn hele waardeloze jeugd niet gehad en hij wist niet hoe hij ermee om moest gaan. Hij haalde diep adem en verbeet zijn tranen. 'Weet je, Beth, in mijn hele leven tot nu toe ben jij het enige lichtpuntje.' Hij haalde zijn schouders op. 'Nee, echt. Dat wilde ik je even vertellen. En nu rijden, ja. We moeten aan de slag.'

En toen, terwijl ze rechts afsloeg, kwam hij opeens enthousiast naar voren. Door zijn riem werd hij meteen naar achteren getrokken. 'Gas geven. Snel!'

Bethany schakelde vlug en de Peugot schoot naar voren, langs de mooie vrijstaande huizen aan Onslow Road, achter de rode achterlichten aan die voor hen waren. Ze kwamen in de buurt van de MG en wachtten op een opening in het verkeer om rechtsaf Dyke Road in te slaan.

Skunk keek recht voor zich uit. Door het licht van de koplampen kon hij de kleine MG duidelijk zien. Het was een TF 160, donkerblauw, met een blauw dak. Waarom de chauffeur het vaste dak erop had zitten met dit heerlijke zonnetje was hem een raadsel, maar dat zou hem verder worst zijn. En Spiker zou vast blij zijn. Het dak was een klein extraatje.

De MG sloeg af.

'Volg hem! Hij mag ons niet zien, maar je mag hem niet uit het oog verliezen!'

'Wat is er aan de hand, Beertje?' Beertje was haar koosnaampje voor hem, omdat ze Skunk maar niets vond.

'Ik ben aan het werk. Geen vragen.'

Grinnikend omdat ze zijn vreemde manier van doen leuk vond, ging Bethany pal voor een andere auto scherp naar rechts. Felle lichten. Luid piepende remmen en hard getoeter.

'Kut!' zei hij. 'Je bent godverdomme een gevaar op de weg.'

'Ik moest hem toch volgen van jou!'

'Hij mag ons niet zien.'

Ze ging langzamer rijden. De MG reed voor hen uit. Stopte toen voor een paar verkeerslichten. Bethany ging erachter staan. Skunk zag het achterhoofd van de bestuurder. Lang, donker haar. Zo te zien was het een vrouw.

'Ga je me nog vertellen waar dit allemaal op slaat?' vroeg Bethany dwingend.

'Volg haar nu maar. En hou afstand.'

De tijdmiljardair maakte zich druk om de koplampen achter zich. Volgde die auto hem? Een politiewagen? Het licht sprong op groen en hij trok op, bleef zorgvuldig onder de toegestane snelheid van 45 kilometer per uur. Tot zijn opluchting zag hij dat de auto achter hem bleef staan, en toen heel langzaam optrok.

Hij stond weer achter hem bij de volgende verkeerslichten, de kruising met Old Shoreham Road. Hij stond precies onder een straatlantaarn en hij kon zien dat het een stomme oude Peugeot 206 was. Beslist niet van de politie. Gewoon een sletje en een lul die een beetje rondreden. Niets aan de hand.

Vijf minuten later zette hij de auto in de straat voor Cleo Moreys huis, naast de door vogels ondergescheten Volvo. Hij reed de Prius de weg op, en parkeerde MG in het plekje. Perfect! Het kreng zou geen reden hebben om iets te vermoeden.

Skunk, die boven aan de straat stond, verborgen in de schaduw, bekeek vol interesse wat er met de auto gebeurde. Hij had geen idee wat er aan de hand was. En ook niet waarom de vrouw zo lang in de MG zat, en wat ze aan het doen was, terwijl de Prius dubbelgeparkeerd stond en het verkeer in de straat geen kant op kon.

Toen stapte de vrouw uit de auto en hij zag dat hij het mis had gehad: het was een vent met een baard. Skunk keek toe terwijl hij in de Prius stapte en wegreed.

Toen liep hij terug naar de Peugeot, zette hem een stukje verder aan de kant en belde agent Paul Packer.

'Hoi, knul!' zei Packer. 'Wat is er?'

'Ik heb de auto gevonden.'

'Goed. Ik kan voorlopig even niet weg, ik heb een oproep gehad. Kun je daar een tijdje blijven?'

'Hoelang dan?'

'Hooguit twee uur.'

Skunk keek op het klokje van de Peugeot. Het was tien voor elf. 'Maar niet langer,' zei hij. 'Ik kan niet meer dan twee uur wachten.'

'Zeg maar waar het is. Ik regel het wel.'

Skunk vertelde waar hij was. Toen verbrak hij de verbinding en draaide zich om naar Bethany. 'Doe je slipje uit.'

'Ik heb er geen een aan!' zei ze.

100

Grace keek op zijn horloge, het was zeven minuten over elf. Toen keek hij naar de snelheidsmeter. Ze reden zo'n 217 kilometer per uur. Lichten schoten voorbij, het donker kwam hen met volle vaart tegemoet. Hij lette goed op de auto's voor hen, om Glenn een handje te helpen. Als ze dichter bij een auto kwamen, deed hij zijn best erachter te komen of het een politiewagen was. Dat viel nog niet mee, want er waren genoeg burgerwagens waar de politie op dit stuk weg in reed, maar hij wist waar hij op moest letten: twee mensen in de auto, een schoon nieuw vierdeurs model met buitenantennes waren de beste aanwijzingen – en hij wist ook dat er 's nachts niet zoveel op de weg zaten – dan gebruikten ze liever de echte politiewagens, zodat ze goed opvielen.

Hij zou zijn invloed toch al genoeg moeten aanwenden – wat niet meeviel omdat de politie toch al zoveel in de spotlights stond – om te zorgen dat Branson geen bon kreeg en er punten van zijn rijbewijs zouden worden afgetrokken. Ze waren al vier keer geflitst door verschillende camera's onderweg naar Londen. Dat waren drie punten per stuk, misschien zelfs meer omdat ze zo'n hoge snelheid hadden. Dat zouden minstens twaalf punten zijn. Hij zou meteen niet meer mogen rijden.

Toen hij dat besefte, moest hij grinniken; hij zag al voor zich hoe zijn vriend zou reageren.

'Wat is er zo grappig?' vroeg Branson zo hard mogelijk om boven de rapsong van Bubba Sparxxx uit te komen die keihard uit de radio kwam. 'Waarom zit je te grinniken?'

Grace had niet over de herrie gezeurd omdat Glenn had gezegd dat hij de muziek nodig had om zo hard te kunnen rijden. 'Mijn leven,' antwoordde hij.

Er gingen acht minuten voorbij. Ze hadden afslag 8 allang achter zich gelaten en afslag 9 stond eraan te komen. Hij hield de weg voor hen in de gaten. 'Jouw leven? Ik dacht dat je een miserabel leven had. Ik had er geen idee van dat het zo grappig was.'

'Rij nou maar! Ik heb een van die – hoe noem je dat ook alweer? – bijna-doodervaringen. Dat je hele leven voor je ogen voorbijflitst. Dat is al aan de gang sinds we Notting Hill verlieten.'

Het grote, blauw met witte bord van de weg naar Gatwick en het bord voor afslag 9 werden zichtbaar. Ze raasden erlangs. Even verderop kon Grace het silhouet van het viaduct over de snelweg onderscheiden.

Dertig seconden later, terwijl ze eronderdoor reden, keek Grace weer even op zijn horloge en op de snelheidsmeter. 'Goed, je kunt nu wel wat langzamer gaan rijden!'

'Mooi niet!'

Tot Grace' opluchting was Bubba Sparxxx uitgerapt. Hij leunde naar voren om het geluid zachter te zetten, maar Branson wilde dat niet. 'Mobb Deep komt zo, man. Dat is wel niets voor jou, maar ik ben gek op dat soort muziek.'

'Als je niet langzamer gaat rijden, ga ik een zender opzoeken die Cliff Richard draait!' dreigde Grace.

Branson ging al hoofdschuddend iets langzamer rijden.

Grace sloot Branson en de muziek even buiten en maakte wat berekeningen in zijn hoofd. Ze hadden zo'n 45 kilometer afgelegd vanaf Bishops flatgebouw in Westbourne Grove, Notting Hill, en sommige gedeelten waren in behoorlijk drukke bebouwde gebieden en sommige op een tweebaansweg en een snelweg.

Bishop had verschillende routes kunnen nemen, en als ze alle bewakingscamera's zouden controleren, zouden ze er uiteindelijk wel achter komen welke hij had genomen. Er was veel verkeer geweest vanuit Londen en Grace wist dat je soms geluk had en soms niet, wat dat betrof.

Ze hadden de afstand in 36 minuten afgelegd. Als ze zich aan de maximale snelheid hadden gehouden, dan zou het bijna een uur zijn geweest. Branson had gereden alsof de duivel hem op zijn hielen zat en het was een wonder dat ze niet één keer waren aangehouden. Als het niet zo druk was geweest, of als ze een andere route hadden genomen, dacht hij dat ze er misschien wel vijf tot tien minuten korter over hadden gedaan. Wat inhield dat Bishop het in 26 minuten zou kunnen hebben gereden.

Ze moesten een paar dingen in overweging nemen. Het bonnetje van Phil

Taylor gaf aan dat er om zes voor elf op donderdagavond was betaald. De klok op de creditcardmachine hoefde niet per se honderd procent goed te lopen, het kon best een paar minuten voor of achter lopen. Hij ging er maar even van uit, om Bishop het voordeel van de twijfel te geven, dat het vijf minuten achter liep. Dus zou Bishop, nam hij aan, het restaurant om een uur of elf hebben verlaten. De taxirit, even aangenomen dat er geen verkeersopstoppingen waren, zou een kwartier hebben gekost. Tel daar een paar minuten bij op zodat Bishop zijn auto uit de ondergrondse parkeergarage onder zijn flat kon halen.

Bishop moest dan om tien voor halftwaalf op Westbourne Grove in zijn auto hebben gezeten. De verkeerscamera op de brug van afslag 9 bij Gatwick had hem om dertien voor twaalf geflitst.

27 minuten voor een reis die hen net 36 minuten had gekost. En Bishop had een veel snellere auto. De snelste luxewagen ter wereld.

De verkeerscamera gaf natuurlijk ook niet per se de juiste tijd aan. Er waren een hoop onzekere factoren. Maar hij wist nu wel zeker dat het te doen was.

Hij zette de radio uit.

'Hé!' riep Branson verontwaardigd.

'En als je dat soort muziek in mijn huis waagt te draaien, dan kun je voortaan in het kippenhok slapen.'

'Je hebt niet eens een kippenhok.'

'Die koop ik dan morgen wel.'

'Je hebt twee linkerhanden. Die krijg je nooit in elkaar gezet.'

'Dan kun je beter maar hopen dat het niet gaat regenen.' Toen vroeg hij, weer ernstig: 'Wat vind jij van Phil Taylor als getuige?'

'Hij is eerlijk. Wel wat poenerig, met die auto en zo. Zeer zelfverzekerd.'

'Houdt hij zijn cliënt de hand boven het hoofd? Krijgt hij een deel van het verzekeringsgeld van Bishop?'

Branson schudde zijn hoofd. 'Zo kwam hij niet op me over. Een ex-belastinginspecteur? Hij zou natuurlijk best wel corrupt kunnen zijn, maar op mij maakte hij een eerlijke indruk. Een normale vent, prima verder. Maar die auto! Ik benijd die klootzak wel!'

'Volgens mij is hij inderdaad eerlijk. En hij leek me ook een betrouwbare getuige in de rechtszaal.'

'En?'

'Je hebt het in 36 minuten gereden. Volgens mijn berekeningen had Bishop het in 27 kunnen doen, maar wellicht ook meer.'

'Ik had nog sneller kunnen rijden.'

Grace moest er niet aan denken. 'Je hebt het helemaal goed gedaan.'

'En?'

'We gaan hem in staat van beschuldiging stellen.'

Grace pakte zijn gsm en toetste het nummer thuis in van de aanklager van het Openbaar Ministerie, Chris Binns, met wie hij de afgelopen dagen al contact had gehad, en wiens toestemming hij moest hebben om Bishop formeel aan te klagen. Hij vertelde de advocaat wat hij die avond had ontdekt en dat ze Bishop niet veel langer meer vast konden houden.

Ze spraken de volgende ochtend af om halfzeven in het Sussex House.

IOI

Cleo lag op de bank in de zitkamer, met een bijna lege fles wijn naast haar op de grond en een omgevallen leeg glas ernaast. De dvd *Memoirs of a Geisha* speelde op de breedbeeldtelevisie, maar ze kon maar met moeite haar ogen openhouden.

Ze had helemaal niet mogen drinken, want ze had oproepdienst – en ze moest nog een essay schrijven voor haar cursus filosofie – maar ze was zeer van slag geweest toen ze Fish op de grond had zien liggen. Raar toch, dacht ze, ze zag de hele dag overleden mensen en, uitgezonderd de kinderen, daar bleef ze heel kalm onder. Maar niet toen ze haar kleine Fish op zijn zij in de ruimte tussen twee eiken planken zag liggen. Zijn mooie oranje kleur was vaalgeel geworden en zijn nietsziende ogen hadden haar beschuldigend aangestaard, alsof hij wilde zeggen: waarom ben je me niet komen redden?

En hoe was dat kleine diertje helemaal daar terechtgekomen? Als het de dag ervoor was geweest, had ze haar hulp Marija de schuld kunnen geven, want dat onhandige mens brak altijd wel wat. Maar ze kwam nooit op dinsdag. Zou er een kat binnen zijn gekomen? Een vogel? Of had de arme Fish een of andere wilde manoeuvre uitgeprobeerd?

Ze stak haar arm uit, schonk de fles leeg in haar glas en dronk het kleine beetje op. Op tv werd de geisha geleerd hoe ze een man kon behagen. Ze keek aandachtig toe, opeens weer een beetje bij, en wat energieker. Ze had de film opgezet in de hoop iets te kunnen leren wat ze op Roy uit kon proberen.

Daarom had ze onder haar zijden negligé alleen maar een zeer dun en onthullend roomwit lingeriesetje aan dat ze zaterdag in een lingeriezaak in Brighton voor veel geld had gekocht. Ze was de hele avond al aan het bedenken wat ze zou doen als hij aanbelde. Ze zou de deur opendoen, hem een zoen geven, dan een stap naar achteren zetten en de voorkant van haar negligé open laten vallen.

Ze was zo benieuwd naar zijn reactie! Ze had ooit gelezen dat mannen helemaal opgewonden raakten als vrouwen het initiatief namen. En het was voor haar al opwindend om hier op de bank te liggen, in haar negligé, en eraan te denken. De klok op de video gaf aan dat het acht minuten over twaalf was. Waar ben je? vroeg ze zich af.

Als een reactie op haar vraag, ging de telefoon. Ze hield de draadloze telefoon bij haar oor en nam op. Het was Roy, die belde met een krakerige gsm.

'Hoi,' zei hij. 'Hoe gaat het?'

'Ja, goed. Waar ben je, arme ziel?'

'Op vijf minuten afstand van kantoor. Ik moet nog een paar dingen regelen voor morgen, ik kan over een halfuur bij je zijn. Is dat te laat?'

'Nee hoor, helemaal niet! Kom maar wanneer je kunt. Er staat een drankje klaar voor je. Hoe is het gegaan?'

'Goed. Heel goed. Wel vermoeiend, maar de moeite waard. Weet je zeker dat ik nog langs kan komen?'

'Heel zeker, mijn schattebout! De liefde bedrijven is een stuk leuker met iemand anders dan in je eentje!'

Ze hoorde dat er een telefoontje achter zat toen ze de verbinding verbrak. De telefoon ging meteen weer over.

'Hallo?' zei ze.

En toen: shit, dacht ze balend, terwijl de stem aan de andere kant iets zei. Godverdegodverdegodver! Wat een timing!

102

Skunks gsm piepte. Er kwam een sms'je binnen. Hij maakte zich los van de half uitgeklede Bethany en had de grootste moeite te bedenken waar hij was. Hij had geslapen, hij was helemaal verkrampt en die kuttelefoon was nergens te bekennen. En hij zat nu echt heel erg te beven.

'Au!' zei Beth toen hij onder haar dij zocht.

'Ik zoek mijn gsm.'

'Volgens mij heb ik daarnet mijn rug gebroken,' zei ze giechelend.

'Gore teef dat je er bent.'

Hij vond hem, op de grond voor de passagiersstoel. Het was een berichtje van agent Paul Packer:

```
Ik ben er, ben je zover?
```

Skunk sms'te terug:

```
Ja.
```

De telefoon gaf aan dat het veertien minuten na middernacht was.

Moeizaam wurmde Skunk zijn broek weer omhoog, terwijl Bethany de hele tijd zeurde dat hij haar zowat plette. Zijn gympen had hij nog aan. Hij gaf Bethany een klein kusje op haar wang. 'Tot ziens!'

'Waar ga je naartoe? Wat ga je doen?'

'Vergadering op kantoor!'

'Wat voor een?'

'Ik moet ervandoor.'

Hij stapte met moeite uit de auto, zijn lijf nog steeds stram en trillend, en bleef even staan in de donkere schaduw van het nieuwbouwproject, met een hand op de auto, de andere tegen de schutting. Hij ademde moeizaam, zijn hart ging als een razende tekeer, en heel even dacht hij dat hij moest overgeven. Het zweet gutste van zijn hoofd en lichaam af. Hij zag dat Beth bezorgd naar hem keek, ze zag er in de gloed van de straatlantaarn aan de andere kant van de straat uit als een geest.

Hij zette een stap naar voren en besefte dat hij duizelig was. Hij stond te zwaaien op zijn benen en viel bijna om, maar kon zich nog net op tijd aan de auto vastpakken om overeind te blijven. Ik móét dit doen! hield hij zichzelf voor. Ik moet dit doen, nog even volhouden, gewoon nog een stapje zetten, ik kan dit niet verkloten, ik moet dit doen, dat moet. Dat moet!

Hij trok de capuchon van zijn dunne windjack over zijn hoofd en dwong zichzelf te lopen. Er stond een windje en de schutting rammelde een beetje. Er stonden auto's aan beide kanten van de straat geparkeerd, beschenen door de oranje gloed van de straatverlichting. De MG stond zo'n vijfenveertig meter verderop.

Hij was zich ervan bewust dat hij wankelde. En dat hij werd gadegeslagen. Hij wist niet waar ze zaten, maar hij wist wel dat ze er waren. Waarschijnlijk in een van de auto's of busjes. Hij liep langs een zwarte Prius, een 2CV Citroën. Een stoffige Mitsubishi-gezinswagen werd wazig toen hij erbij kwam, en was toen weer duidelijk te zien. Hij was nog steeds erg misselijk. Hij voelde een insect over zijn linkerarm kruipen en sloeg ernaar. Toen kropen er nog meer insecten over hem heen, hij kon hun kleine, scherpe pootjes op zijn huid voelen. Hij sloeg op zijn borst, en vervolgens op zijn nek. Toen op zijn buik. 'Rot op!' flapte hij eruit.

Opeens in paniek, dacht hij dat hij zijn gereedschap was vergeten. Had hij het laten vallen in de auto? Of lag het nog in de caravan?

Hij zocht in zijn zakken, de een na de ander. Nee! Verdomme, nee!

Toen zocht hij zijn zakken weer na. En daar waren ze, in de punt van de rechterzak van zijn windjack, in hun harde plastic etui.

Doe normaal!

Toen hij bij de achterkant van de MG was aangekomen, werd hij opeens verlicht door een felle witte lamp. Hij hoorde een motor aanslaan en stapte opzij. Bethany scheurde langs, in zijn één, zwaaide en toeterde nog even.

Stom wijf! Hij grinnikte. Keek haar na totdat haar achterlichten niet meer te zien waren. Toen, omdat hij zich opeens een stuk beter voelde nu hij er inderdaad was, pakte hij snel het etui met smalle pennetjes uit zijn jaszak, pakte degene die hij nodig had en stopte voorzichtig de punt ervan in het portierslot. Het ging al na een paar seconden open. Het alarm ging meteen af, een luid gepiep, samen met geknipper van alle lampen.

Hij bleef rustig. Deze auto's waren lastig te jatten, ze hadden schoksensoren en startonderbrekers. Maar een gedeelte van de bedrading zat achter het dashboard. Je kon de schoksensor en de startonderbreker uitzetten en de auto starten met maar één simpele handeling.

Het interieur rook lekker, nieuwe bekleding, leer en een beetje naar een vrouw. Hij stapte in, liet het portier open, zodat het binnenlichtje aan zou blijven, dook met zijn hoofd onder het dashboard en vond meteen wat hij zocht. Twee seconden later was het alarm uitgeschakeld.

Toen hoorde hij iemand schreeuwen. Een vrouw. Ze was razend.

'Hé! Dat is mijn auto, verdomme!'

Cleo kwam aanrennen, kokend van woede, in een rode mist van kwaadheid. Ze was al opgefokt genoeg doordat haar zo goed voorbereide avond de mist in was gegaan door Roys onverwachte uitstapje naar Londen, en nu werd die helemaal verknald door een oproep om een overleden zwerver uit een bushokje in Peacehaven op te halen. Ze was dan ook in staat om met haar blote handen de klojo met capuchon op te vermoorden die haar auto wilde stelen.

Het portier werd dichtgeslagen. Ze hoorde de motor aanslaan. De achterlichten gingen aan. Haar hart zonk haar in de schoenen. De klootzak ging ervandoor. Toen ze bij de Volvo aankwam die erachter stond geparkeerd, werd opeens het interieur van de MG verlicht alsof een enorme lamp aangedaan was.

Er was geen knal. Geen explosie. Het was opeens helemaal vol met stille likkende vlammen, binnen in de auto. Net een lichtshow.

Ze bleef staan, stond in shock toe te kijken, en vroeg zich heel even af of de klojo een vandaal was die de auto met opzet in de fik had gestoken. Alleen zat hij nog steeds in de auto.

Ze rende ernaartoe, kwam bij de deur van de chauffeur en zag zijn wanhopige, uitgemergelde gezicht bij het raampje. Hij zat te hannesen met de deurknop, gooide zijn hele gewicht tegen het portier, alsof het vastzat, en bonkte toen als een gek op het raampje met zijn vuist, terwijl hij haar met een smekende blik in zijn ogen aankeek. Ze zag dat zijn capuchon in brand stond. En zijn wenkbrauwen. En ze kon de hitte nu voelen. In paniek pakte ze de deurknop en trok eraan. Er gebeurde niets.

Opeens stonden er twee mannen naast haar, politieagenten, in een zwarte overall en kevlar jassen, eentje fors met een kaalgeschoren hoofd en de ander langer met gemillimeterd haar.

'Uit de weg, mevrouw,' zei de forse. Hij greep de deurknop met beide handen beet en trok eraan, terwijl de andere naar het passagiersportier rende om het open te maken.

De man met de brandende capuchon draaide als een bezetene zijn hoofd heen en weer, zijn mond opengesperd in doodsangst en pijn, zijn huid vormde blaren terwijl ze keek.

'Maak het portier open! Skunk, maak verdomme het portier open!' riep de forse agent.

De man binnen in de auto zei iets.

'Het is mijn auto!' Cleo kwam naar voren en stak de sleutel in het slot, maar hij wilde niet draaien.

De politieman probeerde het ook even, gaf het op en pakte zijn wapenstok. 'Uit de weg, mevrouw,' zei hij tegen Cleo. 'Ga maar een heel eind uit de weg!' Toen gaf hij een harde mep op het raam, waardoor er een barst in kwam. Hij sloeg opnieuw en het geblakerde glas deukte in. Hij sloeg erdoorheen met zijn vuisten, zodat de schreeuwende inzittende het glas over zich heen kreeg, en lette niet op de vlammen die uit het raam sloegen, de dikke zwarte rook, de stank van brandend plastic. Hij pakte het portier beet en trok hard.

Het gaf niet mee.

De agent ademde vervolgens diep in, boog zich door het raampje de hel daarbinnen in, legde zijn armen om de man heen en op de een of andere manier, met de hulp van zijn collega, lukte het hem langzaam, veel te langzaam voor de krijsende man, kreeg Cleo de indruk, om hem door het raampje te trekken en hem op de straat te leggen. Zijn kleren stonden in brand. Ze zag dat de veters van zijn gympen brandden. Hij lag te kronkelen, te schoppen en te kreunen. Ze had nog nooit iemand gezien die zoveel pijn had.

'Rol hem om!' gilde Cleo, die wanhopig graag wilde helpen. 'Rol hem om zodat de vlammen doven!'

De agenten knielden op de grond, knikten, en rolden hem om, en opnieuw, en weer een keer, weg bij de brandende auto, de forse agent met verzengde wenkbrauwen en brandwonden in zijn gezicht, waar hij niet op lette.

De brandende capuchon was gedeeltelijk gesmolten en er was wat op het gezicht en het hoofd van het slachtoffer terechtgekomen, en zijn broek was aan zijn benen gesmolten. Ondanks de stank van gesmolten plastic rook Cleo opeens heel even de heerlijke lucht van geroosterd varken, voordat ze al walgend besefte wat ze echt rook. 'Water!' zei ze, terwijl de EHBO-cursus die ze jaren geleden ooit had gevolgd, weer bovenkwam. 'Hij heeft water nodig en iets om hem te bedekken, zodat de lucht er niet bij kan.' Haar blik sprong van de man naar haar fel brandende auto terwijl ze zat te bedenken of ze nog iets nodig had uit het dashboardkastje of uit de kofferbak. Niet dat ze daar nog bij zou kunnen komen. 'Er ligt een deken in de kofferbak!' zei ze. 'Zo'n plaid, die kunnen we om hem heen wikkelen, dan kan de lucht er niet meer bij...'

Een van de agenten rende de weg op. Cleo keek naar de kronkelende, zwartgeblakerde man. Hij rilde, alsof hij zijn vinger in een stopcontact had gestoken. Ze was bang dat hij stervende was. Ze ging bij hem zitten. Ze wilde zijn hand pakken, om hem te troosten, maar die zag er zo pijnlijk verbrand uit. 'Het komt weer goed,' zei ze zachtjes. 'Het komt weer goed. Er komt hulp aan. Er is een ambulance onderweg! Het komt allemaal weer goed.'

Hij sloeg met zijn hoofd naar links en naar rechts, zijn mond stond open, zijn lippen zaten onder de blaren, en hij kreunde zielig.

Hij was nog zo jong. Misschien zelfs nog geen twintig. 'Hoe heet je?' vroeg ze hem vriendelijk.

Hij kon haar amper zien.

'Het komt weer in orde. Echt!'

De agent kwam terug rennen met twee jassen in zijn armen. 'We kunnen hem hierin wikkelen.'

'Er zit allemaal gesmolten kleding op hem, moeten we dat er niet af zien te krijgen?' vroeg ze.

'Nee, we wikkelen hem hier zo stevig mogelijk in.'

Ze hoorde in de verte een sirene, eerst zwak, maar al snel luider. Toen weer een. En vervolgens een derde.

In de donkere Prius zat de tijdmiljardair te kijken naar Cleo Morey en de twee agenten op de grond. Hij hoorde de sirenes. Een blauwe flits langs hem heen. Hij zag een politiewagen aan komen rijden. Twee brandweerwagens, en nog een. Een ambulance.

Hij zag het allemaal. Hij hoefde deze avond verder toch niets te doen. Hij zat daar, toe te kijken, terwijl de ochtend aanbrak en de sleepwagen eraan kwam en de MG, vanbinnen roetzwart, maar vanbuiten piekfijn in orde, gezien de omstandigheden, aanhaakte en ermee wegreed.

Het was opeens rustig in de straat. Maar binnen in zijn auto was de tijdmiljardair razend van woede.

103

De wekker zou over vijf minuten afgaan, om halfzes, maar Roy Grace was al klaarwakker. Hij lag te luisteren naar de vroege vogels en dacht na. Cleo was ook wakker. Hij kon haar wimpers over haar kussen horen gaan elke keer dat ze met haar ogen knipperde.

Ze lagen op hun zij, als twee lepeltjes tegen elkaar aan. Hij hield haar naakte lichaam stevig tegen zich aan. 'Ik hou van je,' fluisterde hij.

'Ik hou heel veel van jou,' fluisterde ze terug. In haar stem klonk de angst nog door.

Hij was nog op kantoor geweest om zich voor te bereiden op zijn gesprek met de aanklager, toen ze hem om één uur helemaal overstuur had gebeld.

Hij was meteen naar haar huis gereden en toen, terwijl hij haar troostte, had hij bijna een uur aan de telefoon gehangen om de twee politieagenten op te sporen die erbij aanwezig waren geweest. Uiteindelijk had hij een undercoveragent van de afdeling Autodiefstal te pakken gekregen, ene Trevor Sallis, die uitlegde wat het plan was geweest. Het was opgezet om de leider van een bende op te pakken.

Volgens Sallis had een plaatselijke dief meegewerkt met de politie en, zo wilde het toeval, de auto die gestolen moest worden, was die van Cleo geweest. Er was iets helemaal verkeerd gegaan toen de dief de auto wilde starten. MG TF's waren, naar het scheen, behoorlijk moeilijk te stelen.

Door die uitleg was Cleo wat rustiger geworden. Maar er zat Grace nog steeds iets dwars wat het voorval betrof, alleen wist hij niet wat. De dief lag inmiddels op de intensive care van het Royal Sussex County-ziekenhuis – moge God hem bijstaan daar, dacht hij bij zichzelf – en zou, als hij de volgende uren zou overleven, overgeplaatst worden naar het brandwondencentrum in East Grinstead. De andere agent, Paul Packer, lag ook in dat ziekenhuis, met ernstige, maar niet levensbedreigende brandwonden.

Waarom was de auto in brand gevlogen? Kwam het doordat die klojo met de bedrading had zitten hannesen en een brandstofleiding kapot had gemaakt?

Hij lag daar nog steeds over te piekeren toen de wekker afliep. Hij had precies een uur om naar huis te gaan, te douchen, een schoon overhemd aan te trekken – er was in de loop van de ochtend nog een vergadering gepland – en naar kantoor te gaan.

'Neem een vrije dag,' zei hij.

'Kon dat maar.'

Hij kuste haar gedag.

Chris Binns, de openbaar aanklager die de zaak-Katie Bishop toegewezen had gekregen, was naar Grace' mening – en de mening van een heleboel andere politieagenten – een arrogante kwal. De twee hadden al vaak genoeg een verschil van mening gehad en ze hadden een grondige hekel aan elkaar.

Grace vond dat zijn baan inhield dat hij, in principe, de gemeenschap diende door misdadigers op te pakken en ze voor het gerecht te slepen. Binns vond dat zijn baan inhield dat hij het Openbaar Ministerie zo veel mogelijk tijd en geld bespaarde door zaken af te ketsen waar niet per se een veroordeling uit zou volgen.

Ondanks het vroege tijdstip kwam Binns geurend en ogend als een roos het kantoor van Grace binnen. Een lange, slanke man van halverwege de dertig, met een opbollend kapsel en een grote spitse neus, waardoor hij eruitzag als een roofvogel. Hij had een goed gesneden donkergrijs pak aan, dat te dik was voor dit weer, vond Grace, een wit overhemd, nette das en zwarte schoenen die hij zo te zien de hele avond had zitten poetsen.

'Fijn je te zien, Roy,' zei hij verwaand terwijl hij Grace een slap, klam handje gaf. Hij ging aan de kleine, ronde vergadertafel zitten en zette zijn aktetas van zwart kalfsleer naast zich op de grond en wierp er een strenge blik op, alsof het een hond was die het commando 'zit!' had gekregen. Toen maakte hij de aktetas open en haalde er een groot opschrijfboek met harde kaft uit. Uit zijn borstzakje toverde hij een Montblanc-vulpen tevoorschijn.

'Fijn dat u er al zo vroeg bent,' zei Grace, die een geeuw onderdrukte. Zijn oogleden waren zwaar van vermoeidheid. 'Wilt u soms thee, koffie of water?'

'Thee graag. Melk, geen suiker.'

Grace pakte de telefoon en vroeg Eleanor, die op zijn verzoek ook vroeg was gekomen, om een kop thee en een kop zeer sterke koffie te brengen.

Binns zat even zijn aantekeningen in zijn opschrijfboek door te nemen, en keek toen op. 'U hebt Brian Desmond Bishop dus om acht uur maandagavond gearresteerd?'

'Dat klopt.'

'Kunt u uitleggen op welke grond dat gebeurd is? Zijn er nog zaken die we moeten weten?'

Grace vatte in het kort samen dat het belangrijkste bewijs de aanwezigheid van Bishops DNA was dat was aangetroffen in het sperma in Katie Bishops vagina, de levensverzekering die op haar was afgesloten net een halfjaar ervoor, en haar ontrouw. Hij wees ook op het feit dat Bishop al twee keer eerder veroordeeld was wegens geweld tegen vrouwen. Hij had het over Bishops alibi, maar liet toen het tijdschema aan de advocaat zien dat hij de avond ervoor had getikt, nadat hij uit Londen thuis was gekomen. Het toonde aan dat Bishop genoeg tijd had gehad om naar Brighton te rijden en zijn vrouw te vermoorden en weer terug naar Londen te rijden.

'Ik zou denken dat hij dan wel een tikje vermoeid zou zijn geweest op de golfbaan vrijdagochtend,' merkte Chris Binns droog op.

'Naar het schijnt speelde hij de sterren van de hemel,' zei Grace.

Binns trok zijn wenkbrauw op en heel even zakte Grace' moed hem in de schoenen, bang dat Binns op alle slakken zout wilde gaan leggen en getuigenverklaringen wilde van alle golfpartners van Bishop. Maar tot zijn opluchting zei hij alleen: 'Zou door de adrenaline kunnen zijn geweest. Door de opwinding van de moord.'

Grace glimlachte. Bij wijze van uitzondering, stond de man nu eens aan zijn kant.

De aanklager trok zijn manchet omhoog waardoor mooie gouden manchetknopen zichtbaar werden, en keek met gefronst voorhoofd op zijn horloge. 'En, waar staan we nu?' Grace had de tijd goed in de gaten gehouden. Het was vijf voor zeven. 'Naar aanleiding van ons gesprek van gisteravond is Bishops advocaat gebeld. Hij heeft om zeven uur een afspraak met zijn cliënt. Rechercheur Branson, vergezeld van hoofdagent Nicholl, zal hem in staat van beschuldiging stellen.'

Om halfacht kwamen Glenn Branson en Nicholl, samen met een bewaker van het huis van bewaring, de verhoorkamer binnen, waar Brian Bishop en diens advocaat al aanwezig waren.

Bishop, in zijn papieren pak, had donkere wallen onder zijn ogen en zijn huid had al de ongezonde bleke gevangenisteint. Hij had zich geschoren, maar duidelijk zonder het goed te kunnen zien, of gehaast, want hij had hier en daar een stukje overgeslagen, en zijn haar zat ook niet meer zo netjes. Na 36 uur zag hij er al uit als een bajesklant. Dat effect had de gevangenis op mensen, wist Glenn. Ze werden er sneller onderdeel van dan ze beseften.

Leighton Lloyd keek Branson en Nicholl even aan. 'Goedemorgen, heren. Hopelijk gaat u nu mijn cliënt op vrije voeten stellen.'

'Naar aanleiding van onderzoek dat we gisteren hebben ingesteld, hebben we genoeg bewijs om uw cliënt in staat van beschuldiging te stellen.'

Bishop kromp in elkaar, zijn mond viel open en hij draaide zich verbijsterd om naar zijn advocaat.

Leighton Lloyd sprong overeind. 'En het alibi van mijn cliënt dan?'

'Dat hebben we allemaal gecontroleerd,' zei Branson.

'Dit is belachelijk!' zei de advocaat verontwaardigd. 'Mijn cliënt is volkomen eerlijk tegen u geweest. Hij heeft alle vragen beantwoord die u hem hebt gesteld.'

'Dat zal ook naar voren komen tijdens de rechtszaak,' zei Branson. Toen zei hij tegen Bishop: 'Brian Desmond Bishop, u wordt ervan beschuldigd dat u op of rond 4 augustus van dit jaar, in Brighton, in het district East Sussex, Katherine Mary Bishop hebt vermoord. U hoeft niets te zeggen, maar het zal tegen u kunnen werken als u tijdens het verhoor dingen achterhoudt die u in de rechtbank aan wilt voeren. Alles wat u zegt, kan als bewijs worden gebruikt. Is dat duidelijk?'

Bishop wierp weer een blik op zijn advocaat, en keek toen weer naar Branson. 'Ja,' zei hij fluisterend.

Branson richtte zich tot Leighton Lloyd. 'We zullen het regelen dat uw cliënt om twee uur vanmiddag in de rechtszaal van Brighton aanwezig zal zijn, alwaar we een verzoek tot inbewaringstelling in zullen dienen.'

'Wij zullen borgtocht vragen,' zei Lloyd resoluut en hij schonk Bishop een geruststellend glimlachje. 'Mijn cliënt is een vooraanstaand lid van de gemeenschap en een steunpilaar van de maatschappij. Ik ben ervan overtuigd dat hij zijn paspoort wil inleveren en dat hij een flinke borgtocht kan betalen.'

'Dat zal de rechter uitmaken,' antwoordde Branson. Toen gingen hij en Nick Nicholl terug naar Sussex House, terwijl Bishop achterbleef in de handen van zijn advocaat en de bewaker.

104

Nadat de openbaar aanklager was weggegaan, belde Grace zijn vriend en collega Brian Cook, manager van de afdeling Wetenschappelijke Ondersteuning, en vroeg hem wat hij wist over de uitgebrande MG die de vorige avond naar het politiedepot was gesleept.

'Die zaak heb ik nog niet aan de technische recherche toegewezen, Roy,' zei hij. 'Er zijn zoveel mensen op vakantie, en hier zit iedereen tot aan zijn nek in het werk vanwege de twee moordzaken. Waarom, denk je dat er een verband is?'

'Nee, ik wil gewoon graag weten hoe het is gebeurd.' Hoewel Glenn Branson wel eens wat liet vallen, was zijn relatie met Cleo Morey nog niet algemeen bekend. Grace wilde dat graag zo houden, omdat er misschien mensen zouden zijn die het, om welke reden dan ook, niet erg professioneel zouden vinden.

'Voor zover ik weet, is het de auto van Cleo Morey van het mortuarium,' zei Cook.

Grace wist niet zeker of de man ergens naartoe wilde. Toen, om alle twijfel weg te nemen, zei Cook, met een zeer duidelijke hint: 'Zij is toch jouw vriendin?'

'We zijn bevriend, ja.'

'Dat heb ik gehoord. Goed gedaan! Ik hou je op de hoogte, oké? Er ligt een agent in het ziekenhuis en ik heb gehoord dat een man die ermee te maken had aan de monitor ligt, dus ik zal een volledig rapport moeten opstellen. Als je mijn budget verdubbelt en je me tien meer medewerkers geeft!'

Grace bedankte hem voor de moeite, en keek toen de papieren door die Eleanor voor de briefing had uitgetikt. Toen hij daarmee klaar was, opende hij zijn agenda in zijn BlackBerry en keek even naar zijn afspraken voor die dag. Ze hadden in elk geval voor de persconferentie van die ochtend goed nieuws. Om twee uur moest hij bij het verzoek voor inbewaringstelling van Bishop aanwezig zijn, voor het geval zich moeilijkheden voordeden. Dan was er nog de briefing van halfzeven. En misschien kon hij vroeg naar huis, als er verder niets belangrijks gebeurde. Hij moest nodig eens goed slapen, voordat hij zo moe was dat hij vergissingen ging maken. Hij had het gevoel dat hij daar aardig tegenaan zat.

Drie politierechters – twee vrouwen en een man – zaten in Rechtszaal 3 in Edward Street. Het was een kleine, eenvoudige kamer, met rijen houten stoelen en een klein gedeelte voor het publiek en de pers aan de zijkant. Als de plechtstatige plaquette met DIEU ET MON DROIT niet aan de achterwand had gehangen, deed het meer aan een klaslokaal denken dan aan een van de voorname rechtszalen in dit gedeelte van Sussex.

Brian Bishop, die zijn eigen kleren nu weer aanhad – een camelkleurig jasje, een poloshirt en blauwe broek – stond in de beklaagdenbank, met een miserabele uitdrukking op zijn gezicht.

Tegenover de rechtbank zaten de openbaar aanklager Chris Binns, Bishops eigen advocaat Leighton Lloyd, Grace en Branson, alsmede zo'n dertig verslaggevers, die de hele zijgalerij hadden bezet.

Tot Grace' ergernis was de voorzitter van de rechtbank de hooggeblondeerde Hermione Quentin. Ze zat in een duur uitziende designerjapon de boel in de gaten te houden. Ze was de enige politierechter in de stad aan wie hij echt een hekel had. Hij had dit jaar al een keer een aanvaring met haar gehad, in deze rechtszaal, over een verdachte die hij in bewaring had willen stellen wat zij, volslagen onlogisch – en gevaarlijk, in zijn opinie – had afgewezen. Zou ze dat dit keer weer doen?

Het duurde niet zo lang. Leighton Lloyd bracht gepassioneerd en duidelijk naar voren waarom Bishop op borgtocht vrij zou moeten worden gelaten. Chris Binns haalde dat riant onderuit. De politierechters hoefden maar een paar minuten met elkaar te overleggen voordat Hermione Quentin uitspraak deed.

'Borg is afgewezen,' zei ze hooghartig, elk woord articulerend als een logopediste, en zich afwisselend tot Bishop en zijn advocaat richtend. 'De reden hiervoor is de zwaarte van het misdrijf. Wij geloven dat meneer Bishop op de vlucht zou kunnen gaan. We zijn ons ervan bewust dat de politie onderzoek doet naar een ander zwaar misdrijf en dat inbewaringstelling meneer Bishop ervan zal weerhouden met getuigen te gaan praten. Wij vinden het belangrijk om het publiek te beschermen.' Toen, alsof ze Bishop toch iets wilde geven, zei ze: 'Omdat u hier woont, lijkt het ons beter voor u als u in de gevangenis van Lewes verblijft tot de rechtszitting. U zult in bewaring blijven tot maandag, dan moet u weer voor deze rechtbank verschijnen.'

Ze pakte een pen en schreef iets op.

De mensen verlieten de rechtszaal. Grace stond tevreden op. Maar toen hij langs de beklaagdenbank liep, sprak Bishop hem aan.

'Zou ik u misschien even mogen spreken, inspecteur?'

Lloyd kwam meteen overeind en ging tussen hen in staan. 'Dat lijkt me niet zo'n goed idee,' zei hij tegen zijn cliënt.

'Zo goed heb jij het er anders niet vanaf gebracht,' zei Bishop kwaad. Toen richtte hij zich weer tot Grace. 'Ik heb het niet gedaan. Geloof me nu toch,' smeekte hij. 'Er loopt iemand rond die twee vrouwen heeft vermoord. Mijn allerliefste vrouw en een goede vriendin van mij. Blijf alstublieft die man zoeken, ook al zit ik in de gevangenis. Alstublieft!'

'Meneer Bishop!' waarschuwde Leighton Lloyd hem. 'U mag verder niets meer zeggen.'

Grace liep de rechtszaal uit terwijl Bishops woorden in zijn hoofd nagalmden. Hij had dit soort smeekbeden wel vaker gehoord, en van misdadigers die hartstikke schuldig waren.

Maar toch kreeg hij opeens een heel akelig gevoel.

105

Brendan Duigan had Roy Grace op een probleem gewezen tijdens de vergadering voor de briefing van halfzeven van de operaties Kameleon en Mistral.

Dus meteen na de opening van de vergadering en zijn korte samenvatting van wat er die dag was gebeurd, vertelde Grace de mensen van de twee onderzoeksteams die opeengepakt in de vergaderkamer in Sussex House zaten, dat er vragen waren over het tijdstip dat Brian Bishop met de moord op Sophie Harrington te maken kon hebben gehad. Hij keek hoofdagent Corbin aan, een van Duigans teamleden, en verzocht haar verslag uit te brengen.

Adrienne Corbin, die een tuinbroek van spijkerstof aanhad en een oranje T-shirt, was klein en stevig, en jongensachtig. De 28-jarige hoofdagent had een stoer kort kapsel en een rond afgeplat gezicht dat Grace aan een mopshond deed denken. Ze zag er gevaarlijker uit dan ze was, en ze bleek verrassend nerveus te zijn, merkte hij op, toen ze de groep moest toespreken.

'Ik heb uitgedokterd wat Brian Bishop op zaterdag 5 augustus 's middags en 's avonds allemaal heeft gedaan, op grond van wat ik heb vernomen van de gezinscontactpersoon, agente Buckley, meneer Mark Tuckwell, taxichauffeur van Hove Streamline, van de bewakingscamera's van Brighton Police Monitoring alsmede van burgergetuigen, telefoonlijsten van Bishops gsm en een schema, verstrekt door British Telecom, dat aan de hand van telefoonmasten toont waar Bishops gsm al die tijd was.'

Ze wachtte even, met een rood hoofd en zwaar zwetend. Grace had medelijden met haar. Als je een goede rechercheur was, dan betekende dat nog niet dat je met gemak een grote groep mensen toe kon spreken. Ze bladerde terug in haar papieren, alsof ze iets wilde controleren, en ging toen door. 'Het kan belangrijk zijn voor operatie Kameleon dat Bishops telefoon tussen tien voor halftwaalf donderdagavond 3 augustus tot zes over halfzeven vrijdagochtend 4 augustus niet verplaatst is.'

'Kunnen we uit die informatie de conclusie trekken dat Bishop zich in die periode niet verplaatst heeft, of, als hij dat wel heeft gedaan, de telefoon niet mee heeft genomen, of hem heeft uitgezet?' vroeg Grace.

'Voor zover ik weet, wisselt een gsm die op stand-by staat of in gebruik is, constant signalen uit met de dichtstbijzijnde mast. Je zou kunnen zeggen dat het toestel daarmee praat en aangeeft waar het zich bevindt. Er is een hele serie signalen afkomstig van Bishops gsm door een gedeelte van Londen, wat aangeeft dat hij die avond door Piccadilly naar Notting Hill reed, tussen ongeveer elf uur en kwart over elf. Het laatste signaal werd om tien voor halftwaalf door een mast in Baywater in West-Londen ontvangen, wat vlak bij Notting Hill is. De volgende signalen werden om zes over halfzeven de volgende dag uitgewisseld met dezelfde mast, meneer.'

Hoewel dat klopte met het tijdstip dat Phil Taylor had doorgegeven dat Bishop weg was gereden bij Wolseley, hadden ze er weinig aan, besefte Grace. Bishop had de gsm uit kunnen schakelen, zodat het ritje naar Brighton en weer terug niet opgepikt zou worden door de masten; en hij zou makkelijk kunnen zeggen dat hij hem uit had gezet omdat hij niet gestoord wilde worden in zijn slaap. Maar door wat hoofdagent Corbin vervolgens zei, ging hij opeens overeind zitten.

'Bishops gsm geeft voor vrijdag 4 augustus tot 's avonds kwart voor zeven precies aan wat hij ons heeft verteld, en wat we zelf al weten. Hij reed rechtstreeks van Londen naar de North Brighton Golf Club, en vervolgens ging hij rechtstreeks naar Sussex House. Ze laten ook zijn ritje van daar naar het Hotel du Vin zien. Daarna heeft hij tussen twee voor halfeen en dertien minuten voor halfdrie de telefoon uitgezet. Dit komt overeen met de periode waarin hij vermist was uit het Hotel du Vin, zoals agente Buckley heeft aangegeven.'

Ze keek de stille kamer rond. Iedereen keek haar strak aan, er werd niets opgeschreven. Grace glimlachte haar bemoedigend toe. Ze ploeterde door.

'In diezelfde periode werd Bishop door drie beveiligingscamera's opgepikt. Eentje bij het kruispunt Dukes Lane en Ship Street, vlak bij het Hotel du Vin, eentje tegenover de St. Peter's kerk aan London Road, en eentje op Kings Parade, tegenover de Brighton Pier. Hij gaf als reden voor zijn afwezigheid op dat hij een frisse neus wilde halen.'

'Ik vind het wel vreemd,' zei Norman Potting, 'dat elke keer dat Bishop ervandoor gaat, hij zijn gsm uitzet.'

Grace knikte, dacht even na en gaf toen aan dat ze door kon gaan.

'Van dertien voor halfdrie tot dertien voor zeven op vrijdag 4 augustus geven de telefoonsignalen aan dat Bishop in de hotelkamer zat. Dit komt overeen met wat gezinscontactpersoon agente Linda Buckley in haar rapport heeft geschreven: Bishop was rond tien voor halfdrie terug in zijn kamer, ze belde hem regelmatig via de huistelefoon en hij was daar tot kwart voor zeven. Daarna is te zien dat Bishop ruim tweeënhalve kilometer naar het westen reed, wat overeenkomt met wat agente Pamela Buckley kreeg te horen van taxichauffeur Mark Tuckwell, die verklaarde dat hij Bishop rond die tijd naar het Lansdowne Place Hotel heeft gereden. Voor zover ik weet heeft Hove Streamline Taxis dit bevestigd naar aanleiding van hun rittenboek.' Ze keek naar de vrouwelijke agent.

'Ja, dat klopt,' zei Pamela Buckley.

Corbin sloeg de bladzijde om. 'Bishop schreef zich in in het Lansdowne

Place Hotel om vijf over zeven, drie uur nadat iemand van de hotelbalie een telefoontje had gekregen van een onbekende man om een kamer te reserveren voor een paar dagen op naam van Bishop,' las ze voor.

Grace keek snel even in zijn aantekeningen. 'Bishop beweert dat hij een telefoontje kreeg van een politieagent dat hij werd overgeplaatst naar een ander hotel en dat er een taxi voor hem was geregeld die bij de achteruitgang klaar zou staan. Daardoor zou hij het hotel kunnen verlaten zonder dat de pers, die het hotel in de gaten hield, hem zou zien. De agent zei dat hij rechercheur Canning heette, maar we zijn dat nagegaan en er werkt niemand met de naam Canning bij de politie van Sussex.'

'En klopt het, Adrienne, dat er geen telefoontjes zijn gepleegd met Bishops gsm naar het Lansdowne Place Hotel?'

'Dat klopt, meneer.' Ze voegde eraan toe: 'Het Hotel du Vin bevestigt dat er ook geen telefoontjes zijn gepleegd met een van de interne telefoons naar het Lansdowne Place Hotel toen Bishop daar was.'

'Toen hij weg was!' zei Norman Potting opeens opgewonden. 'Toen hij er tijdens de lunch vandoor ging, kan hij een prepaid-gsm hebben gekocht en daarna hebben weggegooid. Hij kan het speciaal voor die telefoontjes hebben gekocht, en misschien nog andere waar we nog niets vanaf weten.'

'Daar zeg je zo wat,' gaf Grace toe. 'Daar heb je gelijk in, Norman.'

'Het Lansdowne Place Hotel ligt dichter bij Sophie Harringtons huis dan het Hotel du Vin,' zei Duigan. 'Dat zou wel eens belangrijk kunnen zijn.'

'Ik wil daar nog iets aan toevoegen,' zei Grace. 'Het is mogelijk dat Bishop een handlanger had die hem voorzag van een alibi op de avond dat mevrouw Bishop werd vermoord. Dezelfde handlanger zou ook de ruil van de hotels kunnen hebben geregeld.'

Hoofdinspecteur Duigan zei: 'Roy, we kunnen helemaal meegaan in een handlanger bij de moord op mevrouw Bishop en de hoge levensverzekeringspolis. Maar is er ook reden om aan te nemen dat er een handlanger bij de moord op Sophie Harrington betrokken was?'

'Nee. Maar dat kan nog komen.'

Duigan knikte en schreef iets op.

Adrienne Corbin ging door met haar rapport. 'Bishop werd door hotelmedewerkers gezien toen hij om een uur of halfacht het hotel verliet. De mast in de buurt van zijn telefoon geeft aan dat hij toen richting het westen ging. Dat wordt bevestigd door beelden van hem op een beveiligingscamera op het kruispunt van West Street en Kings Parade om vijf voor acht.'

Grace keek haar verbijsterd aan, hij dacht heel even dat hij haar verkeerd had verstaan. 'Bishop reed weg van het Lansdowne Place Hotel, terug naar het Hotel du Vin? Dat is een heel andere route dan hij zou hebben genomen als hij naar Sophie Harringtons huis wilde gaan,' legde hij haar het vuur na aan de schenen.

'Ja, meneer,' antwoordde ze.

Duigan stond op en zette de video aan. 'Dit moeten jullie zien,' zei hij.

Er was een kleurenopname te zien van Brian Bishop in Kings Parade. Er stonden een paar mensen achter hem en er reed een bus langs. Hij was goed te herkennen. Grace herkende de kleren die hij droeg tijdens het verhoor diezelfde avond: een zwart jack, een wit overhemd en een blauwe broek. En een pleister op zijn rechterhand.

'Hoe laat zei uw getuige dat ze Bishop bij Sophie Harringtons huis had gezien?' vroeg Grace.

Duigan antwoordde: 'Om acht uur. Ze weet dat zo precies omdat het televisieprogramma waar ze naar wilde kijken, net was begonnen.'

'En ze heeft hem inmiddels formeel aangewezen?'

'Ja, ze is hier vanmiddag geweest en heeft hem formeel aangewezen. Ze is er voor honderd procent zeker van dat hij het was.'

'Hoe was hij volgens haar gekleed?' vroeg Grace.

'Volgens haar had hij een donker trainingspak aan.'

Grace keek naar het beeld van Bishop op het scherm. 'Wat vinden jullie ervan? Zou dat zwarte jack en de donkerblauwe broek kunnen worden aangezien voor een trainingspak?'

'Ze zag Bishop om acht uur,' zei Alfonso Zafferone. 'Oudere mensen zien donkere kleuren niet zo goed in slecht licht. Ik denk dat ze dat jasje best kan hebben aangezien voor een jack van een trainingspak, rond die tijd.'

'Of,' zei Guy Batchelor, 'misschien heeft Bishop dat trainingspak over zijn kleren aangetrokken om ze schoon te houden.'

'Daar hebben jullie allebei gelijk in,' zei Grace. Toen dacht hij weer aan de tijdstippen. 'Hij zou van Kings Parade in tien minuten naar juffrouw Harringtons huis kunnen zijn gereden in een taxi.'

Duigan drukte op de afstandsbediening en er werd een andere opname van Bishop zichtbaar. Nu stond hij aan de kust, met een gedeelte van de Arches duidelijk zichtbaar op de achtergrond, en een paar kano's op schragen voor één ervan.

Hoofdagent Corbin ging door met voorlezen. 'Bishop werd opnieuw door een camera gefilmd voor de Arches om veertien over acht. De telefoonmast geeft aan dat Bishop daar zo'n 45 minuten bleef en toen terugging naar het westen, naar zijn hotel. Twee serveersters in een strandbar, de Pebbles, hebben bevestigd dat hij in hun bar zat van ongeveer tien voor halfnegen tot ongeveer tien voor negen. Ze zeggen dat hij een glas bier en een espresso heeft gedronken en er erg ontdaan uitzag. Een paar keer is hij opgestaan en liep hij rond, waarna hij weer terugkwam en ging zitten. Ze waren bang dat hij ervandoor zou gaan zonder te betalen.'

Bella Moy kwam naar voren toen de hoofdagente even stil was. 'Roy,' zei ze, 'het lijkt erop alsof hij bewust wilde opvallen.'

'Ja,' zei Grace. 'Dat zou kunnen. Maar het zou ook het gedrag van iemand kunnen zijn die zich ergens over opwindt.'

Duigan drukte weer op de afstandsbediening. Het was nu donkerder op het scherm. De rug van een man die veel op Bishop leek was te zien, hij stond op dezelfde plek als op de foto ervoor, voor de Arches.

'Om zes voor negen,' ging hoofdagent Corbin door, 'werd Bishop opnieuw gefilmd door dezelfde beveiligingscamera als om veertien over acht, maar deze keer liep hij de andere kant uit. Van de telefoonmast hebben we de informatie gekregen dat hij weer naar het westen liep, in de richting van het Lansdowne Place Hotel. Een receptioniste van het hotel herinnert zich dat Bishop om ongeveer vijf voor halftien terug was in het hotel. Ze gaf hem toen het bericht dat inspecteur Grace voor hem had achtergelaten.' Ze keek Grace aan. 'Hij belde u om halftien.'

'Ja.'

'Vervolgens reed hij naar Sussex House, waar inspecteur Grace en rechercheur Branson hem om acht voor halfelf een verhoor afnamen. Volgens de telefoonmast verliet Bishop het hotel pas weer om elf voor tien.'

'Hij kan langs Sophie Harringtons huis zijn gereden toen hij hiernaartoe onderweg was,' zei Glenn Branson.

'Dat zou hem zeker een kwartier hebben gekost. Ik woon maar een paar straten bij het Lansdowne vandaan,' zei Grace. 'Ik leg die afstand elke dag af, en op alle uren. Het duurt vijftien tot twintig minuten. Dan zou hij maar achttien minuten hebben gehad om Sophie Harrington te vermoorden. Dat is onmogelijk, als je nagaat wat er met haar is gebeurd, al die gaten die in haar rug zijn geboord. Hij zou dat niet hebben kunnen doen en daarna zichzelf hebben opgeknapt in zo'n korte tijd.'

'Mee eens,' zei Duigan.

'Dus dan hebben we een probleem,' zei Grace. 'Of Bishop heeft Sophie Harrington niet vermoord. Of hij had een handlanger. Of...'

Hij hield opeens zijn mond.

106

Grace ging rechtstreeks van de briefing, langs zijn kantoor, langs de bijna lege bureaus en kantoren van de rechercheurs, naar Brian Cooks kantoor. Hij stak zijn hoofd om de hoek van de deur en zag tot zijn opluchting dat de manager van de afdeling Wetenschappelijke Ondersteuning nog aan het werk was.

Cook was aan het telefoneren, zo te horen een privégesprek, maar hij gebaarde dat Grace naar binnen kon komen, en legde de persoon aan de telefoon uit dat hij een andere keer een borrel met hem zou gaan drinken en hing op. 'Roy, heeft John Pringle je nog gesproken over Cleo Moreys auto?' vroeg hij.

'Nee.'

'Ik heb hem de zaak toegewezen en gezegd dat hij jou verslag uit moest brengen.'

'Bedankt, Brian.' Terwijl hij van onderwerp veranderde, vroeg Grace: 'Weet jij iets over het DNA van eeneiige tweelingen?'

'Wat wil je weten?'

'Zou hun DNA veel overeenkomsten hebben?'

'Het zou identiek zijn.'

'Volslagen identiek?'

'Voor honderd procent. Ze zouden interessant genoeg verschillende vingerafdrukken hebben. Maar hun DNA zou precies hetzelfde zijn.'

Grace bedankte hem voor de moeite en liep naar zijn eigen kantoor. Hij sloot de deur achter zich, en ging toen rustig een tijdje aan zijn bureau zitten, en dacht zorgvuldig na over wat hij zou gaan zeggen voordat hij het gsm-nummer zou bellen dat voor hem lag.

'Met Leighton Lloyd,' zei de man, zijn stem duidelijk en vechtlustig, alsof hij al wist wie er belde.

'Met inspecteur Grace, meneer Lloyd. Kunnen we dit gesprek officieus houden?'

De advocaat antwoordde ietwat verrast: 'Ja. Goed. Officieus dan. Is er nieuwe informatie?'

'We hebben een paar problemen,' zei Grace op zijn hoede. Hij vertrouwde de man nog steeds niet. 'Weet u misschien of uw cliënt een tweelingbroer heeft?'

'Daar heeft hij nooit iets over gezegd. Wilt u daar iets meer over vertellen?' vroeg Lloyd.

'Op dit moment nog niet. Maar het zou voor ons allemaal handig zijn als u dit zou kunnen uitzoeken.'

'Het bezoekuur is al afgelopen. Kunt u de gevangenis in Lewes toestemming geven voor een telefoongesprek van mij met mijn cliënt?'

'Ja, dat ga ik meteen regelen.'

'Zal ik u hier vanavond over terugbellen?'

'Graag, dat zou ik erg op prijs stellen.'

Grace had nog niet opgehangen, of de telefoon ging weer over. 'Met Roy Grace,' zei hij. Degene aan de telefoon sprak zeer ernstig en bedachtzaam.

'Inspecteur Grace, u spreekt met John Pringle. Ik werk voor de technische recherche en mij was opgedragen de uitgebrande MG te onderzoeken die vanochtend binnenkwam in ons depot. Brian Cook zei dat ik verslag aan u moest uitbrengen.'

'Ja, graag. Hij zei al dat u zou bellen.'

'Ik heb net de auto onderzocht, meneer. Door de grote brandschade aan het interieur zijn ook wat bedradingen gesmolten, dus mijn rapport is niet zo volledig als ik had gewild.'

'Dat begrijp ik.'

'Wat ik u wel kan vertellen, meneer, is dat de brand niet is veroorzaakt door iemand die de auto wilde stelen of door vandalisme.' Er viel een lange stilte.

Grace drukte de telefoon steviger tegen zijn oor aan en boog zich over zijn bureau. 'Ik luister. Wat was dan wel de oorzaak?'

'Er is mee gerotzooid. Zonder twijfel bewust gesaboteerd. Er is een stel brandstofpompjes toegevoegd en zo geplaatst dat die benzine op de grond voor de bestuurdersstoel zouden spuiten zodra de motor werd gestart. Er was een stroomdraad aan de startmotor bevestigd zodat er vonkjes op de vloer voor de bestuurder zouden vallen als de motor aansloeg. Dat in overweging genomen, hoewel ik het niet helemaal met zekerheid kan zeggen omdat veel van de bedrading is gesmolten, komt het op mij over dat de bedrading van het centrale deurslot zo aangepast is, dat de deur niet meer geopend zou kunnen worden als hij eenmaal op slot was gegaan.'

Er liep een koude rilling over Grace' rug.

'Dit is gedaan door een heel slim persoon, iemand die heel goed wist waar hij mee bezig was. Het was niet de bedoeling de auto schade toe te brengen, inspecteur. Volgens mij, was het de bedoeling de chauffeur te vermoorden.'

Grace zat in een van de grote rode banken in de zitkamer van Cleo's huis, met Cleo tegen hem aan, terwijl op de tafel het lege aquarium stond, nog altijd gevuld met water. Hij had zijn arm om haar heen geslagen en hij had in zijn andere hand een groot glas Glenfiddich met ijs. Haar haar rook pasgewassen en geurig. Ze was warm, levend, zo intens en prachtig levend. En zo kwetsbaar.

Hij maakte zich vreselijk ongerust over haar.

Op de stereoinstallatie draaide De *parelvissers* van Bizet. Het was ontzettend mooie muziek, maar hij was er te verdrietig voor. Hij had stilte nodig, of iets opgewekts, maar hij had geen idee wat. Hij had opeens het gevoel dat hij helemaal niets wist. Behalve dan dat hij van dit mooie, warme, grappige mens hield dat hij in zijn armen had. Hij hield intens veel van haar, meer dan hij ooit voor mogelijk had gehouden, na Sandy. En daardoor had hij Sandy kunnen laten gaan. Hij wilde niet dat haar schaduw deze relatie zou kapotmaken.

En hij bleef maar denken aan wat er zou zijn gebeurd als die zielige kleine crimineel, die nog steeds voor zijn leven vocht, niet in Cleo's auto had ingebroken.

Als er geen politie was geweest die de boel in de gaten hield. Als er niemand in de buurt was geweest om háár uit de auto te halen.

Hij kon daar bijna niet aan denken. Een of andere gek had haar willen doden en daar veel moeite voor gedaan.

Maar wie?

En waarom?

En nu deze poging niet was gelukt, zou hij – of zij – het opnieuw proberen?

Hij moest weer aan zondag denken, toen iemand het linnen dak van haar MG open had gesneden. Was dat toeval geweest of was er een verband?

De volgende dag zou ze samen met een agent een lijst doorwerken van alle mensen die ze mogelijk op de tenen had getrapt bij haar werk. Er waren genoeg nabestaanden van slachtoffers die boos waren omdat hun geliefden een sectie moesten ondergaan, en ze reageerden dat altijd af op Cleo en niet op de lijkschouwer die daar eigenlijk verantwoordelijk voor was.

Cleo had het aanvankelijk niet willen geloven, maar in het afgelopen uur, sinds hij er was, was het werkelijkheid voor haar geworden en voelde ze de shock.

Ze leunde naar voren, pakte haar glas wijn op en dronk het leeg. 'Wat ik nou niet begrijp...' ze onderbrak zichzelf alsof ze opeens iets besefte. 'Als iemand mijn auto wilde opblazen, waarom deden ze dan niet net alsof het een ongeluk was? Ze konden op hun vingers nagaan dat de technische recherche er bovenop zou zitten. Volgens mij heeft degene die het heeft gedaan het er wel erg dik bovenop gelegd.'

'Ja, je hebt gelijk. Wie het ook was, hij heeft het er inderdaad dik bovenop gelegd. Hoewel het vast moeilijk zou zijn geweest om het te verbergen. Ik ben geen monteur, maar er kwam wel een hoop meer bij kijken dan alleen een paar draadjes met elkaar verbinden.' Het was kwaadaardig, sadistisch, vond hij, maar hij zei het niet hardop. Hij had haar niet verteld dat de auto werd onderzocht alsof het een plaats delict was, het voorval als een zware misdaad werd aangemerkt, en dat een rechercheur de zaak toegewezen had gekregen met een heel onderzoeksteam.

Ze keek hem met grote ogen bezorgd aan. 'Ik kan me gewoon niemand voorstellen die dit zou kunnen doen, Roy.'

'En je ex?'

'Richard?'

'Ja.'

Ze schudde haar hoofd. 'Nee, zoiets zou hij nooit doen.'

'Hij heeft je maandenlang gestalkt. Je moest hem zelfs dreigen met een rechtszaak en pas toen hield hij ermee op, zei je. Maar sommige stalkers geven het nooit op.'

'Ik kan niet geloven dat hij dit heeft gedaan.'

'Hij deed toch aan autoracen?'

'Ja, totdat God zijn weekenden in beslag nam.'

Grace' gsm ging. Hij zette zijn glas neer en maakte zich los van Cleo om hem uit zijn jaszak te pakken. Hij keek op het schermpje en zag dat het Lloyd was.

'Met Roy Grace,' zei hij.

'Goed, ik heb met mijn cliënt gesproken,' zei de advocaat. 'Hij is geadopteerd. Hij weet helemaal niets over zijn natuurlijke ouders.'

'Weet hij helemaal niets van zijn achtergrond af?'

'Hij ontdekte pas dat hij geadopteerd is nadat zijn ouders waren gestorven. Nadat zijn moeder was overleden, ging hij door haar papieren en ontdekte hij zijn orginele geboortebewijs. Dat was een grote schok voor hem, hij wist van niets.'

'Heeft hij moeite gedaan zijn natuurlijke ouders op te sporen?'

'Hij zegt dat hij dat binnenkort wel wilde doen, maar dat er nog niets van was gekomen.'

Grace dacht even na. 'Heeft hij u toevallig verteld waar dat geboortebewijs nu is?'

'Ja, Het zit in een archiefkast in zijn kantoor aan Dyke Road Avenue. Er staat Persoonlijk op de map. Kunt u me al iets erover vertellen?'

'Nu nog niet,' zei Grace. 'Maar bedankt. Ik hou u op de hoogte.'

Hij verbrak de verbinding en toetste meteen het nummer in van het team van operatie Kameleon.

107

Hoewel hij hondsmoe was, sliep Grace niet erg goed, hij werd van het minste of geringste wakker en sliep pas weer in als hij ervan overtuigd was dat het geluid buiten Cleo's huis was geweest en niet erbinnen.

Hij kon alleen maar aan nare dingen denken. De brandende MG. Een tatoeage. Een gasmasker. Een lijk waar de krabben vanaf vielen en dat aanspoelde aan de kust van Brighton. Janet McWhirters blije glimlach in haar kantoor van de computerafdeling.

Kijk goed om je heen.

De woorden van zijn eigen mentor, de onlangs gepensioneerde hoofdinspecteur Dave Gaylor, spookten door zijn hoofd. Gaylor was inspecteur geweest toen Grace hem had leren kennen. Hij was de jongste inspecteur in Sussex geweest. Gaylor, die twaalf jaar ouder was dan hij, had hem alles geleerd wat hij nu wist. Zijn eigen pogingen om Glenn Branson te helpen, waren zijn manier om die kennis weer verder over te dragen.

Kijk goed om je heen. Het was een uitdrukking van de politie geweest. Gaylor had hem altijd gewezen op hoe belangrijk het was dat je altijd alles bekeek als je op een plaats delict was. Dat je niets, hoe onbelangrijk het ook leek, over het hoofd mocht zien. Hij had Grace ook verteld dat als er ook maar iets niet léék te kloppen, het vaak inderdaad niet klopte.

De dood van Janet McWhirter klopte volgens hem niet.

Zijn eigen mantra, oorzaak en gevolg, kwam ook steeds weer terug. Oorzaak en gevolg. Oorzaak en gevolg.

Na vijftien jaar bij de computerafdeling van de politie, wordt McWhirter verliefd. Ze wil een andere baan, een ander leven en wil naar Australië emigreren. Was de oorzaak van haar verandering van dat andere leven de man die ze had leren kennen? En het gevolg was haar dood?

Het zat hem heel erg dwars.

De dag brak aan. Grace was nooit bang geweest voor het donker, zelfs niet als kind, misschien omdat hij wist dat zijn vader de politieman in de kamer ernaast was, en dat die hem zou beschermen. Maar de afgelopen paar uur in het donker was hij wel bang geweest. Bang dat er iemand rondliep die Cleo wilde vermoorden. Haar waanzinnig jaloerse ex-verloofde Richard?

Richard Northrop-Turner.

De man die Cleo voortdurend en zeer opdringerig had gestalkt, totdat ze hem had gedreigd met een rechtszaak. Daarna was hij weggegaan, zo leek het althans. Richard Northrop-Turner, die aan autoracen deed en zelf aan auto's sleutelde. Hoewel Cleo niet geloofde dat haar ex zover zou gaan, zou hij nadat hij hier weg was, meteen het hoofd bellen dat het onderzoek leidde, een zeer kundige rechercheur genaamd Roger Pole, en voorstellen dat ze Richard Northrop-Turner moesten beschouwen als hoofdverdachte.

Cleo werd wakker. Hij kuste haar zachtjes op haar voorhoofd en voelde haar warme, een beetje zurige adem op zijn gezicht. Hij wilde haar hier weghalen en naar zijn huis brengen de volgende paar dagen, wat ook in zou houden dat hij eindelijk zijn logé kwijt zou zijn. Terwijl hij daar wakker lag, vroeg hij zich af of hij een ruil kon doen. Glenn Branson zou hier kunnen gaan wonen – en de boel bewaken – en Cleo kon bij hem wonen.

Maar toen hij het even later voorstelde terwijl zij zich aankleedde, was ze daar niet blij mee.

'Het is hier veilig genoeg,' zei ze. 'Je kunt maar op één manier naar binnen, door het hek. Ik voel me hier helemaal veilig.'

'Maar je bent niet meer veilig als je hier niet bent. Hoeveel nachten heb je nog oproepdienst?'

'De hele week.'

'Als je er weer uit moet midden in de nacht, dan ga ik met je mee.'

'Wat lief. Bedankt.'

'Hoe veilig ben je in het mortuarium?'

'De deuren zijn altijd op slot. Darren is er altijd en Walter Hordern is er ook vaak.'

'Ik regel wat meer patrouillewagens hier 's avonds, en ook bij het mortuarium. Heb je een recente foto van Richard?'

'Een heleboel,' zei Cleo. 'In mijn digitale fotoalbum.'

'Stuur me er vanochtend een via de e-mail, eentje die heel goed lijkt. Ik zorg ervoor dat hij bij de plaatselijke politie terechtkomt, voor het geval ze hem ergens hebben gezien.'

'Goed.'

'Hoe ga je naar je werk?'

'Darren haalt me op.'

'Mooi.'

Grace beloofde Cleo dat hij afhaalchinees mee zou nemen die avond als hij weg kon komen, en een fles wijn. Ze kuste hem ten afscheid en zei dat haar dat wel wat leek.

Het was kwart voor zes toen hij het huis verliet en hij had nog net tijd genoeg om snel naar zijn eigen huis te rijden, te douchen, te scheren en zich om te kleden. Hij kwam zo zachtjes mogelijk binnen om Glenn Branson niet wakker te maken, eerder om niet weer een hoop gezeur 's ochtends vroeg aan te horen dan omdat hij de rechercheur niet wilde storen tijdens zijn schoonheidsslaapje.

Zoals gebruikelijk de afgelopen dagen zag de zitkamer eruit als een vuilnisstortplaats. Glenn had overal cd's en dvd's laten rondslingeren, uit hun hoesje, en het restje van een magnetronmaaltijd in een aluminiumverpakking – zo te ruiken vispastei – stond op een dienblad op de grond, samen met twee colablikjes en de verpakking van een ijsje.

Grace knapte zichzelf op en vluchtte weg, nadat hij een cd van een rapper van wie hij nog nooit had gehoord, in de stereoinstallatie in de huiskamer stopte, en deze aanzette met het geluid zo hard dat op tien kilometer afstand de vullingen uit je kiezen zouden vallen.

Het was zo hard dat hij Glenn Branson niet hoorde tieren en vloeken toen hij wegreed.

108

Er lag een bruine envelop op Roy Grace' bureau toen hij even voor zevenen zijn kantoor binnenliep, met een briefje van Bella Moy erop geplakt dat de papieren van Brian Bishop waar hij om had verzocht, erin zaten. Ze had ook de naam en gegevens van de adoptieadviseur opgeschreven die, zoals ze aangaf, al eerder de plaatselijke politie had geholpen met informatie over geadopteerde mensen.

Er zaten twee gekreukelde langwerpige documenten in, zo'n vijftien centimeter lang en dertig centimeter breed. Ze waren van vergeeld papier met rode drukletters en ze waren met de hand ingevuld in zwarte inkt. Hij vouwde de bovenste open. Er stond boven: GEBOORTEBEWIJS. Eronder stonden allemaal gegevens.

Datum en plaats van geboorte: *7 september 1964, om 03.47 uur in het Royal Sussex Country Hospital, Brighton.*
Naam, indien van toepassing: *Desmond William*
Geslacht: *mannelijk*
Naam en achternaam van de vader:
Naam en meisjesnaam van de moeder: *Eleanor Jones*

Helemaal rechts stond 'geadopteerd' geschreven. Het was ondertekend door Albert Hole, hoofd registratie.

Grace vouwde het andere document open. Hier stond **Bewijs van Inschrijving** boven. En helemaal onderaan stond: **Bewijs van inschrijving in het adoptieregister.**

Hij las de gegevens.

Datum van inschrijving: *19 september 1964*
Naam van geadopteerd kind: *Brian Desmond*
Geslacht van geadopteerd kind: *mannelijk*
Naam en achternaam, adres en beroep van adoptief ouder(s): *dhr. Rodney en mw. Irene Bishop, Brangwyn Road 43, Brighton. Bedrijfsdirecteur.*

353

Geboortedatum kind: *7 september 1964*
Datum adoptie en rechtszaal waar adoptie is toegewezen: *Brighton County Court*
Handtekening ambtenaar die aanwezig was bij inschrijving: *Albert Hole*

Hij las de beide documenten nog een keer zorgvuldig door en nam elk detail in zich op. Toen keek hij op zijn horloge. Het was nog te vroeg om de adoptieadviseur te bellen, dat zou hij meteen na de briefing van halfnegen doen.

'Met Chrissie Franklin,' zei een warme hese stem.
Grace stelde zichzelf voor en legde kort uit waar hij naar op zoek was.
'U wilt weten of Brian Bishop een tweelingbroer had?'
'Precies,' antwoordde hij.
'Goed, wat weet u van hem?'
'Ik heb zijn geboortebewijs en een document dat eruitziet als een adoptiepapier.'
'Is het een kort of een uitgebreid geboortebewijs?'
Grace beschreef het.
'Mooi,' zei ze. 'Dat is de uitgebreide, er staan meer gegevens op. Nou, er is over het algemeen een manier om erachter te komen, als de geboorte tenminste in Engeland of Wales heeft plaatsgevonden. Is dat zo?'
'Ja, hij is in Brighton geboren.'
'Kunt u voor me oplezen wat er bij "Datum en plaats van geboorte" staat?'
Grace deed dat.
'Er staat dus op 7 september 1964 om 03.47 uur?' vroeg ze.
'Ja.'
'En wat is de geboorteplaats?' vroeg ze nogmaals, voor de zekerheid.
'Brighton, het Royal Sussex County Hospital.'
'U hebt alle gegevens al!' zei ze enthousiast.
'Inderdaad.'
'In Engeland en Wales staat de tijd alleen maar bij de datum vermeld als er sprake is van een meerling. Uit die gegevens, inspecteur, kunt u er honderd procent zeker van zijn dat Brian Bishop een van een tweeling is.'

109

Een paar minuten na openingstijd liep Nick Nicholl door het elektronische poortje bij de ingang naar de prachtige, pastelblauwe kamer van de naslagbibliotheek van Brighton. De geur van papier, leer en hout deed hem aan school denken, maar hij was zo moe na de zoveelste praktisch slapeloze nacht door zijn zoontje Ben, dat hij nauwelijks op de omgeving lette. Hij liep naar de informatiebalie, toonde zijn identiteitsbewijs aan de bibliothecaresse en legde uit wat hij wilde.

Vijf minuten later zat de jonge agent onder het gestucte koepeldak aan een van de microficheapparaten, met in zijn hand een stukje film met bovenaan een rode rand waarop alle geboorteaangiften voor het derde kwartaal van 1964 in het Verenigd Koninkrijk stonden. Hij stopte de film er drie keer verkeerd in, voordat hij doorhad hoe het werkte. Toen zat hij te hannesen met de stugge besturing, terwijl hij door de lijst van voornamen scrolde van mensen met dezelfde achternaam, in zulke kleine lettertjes en zo wazig dat hij ze bijna niet kon lezen, waarschijnlijk doordat zijn ogen zo vermoeid waren.

Dankzij de aanwijzingen van de behulpzame adoptieadviseur, Chrissie Franklin, keek hij naar ongetrouwde moeders met de achternaam Jones. Het kind zou dezelfde achternaam hebben als zijn moeders meisjesnaam. Hoewel, met zo'n veelvoorkomende achternaam, had de bibliothecaresse hem erop gewezen, zou het best kunnen dat een vrouw trouwde met een man met dezelfde achternaam.

Hoewel er een houten bord hing met in grote, duidelijke goudkleurige letters STILTE A.U.B. erop, zat een vader achter hem iets uit te leggen aan een zeer luid en nieuwsgierig jongetje. Nick nam zich voor dat zijn zoon nooit zo hard zou mogen praten in een bibliotheek. Hij kon haast niet meer bijhouden wat zijn zoontje nooit mocht gaan doen als hij wat ouder was. Hij was helemaal gek op hem, maar dat hele gedoe van vader zijn vond hij behoorlijk overweldigend. En niemand had hem ooit verteld dat hij dat allemaal zou moeten doen terwijl hij nauwelijks meer sliep. En hadden hij en Jen echt ooit seks gehad? Zijn vroegere leven leek nu een verre herinnering.

Naast hem stond een ventilator te zoemen, ronddraaiend op een standaard, en hij deed net een hoop papier opwaaien voordat hij weer wegdraaide. Namen in witte letters schoten voorbij op het donkere scherm voor hem. Hij kwam eindelijk bij Jones.

Belinda, Bernard, Beverley, Brett, Carl, Caroline.

Terwijl hij onhandig met het metalen knopje zat te friemelen, was hij even de hele Jones-lijst kwijt. Toen, door meer geluk dan wijsheid, stond die opeens weer op zijn scherm.

Daniella, Daphne, David, Davies, Dean, Delia, Denise, Dennis. Toen zag hij Desmond staan. Desmond was de voornaam van Bishop op zijn geboortebewijs.

'Desmond, meisjesnaam moeder: Trevors. Geboren in Romford.'

Nee, dat was niet de goede.

'Desmond, meisjesnaam moeder: Jones. Geboren in Brighton.'

Desmond Jones. Meisjesnaam moeder: Jones.

Dat was hem!

En er stond verder geen Desmond Jones meer op de lijst.

Nu moest hij nog een match vinden met de meisjesnaam van de moeder. Maar dat was moeilijker dan hij had verwacht. Er waren zevenentwintig mogelijkheden. Hij schreef ze allemaal op, en ging toen snel van de bibliotheek naar zijn volgende opdracht. Zodra hij buiten stond, belde hij Grace.

Omdat het hem sneller leek als hij de auto liet staan, liep hij langs het Royal Pavilion en de Theatre Royal, door de smalle straatjes van de Lanes, waar bijna alleen tweedehands juwelierszaken zaten, en kwam uit tegenover het imposante grijze gebouw van het gemeentehuis.

Vijf minuten later zat hij op een harde grijze stoel in een kleine wachtkamer van de burgerlijke stand met parket op de vloer en een groot aquarium met tropische vissen. Grace kwam een paar minuten later aan; de adoptieadviseur had gezegd dat ze waarschijnlijk alleen informatie zouden krijgen als er een hoge pief bij was.

Een panelendeur werd opengemaakt door een lange, beschaafde, maar nogal afgepeigerde man van een jaar of vijftig. De man was goed gekleed in een kostuum en das, en zwetend door zowel de warmte als doordat hij gehaast was, liep hij naar binnen. 'Ja, heren?' zei hij. 'Ik ben Clive Ravensbourne, hoofd Registratie. U wilde mij liever dan een van mijn collega's spreken?'

'Inderdaad,' zei Grace. 'Fijn dat u ons zo snel te woord kunt staan.'

'Het kan helaas maar kort zijn, want ik heb over tien minuten een trouwerij.' Hij keek even op zijn horloge. 'Over negen minuten zelfs.'

'Ik heb uw assistent uitgelegd waarom we u moesten spreken, heeft ze u dat doorgegeven?'

'Ja, ja, vanwege een moordonderzoek.'

Nicholl overhandigde hem de lijst met de zevenentwintig kinderen met de achternaam Jones. 'We zijn op zoek naar een tweeling,' zei hij. 'Graag vernemen we van u of een van deze jongens de tweelingbroer is van' – hij wees naar de naam – 'Desmond William Jones.'

De ambtenaar leek even in paniek. 'Hoeveel namen staan er op de lijst?'

'Zevenentwintig. U moet in uw archief kijken of de bewuste persoon ertussen zit. We zijn er behoorlijk zeker van dat hij de tweelingbroer is, en we moeten hem zo snel mogelijk opsporen.'

Hij keek weer op zijn horloge. 'Ik heb geen... ik... wacht even, dit kan een stuk sneller.' Hij knikte bij zichzelf. 'Hebt u een geboortebewijs van deze Desmond William Jones?'

'We hebben een kopie ervan en het bewijs van adoptie,' antwoordde Nicholl.

'Geeft u me het geboortebewijs maar. Daar staat een indexnummer op.'

Nicholl haalde het uit de envelop en overhandigde het aan hem.

Hij vouwde het open en keek er snel even naar. 'Kijk, ziet u wel?' zei hij en hij wees naar de linkermarge van het document. 'Wacht even, ik ben zo weer terug.'

Hij liep de deur uit en kwam een paar minuten later weer terug, met een groot, groen, in leer gebonden register bij zich. Hij bleef staan en sloeg het ongeveer halverwege open en sloeg snel een paar bladzijden om. Toen ontspande hij zichtbaar.

'Kijk!' zei hij. 'Desmond William Jones, moeder Eleanor Jones, geboren in het Royal Sussex County Hospital op 7 september 1964, om 03.47 uur. Er staat "geadopteerd" bij, ja? Dit is de juiste man?'

Grace en Nicholl knikten.

'Mooi. En er meteen onder, onder aan de bladzijde, staat Frederick Roger Jones, moeder Eleanor Jones, geboren in het Royal Sussex County Hospital op 7 september 1964, om 04.05 uur. Ook geadopteerd.' Hij keek glimlachend op. 'Zo te horen is dat hem wel. Achttien minuten later geboren. Dat is de tweelingbroer. Frederick Roger Jones.'

Grace voelde een golf van opwinding door hem heen gaan. 'Dank u. Daar komen we een heel eind verder mee. Kunt u verder nog iets vertellen?'

De ambtenaar sloeg het boek gedecideerd dicht. 'Meer kan ik helaas niet voor u doen. Adoptiegegevens worden strikter bewaakt dan de kroonjuwelen. U moet nu de strijd aangaan met maatschappelijk werk. Veel geluk!'

Tien minuten later begreep Grace wat de man had bedoeld, nadat hij in de hal van het gemeentehuis bijna al die tijd op zijn gsm bezig was geweest iemand te spreken te krijgen bij het gemeentelijke maatschappelijk werk en steeds werd doorverbonden. Nadat hij weer vijf minuten in de wachtstand had gestaan en 'Greensleeves' de hele tijd had moeten aanhoren, stond hij op het punt iemand te vermoorden.

110

Twintig minuten later, terwijl hij nog steeds in de imposante hal van het gemeentehuis stond, kreeg Grace eindelijk het hoofd van maatschappelijk werk aan de lijn. Het lukte hem – met moeite – zich in te houden en hij legde uit waarom hij toegang moest hebben tot een adoptiedossier.

De man luisterde vriendelijk toe. 'U begrijpt natuurlijk wel, inspecteur, dat als we dit zouden doen, dit zeer zou afwijken van onze gebruikelijke manier van werken,' legde hij pedant uit. 'Ik zou moeten rechtvaardigen dat ik u deze informatie heb gegeven. En ik heb uw verzekering nodig dat u ze alleen maar zult gebruiken voor de redenen die u hebt uiteengezet. Sommige geadopteerde mensen weten niet dat ze zijn geadopteerd. Als ze er nu achter komen, kan dat zeer traumatisch voor hen zijn.'

'Maar vast niet zo traumatisch als het was voor de twee vrouwen die de afgelopen week in deze stad zijn vermoord,' antwoordde Grace. 'Of voor de volgende vrouw die op het lijstje van deze maniak staat.'

Het bleef even stil. 'En u gelooft echt dat deze tweelingbroer de moordenaar is?'

'Zoals ik u net heb uitgelegd, is het mogelijk dat hij de schuldige is, en als dat zo is, dan zou hij weer kunnen toeslaan. Ik denk dat de veiligheid van het publiek belangrijker is op dit moment dan de gekwetste gevoelens van een man op middelbare leeftijd.'

'Als we u de informatie geven waardoor u hem kunt opsporen, wat gaat u daar dan mee doen?'

'Wat ik ermee ga doen? We willen de man alleen maar zo snel mogelijk opsporen, hem vervolgens ondervragen en hem uitsluiten van het onderzoek.'

'Of hem arresteren?'

'Daar kan ik niets over zeggen. Maar als we reden hebben te geloven, nadat we hem hebben ondervraagd, dat hij is betrokken bij de brute moord op twee jonge onschuldige vrouwen, dan zal dat inderdaad zo zijn, ja.'

Het was weer een tijd stil. Grace voelde dat zijn woede toenam en aan hem trok als een getatoeëerde pitbull aan een riem. En die riem stond op het punt het te begeven.

'Het is een moeilijke beslissing.'

'Dat snap ik. Maar als er weer iemand wordt vermoord en het blijkt achteraf dat die tweelingbroer de moordenaar is, of dat hij ons zou hebben kunnen leiden naar de moordenaar – en u had dat kunnen voorkomen – hoe zou u zich dan voelen?'

'Ik moet even iemand van de juridische afdeling bellen en iets nagaan. Kan ik u over vijf minuten terugbellen?'

'Ik moet nu beslissen of ik terugga naar kantoor of hier in de buurt blijf,' antwoordde Grace. 'Gaat het maar vijf minuten duren of langer?'

'Ik doe het zo snel mogelijk, inspecteur, daar kunt u van op aan.'

Grace belde in de tussentijd even snel Roger Pole, de politieman die het onderzoek naar de moordaanslag op Cleo Morey onderzocht, om te vragen hoe het ervoor stond. Twee agenten hadden die ochtend haar ex-verloofde ondervraagd, Richard Northrop-Turner, in zijn praktijk in Chichester, vertelde Pole hem. Zo te zien had de advocaat een alibi. Voordat ze uitgesproken waren, gaf Grace' gsm aan dat er een telefoontje binnenkwam. Hij bedankte Pole voor de moeite en nam het telefoontje aan. Het was het hoofd van maatschappelijk werk weer.

'Goed, inspecteur. U hoeft dit allemaal niet aan de maatschappelijk werkster uit te leggen, zij overhandigt u het dossier en u mag daar alle gegevens uit halen die u nodig hebt. Hebt u genoeg aan de naam van de mensen die Frederick Roger Jones hebben geadopteerd?'

'Dat zou al heel wat zijn,' reageerde Grace. 'Dank u.'

Een bus ratelde langs het raam op de eerste verdieping van de kleine, schaars gemeubileerde vergaderzaal in het gemeentehuis. Grace keek door de jaloezieën naar buiten, naar de roze reclametekst midden op de bus waarop de tv-serie *Suger Rush* aanbevolen werd. Hij had in deze kamer samen met Nick Nicholl al meer dan een kwartier zitten wachten, zonder verdomme zelfs maar een kop koffie of een glas water. Het was al bijna middag, maar in elk geval schoten ze een beetje op. Hij was op van de zenuwen. Hij deed zijn best zich op zijn werk te concentreren, maar hij bleef maar denken aan Cleo.

'Hoe gaat het met je zoontje?' vroeg hij aan de jonge hoofdagent die stond te gapen en ondanks het prachtige zomerse weer een bleek gezicht had.

'Hartstikke goed!' zei hij. 'Ben is helemaal fantastisch. Maar hij slaapt niet zo goed.'

'Kun je al een beetje een luier omdoen?'

'Ik ben er bijna wereldkampioen in.'

Er lag een folder op de tafel met de kop Brighton & Hove gemeenteraad. Directoraat voor kinderen, gezinnen en scholen. Aan de muur hingen posters met glimlachende, schattige kinderen uit allerlei culturen erop.

Eindelijk ging de deur open en een jonge vrouw liep naar binnen. Nog voordat ze een woord had gezegd, kreeg ze het voor elkaar Grace tegen haar in het harnas te krijgen, alleen al door hoe ze eruitzag en haar donkere blik.

Ze was een jaar of 35, graatmager, met een spitse neus, een volle mond aangezet met rode lipstick, en haar haar was felpaars geverfd en met gel in kleine, agressief uitziende punten gedraaid. Ze had een bril op met een groen montuur en ze droeg een lange, bedrukte mousselin jurk en – volgens Grace – veganistische sandalen. Ze had een lichtgele dikke map bij zich waar een Post-it-briefje op zat geplakt.

'U bent van de politie?' vroeg ze ijzig, met een Zuid-Londens accent, haar blik gericht op de ruimte tussen de twee politiemannen.

Grace stond op, net als Nicholl. 'Inspecteur Grace en hoofdagent Nicholl van de politie van Sussex,' zei Grace.

Zonder te zeggen hoe ze heette, zei ze: 'Het hoofd zei dat u de geadopteerde naam wilde weten van Frederick Jones, die op 7 september 1964 is geboren.' Ze keek Grace met een vijandige blik aan.

'Ja, dat klopt,' zei hij.

Ze trok het geeltje van de map af en gaf het aan hem. Erop stond, in een net handschrift: Tripwell, Derek en Joan.

Hij liet het aan Nick Nicholl zien, en keek toen naar de map. 'Zit daar nog iets anders in waar we iets aan kunnen hebben?'

'Sorry, daar heb ik geen toestemming voor,' zei ze, opnieuw oogcontact vermijdend.

'Heeft het hoofd niet uitgelegd dat het om een moordonderzoek gaat?'

'Het gaat wel om iemands privéleven,' kaatste ze terug.

'Ik heb alleen het adres van de adoptiefouders nodig, Derek en Joan Tripwell,' zei hij, terwijl hij de namen van het geeltje aflas. 'Dat moet daarin staan.'

'Mij is verteld u de namen door te geven,' zei ze. 'Er is mij niet verteld u nog meer door te geven.'

Grace keek haar getergd aan. 'Het schijnt maar niet door te dringen, maar er kunnen dus nog meer vrouwen in deze stad zijn die in levensgevaar verkeren.'

'Inspecteur, u en uw collega moeten de inwoners van Brighton & Hove beschermen, dat is uw werk. Ik moet geadopteerde kinderen beschermen, dat is mijn werk. Is dat duidelijk?'

'Ik zal ú eens iets duidelijk maken,' zei Grace, terwijl hij kokend van woede even naar Nicholl keek. 'Als er nog iemand wordt vermoord in deze stad en u hebt informatie achtergehouden waardoor dat had kunnen worden voorkomen, dan zal ik u daarvoor voor de rechter slepen.'

'U doet uw best maar,' zei ze en ze liep de kamer uit.

III

Grace reed in zijn Alfa de heuvel op, langs de supermarkt en British Bookstores, en wilde net het hek van Sussex House binnen rijden, toen hoofdagent Pamela Buckley hem belde. Hij zette de auto stil.

'Ik weet eigenlijk niet of het goed nieuws of slecht nieuws is, inspecteur,' zei ze. 'Ik heb de telefoongids en het kiezersregister nagekeken. Er wonen geen Tripwells in Brighton & Hove. Ik heb daarna verderop gezocht en er zit er een in Horsham, twee in Southampton, een in Dover en een in Guildford. Die in Guildford komt overeen met de namen die u opgaf, Derek en Joan.'

'Wat is hun adres?'

Hij schreef het op: Spencer Avenue 18. 'Weet je hoe ik moet rijden?'

Het stratenplan in het centrum van Guildford, vond Grace, was ontworpen door een aap terwijl hij high was van de paddo's en het doolhof van Hampton Court in asfalt wilde vervatten. Elke keer dat hij in Guildford was, raakte hij verdwaald, en dat was nu weer zo. Hij had al twee keer de auto langs de straat gezet om op de plattegrond te kijken en zichzelf te beloven dat hij zo snel mogelijk een navigatiesysteem voor in de auto zou kopen. Na een paar minuten zoeken, terwijl zijn humeur net zoveel te lijden had onder de frustratie als zijn rijstijl, vond hij eindelijk Spencer Avenue, een doodlopende straat vlak bij de kathedraal, en reed erin.

Het was een smalle straat op een steile heuvel, en er stonden aan beide kanten auto's geparkeerd. Recht vooruit en links achter hem stonden kleine huizen. Hij zag op een laag hekje aan zijn linkerkant het cijfer 18 staan, parkeerde zijn auto wat verderop, en liep terug.

Hij ging naar de voordeur van een klein, halfvrijstaand huis, met een netjes bijgehouden voortuin, struikelde bijna over een zwart-witte kat die voor hem langs schoot en belde aan.

Na een paar minuten werd er opengedaan door een kleine vrouw met grijs haar in een vest, te grote spijkerbroek en laarzen, met tuinhandschoenen aan. 'Hallo?' zei ze opgewekt.

Hij liet haar zijn identiteitsbewijs zien. 'Inspecteur Grace van de politie van Sussex.'

Ze schrok. 'O, lieve help, heeft Laura weer iets gedaan?'

'Laura?'

'Zit ze weer in de problemen?' Ze had een kleine, ronde mond die hem deed denken aan de tuit van een theepot.

'Het spijt me als ik hier verkeerd ben,' zei hij. 'Ik ben op zoek naar meneer en mevrouw Tripwell, die in september 1964 een jongen genaamd Frederick Jones hebben geadopteerd.'

Ze zag er opeens zeer geagiteerd uit, haar ogen schoten alle kanten uit. Na een paar tellen zei ze: 'Nee, dat klopt... Dit is het juiste adres. Wilt u binnenkomen?' Ze stak haar hand omhoog. 'Neem me mijn kleding niet kwalijk, ik had geen bezoek verwacht.'

Hij liep achter haar aan door een klein smal gangetje, dat rook naar oude mensen en katten, naar een kleine huiskamer. In de zithoek stonden een bankstel en een grote televisie waar een cricketwedstrijd op te zien was. Een oudere man, met een plaid over zijn benen, een toefje grijs haar en een hoorapparaat, zat voorovergezakt in een van de leunstoelen ervoor te slapen, hoewel hij aan de kleur van zijn gezicht te zien net zo goed dood had kunnen zijn.

'Derek,' zei ze, 'er is bezoek. Een politieagent.'

De man deed een oog open, zei: 'O,' en deed hem weer dicht.

'Wilt u een kopje thee?' vroeg ze aan Grace.

'Graag, als het niet te veel moeite is.'

Ze wees naar de bank. Grace stapte over de benen van de slapende man heen en ging zitten terwijl zij de kamer uit liep. Hij keek niet naar de wedstrijd, maar keek om zich heen, op zoek naar foto's. Er stonden er meerdere. Eentje met een veel jongere Joan en Derek erop met drie kinderen: twee jongens en een nogal nors uitziend meisje. Een andere, boven op een vitrinekast waar allemaal porseleinen beeldjes van Capo Di Monte in stonden, had een zilveren lijstje. Er zat een foto in van een tienerjongen met lang donker haar, in een pak en een das, die zo te zien met enige tegenzin voor de camera poseerde. Maar hij zag in het gezicht van de jongen wel degelijk een overeenkomst met Brian Bishop.

Er werd gejuicht op tv en daarna geklapt. Hij keek even naar het scherm en zag een batsman met helm op weglopen van de crease, de middelste stump achter hem was finaal gebroken.

'Hij had hem gewoon tegen moeten houden,' zei de man naast hem, die schijnbaar had zitten slapen. 'Stomme idioot wilde hem door de covers slaan. Houdt u van cricket?'

'Nee, niet echt. Ik hou meer van rugby.'

De man knikte en zei niets meer.

De vrouw kwam de kamer weer in met een dienblad waarop een theepot, een melkkannetje, een suikerpotje, drie kop-en-schotels en een schaaltje met koekjes stonden. Ze had de tuinhandschoenen uitgetrokken en haar laarzen verwisseld voor muiltjes. 'Wil je ook thee, Derek?' vroeg ze luid.

'We hebben verdomme hier een rugbygek in huis,' mopperde hij, en toen leek hij weer in slaap te vallen.

'Melk en suiker?' vroeg ze aan Grace terwijl ze het dienblad neerzette. Hij keek hongerig naar het schaaltje met koekjes, besefte dat het lunchtijd was en dat hij nog nauwelijks had ontbeten.

'Melk graag, geen suiker.'

Ze stak het schaaltje naar hem toe, waar allemaal biscuitjes, repen en marshmallows op lagen. Hij nam dankbaar een reep en wikkelde het papier eraf.

Ze schonk thee in en gaf het hem aan, en wees toen naar de foto in het zilveren lijstje. 'We vonden de naam Frederick niet mooi, hè, Derek?'

De man bracht een kort ontkennend gekreun voort.

'Dus hebben we hem Richard genoemd,' zei ze.

'Richard,' zei de man ook, brommend.

'Naar Richard Chamberlain, de acteur. Dr. *Kildare*. Hebt u Dr. *Kildare* wel eens gezien?'

'Voor zijn tijd,' mompelde haar man.

'Ik kan het me vaag herinneren,' gaf Grace toe. 'Mijn moeder keek er graag naar.' Hij roerde in zijn thee, wilde graag verder met de reden van zijn bezoek.

'We hebben twee kinderen geadopteerd,' zei Joan Tripwell. 'Toen kregen we zelf een kind, Geoffrey. Het gaat goed met hem, hij doet onderzoek voor een farmaceutisch bedrijf, Pfizer. Werkt voor hen aan medicijnen tegen kanker.'

Grace glimlachte. 'Mooi.'

'Laura is het probleemkind. Daarom dacht ik dat u vanwege haar langskwam. Er is altijd wat met haar. Drugs. Wel een beetje ironisch, vindt u niet, dat onze Geoffrey het zo goed doet bij een farmaceutisch bedrijf en Laura van het ene naar het andere afkickcentrum gaat en altijd problemen heeft met de politie?'

'En Richard, hoe gaat het met hem?' vroeg Grace.

Haar kleine mondje sloot zich, haar ogen schoten weer alle kanten op, en Grace besefte dat hij een gevoelige snaar had geraakt. Ze schonk een kop thee voor zichzelf in, deed er met een zilveren suikertang twee klontjes in. 'Waarom wilt u het eigenlijk over Richard hebben?' vroeg ze, haar stem opeens vol achterdocht.

'Ik hoopte dat u me kon vertellen waar hij is. Ik wil hem graag spreken.'

'Met hem spreken?' vroeg ze verbaasd.

'Perceel 437, rij 12,' zei de oude man opeens.

'Derek!' wees ze hem terecht.

'Nou, dat is toch zo? Wat heb je nou, mens?'

'Let maar niet op mijn man,' zei ze, terwijl ze haar kopje gracieus bij het oor oppakte. 'Hij is er nooit overheen gekomen. Niemand van ons, eigenlijk.'

'Waar overheen?' vroeg Grace, zo vriendelijk mogelijk.

'Hij was te vroeg geboren, net als zijn broertje, de arme kleine ziel. Hij was geboren met een afwijking: misvormde longen. Ze zijn nooit helemaal goed ontwikkeld. Hij had een zwakke borst, weet u? Was altijd verkouden als kind. En hij had heel erg last van astma.'

'Weet u iets over zijn broer?' vroeg Grace, zo geïntrigeerd dat hij vergat nog een hap van zijn reep te nemen.

'Dat hij is overleden in de couveuse, het arme wurm. Dat hebben ze ons verteld.'

'En hun moeder?'

De vrouw schudde haar hoofd. 'Maatschappelijk werk wilde verder geen inlichtingen erover verstrekken.'

'Ik weet er alles van,' zei Grace bitter.

'We kwamen er pas na lange tijd achter dat ze een alleenstaande moeder was, en dat was natuurlijk heel wat in die tijd. Ze is bij een auto-ongeluk omgekomen, maar verder weten we er niets van.'

'Weet u zeker dat Fredericks... neem me niet kwalijk, Richards,' verbeterde hij zichzelf, 'dat Richards broertje is overleden?'

'Je kunt nooit geloven wat maatschappelijk werk zegt, natuurlijk. Maar dat hebben ze ons toen verteld.'

Grace knikte meelevend. Er werd weer gebruld op tv. Grace keek ernaar en zag een herhaling van een vangbal. 'Kunt u me vertellen waar uw zoon Richard is?'

'Dat heb ik je verdomme al verteld,' bromde de oude man. 'Perceel 437, rij 12. Ze gaat er elk jaar naartoe.'

'Het spijt me,' zei Grace. 'Ik snap het niet.'

'Mijn man probeert u duidelijk te maken dat u 21 jaar te laat bent,' zei ze.

'Te laat?' Grace kreeg allemaal verwarrende tegenstrijdige berichten.

'Op zijn eenentwintigste,' zei Joan Tripwell, 'ging Richard naar een feestje en vergat zijn inhaler mee te nemen. Die moest hij altijd bij zich hebben. Hij kreeg een heel zware astma-aanval.' Haar stem sloeg over. Ze snufde en veegde haar ogen droog. 'Zijn hart begaf het.'

Grace keek haar verbijsterd aan.

Alsof ze de twijfel in zijn blik zag, zei Joan Tripwell nadrukkelijk: 'Arme ziel, hij overleed. Hij heeft maar een kort leven gehad.'

112

Na een terugreis van een uur, deed Roy Grace diep teleurgesteld verslag aan het team van operatie Kameleon in Coördinatiecentrum 1. Daarna bekeek hij alle bewijzen die ze tegen Brian Bishop hadden verzameld.

Overtuigd van het feit dat Joan Tripwell de waarheid had verteld, zat hij met een paar dingen die niet klopten. Alsof hij met een hamer stukjes van een legpuzzel op een willekeurige plek probeerde te krijgen.

De gegevens over de tweelingbroer die het hoofd Registratie voor hem had opgelezen, zaten hem niet lekker. Grace las de aantekeningen nog eens door die hij in het gemeentehuis had gemaakt, en keek toen weer op Bishops geboortebewijs en zijn adoptiebewijs. Hij was op 7 september om dertien voor vier geboren, achttien minuten eerder dan zijn broer Frederick Roger Jones, die Richard werd genoemd en op 21-jarige leeftijd was overleden.

Waarom had het maatschappelijk werk Joan Tripwell verteld dat het broertje was overleden?

Hij belde de behulpzame adoptieadviseur Chrissie Franklin. Zij zei vrolijk dat het toentertijd echt iets was wat maatschappelijk werk zou doen. Ze vonden het maar niets om tweelingen uit elkaar te halen, maar er was, zelfs toen, een lange lijst mensen die kinderen wilden adopteren. Als er eentje ziekelijk was, een tijd in een couveuse had gelegen, dan hadden ze waarschijnlijk de gezonde baby voor adoptie aangemerkt, en toen de ander het overleefde, hadden ze een leugentje om bestwil verteld zodat ze een ander stel dat dolgraag een kindje wilde blij konden maken.

Het was haar ook gebeurd, vertelde ze. Zij had een tweelingzusje over wie haar adoptiefouders haar nooit hadden verteld.

Na wat hij met het kreng van maatschappelijk werk had meegemaakt, kon hij wel geloven dat ze tot alles in staat waren.

Grace deed de band van de beveiligingscamera in de video en keek ernaar, terwijl hij de uitgebreide lijst van de positie van de gsm die hoofdagent Corbin had geregeld ernaast hield. De man op de monitor was Brian Bishop. Daar was hij honderd procent zeker van, tenzij de man een identieke dubbelganger had. Maar gelet op het feit dat de lijst aangaf dat hij het Lansdowne Palace Hotel verliet en er vervolgens weer naar terugging, zou het wel heel erg toevallig zijn als die dubbelganger op precies de juiste tijd op precies de juiste plaats was.

Hij schreef het woord 'medeplichtige' op in zijn notitieboekje met daarachter een groot vraagteken.

Was iemand zo ver gegaan om plastische chirurgie te ondergaan om op Brian Bishop te lijken? En had diegene op de een of andere manier vers sperma van hem te pakken gekregen?

Zijn gedachtestroom werd onderbroken doordat iemand hem riep, en hij draaide zijn hoofd in die richting. Hij zag de zwaar bebaarde George Erridge van de Fotoafdeling aan komen lopen. Erridge, die leek op een ontdekkingsreiziger die net terug was van een expeditie, kwam enthousiast op hem af lopen, zwaaiend met een blad papier dat eruitzag als een foto.

'Die band van de beveiligingscamera die je me gisteren hebt gegeven, Roy, uit het Royal County Hospital? Die man met een baard en een zonnebril op en met lang haar die daar op zondag tekeerging?'

Grace was het al bijna weer vergeten. 'Ja?'

'Nou, we hebben iets ontdekt! We hebben wat software erop losgelaten die ze hebben ontwikkeld voor de hulptelefoon vermiste personen. Oké? Om te zien hoe mensen veranderen, hoe ze er over vijf, tien, twintig jaar uit zullen zien. Oké? Met haar, zonder haar, met baard, zonder baard, dat soort dingen. Ik ben bezig Tony Case over te halen om die software hier aan te schaffen.'

'En?' vroeg Grace.

Erridge legde de foto neer. Grace zag een man met een zware baard en een snor, en lang, warrig haar dat zijn voorhoofd bedekte. Hij had een grote zonnebril op en droeg een te groot T-shirt over een nethemdje, spijkerbroek en sandalen.

'We hebben de computer het lange haar, de baard en de zonnebril laten verwijderen, oké?'

'Oké,' zei Grace.

Erridge legde triomfantelijk een andere foto op Grace' bureau. 'Herken je hem?'

Grace keek naar Brian Bishop.

Hij was een paar tellen stil. Toen zei hij: 'Godallemachtig. Goed gedaan, George. Hoe kon je die ogen zien door die zonnebril?'

Erridge grinnikte. 'We hadden mazzel. Er hangt een beveiligingscamera in de herentoiletten. Die vent zette zijn bril daar af om de glazen schoon te maken. We hebben dat op tape staan!'

'Bedankt,' zei Grace. 'Dit is helemaal top!'

'Zeg dat maar tegen die vrek van een Tony Case, oké? We hebben die software hier hard nodig. Ik had dit gisteren al aan je kunnen geven als we het spul zelf hadden gehad.'

'Ik zal het zeker tegen hem zeggen,' zei Grace. Hij stond op en keek om zich heen op zoek naar Adrienne Corbin, de jonge hoofdagent die aan de telefoonlijst had gewerkt. Hij vroeg hardop: 'Weet iemand waar hoofdagent Corbin is?'

'Ze heeft pauze, Roy,' zei Bella Moy.

'Kun je haar te pakken krijgen, en zeggen dat ze zo snel mogelijk terug moet komen?'

Hij ging zitten en keek in gedachten van de ene naar de andere foto. De transformatie was verbluffend. Een volledige metamorfose, van een keurige, knappe man naar iemand voor wie je de straat overstak omdat je niet in zijn buurt wilde komen.

Zondag, zat hij te denken. Bishop was aan het eind van de ochtend in het ziekenhuis geweest. Hij was in de buurt geweest.

Op zondagochtend werd het dak van Cleo's auto kapotgemaakt.

Hij bladerde door het tijdstippenverslag tot hij bij zondagochtend kwam. Volgens Bishops eigen verklaring, in het eerste verhoor, had hij die ochtend in zijn hotelkamer doorgebracht, zijn e-mails bijgewerkt en was hij daarna naar een bevriend stel gegaan voor de lunch. Er stond een aantekening bij dat met de vrienden, Robin en Sue Brown, contact was opgenomen en dat ze hadden bevestigd dat Bishop om halftwee was aangekomen en tot even na vieren was gebleven. Zij woonden in het dorpje Glynde, daarvandaan was het zo'n vijftien tot twintig minuten rijden van het Royal Sussex County Hospital, schatte Roy.

De tijd die op de eerste foto van de beveiligingscamera stond was twee voor één. Krap, maar het was mogelijk. Heel goed mogelijk.

Hij keek weer naar de tijdstippenlijst voor die ochtend. De gezinscontact-persoon Linda Buckley had doorgegeven dat Bishop in zijn hotelkamer had gezeten tot de middag en toen in zijn Bentley weg was gereden. Hij had haar verteld dat hij de lunch ging gebruiken en 's middags weer terugkwam. Ze had opgeschreven dat hij om kwart voor vijf weer terug was.

Hij werd steeds onrustiger. Bishop had gemakkelijk onderweg naar het ziekenhuis even langs het mortuarium kunnen gaan. Maar waarom? Waarom zou hij dat in hemelsnaam hebben gedaan? Wat was het motief?

Maar hij had ook geen motief voor de moord op Sophie Harrington.

Adrienne Corbin kwam de kamer in rennen, hijgend van de inspanning en zwetend. Haar gezette postuur was duidelijk niet geschikt voor dit warme weer. 'U wilde me spreken, meneer?'

Grace verontschuldigde zich dat ze haar pauze had moeten onderbreken en vertelde haar wat hij nodig had van de lijsten van de telefoonmasten en de beveiligingscamera's. Hij wilde nagaan wat Bishop die zondagmiddag had gedaan, vanaf het moment dat hij bij het hotel wegging, tot het moment dat hij bij het huis van de Browns aankwam in Glynde.

'Hé, ouwe,' zei Branson, die de hele tijd rustig aan zijn bureau had gezeten, opeens.

'Wat is er?'

'Als Bishop bij de eerstehulp is geholpen, dan heeft hij zich toch in moeten schrijven?'

En opeens besefte Grace hoe moe hij was en welk effect dat op zijn hersens had. Hoe had hij dat over het hoofd kunnen zien? 'Zal ik jou eens wat vertellen?' zei hij.

'Ik ben één en al oor.'
'Soms heb ik echt het gevoel dat je hersens hebt.'

113

Grace kwam er al snel achter dat de bureaucratie van maatschappelijk werk een eitje was vergeleken met de telefoonmarathon die nu plaatsvond met het Brighton Health Care Trust. Glenn Branson was ruim anderhalf uur bezig om van de ene medewerker naar de andere doorverbonden te worden en te wachten op mensen die in vergadering waren, voordat hij eindelijk degene aan de lijn kreeg die een dusdanig hoge positie had dat hij toestemming kon geven om vertrouwelijke informatie over een patiënt vrij te geven. En ook alleen pas nadat Grace aan de telefoon de zaak had bepleit.

Het volgende struikelblok was dat niemand met de naam Bishop zich die zondag bij de eerstehulp had aangemeld, en dat er die dag zeventien mensen waren behandeld voor een wond aan hun hand. Gelukkig had dr. Raj Singh dienst, en Grace stuurde Branson naar het ziekenhuis met de foto van de beveiligingscamera, in de hoop dat Singh hem zou herkennen.

Even na halfvijf liep hij Coördinatiecentrum 1 uit en belde hij Cleo om te weten hoe het met haar ging.

'Het is rustig vandaag,' zei ze vermoeid maar toch redelijk vrolijk. 'Er zijn hier al de hele tijd twee rechercheurs die het register nakijken. Ik heb net met Darren schoongemaakt, en zo meteen brengt hij me thuis. Hoe gaat het met jou?'

Grace vertelde haar over het gesprek dat hij met inspecteur Pole had gehad.

'Ik geloofde al niet dat het Richard was,' zei ze merkwaardig opgelucht, wat hem irriteerde. Hij wist dat hij onredelijk was, maar elke keer dat ze het over haar ex had, klonk er warmte in haar stem door, en daar maakte hij zich zorgen over. Alsof het wel over was, maar nog niet helemaal. 'Moet je tot laat doorwerken?' vroeg ze.

'Dat weet ik nog niet. Eerst de briefing van halfzeven en dan eens zien wat daar uitkomt.'

'Wat wil je straks eten?'

'Jou.'

'En wat wil je erbij?'
'Jij helemaal bloot met één blaadje sla.'
'Dan kun je maar beter heel snel hierheen komen. Ik wil je.'
'Ik hou van je,' zei hij.
'Ik vind jou ook wel leuk!' zei ze.

Omdat hij gebruik wilde maken van het eerste moment dat hij die dag even vrij was, liep Grace naar de computerafdeling, helemaal achter in het gebouw, waar de arme Janet McWhirter zo'n groot deel van haar loopbaan had doorgebracht.

Normaal gesproken was het in de grote kantoorruimte, bemand door bijna veertig mensen – over het algemeen burgerpersoneel – een drukte van belang. Maar deze middag hing er een bedrukte sfeer. Hij klopte op de deur van een van de weinige aparte kantoortjes. Het was Janet McWhirters kamer geweest en nu, volgens het bordje aan de muur, was het van Lorna Baxter, manager. Hij kende haar, net als Janet, al heel lang en mocht haar erg graag.

Zonder op een reactie te wachten, deed hij de deur open. Lorna, die een jaar of 35 was, was zichtbaar zwanger. Haar bruine haar, vroeger lang, was nu kort geknipt in een slordig bloempotkapsel, waardoor haar gezicht, dat ook dik was geworden, nog veel boller leek. Hoewel ze luchtig gekleed was, in een wijde jurk met bloemen, had ze het duidelijk zwaar in de hitte.

Ze zat aan de telefoon, maar gebaarde vrolijk dat hij binnen kon komen, en wees naar een stoel voor haar bureau. Hij deed de deur dicht en ging zitten.

Het was een kleine, vierkante kamer, die vol stond met haar bureau en stoel, twee stoelen voor de bezoekers, een hoge metalen archiefkast en een stapel archiefdozen. Er hing met kleurige punaises een cartoon van Bart Simpson aan de muur en een vel papier waarop met krijt een groot hart was getekend en de woorden IK HOU VAN JE MAMMIE stonden.

Ze hing op. 'Ha, Roy!' zei ze. 'Leuk je weer eens te zien.' Toen haalde ze haar schouders op. 'Erg, hè?' Ze had een sterk Zuid-Afrikaans accent, ook al woonde ze al twaalf jaar in Engeland.

'Janet bedoel je?'

Ze grimaste. 'We waren bevriend.'

'Weet jij wat er gebeurd is? Ik heb gehoord dat ze verliefd werd op iemand en met hem naar Australië ging emigreren en daar zou gaan trouwen.'

'Klopt. Ze was dolgelukkig. Weet je, ze was 36 en ze had nog nooit echt een vriendje gehad. Volgens mij had ze zich er al helemaal bij neergelegd dat ze de rest van haar leven vrijgezel zou zijn. Toen ontmoette ze die vent en hij was het duidelijk helemaal voor haar. Ze werd in een paar weken een heel ander mens.'

'Hoe bedoel je?'

'Ze veranderde alles. Haar, kleren, alles. En ze zag er zo gelukkig uit.'

'En toen werd ze vermoord?'

'Daar lijkt het wel op.'

'Weet jij – of iemand anders hier – iets over die man, die verloofde van haar?'

'Niet veel. Ze was nogal op zichzelf. Ik kende haar redelijk goed, maar ze was ook voor mij een gesloten boek. Het duurde heel lang voordat ze aan me vertelde dat ze verkering had. Ze heeft niet veel over hem verteld, hoewel ze wel liet doorschemeren dat hij erg rijk was. Groot huis in Brighton en een flat in Londen. Het enige nadeel was dat hij getrouwd was. Maar hij wilde scheiden van zijn vrouw.'

'Voor Janet?'

'Dat heeft hij tegen haar gezegd.'

'En dat geloofde zij?'

'Helemaal.'

'Weet je wat voor werk hij deed?'

'Hij zat in de software,' zei ze. 'Het had iets met roosters te maken. Het was blijkbaar een zeer geslaagde onderneming. Hij wilde een filiaal in Australië openen en wilde daar een nieuw leven beginnen, met Janet.'

Roosters. Grace zat hard na te denken. Roosters. Dat soort werk deed Bishop ook. 'Heeft ze ooit gezegd hoe hij heette?'

'Nee, dat wilde ze niet zeggen. Ze zei steeds dat ze dat niet kon vertellen omdat hij getrouwd was en dat ze hem had gezworen dat ze hun relatie geheim zou houden.'

'Ze was niet bepaald het type dat iemand zou chanteren,' zei Grace. 'En volgens mij had ze ook niet veel geld.'

'Nee, dat klopt. Ze reed naar het werk op een oude Vespa.'

'Dus waarom zou hij haar dan vermoorden, even aangenomen dat hij dat heeft gedaan?'

'Of misschien zijn ze allebei vermoord?' antwoordde ze. 'En is alleen háár stoffelijk overschot aangespoeld?'

'Dat zou kunnen. Iemand die achter hem aan zat en zij stond net in de weg. Dat zou niet de eerste keer zijn. Heb je al iets van het onderzoeksteam gehoord?'

'Ze zijn niet veel opgeschoten. Er is alleen één klein belangrijk feitje.'

'Wat dan?'

'Ik heb Ray Packham daarstraks gesproken, van de technische afdeling, weet je wel?'

'Ja, ik ken hem wel. Goede vent.'

'Hij heeft de computer van Janet nagekeken en ontdekt dat ze een agenda erop bijhield die ze gewist heeft toen ze wegging.'

Er werd op de deur geklopt en er kwam iemand binnen. Grace keek wie het was; iemand die op haar afdeling werkte. Lorna keek hem aan. 'Ja, Dermot, is het dringend?'

'Nee, niets aan de hand, ik zie je morgen wel.' Hij liep weg en sloot de deur achter zich.

Ze staarde even voor zich uit. 'Waar was ik ook weer?'

'Janets agenda,' gaf hij aan.

'O ja, dat is ook zo. Er stond ongeveer negen maanden geleden een naam in die niemand van ons kent. Het stond bij een avond in december afgelopen jaar. Ze had opgeschreven: "borrel, Brian".'

'Brian?'

'Ja.'

Er liep een rilling over Grace' rug. Brian. Roosters. Groot huis in Brighton. Flat in Londen. Een vermoorde vrouw.

Zijn hersens draaiden nu op volle toeren, zijn vermoeidheid opeens verdwenen. Was hij daarom midden in de nacht wakker geworden en had hij daarom aan Janet McWhirter gedacht? Omdat zijn hersens aan wilden geven dat er een verband bestond?

'Zo te zien zegt het je iets, Roy.'

'Misschien wel,' zei hij. 'Wie leidt het onderzoek naar Janet?'

'Inspecteur Winter, in Coördinatiecentrum 2.'

Grace bedankte Lorna voor de moeite en ging rechtstreeks naar Coördinatiecentrum 2. Daar legde hij het mogelijke verband uit tussen zijn twee onderzoeken, waar hij net achter gekomen was.

Daarna ging hij terug naar Coördinatiecentrum 1 waar hij bijna tegen Glenn Branson op botste die triomfantelijk de hoek om kwam spurten. 'We hebben hem!' zei Branson die een vel papier uit zijn zak haalde en het openvouwde. 'Ik heb een naam en een adres.'

Grace liep met hem mee de kamer in.

'Hij heet Norman Jecks.'

Grace keek naar het verkreukelde gelinieerde papier dat zo te zien uit een ringband was gescheurd. Er stond op: Sackville Road 262B, Hove.

Hij keek Branson aan. 'Dat is Bishops adres helemaal niet.'

'Nee, dat klopt. Maar dit adres heeft de man opgeschreven die zondag bij de eerstehulp was. De vermomde Brian Bishop. Misschien leidt hij een dubbelleven?'

Grace keek ernaar en had er geen goed gevoel over. Alsof er een donkere wolk in zijn binnenste ronddraaide. Had Brian Bishop nog een huis? Een geheim huis? Een geheim leven? 'Is dit een bestaand adres?'

'Bella heeft het kiezersregister nagekeken. Er woont een Norman Jecks op dat adres.'

Hij keek op zijn horloge en de adrenaline stroomde door hem heen. Het was tien over zes. 'Laat de briefing maar zitten,' zei hij. 'Zoek uit wie de dienstdoende politierechter is en regel een huiszoekingsbevel. Dan haal je het plaatselijke ondersteuningsteam erbij. We gaan eens even langs bij Norman Jecks. Zo snel mogelijk.'

Hij rende door het labyrint van gangen terug naar de computerafdeling.

Lorna Baxter ging net de deur uit toen hij aan kwam rennen.

'Lorna,' zei hij buiten adem, 'heb je even?'

'Ik moet mijn oudste ophalen van zwemles.' Ze keek op haar horloge. 'Kan het snel?'

'Het duurt maar een paar minuten. Sorry hoor, maar het is erg belangrijk. Het klopt toch, dat Janet McWhirter de bevoegdheid had om gegevens in de computer in te voeren?'

'Ja. Ze was de enige hier die dat mocht.'

'Helemaal zelfstandig, zonder toezicht?'

'Ja.'

'Zou je iets voor me na willen kijken op de computer?'

Ze glimlachte. 'Je hebt me duidelijk langer nodig dan maar een paar minuten. Ik regel wel iemand om Claire op te halen,' zei ze, terwijl ze haar gsm uit haar handtas pakte.

Ze gingen naar haar kantoor toe, en ze logde in op haar computer. 'Goed,' zei ze. 'Zeg het maar!'

'Ik wil iemands criminele verleden controleren. Wat heb je dan van me nodig?'

'Zijn naam, leeftijd, adres.'

Grace gaf Brian Bishops gegevens door. Hij luisterde naar het geratel van de toetsen terwijl zij het allemaal intikte.

'Brian Desmond Bishop, geboren op 7 september 1964?'

'Dat is hem.'

Ze boog zich voorover naar het scherm. 'In 1979 werd hij door de jeugd-rechter veroordeeld tot twee jaar jeugdgevangenis omdat hij een veertien-jarig meisje had verkracht,' las ze op. 'In 1985 kreeg hij in Lewes Crown Court twee jaar voorwaardelijk voor zwaar lichamelijk letsel toegebracht aan een vrouw. Leuke vent!' merkte ze op.

'Is er iets vreemds aan die gegevens?'

'Vreemds? Hoe bedoel je?'

'Kan het veranderd zijn?'

'Nou, er is wel iets, hoewel dat niet echt ongebruikelijk is.' Ze keek hem aan. 'Normaal gesproken kijkt er niemand meer naar dit soort oude gege-vens, ze blijven voor altijd in een map zitten. Er wordt alleen maar naar ge-keken als er dingen worden toegevoegd, omdat er nieuw bewijs is of omdat er een oude veroordeling nietig wordt verklaard of een fout recht wordt gezet. Dat soort dingen.'

'Kun je zien of er iets veranderd is?'

'Nou en of!' Ze knikte nadrukkelijk. 'Er wordt een elektronisch spoor achtergelaten als er iets wordt veranderd. Ik kan er hier zelfs eentje zien.'

Grace zat meteen rechtovereind. 'O, ja?'

'Mensen zoals ik, die bevoegd zijn, hebben een eigen toegangscode. Als we veranderingen aanbrengen in een map, dan laten we de toegangscode achter en de datum.'

'Dus je weet van wie die toegangscode is?'

Ze glimlachte naar hem. 'Zonder het na te kijken zelfs. Die is van Janet. Ze heeft deze map op' – ze keek nog eens – '7 april van dit jaar veranderd.'

De adrenaline spoot Grace door zijn aderen. 'Echt waar?'

'Jazeker.' Ze fronste haar wenkbrauwen, tikte iets in en keek toen weer naar het scherm. 'O, dit is interessant,' zei ze. 'Dat was haar laatste werkdag.'

114

Anderhalf uur later, net voor acht uur, reed Nick Nicholl in een Opel Vectra langzaam Sackville Road in. Grace zat op de passagiersstoel, met een kogel-werend vest aan onder zijn jas, en Glenn Branson, ook voorzien van een ko-gelwerend vest, zat achter hem. Beide mannen telden de huisnummers op de grauwe edwardiaanse rijtjeshuizen. Vlak achter hen reden twee Ford Transit-politiebusjes, waarin onder meer het arrestatieteam zat.

'254!' zei Glenn Branson. '258. 260. 262. We zijn er!'

Nicholl parkeerde de auto dubbel naast een stoffige Ford Fiesta, en de twee busjes kwamen achter hem tot stilstand.

Grace zei tegen de chauffeur van het achterste busje dat die om moest rijden en de achteruitgang in de gaten moest houden, en dat hij het door moest geven zodra ze daar stonden.

Twee minuten later kreeg hij een seintje.

Ze stapten uit de auto. Grace gaf de technische recherche instructies dat die voorlopig in het busje moesten blijven zitten, en liep toen naar de stoep, langs twee vuilnisemmers en een smerige erker waar de vitrage open was geschoven. Het was nog licht, hoewel dat niet lang meer zou duren, dus het feit dat er binnen geen lampen brandden, betekende niet noodzakelijk dat er niemand thuis was.

De gehavende voordeur, waar twee ondoorzichtige ruiten in zaten, kon wel een likje verf gebruiken en de plastic deurbel had ook zijn beste tijd gehad. Toch drukte hij erop. Er ging geen bel. Hij drukte er nog een keer op. Stilte.

Hij klopte hard op een van de ruiten. Toen riep hij: 'Politie! Doe open!'

Er kwam geen reactie.

Hij klopte nogmaals aan, dit keer nog harder. 'Politie! Opendoen!' Toen zei hij tegen Nicholl dat hij het arrestatieteam erbij moest halen met de stormram.

Even later kwam twee stevige mannen aanlopen en een van hen droeg een lange, gele stormram om de deur in te beuken.

'Kan die, baas?' vroeg hij aan Grace.

Grace knikte.

Hij haalde uit naar een van de ruiten. Tot ieders verbazing stuiterde de stormram terug. Hij haalde weer uit, dit keer met meer kracht, en opnieuw stuiterde hij terug.

Branson en Nicholl keken hem neerbuigend aan. 'Niet genoeg spinazie gegeten als kind?' grapte de collega van de man.

'Wel godverdomme!'

Zijn collega, die zelfs nog steviger gebouwd was, nam de ram over en haalde uit. Even later stond hij dom te kijken toen ook bij hem de ram terugstuiterde.

'Godver!' zei de agent. 'Hij heeft gewapend glas!' Hij haalde uit naar het slot. De deur gaf nauwelijks mee. Hij haalde weer uit, en opnieuw, terwijl het zweet hem uitbrak. Toen keek hij Grace aan. 'Volgens mij heeft hij niet zoveel op met inbrekers.'

'Heeft duidelijk geluisterd naar adviezen over het beveiligen van zijn huis,' grapte Nick Nicholl, wat zeer uitzonderlijk voor hem was.

De agent gebaarde dat hij uit de weg moest gaan en haalde toen met al zijn kracht uit naar het midden van de deur. Hij gaf mee, terwijl houtsplinters alle kanten op vlogen.

'Versterkt,' zei hij grimmig. Hij haalde weer uit, en opnieuw, tot het hout eraf was en de stalen plaat erachter te zien was. Pas na vier keer rammen was de plaat dusdanig verbogen dat iemand ertussendoor kon kruipen.

Zes agenten van het arrestatieteam gingen naar binnen om te zien of er iemand in de woning aanwezig was. Na een paar minuten deed een van hen de beschadigde deur vanbinnen van het slot af en kwam naar buiten. 'De woning is verlaten, meneer.'

Grace bedankte het team voor hun moeite, en verzocht hen toen weg te gaan omdat hij maar een beperkt aantal mensen de woning wilde laten doorzoeken. Hij liep naar binnen, deed ondertussen een paar wegwerphandschoenen aan en kwam uit in een klein, somber souterrain. Het smerige tapijt stond bijna volledig vol met uit elkaar gehaalde computers, stapels autotijdschriften en autohandleidingen. Het rook vochtig.

Helemaal achter in de kamer stond een bureautje met een computer en een toetsenbord erop. De muur ervoor hing vol met krantenknipsels en papieren die eruitzagen als uitdraaien van stambomen. Rechts was een openstaande deur, met daarachter een donkere gang.

Hij liep voorzichtig de kamer door, zigzaggend langs de spullen op de grond, tot hij bij de antieke draaistoel was bij het bureau. Toen zag hij wat er op de muur hing.

Hij bleef stokstijf staan.

'Shit!' zei Glenn Branson, die inmiddels naast hem stond.

Het waren allemaal nieuwsberichtten. De meeste waren uit de Argus gescheurd en uit landelijke dagbladen en volgden zo te zien Brian Bishops loopbaan. Er hingen een paar foto's van hem, waaronder een foto van zijn huwelijk met Katie. Er hing een artikel, op het roze papier van The Financial Times, over de gigantische groei van zijn bedrijf, International Rostering Solutions PLC, over zijn plaatsing verleden jaar op de lijst van The Sunday Times bij de honderd snelst groeiende bedrijven in Groot-Brittannië.

Grace was zich vaag bewust van Branson en een paar andere mensen die om hem heen bezig waren, rubber handschoenen aantrokken, deuren en laden open- en weer dichtdeden. Maar zijn aandacht werd getrokken door een ander artikel dat met plakband op de muur was gehangen. Het was de voorpagina van de middageditie van de *Argus* van maandag, met een grote foto van Brian Bishop en zijn vrouw erop, en een klein fotootje ernaast van hemzelf. In een van de kolommen eronder was met rode pen een kring om de woorden 'walgelijke figuur' gezet.

Hij las de hele alinea: 'Dit is een bijzonder gruwelijke misdaad,' zei inspecteur Grace, die het onderzoek leidt, 'we zullen alles op alles zetten om de walgelijke figuur die dit heeft gedaan op te pakken.'

Nick Nicholl zwaaide opeens met een dun document voor zijn neus. 'Ik heb net dit huurcontract gevonden. Hij heeft een garage! Twee zelfs, in Westbourne Villas.'

'Bel het Coördinatiecentrum,' zei Grace. 'Laat iemand een bevel tot huiszoeking maken en naar dezelfde politierechter brengen om te ondertekenen. Dan moet het meteen hiernaartoe. En snel een beetje!'

Terwijl hij weer naar de rode kring om de woorden 'walgelijke figuur' keek, hoorde hij Glenn Branson zeer bezorgd roepen: 'Hé, baas, kom eens kijken.'

Grace liep een kleine gang door naar een vochtige slaapkamer zonder gewone ramen, maar alleen een klein klepraampje bovenin. De kamer werd verlicht door een enkel zwak peertje dat aan een snoer boven een bed hing, waar een roomwit sprei op lag.

Op het sprei lagen een langharig, bruine pruik, een snor, een zwart baseballpetje en een donkere zonnebril.

'Jezus!' zei hij.

Glenn Branson wees ergens naar. Grace draaide zich om. Wat hij toen zag, gaf hem de koude rillingen.

Er hingen drie uitvergrote foto's aan de muur, elk, voor zover hij er verstand van had, genomen met een telelens.

De eerste was van Katie Bishop. Ze had een bikini aan en stond zo te zien tegen de reling van een jacht aan. Er was met inkt een groot kruis over haar heen gezet. De tweede was van Sophie Harrington. Het was er een van haar gezicht, van dichtbij genomen, met op de achtergrond een wazige straat in Londen. Ook over haar foto was een rood kruis gezet.

De derde was een foto van Cleo Morey, die zich net omdraaide bij de ingang van het mortuarium van Brighton & Hove.

Er stond nog geen kruis op.

Grace pakte zijn gsm uit zijn zak en toetste haar nummer thuis in. Ze nam na drie keer overgaan op.

'Cleo, is alles oké?' vroeg hij.

'Prima,' zei ze. 'Kon niet beter.'

'Hoor eens,' zei hij. 'Je moet even goed naar me luisteren.'

'Ik luister altijd goed naar je, inspecteur Roy Grace,' zei ze onduidelijk. 'Ik ben een en al oor.'

'Doe je voordeur op slot en doe de veiligheidsketting erop.'

'De voordeur op sjlot,' herhaalde ze aangeschoten. 'En de veiligheidsjketting erop.'

'Doe het nu meteen, oké? Terwijl we aan het bellen zijn.'

'Wat ben je toch basjig soms, inspecteur! Maar goed, ik sjta nu op van de bank en loop naar de voordeur.'

'Doe je de veiligheidsketting erop?'

'Daar ben ik net mee besjig!'

Grace hoorde de ketting rinkelen. 'Je mag voor niemand opendoen, hoor je me? Helemaal niemand, tot ik er ben. Oké?'

'Voor niemand opendoen tot jij er bent. Begrepen.'

'En de deur van het dakterras?' vroeg hij.

'Die zit altijd op slot.'

'Wil je dat even nakijken?'

'Ja, hoor.' Toen, om hem te plagen, zei ze: 'Ga naar dakterrasj. Kijk of deur op sjlot is.'

'Er is toch geen buitendeur, hè?'

'Niet dat ik weet.'

'Ik kom er zo snel mogelijk aan.'

'Dat mag ik hopen!' lispelde ze en ze hing op.

'Dat was een heel goede raad die je daar hebt gekregen,' zei iemand achter haar.

115

Cleo had het gevoel alsof haar aderen gevuld waren met ijswater. Ze draaide zich geschrokken om.

Een lange man stond een paar centimeter bij haar vandaan, met een grote klauwhamer in zijn handen. Hij was gekleed in een olijfgroen beschermend pak dat naar plastic rook, wegwerphandschoenen en een gasmasker. Ze kon zijn gezicht niet zien. Ze keek naar de twee ronde, donkere lenzen die in de losse grijze stof zaten. Hij zag er met het zwarte metalen filter in de vorm van een snuit uit als een gemuteerd, kwaardaardig insect.

Door die lenzen kon ze net zijn ogen zien. Die waren niet van Richard. Ze herkende deze ogen niet.

Ze voelde zich op haar blote voeten heel erg kwetsbaar en zette een stap naar achteren, inmiddels weer helemaal nuchter. Diep binnen in haar bleef een gil steken en ze bracht een klein geluidje uit. Ze zette nog een stap naar achteren, wanhopig pogend om iets te bedenken, maar haar hersens wilden niet. Ze stond met haar rug tegen de deur, duwde er hard tegenaan en vroeg zich af of ze de tijd had om hem open te trekken en om hulp te roepen.

Maar had ze niet net de veiligheidsketting verdomme erop gedaan?

'Blijf staan, dan doe ik je niets,' zei hij met gedempte stem.

Nee hoor, natuurlijk niet, dacht ze. Je staat hier in mijn huis, met een klauwhamer, en je gaat me niets doen.

'Wie... wie... wie?' De woorden kwamen piepend haar mond uit. Haar ogen schoten wild van de gek voor haar naar de grond, de muren, op zoek naar een wapen. Toen besefte ze dat ze de telefoon nog steeds in haar hand had. Er zat een intercomknopje op dat ze wel eens per ongeluk in had gedrukt en waardoor de telefoon in haar slaapkamer ging piepen. Terwijl ze wanhopig zat te bedenken welk knopje het was, drukte ze voorzichtig op een van de knoppen. Er gebeurde niets.

'Jij had behoorlijk mazzel met die auto, hè, kutwijf dat je er bent?' vroeg de zware tartende stem venijnig.

'Wie... wie...' Ze trilde als een rietje, de zenuwen gierden door haar heen, waardoor haar keel samen werd gesnoerd elke keer dat ze iets wilde zeggen.

Ze drukte op een andere knop. Er waren onmiddellijk boven hen schelle piepjes te horen. Hij draaide even afgeleid zijn hoofd naar het plafond. En op dat moment sprong Cleo naar voren en sloeg hem met de telefoon zo hard mogelijk op de zijkant van zijn hoofd. Ze hoorde iets kraken. Hoorde hem kreunen door de schrik en de pijn, en zag hem in elkaar zakken. Heel even dacht ze dat hij op de grond zou vallen. De klauwhamer glipte uit zijn hand en viel op de houten vloer.

379

Het viel niet mee iets te zien door dat ding, besefte de tijdmiljardair duizelig. Dat was niet slim geweest. Hij kon niets om zich heen zien. Kon die kloteklauwhamer nergens zien. Kon alleen die teef zien, met in haar opgeheven hand een kapotte telefoon. Toen dook ze naar de grond en zag hij de steel van de klauwhamer voor haar liggen.

Mooi niet!

Hij dook naar haar rechterbeen, kreeg haar blote enkel te pakken, die onder haar spijkerbroek uitkwam, en trok eraan, terwijl zij, sterk, pezig, worstelde als een grote vis. Hij zag de hamer, maar meteen daarna niet meer. Opeens zag hij de steel van de hamer voor zich en voelde hij een felle pijn in zijn linkerschouder.

Ze had hem verdomme geslagen.

Hij liet haar been los, kwam naar voren, greep haar lange blonde haar beet en trok haar naar zich toe. De trut ging tekeer, struikelde, draaide zich toen om en probeerde zich los te trekken. Hij trok nog harder, zodat haar hoofd zo hard naar achteren klapte dat hij even dacht dat hij haar nek had gebroken. Ze krijste, van pijn en woede, draaide zich om en keek hem aan. Hij gaf haar een kopstoot tegen haar slaap. Zag de hamer wegdraaien als een tol over de vloer. Hij wilde over haar heen kruipen, maar zag toch te weinig, en voelde toen een vreselijke pijn in zijn linkerpols. De trut beet hem.

Hij haalde uit met zijn rechterhand, sloeg haar, haalde weer uit, wanhopig bezig om zijn arm bij haar vandaan te krijgen. Hij sloeg haar opnieuw. En opnieuw, terwijl hij gilde van de pijn.

Roy! dacht ze wanhopig, steeds harder bijtend, nog harder, ze wilde verdomme zijn arm eraf bijten! Kom nou toch, Roy! O, lieve god, we waren aan het bellen. Als je nog een tel langer was blijven hangen. Eén tel langer...

Ze kreeg een klap op haar linkerborst. Toen tegen haar hoofd. Hij had haar oor te pakken, draaide eraan, draaide, draaide. Jezus, de pijn was onverdraaglijk. Hij zou het eraf trekken! Ze schreeuwde het uit, liet zijn arm los, kroop zo snel mogelijk bij hem vandaan en ging op de hamer af.

Plotseling werd ze vastgegrepen bij haar enkel. Ze werd met een ruk naar achteren getrokken, haar wang schuurde over de grond. Ze draaide zich om om zich te verzetten en zag een schaduw op haar hoofd afkomen, toen een schokkende, verblindende, afgrijselijke klap, ze viel op haar rug en zag de spotjes in het plafond wazig over haar heen schieten.

Ze zag dat hij de hamer weer had, dat hij op zijn knieën zat, en nu weer overeind kwam. En ze zou die engerd niet laten winnen, ze zou zich hier in haar eigen huis niet door deze gek met een hamer laten vermoorden. Niet nu, al helemaal niet nu, net op het moment dat haar leven weer op rolletjes liep, nu ze zo verliefd was...

Een wapen.

Er moest toch een wapen in de kamer zijn.

De wijnfles op de grond naast de bank.

Hij stond inmiddels overeind.

Ze was bij de boekenplanken. Ze trok een boek met een harde kaft eruit en wierp dat naar hem. Ze miste. Ze trok er nog een uit, een dikke, zware Conan Doyle-omnibus, ze ging op haar knieën zitten en wierp het in een soepele beweging naar hem toe. Het raakte hem op zijn borst zodat hij een paar stappen naar achteren struikelde, maar hij had nog steeds de hamer beet. En kwam opnieuw naar haar toe.

Door haar pijn en woede werd ze opeens weer bang. Ze keek wanhopig om zich heen, zag het lege aquarium waar Fish in had gezeten op het tafeltje staan. Ze dook naar voren, pakte het op, tilde het omhoog, terwijl het water eruit klotste. Het was zo verdomde zwaar dat ze het bijna niet kon beethouden. Ze wierp de inhoud naar hem toe, al die liters water en de Griekse ruïnes die erin zaten. De kracht van het water verraste hem en hij moest een paar stappen naar achteren zetten. Toen, met al haar kracht, gooide ze het aquarium naar hem toe. Het kwam tegen zijn knieën aan, zodat hij als een kegel omver werd geworpen en een gedempte boze kreet van pijn slaakte. Het aquarium viel in scherven op de grond.

Op de een of andere manier had hij toch nog steeds de hamer vast en hij kwam alweer overeind. Cleo keek radeloos om zich heen, op zoek naar andere mogelijkheden. Er waren messen in de keuken. Maar hij stond in de weg.

Boven, dacht ze. Ze had een kleine voorsprong. Als ze boven kon komen, in haar slaapkamer, de deur kon sluiten. Er was een telefoon in haar slaapkamer!

Hij kwam wankelend overeind, lette niet op de gruwelijke pijn, zijn ademhaling galmde om hen heen alsof hij in een duikklok zat, en hij zag met intense diepe haat, en een tikje voldoening, dat haar blote enkels en voeten de trap op renden.

En een golf van lust.

Daar is niets te vinden, schatje!

Hij kende dit huis als zijn broekzak. Onder zijn kevlarpak, in zijn zak, zaten de sleutels van de deur naar het dak en van alle ramen. Haar gsm lag op de bank naast een open dossier waarmee ze zo te zien aan het werk was geweest. Hij was nu opgewonden. Ze had zich goed teweergesteld, net als Sophie Harrington, en dat had hij heel erg lekker gevonden. Hij glimlachte toen hij weer dacht aan de keren dat hij met Sophie Harrington naar bed was geweest, terwijl ze de hele tijd dacht dat hij Brian Bishop was.

Maar dit was helemaal lekker. De wetenschap dat hij zo meteen de vriendin van inspecteur Grace zou naaien.

Walgelijke figuur.

Jij zult niet snel meer iemand een walgelijke figuur noemen, inspecteur Grace.

Hij hinkte naar voren, zijn linkerscheen deed vreselijk zeer, ging op zijn knieën zitten en trok de telefoonstekker uit het basisstation. Terwijl hij weer overeind kwam, zag hij een grote snee in zijn linkerbeen, net onder de knie, waar het bloed uit stroomde. Jammer dan, daar kon hij nu even niets aan doen. Voorzichtig zette hij zijn voet op de onderste tree van de trap. Dat viel nog niet mee met het gasmasker, hij kon niet zo goed naar beneden kijken.

Bovendien had hij de afgelopen dagen behoorlijk last gehad van zijn evenwichtsgevoel. Hij had nog steeds koorts, en hoewel hij medicijnen had, werd zijn hand maar niet beter. Hij had er lang over nagedacht, om het masker op te doen. Hij vond het leuk om de trut bang te maken. Maar bovenal vond hij het leuk dat als het slachtoffer zou worden aangetroffen met een gasmasker, inspecteur Grace door zou hebben dat hij een stomme idioot was en dat hij de verkeerde man had opgepakt.

Dat vond hij heel erg leuk.

Het gasmasker was zelfs een meesterlijke zet geweest! Dat had hij te danken aan Brian, hij had hem toevallig in het nachtkastje naast Brians bed gevonden toen hij naar speeltjes zocht om het Katie naar de zin te maken.

Dat was het enige in zijn hele leven waar hij zijn broer dankbaar voor moest zijn.

Cleo sloeg al hyperventilerend de slaapkamerdeur dicht. Ze was bijna in blinde paniek en greep de antieke houten hutkoffer bij haar bed beet en trok die voor de deur. Daarna was het grote bed aan de beurt. Ze greep een van de poten beet en wilde het naar zich toe trekken, maar het gaf niet mee. Ze trok weer. Er was geen beweging in te krijgen. 'Godver, kreng, kom van je plaats!' Ze keek wild om zich heen, op zoek naar iets anders dat ze als barricade kon gebruiken. Ze sleepte de kleine, zwartgelakte kaptafel naar de deur toe, toen de stoel, die ze in de ruimte tussen de kaptafel en het bed wurmde. Niet echt briljant, maar ze kon het in elk geval lang genoeg uithouden om Roy te bellen of misschien het alarmnummer. Eerst het alarmnummer maar, dan Roy.

Maar toen ze op de knop drukte om de telefoon aan te zetten, jammerde ze van angst. De telefoon deed het niet.

En de stalen deurknop werd omgedraaid. Langzaam. Ongelooflijk langzaam. Alsof ze naar een videofilm keek die in slow motion werd afgespeeld.

Toen hoorde ze een paar keiharde slagen, alsof hij tegen de deur aan schopte of er met de hamer op sloeg. Haar maag draaide zich om in doodsangst. De deur bewoog, een paar millimeter. Ze hoorde hout versplinteren en besefte tot haar grote schrik dat de houten hutkoffer en de stoel van haar kaptafel langzaam in elkaar werden gedrukt.

In haar wanhoop rende ze naar het raam. Ze zat op de tweede verdieping, maar ze zou misschien kunnen springen. Alles beter dan hier blijven. Op de binnenplaats, ook al was ze gewond, zou ze tenminste veilig zijn. Toen liep er een koude rilling over haar rug.

Het raam zat op slot en de sleutel was weg.

Ze keek wild om haar heen op zoek naar iets zwaars en zag haar makeupspulletjes, hairspray, schoenen. Wat? Wat? O, lieve god, wat?

Er stond een metalen lamp op haar nachtkastje. Ze pakte hem op, en haalde met de platte ronde onderkant uit naar het raam. Hij stuiterde terug.

Beneden zag ze een van de buren, een jonge man met wie ze wel eens gesproken had, met zijn fiets aan de hand over de binnenplaats lopen, terwijl hij helemaal verdiept was in een gesprek over zijn gsm. Hij keek naar boven, om te zien waar het gebonk vandaan was gekomen. Ze wuifde wanhopig naar hem. Hij wuifde vrolijk terug, en toen, terwijl hij zijn gesprek voortzette, liep hij door naar het hek.

Achter zich hoorde ze een hoop lawaai.

En nog meer hout dat versplinterde.

116

Branson ontdekte een kleine, zilverkleurige prepaid Nokia-gsm onder Norman Jecks' matras en gaf hem aan Grace, die bezorgd op zijn horloge stond te kijken. Het was al bijna negen uur en hij maakte zich grote zorgen om Cleo, die alleen thuis was, ondanks de betrekkelijke veiligheid van het hek om haar woning.

'Doe maar in een zakje,' zei hij afwezig, terwijl hij bedacht dat hij een wagen naar haar huis zou moeten sturen om te kijken of alles in orde was met Cleo.

Nick Nicholl had al ruim drie kwartier geleden het Coördinatiecentrum gebeld om een huiszoekingsbevel aan te vragen voor Norman Jecks' garages. Voordat alles uitgetikt was voor dezelfde politierechter als degene die er een voor het huis had getekend, zouden ze alweer tien minuten verder zijn. Vervolgens zouden ze naar die politierechter toe moeten gaan, dat zou een kwartier in beslag nemen, zijn handtekening krijgen, een kwestie van een seconde of tien. En dan nog een kwartier om ermee hiernaartoe te rijden. Oké, hij wist ook wel dat hij daarbij geen rekening hield met oponthoud, verkeersopstoppingen, of wat dan ook, maar dat kon hem niet schelen. Hij maakte zich erg ongerust over Cleo. Er liep daar iemand rond. Een man van wie hij had gedacht dat hij in de gevangenis van Lewes had gezeten.

Een man die het afschuwelijkste met een vrouw had gedaan wat hij ooit had gezien.

Omdat je van haar houdt.

Branson was net bezig het zakje dicht te maken, toen hij zich opeens herinnerde wat hij met die prepaid gsm had kunnen doen. 'Wacht eigenlijk maar even, Glenn. Laat eens zien.'

Volgens de regels moesten alle telefoons die bewijs waren, meteen aan afdeling Telecommunicatie in het Sussex House worden overhandigd, zonder dat ze eraan hadden gezeten. Maar daar was nu geen tijd voor, net zomin als voor de andere nieuwe regels die de een of andere malloot die er totaal geen verstand van had, had uitgedacht.

Hij pakte het toestel aan met zijn in handschoenen gestoken handen, zette het aan en zag tot zijn opluchting dat hij geen pincode hoefde in te toetsen. Hij zat uit te vogelen hoe alles werkte, maar gaf het algauw op en gaf het ding aan Branson. 'Jij bent hier goed in,' zei hij. 'Kun jij erachter komen welke nummers hij het laatst heeft gebeld?'

Branson drukte op een paar knopjes en een paar seconden later hield hij het schermpje voor Grace' neus. 'Hij heeft hier maar drie telefoontjes mee gepleegd.'

'Drie maar?'

'Ja. Ik herken een van die nummers.'

'O?'

'Hove Streamline Taxis, 202020.'

Grace schreef de andere twee nummers op en belde toen Inlichtingen. Het ene was voor het Hotel du Vin. Het andere voor het Lansdowne Place Hotel. Hij dacht na en zei: 'Zo te zien heeft Bishop dus inderdaad de waarheid verteld.'

Een technisch rechercheur die in de flat bezig was, riep hen opeens. 'Inspecteur, komt u eens kijken.'

Hij stond in een diepe bezemkast net naast de keuken. Het was zo te zien al een tijdje geleden dat er echt bezems in hadden gestaan. Grace keek stomverbaasd rond. Het was een miniatuur-controlekamer. Tien kleine monitors aan de muur, allemaal uitgeschakeld, een console met ervoor een kleine bureaustoel, en zo te zien wat opnameapparatuur.

'Wat is dit, verdomme? Een veiligheidsinstallatie?' vroeg Grace.

'Er zijn drie ingangen hier, dus waarom zou hij tien monitors nodig hebben, meneer?' vroeg de agent. 'En er hangen hier helemaal geen camera's, binnen niet en buiten niet, daar heb ik naar gekeken.'

Op dat moment kwam Alfonso Zafferone de kamer in lopen met het getekende huiszoekingsbevel voor de garages van Norman Jecks.

Tien minuten later, terwijl Nick Nicholl en de technisch rechercheur de flat verder doorzochten, stonden Grace en Branson in het kleine steegje dat achter een brede, boomrijke straat met grote vrijstaande en halfvrijstaande victoriaanse villa's was verstopt. Er waren een paar kleine bedrijfjes in het steegje – een paar garagebedrijven, een ontwerpstudio en een softwarebedrijf, allemaal al gesloten – en vervolgens een lange rij opslagruimten. Volgens het document dat ze hadden gevonden, huurde Norman Jecks nummer 11 en 12. De blauw geschilderde deuren van allebei de garages waren afgesloten met grote hangsloten.

De gorilla van het arrestatieteam die de deur van de flat in had getrapt en de vier andere leden van het team, stonden al klaar. Het was al bijna donker, het was griezelig stil in de steeg. Grace liet hen allemaal weten dat niemand naar binnen mocht gaan als de deur eenmaal open was, ook al zag de ruimte er leeg uit – wat heel goed het geval zou kunnen zijn – omdat de technische recherche er eerst naar moest kijken.

Even later ging de gele ram dwars door de deur heen, waardoor het hout om het hangslot versplinterde, zodat het hele slot en een groot stuk hout op de grond vielen. Er werd meteen een aantal zaklampen aangeknipt, onder andere die van Grace.

Binnen werd bijna alle ruimte in bezit genomen door een auto onder een stofhoes. Het rook naar benzine en oud leer. Op de grond achterin gloeiden even twee kleine rode puntjes op voordat ze weer verdwenen. Waarschijnlijk een muis of een rat, dacht Grace. Hij gaf iedereen het teken even te wachten en stapte toen zelf naar binnen, op zoek naar een lichtknopje. Hij vond het en twee felle lampen gingen aan.

Achterin was een werkbank waarop een toestel stond dat hij in winkels had zien staan waar je sleutels na kon laten maken. Er hingen een heleboel nog niet geslepen sleutels op de muur erachter, in een zorgvuldig gerangschikt patroon. Op de andere muren hing gereedschap, ook netjes opgehangen, en in kunstige groepjes bij elkaar. Het was brandschoon allemaal. Te schoon. Het leek meer op een tentoonstellingsruimte dan op een garage.

Op de grond stond een kleine, heel oude koffer. Grace schoof de sloten open. Hij zat vol met folders, bedrijfsdocumentatie, brieven, en bijna onderin zat een blauw schoolboek van Letts uit het jaar 1976. Hij deed de koffer dicht; het team zou de inhoud straks beter bekijken.

Toen, met de hulp van Branson, haalde hij de hoes van de auto af en een glimmende, maansteenwitte 3,8 Jaguar MK 11 Saloon uit 1962 kwam tevoorschijn. Hij zag er zo schitterend uit dat hij wel gloednieuw leek, ondanks zijn bouwjaar. Alsof hij vanuit de fabriek hier neer was gezet, zonder zelfs op straat te zijn geweest.

'Gaaf!' zei Branson bewonderend. 'Zo eentje zou je er nu moeten kopen, ouwe. Dan lijk je precies op die rechercheur op televisie, inspecteur Morse.'

'Bedankt,' zei Grace, en hij maakte de kofferbak open. Die was leeg en zag er al net zo gloednieuw uit als de buitenkant. Hij deed hem weer dicht en liep toen naar de achterste muur van de garage naar het toestel waarmee je sleutels kon maken. 'Waarom zou je zoiets willen hebben?'

'Om sleutels na te maken?' stelde Branson zeer behulpzaam voor.

'Van wie?'

'Van iemand bij wie je naar binnen wilt.'

Grace verzocht de medewerkers van het arrestatieteam om de volgende ruimte open te maken.

Terwijl de deur openbrak, viel het licht van zijn zaklantaarn op een paar kentekenplaten die tegen de muur aan stonden. Hij liep er meteen naartoe en knielde neer. Er stond op: C16-BDB.

Dat was het kenteken van Brian Bishops Bentley.

Waarschijnlijk de kentekenplaat die door de beveiligingscamera in Gatwick op donderdagavond was gefotografeerd, schoot hem te binnen.

Hij deed het licht aan. Deze garage was al net zo schoon als de andere. Midden op de grond stond een hydraulische lift die een hele auto op kon tillen. Gereedschap hing keurig aan de muur. En toen hij naar achteren liep en zag wat er op de werkbank lag, bleef hij stokstijf staan. Het was de handleiding voor een MG TF 160. Cleo's auto.

'Bingo!' zei hij verbeten tegen Branson. Toen haalde hij zijn gsm tevoorschijn en toetste Cleo's privénummer in. Hij verwachtte dat ze meteen op zou nemen, zoals ze altijd deed. Maar hij bleef overgaan, vier keer, zes, acht. Tien.

Dat was vreemd, want hij schakelde automatisch over naar haar antwoordapparaat na zes keer overgaan. Waarom dit keer niet? Hij belde haar gsm. Die ging acht keer over en toen kreeg hij haar voicemail te horen.

Er klopte iets niet. Hij zou over een paar minuten weer bellen, voor het geval ze op het toilet zat of in bad. Hij keek weer naar de handleiding voor de MG.

Er zaten op diverse bladzijden geeltjes geplakt. Eentje bij het gedeelte over de centrale vergrendeling. Een andere bij de brandstofpomp. Hij belde Cleo weer thuis. De telefoon bleef maar overgaan. Toen belde hij haar gsm weer. Na acht keer overgaan kreeg hij weer haar voicemail. Hij sprak een bericht in, vroeg of ze hem meteen terug wilde bellen. Hij maakte zich nu erg veel zorgen.

'Denk jij wat ik denk?' vroeg Branson.

'Hoe bedoel je?'

'Dat we misschien wel de verkeerde man opgepakt hebben?'

'Daar ziet het wel een beetje naar uit.'

'Maar ik snap er niets van. Jij hebt de ouders van Bishops tweelingbroer gesproken. Eerlijke mensen toch, zei jij?'

'Een zielig ouder echtpaar, ze kwamen behoorlijk eerlijk over, ja.'

'En hun geadopteerde zoon – Bishops tweelingbroer – die was toch overleden volgens hen?'

'Ja.'

'Weet je waar hij precies ligt begraven?'

Grace knikte.

'Waarom loopt hij dan nog steeds rond, als hij gestorven is? Hebben we te maken met een spook of zo? Ik bedoel, dat is meer jouw zaak, nietwaar, het bovennatuurlijke. Denk je dat het een geest is? Een ziel die geen rust kan vinden?'

'Ik heb nog nooit gehoord van een geest die ejaculeert,' zei Grace. 'Of een auto kan besturen. Of mensen kan tatoeëren met een boor. Of naar de eerstehulp toe gaat omdat hij gewond is aan zijn hand.'

'Overleden mannen doen dat soort dingen ook niet,' zei Branson. 'Nee, toch?'

'Niet voor zover ik weet, nee.'

'Dus waarom hebben we er hier eentje die dat allemaal wel doet?'

Na een paar minuten antwoordde Grace: 'Omdat hij niet dood is.'

117

De barricade had het nog niet begeven, maar dat zou niet lang meer duren. Na elke klap tegen de deur ging hij steeds verder open. De stoel was al kapot en ze was zelf in de daardoor vrijgekomen ruimte gaan staan, met haar rug tegen het voeteneinde van haar bed aan, terwijl de rand heel erg pijn deed in haar rug, en haar benen tegen de laden aan van haar kaptafel.

De kaptafel was niet erg stevig. Hij kraakte al en de voegen gaven langzaam mee. Nog even en dan zou hij net als de stoel aan splinters zijn. En als dat gebeurde, dan zou de maniak de deur zo'n vijfenveertig centimeter open kunnen duwen.

Roy! Waar blijf je verdomme nou! Roy! Roy! Roy!

Ze hoorde haar gsm zachtjes tjirpen beneden. Hij ging acht keer over, toen hield hij ermee op.

Klabam, klabam, klabam, tegen de deur.

Toen een zacht gepiep beneden, waarmee haar gsm, volkomen nutteloos, aangaf dat er een bericht was ingesproken.

Klabam, klabam, klabam.

Een houtsplinter sprong van de deur en en een ijskoude golf angst schoot door haar heen.

Klabam, klabam, klabam.

Nog meer splinters en dit keer ging de kop van de hamer dwars door de deur heen.

Ze deed haar best haar ademhaling rustig te houden, niet te hyperventileren. Watmoetikdoen? Lievegodwatmoetikdoen?

Als ze van haar plaats kwam, dan zou ze maar een paar seconden de tijd hebben voordat hij de deur open zou duwen. Als ze daar bleef zitten, dan zou het maar een paar minuten duren voordat hij een gat in de deur had geslagen dat zo groot was dat zijn armen erdoor konden. Of zelfs zo groot dat hij er doorheen kon klimmen.

Roy! ORoywaarbenjenoulievegodoRoy!

Weer een harde knal, houtsplinters sprongen alle kanten op en nu was het gat bijna tien centimeter groot. En ze zag dat er een lens ertegenaan geduwd werd. De vage omtrek van een oog schitterde erdoor.

Ze dacht heel even dat ze moest overgeven. Ze zag opeens mensen voor haar geestesoog voorbij flitsen. Haar zus Charlie, haar moeder, haar vader, Roy, mensen die ze misschien nooit meer zou zien.

Ik ga níét dood hier.

Ze hoorde een scherpe knal, als van een pistoolschot. Heel even dacht ze dat de man op haar geschoten had. Toen besefte ze, tot haar grote schrik, wat het was. De onderkant van de rechterla in haar kaptafel was doormidden gebroken en haar blote voet was er dwars doorheen gegaan. Ze trok haar voet eruit, en ramde hem toen tegen de la erboven. Dat leek het even te houden. Toen begaf het hele ding het.

Hij had het helemaal naar zijn zin! Het was net een blikje sardientjes dat heel moeilijk openging. Eentje waarbij je het deksel een klein beetje op kon tillen, zodat je de sardientjes erin kon zien liggen, maar ze nog niet aan kon raken of kon proeven. Maar je wist dat je het over een paar minuten wel kon gaan doen!

Ze was een felle! Hij keek nu naar haar, haar hoofd was rood, haar ogen puilden uit, haar haar was helemaal in de war en klitte door het zweet. Wat zou het lekker zijn om haar te neuken! Hoewel hij haar natuurlijk wel eerst rustig moest zien te krijgen of vast zou moeten binden. Maar niet al te veel.

Hij deed een paar stappen naar achteren en trapte toen met zijn schoen, de degelijke werkschoen met stalen neus en hak, drie keer tegen de deur. Hij gaf twee centimeter mee! Tot nu toe het verste in één keer! Nu ging het de goede kant op! Het dekseltje gaf mee! Nog een paar minuten en dan zou ze in zijn armen liggen!

Hij likte langs zijn lippen. Hij kon haar al proeven.

Hij liet de klauwhamer voor wat hij was en deed weer een paar stappen naar achteren en trapte tegen de deur.

Toen hoorde hij de schelle voordeurbel. Hij zag de uitdrukking op het gezicht van de trut veranderen.

Maak je maar geen zorgen. Ik ga echt niet opendoen! We willen toch niet gestoord worden tijdens onze vrijpartij, nietwaar?

Hij gaf haar een kushandje. Hoewel ze dat natuurlijk niet kon zien.

118

Naast Cleo's voordeur zaten aan weerszijden raampjes, maar ze had er lamellen voor gehangen zodat zij wel kon zien wie er buiten stond maar niemand naar binnen kon kijken. Grace, die bezorgd buiten stond, belde al voor de derde keer aan. Toen tikte hij op een raampje voor alle zekerheid.

Waarom deed ze niet open?

Hij toetste haar gsm-nummer weer in. Na een paar seconden hoorde hij in het huis de telefoon overgaan. Op de begane grond.

Was ze misschien uitgegaan en had ze de telefoon laten liggen? Misschien om wat te eten te halen, of drank? Hij keek op zijn horloge. Het was halftien. Toen deed hij een paar stappen naar achteren om te zien of hij door een van de bovenramen iets kon ontdekken. Misschien zat ze op haar dakterras, bezig met de barbecue en kon ze de bel niet horen? Hij zette nog een paar stappen naar achteren en botste tegen een jonge, kaalgeschoren man op in een fietsbroek en hemdje, die zijn mountainbike aan de hand had.

'O, sorry!' zei Grace.

'Maakt niet uit!'

Hij zag er vaag bekend uit. 'Jij woont hier ook, nietwaar?' vroeg Grace.

'Klopt!' Hij wees naar een huis iets verderop. 'Ik heb jou hier ook een paar keer gezien. Je bent toch bevriend met Cleo?'

'Ja. Heb je haar toevallig vanavond gezien? Ze weet dat ik langs zou komen, maar zo te zien is ze er niet.'

. De jongeman knikte. 'Ja, ik heb haar inderdaad gezien, eventjes geleden. Ze zwaaide naar me vanaf de bovenetage.'

'Zwaaide ze naar je?'

'Ja. Ik hoorde iets en keek omhoog om te zien waar het vandaan kwam. En toen zag ik haar bij het raam staan. Ze zwaaide gewoon dag, als buren naar elkaar.'

'Wat hoorde je dan?'

'Een knal. Net een pistoolschot.'

Grace schrok. 'Een pistoolschot?'

'Dat dacht ik even. Maar natuurlijk was dat niet zo.'

Grace stond helemaal strak van de spanning. 'Heb jij toevallig een sleutel?' Hij schudde zijn hoofd. 'Nee. Wel voor nummer 9, maar niet voor Cleo's huis, helaas.' Hij keek op zijn horloge. 'Ik moet ervandoor.'

Grace bedankte hem voor de moeite. Toen de jongeman met de ratelende fiets verder liep, hoorde de inspecteur duidelijk een paar gedempte bonzen boven hem. Zijn bezorgdheid sloeg onmiddellijk om in blinde paniek.

Hij keek om zich heen naar iets zwaars en zag een stapeltje bakstenen onder een blauw dekzeil, voor het huis tegenover hem, aan de andere kant van de binnenplaats.

Hij rende ernaartoe, pakte er een, deed toen terwijl hij terug rende zijn jasje uit, en wikkelde dat om de steen in zijn hand. Vervolgens sloeg hij het linkerraampje naast de voordeur ermee in. Heel jammer als alles in orde was en ze alleen maar even naar de winkel was gegaan. Maar beter zo dan het risico nemen dat er wel iets aan de hand is, vond hij terwijl hij wat glas uit de sponning tikte. Hij duwde de lamellen een beetje opzij.

Hij schrok zich wezenloos toen hij het water en het stukgegooide aquarium op de grond zag liggen, de omgevallen salontafel, de boeken op de grond.

'Cleo!' schreeuwde hij zo hard mogelijk. 'CLEEEEEEOOOOOO!' Hij draaide zijn hoofd om en zag de jongeman met de fiets in de deur van zijn eigen woning geschrokken zijn richting uit kijken. 'Bel de politie!' riep hij.

Toen, niet op de scherpe stukken glas lettend die uit de sponning staken, trok Grace zich aan de rand omhoog en dook met zijn hoofd naar voren de kamer in. Hij brak zijn val met zijn handen, rolde om, en kwam toen zo snel mogelijk overeind, wild om zich heen kijkend.

Toen zag hij het bloedspoor over de grond naar de trap lopen.

Hij voelde zich ziek van angst voor Cleo en sprintte naar de trap. Eenmaal op de eerste etage, keek hij bij haar studeerkamer naar binnen en schreeuwde nogmaals haar naam.

Boven hem hoorde hij haar gedempt en samengeknepen roepen: 'Roy, kijk uit! Hij is hierbinnen!'

Hij keek meteen naar de trap naar de tweede verdieping. Cleo's slaapkamer was rechts, de logeerkamer links. En dan de smalle trap naar het dakterras. Godzijdank leefde ze nog! Hij hield zijn adem in.

Hij zag niets. Hij hoorde ook niets, behalve dan zijn eigen hart dat tekeerging.

Hij zou de politie moeten bellen, maar wilde luisteren, elk geluid in het huis wilde hij horen. Heel langzaam, stap voor stap, zo zachtjes mogelijk als hij maar kon met zijn rubber zolen, liep hij de trap op naar de tweede etage. Net voordat hij bij de overloop was, trok hij zijn gsm tevoorschijn en belde het alarmnummer. 'Met inspecteur Grace, ik heb onmiddellijk assistentie nodig in...'

Hij zag alleen maar een schaduw. Toen kreeg hij zo'n klap dat hij het gevoel had overreden te zijn door een vrachtwagen.

Vervolgens viel hij achterover de trap af. Na wat hem een eeuwigheid leek, kwam hij op zijn rug terecht op de overloop, zijn benen nog op de trap en met een felle pijn in zijn borst. Hij had een paar ribben gekneusd of gebroken, dacht hij vaag. Hij keek op, recht in het gezicht van Brian Bishop.

Bishop kwam de trap af, gekleed in een groene overall, met een klauwhamer in zijn ene en een gasmasker in zijn andere hand. Alleen was het niet Brian Bishop. Dat kon niet, dacht hij wazig. Die zat in de gevangenis. In Lewes.

Het was Brian Bishops gezicht. Zijn haardracht. Maar de uitdrukking op zijn gezicht was heel anders dan hij ooit bij Brian Bishop had gezien. Het was verwrongen, bijna scheef, door haat. Norman Jecks, dacht hij. Het moest Jecks wel zijn. Ze leken sprekend op elkaar.

Jecks kwam nog een tree naar beneden, hief de klauwhamer, met vuurspuwende ogen. 'Jij hebt me een walgelijke figuur genoemd,' zei hij. 'Waar haal jij het recht vandaan om me een walgelijke figuur te noemen? Je kunt niet zomaar alles zeggen over mensen, inspecteur Grace. Je kunt iemand niet zomaar uitschelden.'

Grace keek de man aan en vroeg zich af of zijn gsm nog aanstond en verbonden was met de telefoniste van het alarmnummer. In de hoop dat dat zo was, riep hij zo hard mogelijk: 'Gardener's Yard, nummer 5, Brighton!'

Hij zag de ogen van de man nerveus heen en weer schieten.

Boven hoorde hij opeens het gepiep van hout dat over hout schoof.

Norman Jecks keerde zijn hoofd even om en keek bezorgd achter zich.

Grace greep het moment meteen aan. Hij leunde op zijn ellebogen en haalde fel uit met zijn rechterbeen precies tussen de benen van de man in.

Jecks hikte geschokt en sloeg dubbel van de pijn. De hamer viel uit zijn hand, kwam de trap af kletteren, vlak langs Grace' hoofd. De rechercheur haalde weer uit met zijn been om opnieuw een schop uit te delen, maar Jecks, ondanks de pijn, wist hem te pakken te krijgen en draaide hem woest om. Grace rolde omver, zijn enkel deed razend zeer, en ging met de draai mee zodat de man zijn enkel niet zou breken. Tegelijkertijd haalde hij uit met zijn andere been en hij raakte iets hards en hoorde een kreet van pijn.

Hij zag de hamer! Hij wilde hem pakken, maar voordat hij overeind kon komen, sprong Jecks boven op hem en drukte zijn polsen tegen de grond. Met alle kracht die in hem zat, wurmde Grace zich los en rolde weer opzij. De man rolde met hem mee, stompte hem tegen zijn wang, en toen in zijn nek. Grace lag voorover op de grond en rook de boenwas terwijl hij tegen de grond gedrukt werd en zijn keel steeds verder dichtgeknepen werd.

Hij ramde zijn elleboog naar achteren, maar de man liet niet los en Grace werd bijna gewurgd. Hij kon haast geen adem meer halen.

Opeens liet de man los. En even daarna voelde hij hem niet meer boven op hem. Toen zag hij waardoor dat kwam.

Er kwamen twee agenten door het raampje naar binnen.

Hij hoorde iemand de trap op komen rennen.

'Gaat het, meneer?' riep de agent.

Grace knikte en kwam overeind. Zijn rechterbeen en borst deden vreselijk veel pijn, en hij strompelde de trap op. Hij kwam bij de overloop, stapte over het gasmasker heen. Jecks was nergens te bekennen. Toen liep hij de volgende trap op en zag Cleo, haar gezicht bont en blauw en een bloedende jaap in haar voorhoofd, die bang door een kier van haar gedeeltelijk vernielde slaapkamerdeur gluurde.

'Gaat het wel met je?' bracht hij hijgend uit.

Ze knikte, zo te zien was ze in shock.

Hij hoorde een klap boven zich. Grace lette niet op de pijn, maar rende door en zag dat de deur van het dakterras tegen de muur aan sloeg. Hij hinkte het terras op. En zag nog net een flits olijfgroen in de schemering op de brandtrap helemaal achterin.

Hij draafde ernaartoe, om een barbecue, tafels, stoelen en planten heen, en wierp zichzelf de metalen trap af. Jecks was al halverwege de binnenplaats onderweg naar het hek.

Het hek ging net voor Grace' neus dicht toen hij daar aankwam. Hij drukte op de rode knop, lette op niets of niemand, trok het zware hek open en zonder op de twee agenten te wachten struikelde hij hijgend de straat op. Jecks had zo'n honderdtwintig meter voorsprong. Hij rende net moeizaam langs een lange rij gesloten antiekzaken en een pub met luide jazzmuziek en veel bezoekers die buiten stonden op de stoep en een gedeelte van de straat in beslag namen.

Grace rende achter hem aan. Hij moest en zou die klootzak te pakken zien te krijgen. Hij was zo vastbesloten dat de rest er even niet toe deed. Jecks rende links London Road in. Die hufter was snel. Godsamme, wat was hij snel. Grace rende nu voluit, zijn borst deed vreselijk veel pijn, zijn longen voelden aan alsof ze tussen twee rotsen werden geplet. Hij haalde de man niet in, maar de afstand werd ook niet groter. Hij rende langs St. Peter's Church. Een winkel van Sainsbury, en vervolgens een eindeloze rij winkels aan zijn linkerkant, allemaal gesloten, met alleen nog verlichte etalages. Bussen, vrachtwagens, auto's, taxi's reden langs. Hij ontweek een groepje jongelui terwijl hij de hele tijd de olijfgroene overall in de gaten hield die hoe langer hoe meer opging in de vallende schemer.

Jecks kwam aan bij Preston Circus Junction. Het voetgangerslicht stond op rood en een lange rij auto's reed voor hem langs. Maar hij bleef doorrennen op London Road. Grace moest even wachten toen een vrachtwagen langs denderde met een lange sliert verkeer erachteraan. Schiet op, schiet op, schiet op! Hij keek achterom en zag de twee agenten een eindje verderop. Toen, bijna verblind door het zweet dat in zijn ogen liep, rende hij roekeloos de weg op voor een zeer boze buschauffeur die woedend lichtsignalen gaf en toeterde.

Hij was fit doordat hij regelmatig hardliep, maar hij wist niet hoelang hij het nog vol kon houden.

Jecks, die nu bijna tweehonderd meter voor hem uit liep, ging langzamer rennen, draaide zijn hoofd om, zag Grace en zette weer de spurt erin.

Waar ging hij in hemelsnaam naartoe?

Rechts van de weg was een park. Links stonden huizen die tot kantoren waren verbouwd, en flatgebouwen. De ironie dat hij op dat moment langs het Brighton & Hove gemeentehuis, Directoraat voor kinderen, gezinnen en scholen, rende waar hij die ochtend nog was geweest, ontging hem niet.

Je moet nu toch wel zo langzamerhand moe worden, Jecks. Je ontkomt me niet. Je kunt niet mijn liefste Cleo pijn doen en dan ermee weg komen.

Jecks rende door, langs een garage, over een volgend kruispunt, langs weer een rij winkels.

Toen, eindelijk, hoorde Grace achter hem een gillende sirene. Dat zal verdomme tijd worden ook, dacht hij. Even later kwam er een patrouillewagen langzaam naast hem rijden, het passagiersraampje ging open en hij hoorde wat gekraak en toen de telefonist over de radio.

Grace bracht hijgend uit tegen de jonge agent: 'Voor me. Die vent in dat groene pak. Grijp hem!'

De auto racete weg, blauw zwaailicht aan op het dak, en kwam even voor

Jecks langs de stoep tot stilstand. Het portier werd zelfs al opengemaakt voordat de auto helemaal stilstond.

Jecks draaide zich om en rende een paar meter naar Grace toe, schoot toen naar rechts, naar het Preston Park-station.

Grace hoorde nog een sirene aan komen rijden. Nog meer assistentie. Mooi.

Hij volgde Jecks een steile heuvel op met huizen aan weerskanten. Voor hem stond een hoge stenen muur, met een tunnel die naar de perrons en de straat aan de andere kant leidde. Er stonden twee taxi's voor.

Voor het station was een parkeerterrein waar nog een paar taxi's klaar-stonden, en rechts was een straat die een paar honderd meter parallel liep aan de spoorlijn.

Jecks rende die straat in.

Grace werd ingehaald door een politiewagen, die achter Jecks aan zat. Plot-seling kwam de man terug rennen, de tunnel in en de trap op naar het perron, daarbij een jonge vrouw met een koffer en een man in pak opzijduwend.

Grace ging achter hem aan, zich een weg zoekend tussen de passagiers, toen hij Jecks over het perron zag rennen. De achterste deur van de trein stond open, de conducteur hing eruit terwijl hij met zijn zaklamp het ver-trekteken gaf. De trein kwam langzaam in beweging.

Jecks sprong van het perron af en Grace kon hem niet meer zien. Stond hij op de rails?

De conducteur schoof langs hem heen, en de trein ging sneller rijden, en toen zag Grace de achterlichten. En Jecks, die zich vasthield aan een reling achter op de achterste wagon, met zijn voeten gevaarlijk op een buffer.

Grace riep de conducteur toe: 'Politie, stop de trein! Er hangt iemand achterop!'

De conducteur, een magere jonge man in een slecht zittend uniform, keek hem even stomverbaasd aan terwijl de trein steeds harder ging rijden.

'Politie! Ik ben van de politie! Stóóóppp!' gilde hij weer. De conducteur, die nu een eindje voor hem was, kon hem nog net horen.

De conducteur dook naar binnen. Grace hoorde een schril fluitje en toen ging de trein opeens langzamer rijden en piepten de remmen. Na een sis-sende ontluchting stopte hij zo'n vijfenveertig meter voorbij het perron.

Grace rende het perron af en de spoorbaan op, bleef uit de buurt van de on-der stroom staande geleidingsrail, en struikelend over los onkruid en bielsen.

De conducteur sprong uit de trein en kwam naar Grace toe rennen, flit-send met zijn zaklamp. 'Waar is hij?'

Grace wees. Jecks, die bang naar de geleidingsrail keek, werkte zich voorzichtig naar de buffer aan de rechterkant en sprong toen, maar net niet ver genoeg. Zijn rechtervoet raakte de andere rail. Er was een blauwe flits, een krakend geluid, een rookwolkje en een kreet van Jecks. Hij viel keihard op het grind midden in de spoorbaan naar het noorden. Hij rolde om en zijn hoofd klapte met een doffe knal tegen de rails aan de andere kant aan en hij bewoog zich niet meer.

In het licht van de zaklamp van de conducteur zag Grace dat zijn linkerbeen er vreemd bij lag en heel even dacht hij dat de man dood was. Er hing een scherpe brandlucht.

'Hé!' gilde de conducteur in paniek. 'Er komt een trein aan! Die van tien voor tien!'

Grace kon de rails horen zoemen, als het trillen van een stemvork.

'Het is de sneltrein! Victoria Expres! O, jezus!' Hij trilde zo erg dat hij nog maar amper de zaklantaarn op Jecks gericht kon houden, die de rails met beide handen vastgreep en zichzelf naar voren wilde trekken.

Grace stapte over de rails heen, naar het losse grind erachter. Hij wilde de klootzak levend hebben.

Jecks wilde opeens overeind komen, maar hij viel meteen voorover met een schreeuw van pijn. Een straaltje bloed liep over zijn gezicht.

'Nee!' gilde de conducteur naar Grace. 'Je kunt niet oversteken, niet daar!'

Grace hoorde de trein aan komen rijden. Hij lette niet op de conducteur, maar stapte met zijn andere been over de rails en bleef in de ruimte tussen de twee sporen staan, en keek naar links. Naar de koplampen van de sneltrein die uit het donker aan kwam denderen, recht op hem af. Nog maar een paar seconden van hem verwijderd.

Er was wat ruimte naast de rails. Genoeg ruimte, vond hij, in een fractie van een seconde, en hij sprong over de andere rails heen. Hij pakte de gedeeltelijk gesmolten schoen met de dikke zool aan het gebroken been van Jecks, die nu eenmaal het dichtst bij was, en trok er uit alle macht aan. De koplampen kwamen steeds dichterbij. Hij hoorde Jecks krijsen van pijn boven het geluid van de claxon van de trein uit. Hij voelde de grond trillen, de rails zingen op een verdovend hoge toon. De windvlaag. Hij trok weer aan de man, lette niet op het geschreeuw, de conducteur die iets riep, het gebulder en geloei van de trein, en wankelde naar achteren, terwijl hij het dode gewicht over de buitenste rails en op het stukje grond trok zo hard en zo snel als hij kon.

Toen verloor hij zijn evenwicht en viel op de grond, met zijn gezicht een paar centimeter bij de rails vandaan. En hij hoorde een ijselijke menselijke kreet.

De trein kwam langs denderen, een windhoos greep zijn kleren, zijn haar, het geratel van de wielen was oorverdovend.

Nog een windhoos. Toen stilte.

Iets warms en plakkerigs spoot in zijn gezicht.

119

De stilte leek een eeuwigheid te duren. Grace, die gulzig ademhaalde, werd eventjes verblind door een zaklamp. Hij kreeg nog meer warme, plakkerige vloeistof over zijn gezicht. De lichtstraal ging een andere kant op en nu kon hij zien dat een smalle, grijze pijp rode verf op hem spoot.

Toen besefte hij dat het geen rode verf was. Het was bloed. En het was geen pijp, het was Jecks' rechterarm. De hand van de man was eraf.

Grace ging op zijn knieën zitten. Jecks lag trillend en kreunend op de grond, in shock. Hij wist dat hij het bloeden tegen moest houden, het meteen moest stelpen, anders zou de man binnen een paar minuten doodbloeden.

De conducteur stond naast hem. 'Jezus,' zei hij. 'Jezus. O, jezus.' Twee agenten kwamen bij hem staan.

'Bel een ambulance!' zei Grace. Hij zag mensen door de raampjes kijken van de stilstaande trein. 'Ga eens kijken of er een dokter in die trein zit!'

De conducteur keek naar Jecks, hij kon zijn ogen niet van hem afhouden.

'BEL VERDOMME EEN AMBULANCE!' schreeuwde Grace naar de agenten.

De conducteur rende naar een telefoon op een seinpaal.

'Is al gedaan,' zei een van de agenten. 'Bent u in orde, meneer?'

Grace knikte, nog steeds buiten adem, zocht om zich heen naar iets wat hij kon gebruiken als een tourniquet. 'Regel dat iemand Cleo Morey gaat helpen. Gardener's Yard, nummer 5,' zei hij. Hij wilde iets uit zijn jaszak pakken, maar besefte toen dat zijn jasje op de grond in Cleo's huis lag. 'Geef me je jas!' riep hij naar de conducteur.

Te verbaasd om te vragen waarom, kwam de conducteur naar hem toe rennen en stond toe dat Grace zijn jasje bij hem uittrok, waarna hij weer

397

wegrende. Grace hield beide mouwen vast en scheurde het kledingstuk kapot. Een van de mouwen bond hij zo strak mogelijk om Jecks' arm, even boven de wond. De andere rolde hij op en drukte hij tegen de wond aan.

Toen kwam de conducteur al hijgend terug rennen. 'Ik heb gevraagd of ze de stroom eraf kunnen halen. Dat duurt maar een paar seconden,' zei hij.

Opeens was er een hels kabaal. Zo te horen kwamen elke ambulance en elke politiewagen van Brighton & Hove met gillende sirene aan rijden.

Vijf minuten later zat Grace achter in de ambulance met Jecks. Hij had erop gestaan bij hem te blijven, omdat hij er zeker van wilde zijn dat die klootzak veilig en wel in een ziekenkamer lag, waar hij niet uit kon ontsnappen.

Niet dat daar veel kans op was, voorlopig. Jecks was op de brancard vastgegespt, had overal buisjes en was amper bij bewustzijn. De ziekenbroeder, die hem in de gaten hield, zei tegen Grace dat hoewel de man veel bloed had verloren, hij niet direct in levensgevaar was. Maar de ambulance reed op topsnelheid, met gillende sirene, zodat het een oncomfortabel ritje was waarbij hij voortdurend heen en weer werd geslingerd. En Grace wilde geen risico nemen: er reed een politieauto voor en achter hen.

Grace mocht de gsm van de ambulancebroeder gebruiken en belde Cleo's vaste telefoon en gsm, maar kreeg geen gehoor. De broeder gebruikte toen de mobilofoon om de meldkamer voor op te roepen. De telefoniste gaf door dat er een ambulance in Gardener's Yard was. De twee ambulancebroeders waren bezig de oppervlakkige wonden van Cleo Morey te behandelen. Ze wilde niet naar het ziekenhuis, maar wilde thuis blijven.

Grace werd toen doorgeschakeld met de politiewagen die bij Cleo's huis stond en gaf de twee agenten opdracht daar te blijven tot hij er weer was en ook dat ze een glasservice moesten bellen zodat het raampje naast de deur zo snel mogelijk kon worden vervangen.

Tegen de tijd dat hij de opdrachten had gegeven, maakte de ambulance al een scherpe bocht naar links, de heuvel op naar de eerstehulpafdeling van het ziekenhuis.

Terwijl Grace aan de achterkant uitstapte en Jecks voortdurend in de gaten hield, ook al zag het ernaar uit dat de man inmiddels buiten bewustzijn was, kwam er een politieauto met gillende sirene aan rijden die achter hen stopte. Een jonge agent stapte uit, zijn gezicht was groen en hij stond zo te zien op het punt over te geven, en hij kwam snel op hen af. Hij had iets bij zich in een bebloede zakdoek. 'Meneer!' zei hij tegen Grace.

'Wat heb je daar?'

'De hand, meneer. Misschien kunnen ze hem er weer aanzetten. Een paar vingers ontbreken. Die moeten onder de wielen terecht zijn gekomen. We konden ze niet vinden.'

Grace kon zich met moeite inhouden, had bijna gezegd dat tegen de tijd dat hij klaar was met Norman Jecks, deze niet zoveel meer aan die hand zou hebben. In plaats daarvan zei hij grimmig: 'Goed gedaan.'

Kort na middernacht kwam Jecks terug uit de operatiezaal. Het ziekenhuis had de enige plaatselijke orthopedische chirurg die al een paar keer afgesneden ledematen er weer aangezet had niet te pakken kunnen krijgen. De chirurg die momenteel dienst had, had net een motorrijder opgelapt, en had gezegd dat de hand te ernstig beschadigd was.

Grace zag dat het de hand was waar de pleister op zat, en hij verzocht dat ze hem in de koelkast bewaarden, zodat de technische recherche hem kon onderzoeken. Toen verzekerde hij zich ervan dat Jecks in een privékamer lag, op de derde verdieping, met een klein raampje en geen brandtrap, en regelde twee agenten die hem afwisselend 24 uur per dag in de gaten zouden houden.

Eindelijk, niet langer doodop maar klaarwakker, gespannen, opgelucht en opgewonden, reed hij terug naar Cleo's huis. Zijn enkel deed afschuwelijk veel pijn elke keer dat hij de koppeling intrapte. Tot zijn opluchting zag hij de lege politiewagen in de straat staan en ook dat het raampje al vervangen was. Terwijl hij naar de voordeur strompelde, hoorde hij iemand stofzuigen. Toen belde hij aan.

Cleo deed open. Er zat een pleister op haar voorhoofd en ze had een blauw oog. De twee agenten zaten op de bank koffie te drinken en de stofzuiger lag op zijn kant op de grond.

Ze glimlachte bleekjes naar hem en keek toen geschokt. 'Roy, lieverd, je bent gewond.'

Hij besefte opeens dat hij nog onder Jecks' bloed zat. 'Niets aan de hand, ik ben niet gewond, ik moet alleen mijn kleren uitdoen.'

Achter haar moesten de twee agenten grinniken. Maar op dat moment waren ze lucht voor hem. Hij keek naar haar, oneindig dankbaar dat ze er nog was. Hij nam haar in zijn armen en kuste haar op de mond, knuffelde haar, hield haar stevig vast, erg stevig, hij wilde haar nooit, nooit meer loslaten.

'Ik hou van je,' fluisterde hij. 'Ik hou waanzinnig veel van je.'

'Ik hou ook van jou.' Haar stem was hees en iel, ze leek wel een kind.

'Ik was zo bang,' zei hij. 'Zo bang dat er iets was...'
'Heb je hem te pakken gekregen?'
'Stukje bij beetje.'

120

Norman Jecks keek Grace grimmig aan. Hij lag in het bed, in het kleine ka-
mertje, zijn rechterarm van zijn elleboog tot aan de stomp waar zijn hand
had gezeten helemaal in het verband. Er zat een oranje naamplaatje van het
ziekenhuis om zijn linkerpols. Zijn bleke gezicht zat onder de blauwe plekken en schrammen, hoewel het Grace opviel dat er geen pleister zat over een
wondje op zijn linkerwang.

Glenn Branson stond achter Grace en twee agenten zaten in de gang bij
de deur.

'Norman Jecks?' vroeg Grace. Hij vond het absurd om met deze man te
praten die zo identiek was aan Bishop, zelfs zijn haar. Alsof Bishop een
geintje met hem uithaalde en op twee plaatsen tegelijk kon zijn.

'Ja,' antwoordde hij.

'Is dat uw volledige naam?'

'Ik heet Norman John Jecks.'

Grace noteerde het in zijn notitieboekje. 'Norman John Jecks, ik ben inspecteur Grace en dit is rechercheur Branson. Op grond van bewijzen arresteer ik u op verdenking van de moord op juffrouw Sophie Harrington en
die op mevrouw Katherine Bishop. U hoeft niets te zeggen, maar het zal
tegen u kunnen werken als u tijdens het verhoor dingen achterhoudt die u in
de rechtbank aan wilt voeren. Alles wat u zegt, kan als bewijs worden gebruikt. Is dat duidelijk?'

Jecks hief zijn linkerarm een paar centimeter op en zei zonder een spoortje humor: 'Het zal nog niet meevallen om me de handboeien om te doen,
nietwaar, inspecteur Grace?'

Ontdaan door zijn brutaliteit, antwoordde Grace: 'Daar hebt u gelijk in.
Maar in elk geval kunnen we u nu onderscheiden van uw broer.'

'Niemand had er problemen mee om me te onderscheiden van mijn
broer,' zei Norman Jecks bitter. 'Wat wil je weten?'

'Wilt u met ons praten, of wilt u dat er een advocaat bij is?' vroeg Grace.
Hij glimlachte. 'Ik praat wel, hoor. Waarom niet? Ik heb alle tijd in de wereld. Hoeveel tijd heb je nodig?'

'Wat u maar kunt missen.'

Jecks schudde zijn hoofd. 'Nee, inspecteur Grace, dat wil je echt niet. Geloof mij maar, je wilt echt de hoeveelheid tijd niet die ik opgespaard heb.'

Grace hinkte naar de lege stoel naast het bed en ging zitten. 'Hoe bedoelt u dat er niemand problemen mee had om u te onderscheiden van uw broer?'

Jecks glimlachte weer ijskoud en scheef naar hem, net als de avond ervoor toen hij hem op de trap achterna was gekomen in Cleo's huis. 'Omdat hij degene is die geboren is met een zilveren lepel in zijn mond, en ik, weet je waarmee ik geboren ben? Met een plastic buisje in mijn strot om te kunnen ademen.'

'Waarom zou u daardoor fysiek van elkaar verschillen?'

'Brian had het allemaal, nietwaar, van meet af aan. Goede gezondheid, rijke ouders, een goede opleiding. En ik? Ik had onderontwikkelde longen en moest de eerste maanden van mijn leven in een couveuse doorbrengen, hier in dit ziekenhuis! Ironisch, hè? Ik heb jarenlang longproblemen gehad. En ik had behoorlijk waardeloze ouders. Weet je wat ik bedoel?'

'Nee, eigenlijk niet,' zei Grace. 'Ze leken mij best aardig.'

Jecks keek hem recht in de ogen. 'O, ja? Wat weet je allemaal over hen?'

'Ik heb ze vandaag gesproken.'

Jecks grinnikte weer. 'Dat lijkt me niet, inspecteur. Probeer je me soms in de val te lokken? Mijn vader stierf in 1998. Moge hij rotten in de hel, en mijn moeder twee jaar later.'

Grace was even stil. 'Sorry hoor, maar ik begrijp het niet helemaal.'

'Wat begrijp je niet?' vroeg Jecks fel. 'Bishop heeft een prachtig huis, een goede opleiding, de beste start in zijn leven die je maar kunt hebben, en dit jaar stond zijn bedrijf – dat míjn idee was, trouwens – in de top honderd van *The Sunday Times* voor de snelst groeiende bedrijven in Groot-Brittannië. Hij ís iemand! Hij is rijk! Jij bent inspecteur en toch weet je het verschil niet?'

'Welk idee was van u?'

Jecks schudde zijn hoofd. 'Laat maar zitten. Het maakt niet uit.'

'O, nee? Waarom krijg ik dan het gevoel van wel?'

Jecks ging plotseling plat op zijn rug liggen en deed zijn ogen dicht. 'Ik wil liever niets meer zeggen, niet zonder mijn advocaat. Kijk, dat is nog een verschil. Brian heeft een chique advocaat, de duurste die er is! En ik krijg straks een of andere eikel van een pro-Deoadcovaat. Toch?'

'Er zijn momenteel heel goede advocaten beschikbaar die u niets zullen kosten,' verzekerde Grace hem.

'Ja hoor, bladiebladiebla,' zei Jecks, zonder zijn ogen open te doen. 'Maak je maar geen zorgen, inspecteur, niemand heeft zich ooit zorgen over mij gemaakt. Zelfs God niet. Hij deed net of Hij van me hield, maar al die tijd heeft Hij alleen van Brian gehouden. Ga nu maar lekker weg naar je lieve Cleo Morey.' Toen, opeens met ijskoude stem, deed hij zijn ogen open en gaf Grace een vette knipoog. 'Omdat je van haar houdt.'

Er hing een hoopvolle sfeer in de afgeladen vergaderkamer die vrijdagochtend.

Roy Grace las in zijn aantekeningen en zei: 'Ik zal nu een samenvatting geven van de belangrijkste gebeurtenissen die gisteren hebben plaatsgevonden tot aan de arrestatie van Norman John Jecks.' Hij keek weer even in zijn aantekeningen. 'Een van de meest afdoende bewijzen die we hebben in de moord op Katie Bishop is vanochtend door de tandheelkundige Christopher Ghent aangedragen, namelijk dat de beet op de rechterhand van Norman Jecks is veroorzaakt door Katie.'

Hij bleef even stil om het belang ervan te laten bezinken en ging toen verder. 'Brigadier Batchelor heeft ontdekt dat Norman Jecks – die sprekend lijkt op Bishop – tot maart van dit jaar, twee jaar bij de softwareontwikkelingsafdeling van de Southern Star Assurance Company werkte als computerprogrammeur. De timing is van belang, want hij ging weg zo'n vier weken nadat Bishop zogenaamd een levensverzekering afsloot op zijn vrouw bij dit bedrijf. We hebben inmiddels alle bankafschriften van Bishop om na te kijken of er ooit premie is betaald. We vermoeden dat hij er inderdaad niets vanaf wist.' Hij nam een slokje koffie.

'Pamela en Alfonso hebben het criminele verleden van Bishop onder de loep genomen. Ze hebben niets over de twee misdaden kunnen ontdekken in de plaatselijke of nationale pers rond de tijd dat ze zouden moeten hebben plaatsgevonden of rond de tijd dat hij ervoor veroordeeld werd.'

Hij sloeg een bladzijde om. 'Gisteravond is bij een inval in de garages die door Jecks worden gehuurd, een identieke set kentekenplaten ontdekt als die van Brian Bishops Bentley. Bij een inval in zijn woning aan Sackville Road, Hove, die vlak daarvoor plaatsvond, vonden we bewijs voor de ongezonde obsessie die Jecks had – of beter gezegd léék te hebben – voor zijn tweelingbroer Brian Bishop. Onder andere verborgen camera's in Bishops huis in Brighton en in zijn flat in Londen die hij via internet kon bedienen.

Jecks heeft in een verhoor dat Glenn Branson en ik hem vanochtend hebben afgenomen, toegegeven dat hij zijn broer haat.'

Grace ging door, somde alles op wat ze hadden gevonden in Jecks' woning. De informatie over de drie gebelde nummers die hij en Branson hadden ontdekt op de prepaid gsm van de man, noemde hij echter niet, omdat ze dat eigenlijk niet hadden mogen doen, en het toestel net aan de afdeling Telecommunicatie was overhandigd.

Toen hij klaar was met zijn aantekeningen, stak Norman Potting zijn hand op. 'Roy,' zei hij, 'ik weet dat het niet echt jouw zaak is, maar ik heb vanmiddag eens rondgebeld bij de reisbureaus in Brighton & Hove om erachter te komen of Janet McWhirter concact met hen had opgenomen over vluchten naar Australië in april van dit jaar. Er is een bedrijf met de naam Aossa Travel. De dame die daar werkt, Lena, vond een invulformulier waar de naam van Janet McWhirter op stond. De naam die ze invulde als zijnde haar reisgezel was Norman Jecks.'

Na de briefing ging Grace naar zijn kantoor. Hij belde meteen de persoon die de zaak-Janet McWhirter onderzocht en vertelde hem wat Potting had ontdekt. Toen belde hij Chris Binns, de openbare aanklager die aan de zaak-Katie Bishop werkte, en bracht hem op de hoogte van wat ze hadden ontdekt.

Hoewel het bewijs niet meer naar Brian Bishop wees maar naar zijn broer, was het nog te vroeg en te onvoorzichtig om een verdachte vrij te laten. Bishop moest op maandag voor de rechtbank verschijnen voor het verzoek om verlenging van de hechtenis. De twee mannen overlegden met elkaar. Chris Binns zou met Bishops advocaat gaan praten en hem vertellen dat de staat wat moeilijkheden verwachtte bij de aanklacht, omdat er andere bewijzen aan het licht waren gekomen. Als Bishop de politie op de hoogte zou houden van zijn reilen en zeilen en zijn paspoort af zou geven, dan zou het verzoek om borgtocht op maandag niet aangevochten worden door de openbare aanklager.

Nadat Roy Grace opgehangen had, bleef hij een hele tijd stil zitten. Er klopte nog steeds iets niet. Iets wat zeer belangrijk was. Uit een van de mappen die op zijn bureau opgestapeld waren, haalde hij het geboorte- en adoptiebewijs van Brian Bishop en dat van zijn broer eruit.

Zijn deur ging open en Glenn Branson keek naar binnen. 'Ik ga ervandoor, ouwe,' zei hij.

'Waarom kijk jij zo blij?' vroeg Grace.

'Ik mag de kinderen vanavond in bed stoppen van haar!'

'Zo. Je gaat vooruit! Krijg je dus je huis weer snel terug?'

'Weet ik niet. Eén zwaluw maakt nog geen zomer.'

Grace keek weer naar de adoptiepapieren. Branson had gelijk. Eén zwaluw maakte inderdaad nog geen zomer. En naar het schijnt maakten twee mannen die gearresteerd waren de zaak nog niet kloppend.

Norman Jecks had die ochtend gezegd dat hij na zijn geboorte een paar maanden in de couveuse had gelegen. En dat zijn ouders waren overleden. En volgens zijn ouders was híj overleden.

Waarom logen ze over elkaar?

121

Voor de eerste keer in wat een buitengewoon lange week was geweest, lag Grace al voor middernacht in bed. Maar hij sliep slecht. Hij deed zijn best zich zo min mogelijk te bewegen om Cleo niet wakker te maken, die naakt en warm in zijn armen lag te slapen als een roos.

Misschien zou hij zich weer wat kunnen ontspannen als Norman Jecks eenmaal in de gevangenis zat. Op dit moment lag hij in het Royal Sussex County Hospital, waar een man die zo slim was als hij, zo uit kon ontsnappen, ook al had hij politiebewaking. En elk onbekend geluid in de nacht zou zo maar eens Norman Jecks kunnen zijn.

De Black & Decker-boor die Cleo in haar bezemkast had gevonden, had hem helemaal van zijn stuk gebracht. En haar ook. Ze had nog nooit een elektrische boor gehad en ze had ook geen werklui over de vloer gehad de laatste tijd. Het was net alsof Jecks een souvenir van zijn bezoek had achtergelaten, een klein bewijs, een aandenken.

Omdat je van haar houdt.

De boor zat nu in een bewijszak, veilig en wel opgeborgen in het magazijn voor bewijsstukken van het Coördinatiecentrum. Maar het beeld van waar het voor stond, wat het vertegenwoordigde, en die woorden, zouden hem nog lange tijd achtervolgen.

Hij dacht weer aan Sandy. Aan Dick Popes overtuiging dat hij en Lesley haar in München hadden gezien.

Als dat zo was, en ze was voor hen weggerend, wat wilde dat zeggen? Dat ze helemaal opnieuw was begonnen en niets meer te maken wilde hebben met haar vorige leven? Maar dat sloeg nergens op. Ze waren zo gelukkig geweest samen, dat had hij althans gedacht. Misschien was ze overspannen of zo geweest? Dan zou Kullens suggestie dat hij alle doktoren, ziekenhuizen en privéklinieken in de omgeving van München moest nagaan, wel eens resultaat kunnen opleveren. Maar wat dan?

Zou hij gewoon verder kunnen gaan met zijn leven in de wetenschap dat zij hem ooit in de steek had gelaten en dat misschien weer zou doen? En alles opgeven wat hij met Cleo had opgebouwd in de tussentijd?

De mogelijkheid bestond natuurlijk dat de Popes zich hadden vergist. Dat het een andere vrouw was geweest die heel veel op Sandy leek, net als de vrouw die hij achterna was gerend in de Englischer Garten. Het was al negen jaar geleden. Mensen veranderen. Soms had hij zelfs moeite om Sandy's gezicht voor zich te halen.

En degene die nu het belangrijkst voor hem was, was Cleo, moest hij eerlijk toegeven.

Die ene dag in München had hun relatie bijna verpest. Als hij een uitgebreid onderzoek in die stad wilde starten, zou hij er heel veel tijd in moeten steken. En wat zou die zoektocht opleveren? Hij had al negen jaar op schaduwen gejaagd. Misschien moest hij er maar eens mee stoppen. Het verleden het verleden laten.

Hij probeerde zich ermee te verzoenen en viel in slaap.

En werd twee uur later weer wakker, trillend en bevend door dezelfde nachtmerrie die hem om de paar maanden achtervolgde. Sandy's stem die hem vanuit het donker riep. Om hulp riep. Pas na een uur viel hij weer in slaap.

Om zes uur 's ochtends reed hij naar huis, trok zijn trainingspak aan en ging naar het strand. Bijna elke spier in zijn lijf deed pijn en zijn enkel deed zo'n zeer dat hij niet kon rennen, dus strompelde hij over de promenade en weer terug. Door de zuivere lucht kon hij beter nadenken.

Toen hij daarna thuis een douche had genomen en zich aan het afdrogen was, hoorde hij de deur van Bransons slaapkamer opengaan en toen de toiletbril omhooggaan. Even later, terwijl hij zijn gezicht met scheercrème aan het insmeren was, hoorde hij zijn vriend zo luid plassen dat het wel een supertanker leek die overtollig water loosde.

Eindelijk werd er doorgetrokken. Toen riep Branson: 'Thee of koffie?'

'Hoor ik dat goed?' vroeg Grace.

'Ja, ik vind dat ik wel een goede vrouw voor je zou kunnen zijn.'

'Thee graag. Maar verder geen huwelijkse plichten, oké?'

'Thee komt eraan!'

Branson neuriede vrolijk terwijl hij de trap af liep en Grace vroeg zich af wat voor pilletje hij die ochtend ingenomen had. Toen concentreerde hij zich weer op het scheren en het probleem dat nog steeds niet opgelost was. Hoewel hij diep in de nacht wel een aanknopingspunt had gevonden.

Even na tienen zat hij weer in de kleine wachtkamer van de afdeling Registratie in het stadhuis van Brighton, met een archiefmap in zijn hand.

Na een paar minuten ging de deur al open en Clive Ravensbourne, het lange, beschaafde hoofd Registratie, kwam naar binnen. Hij gaf Grace een hand, zag er veel meer op zijn gemak uit dan de vorige keer dat ze elkaar hadden gesproken, nog maar een paar dagen geleden, maar was zo te zien wel nieuwsgierig.

'Inspecteur, fijn u weer te zien. Wat kan ik voor u doen?'

'Heel erg bedankt dat u op zaterdag bent gekomen, dat stel ik zeer op prijs.'

'Dat maakt niet uit. Het is gewoon een werkdag voor mij.'

'Het heeft te maken met hetzelfde moordonderzoek van afgelopen donderdag,' zei Grace. 'U was toen zo vriendelijk me informatie door te geven over een tweeling. Ik wil graag dat u iets voor me nagaat. Het heeft erg veel haast en is uitermate belangrijk voor het onderzoek. Een paar dingen kloppen gewoon niet.'

'Maar natuurlijk,' zei Ravensbourne. 'Ik wil u graag een handje helpen, als dat kan.'

Grace sloeg de map open en wees naar Brian Bishops geboortebewijs. 'Ik gaf u de naam van deze vent op, Desmond Jones, en vroeg of u kon achterhalen of hij een tweelingbroer had en hoe die oorspronkelijk heette. Er waren 27 baby's met dezelfde achternaam. U stelde voor dat u er sneller doorheen kon gaan als u alleen maar naar het indexnummer op het geboortebewijs keek.'

Ravensbourne knikte nadrukkelijk. 'Ja, dat klopt.'

'Zou u het nog een keer voor me willen nakijken?'

'Maar natuurlijk.'

Ravensbourne pakte het geboortebewijs aan en liep de kamer uit. Een paar minuten later was hij terug met een groot groen, in leer gebonden register, legde het samen met het geboortebewijs neer en bladerde er zorgelijk door. Na een tijdje keek hij weer op het geboortebewijs. 'Desmond William Jones, moeder Eleanor Jones, geboren in het Royal Sussex County Hospital, op 7 september 1964 om 03.47 uur. En er staat "geadopteerd" bij, toch? Dit is echt de juiste man!'

'Ja, dat klopt ook inderdaad. Maar degene van wie u zei dat hij de tweelingbroer is, die klopte niet.'

De ambtenaar keek in het boekwerk en las verder. 'Frederick Roger Jones?' las hij op. 'Moeder Eleanor Jones, geboren in het Royal Sussex County Hospital, op 7 september 1964 om 04.05 uur. Is ook geadopteerd.' Hij keek op. 'Dat is de tweelingbroer. Frederick Roger Jones.'

'Weet u het zeker? U vergist u niet?'

De ambtenaar draaide het boek om, zodat Grace het zelf kon zien. Er stonden vijf inschrijvingen.

'Dat geboortebewijs van u is een kopie van het origineel. Dat origineel is de inschrijving in dit boek. Snapt u?' vroeg de man.

'Ja,' antwoordde Grace.

'Het komt exact overeen. Dit is de oorspronkelijke inschrijving. Er staan vijf inschrijvingen op elke bladzij, ziet u? De twee onderste zijn uw knapen, Desmond William Jones en Frederick Roger Jones.'

Om zijn geloofwaardigheid te bewijzen, draaide Ravensbourne de bladzijde om. 'Ziet u, hier staan ook vijf...' Hij onderbrak zichzelf halverwege, keek op de vorige bladzijde, sloeg hem toen weer om. En toen zei hij: 'O. O, jee. O, lieve help, dat is nooit bij me opgekomen! Ik had het nogal druk toen u langskwam, dat weet ik nog. Ik zag de tweelingbroer, u zocht naar een tweeling. Het is nooit bij me opgekomen dat...'

Op de volgende bladzijde, helemaal bovenaan, stond in een keurig, schuin handschrift: Norman John Jones, moeder Eleanor Jones, geboren in het Royal Sussex County Hospital, op 7 september 1964 om 04.24 uur.

Grace keek de man aan. 'Betekent dit wat ik denk dat het betekent?'

De ambtenaar knikte driftig met zijn hoofd. Deels uit gêne, deels uit opwinding. 'Ja. Hij is negentien minuten later geboren. Dezelfde moeder! Zeker weten!'

122

Het ene oude nummer na het andere oude nummer van de *Argus* flitste voor Grace langs. Hij zat voor een van de microfiche apparaten in de naslagbibliotheek van Brighton & Hove en bekeek de film met de edities uit 1964. Af en toe zette hij hem wat langzamer om de datum te bekijken. April... juni.... juli.... augustus... september.

Hij stopte het apparaat halverwege de bladzijden van 4 september 1964 en ging langzaam verder. Hij stopte opnieuw toen hij bij de voorpagina van de krant van 7 september kwam. Maar er stond niets belangrijks in. Hij las de volgende bladzijden zorgvuldig door, maar zag niets bijzonders.

Op 8 september was het grote nieuws een plaatselijk bouwschandaal. Maar twee bladzijden verderop viel hem opeens een foto op.

Het was een foto van drie baby's die naast elkaar in een glazen couveuse lagen te slapen. Ernaast stond een foto van een autowrak. Erboven stond de kop: WONDERBABY'S OVERLEVEN GRUWELIJK DODELIJK ONGELUK. En er stond nog een foto bij, van een aantrekkelijke, donkerharige vrouw van een jaar of 25. Grace las elk woord van het artikel, twee keer helemaal. Hij keek van de foto van de baby's in de couveuse naar de vrouw, naar de kleine auto. Vervolgens las hij de tekst weer, sloeg de sensationele beschrijvingen over, keek alleen naar de feiten.

De politie onderzocht waarom de Ford Anglia over de A23 was geschoten tijdens een heftige regenbui 's avonds op 6 september vlak voor een vrachtauto... Eleanor Jones, alleenstaande moeder, natuurkundelerares... dacht dat ze in verwachting was van een tweeling... stond onder behandeling voor depressie... Achteneenhalve maand zwanger... werden in leven gehouden door machines op de intensive care nadat ze te vroeg via een keizersnee waren geboren... moeder stierf tijdens de operatie...

Hij zette het apparaat stil, haalde de microfiche eruit, deed die terug in het hoesje en gaf dat aan de bibliothecaresse. Toen begaf hij zich zowat rennend naar de uitgang.

Grace barstte bijna van opwinding terwijl hij terugreed naar het Sussex House. Hij wilde de gezichten wel eens zien tijdens de briefing van die avond, maar hij stond helemaal te popelen om het Cleo te vertellen. Haar te vertellen dat ze beslist de juiste man te pakken hadden.

Maar eerst wilde hij de behulpzame adoptieadviseur Chrissie Franklin even spreken en haar iets vragen, gewoon om het zeker te weten. Hij toetste haar nummer in op zijn handsfree toestel, toen het net op dat moment overging.

Het was Roger Pole, de leider van het onderzoek naar de moordaanslag op Cleo, die hem bedankte voor de informatie over de ontdekking van de handleiding voor de MG TF in Norman Jecks' garage. Hij vertelde hem dat Jecks daardoor nu de hoofdverdachte was.

'Je hoeft niet verder te zoeken,' vertelde Grace hem, terwijl hij de auto aan de kant zette. 'Weet je trouwens hoe het met die arme ziel gaat die de auto wilde stelen?'

'Hij ligt nog steeds op de intensive care in East Grinstead, is voor 55 procent verbrand, maar de verwachting is dat hij het zal overleven.'

'Misschien moet ik hem een bos bloemen sturen omdat hij Cleo's leven heeft gered,' zei hij.

'Naar wat ik er zo van heb gehoord, zal hij een paar zakjes heroïne meer op prijs stellen.'

Grace grinnikte. 'Hoe gaat het met de agent van de afdeling Autodiefstal?'

'Met Packer? Goed. Hij is uit het ziekenhuis ontslagen, maar hij heeft behoorlijk grote brandwonden in zijn gezicht en op zijn handen.'

Grace bedankte hem voor de informatie en belde toen Chrissie Franklin. Toen hij haar vertelde wat er gebeurd was, lachte ze meelevend. 'Dat is al eens eerder gebeurd,' zei ze.

'Er zit me één ding nog niet lekker,' zei Grace. 'Zijn voornamen, Norman John. Toen ik u oorspronkelijk sprak, zei u dat de adoptiefouders hun naam hebben veranderd, of hun achternaam hebben gebruikt als voornaam. In zijn geval had hij allebei zijn namen nog. Steekt daar iets achter?'

'Nee, hoor,' zei ze. 'De meeste ouders veranderen het, maar niet allemaal. Soms duurt het een tijdje voor een kind wordt geadopteerd en gaan ze eerst naar een pleeghuis, en dan blijven ze waarschijnlijk hun eigen naam gebruiken.'

Grace kwam Glenn Branson tegen toen hij naar zijn kantoor liep.

'Waarom loop jij zo te glunderen, ouwe?' vroeg Branson.

'Ik heb heel goed nieuws. En hé, zo te zien heb jij het ook helemaal naar je zin,' zei Grace.

'Ja, nou, ik heb toevallig ook goed nieuws.'

'Wat dan?'

'Jij eerst.'

Grace haalde zijn schouders op. 'Kun jij je die vervelende maatschappelijk werkster nog herinneren over die adoptie?'

'Die met het paarse haar en de felgroene bril? Die eruitzag als een overreden beest?'

'Die ja.'

'Heb je een afspraakje met haar gemaakt? Dat lijkt me leuk. Zolang je maar een papieren zak meeneemt om over haar hoofd te doen.'

'Ja, ik heb een afspraakje met haar gemaakt. En met haar baas. Om drie uur vanmiddag. Weet je nog dat ik haar heb verteld dat als ze informatie achterhield waar wij iets aan zouden hebben, ze ervoor zou boeten?'

Branson knikte. 'Ja.'

'Nou, dat ga ik dus doen. Ik ga dat kreng eens flink laten boeten.'

'Niet dat je wraakzuchtig bent of zo.'

'Ik, wraakzuchtig? Welnee!' Grace keek op zijn horloge. 'Ik heb zojuist het een en ander opgestoken bij het gemeentehuis en in de naslagbibliotheek. Je zult ervan smullen. Volgens mij hebben we Norman Jecks helemaal te pakken. Wil je een biertje? Dan krijg je er alles over te horen.'

'Lekker, maar helaas moet ik ervandoor.'

'En wat is jouw goede nieuws?'

De rechercheur straalde. 'Ik zal je eens wat vertellen. Het is waarschijnlijk nog goed nieuws voor jou ook.'

'Ik klap uit elkaar van de spanning.'

Zijn vriend glimlachte stralend. Grace had hem al maanden niet meer zo blij gezien. Glenn Branson zei: 'Ik ga heb een afspraak met iemand over een paard.'

Dankwoord

De wereld van de politie van Sussex staat centraal in mijn Roy Grace-boeken, en ik ben de vele agenten en de rest van de medewerkers zeer dankbaar dat ze me zo hartelijk hebben verwelkomd en me zeer hebben geholpen. Met name hoofdinspecteur Joe Edwards voor zijn vriendelijke goedkeuring. Zonder mijn wijze en goede vriend hoofdinspecteur Dave Gaylor, die vele jaren mijn mentor was bij de politie van Sussex, en bovendien model stond voor de hoofdpersoon Roy Grace, had ik het niet gekund. Hij is mijn hoofdonderzoeker, een bron van creatieve ideeën. Hij heeft het geduld van een heilige en heeft me op vele manieren geholpen met dit boek, net als met de vorige boeken. Zonder hem zou het een beduidend minder goed boek zijn geweest.

Om nog een paar mensen bij naam te noemen – en neem me het alsjeblieft niet kwalijk als ik iemand vergeten ben – hoofdinspecteur Kevin Moore heeft me zeer gesteund, en Ray Packham van de technische recherche en zijn vrouw Jen hebben me erg geholpen en hadden zeer veel suggesties. Om het leven van de criminelen beter te kunnen begrijpen, kreeg ik waanzinnig veel hulp van agent Paul Grzegorzek. En ook sergeant Julian Clapp, die me meer dan eens deed rillen als hij een paar procedures aan me uitlegde, alsmede inspecteur Mark Powles van het Identificatieteam van de politie van Sussex.

Inspecteur Roy Apps, inspecteur Paul Furnell, agent Matt Webster, inspecteur Andy Parr, sergeant Mark Baker, hoofdinspecteur Peter Coll; sergeant Phil Taylor, hoofd van de High Tech Crime Unit, en John Shaw, vroeger werkzaam bij de High Tech Crime Unit, momenteel bij de Control Risks Group; Julie Page van de PNC; rechercheur Keith Hallet van de Holmes Unit van de politie van Sussex; Brian Cook, Scientific Support Branch Manager; inspecteur William Warner; Senior Scenes of Crime Investigator Stuart Leonard; Senior Analyst Suzy Straughan; rechercheur Jason Tingley; gezinscontactpersonen Amanda Stroud en Louise Pye; allemaal hartelijk bedankt. Mijn speciale dank gaat uit naar het hoofd van de afdeling Ondersteuning van het hoofdbureau van de recherche, Tony Case, die altijd even enthousiast voor me klaarstond.

Ook de mensen in München ben ik veel dank verschuldigd, onder wie Kriminalhauptkommisar Walter Dufter, Ludwig Waldinger en Detlef 'Ted' Puchelt van het Bayerisches Landeskriminalamt, Franz-Joseph Wilfling, Kriminaloberrat in de Kriminalpolizeidirektion 1 München; Andy en Sabine van het Krimifestival München; Anette Lippert, die zoveel voor me heeft gedaan wat de geografie van München betreft; en natuurlijk de beste nog in leven zijnde Duitse acteur Hans Jürgen Stockeri, voor zijn oeverloze geduld terwijl hij me minstens tien keer in München rond reed op zoek naar locaties voor mijn boek.

Ik kreeg ook veel hulp van de patholoog-anatoom uit Essex, dr. Peter Dean, patholoog dr. Nigel Kirkham en patholoog dr. Vesna Djurovic van Binnenlandse Zaken. En ook van dr. Robert Dorion, hoofd Forensische Tandheelkunde bij het Laboratoire de Sciences Judiciaires et de Médecine Légale, Montreal, alsmede auteur van het ultieme werk *Bitemark Evidence*. En ik ben mijn fantastische vrienden in het mortuarium van Brighton & Hove zeer dankbaar: Elsie Sweetman, Victor Sinden en Sean Didcott, voor hun grenzeloze geduld met me en omdat ze zo ontzettend vriendelijk en attent waren.

Verder ook dank aan Brian Ellis, dr. Andrew Davey, dr. Jonathan Pash, obductieassistent Tom Farrer, en Robert Frankis, een van de weinige mensen die meer van auto's weten dan ik... En Peter Bailey bedankt voor zijn encyclopedische kennis van het Brighton van vroeger en tegenwoordig en de treinen aldaar. En ik ben met name adoptieadviseur Chrissie Franklin zeer dankbaar, die me onvermoeibaar en enthousiast met zeer veel gevoelige zaken hielp.

Ook weer dank aan Chris Webb, die mijn computer aan de gang hield en mijn back-ups bewaarde, en een welgemeend dankjewel aan mijn onofficiële redacteuren: Imogen Lloyds-Webber, Anna-Lisa Lindeblad en Sue Ansell die het manuscript in de diverse stadia hebben gelezen en met goede suggesties aan kwamen dragen. De mensen bij Midas Public Relations, Tony Mulliken, Margot Veale en Amelia Rowland, natuurlijk ook bedankt.

Ik ben erg gezegend met mijn fantastische literair agent Carole Blake – en het is mij een eer dat ze door mij een paar van haar drie miljard designerschoenen kon kopen! – en mijn filmagent Julian Friedmann. Ik vind het heel erg bijzonder dat Macmillan mijn boeken uitgeeft. Om nog een paar mensen bij name te noemen, bedank ik Richard Charkin, David North, Geoff Duffield, Anna Stockbridge, Vivienne Nelson, Marie Slocombe, Michelle Taylor, Caitriona Row, Claire Byrne, Ali Muirden, Richard Evans, Chloe

Brighton, Liz Cowen, mijn bureauredacteur Lesley Levene, en lest best, Stef Bierwerth: jij wordt steeds beter! En aan de andere kant van het Kanaal, zeg ik *Danke!* tegen de medewerkers bij mijn Duitse uitgeverij Scherz, voor hun enorme steun. Met name Peter Lohmann, Julia Schade, Andrea Engen, Cordelia Borchardt, Bruno Back, Indra Heinz en de zeer indrukwekkende Andrea Diederichs, de beste Duitse redacteur die er bestaat!

Mijn trouwe viervoeters Bertie, Sooty en Phoebe ook bedankt, door jullie besef ik dat er nog een leven is buiten mijn kantoor.

En mijn voorlaatste maar grootste dank gaat naar mijn liefste Helen, omdat zij in mij geloofde en me de kans niet gaf het op te geven.

En als laatste bedank ik wederom al mijn lezers. Bedankt voor jullie mailtjes en vriendelijke woorden. Ze betekenen heel veel voor me.

Peter James
Sussex, Engeland
scary@pavilion.co.uk
www.peterjames.com

Over de auteur

Peter James bezocht de Charterhouse-kostschool en daarna de filmacademie. Hij woonde enkele jaren in Noord-Amerika, waar hij werkte als scenarioschrijver en filmproducent voordat hij terugkeerde naar Engeland. Zijn eerdere boeken, waaronder de bestseller *Possession*, zijn in zevenentwintig talen vertaald. In al zijn boeken geeft hij blijk van zijn intense belangstelling voor geneeskunde, wetenschap en de wereld van de politiek. Hij heeft verscheidene films geproduceerd, zoals *The Merchant of Venice* met Al Pacino, Jeremy Irons en Joseph Fiennes en *The Bridge of San Luis Rey* met Robert De Niro, Kathy Bates en Harvey Keitel. Hij was tevens coproducent van de populaire serie *Bedsitcom* van Channel 4, die genomineerd werd voor een Gouden Roos, en hij is momenteel bezig van zijn thriller *Doodsimpel* een scenario voor televisie te schrijven. Peter James won de Krimi-Blitz 2005, de prijs voor de beste misdaadschrijver van het jaar in Duitsland en *Doodsimpel* won de 2006 Prix Polar International en de 2005 Prix Coeur Noir in Frankrijk. *Doodsimpel* verscheen in 2005 in Nederland bij de Fontein, een jaar later gevolgd door *De dood voor ogen*. Peter James verdeelt zijn tijd tussen zijn huis in Notting Hill en dat in Sussex.

Lees ook van Peter James:

Doodsimpel

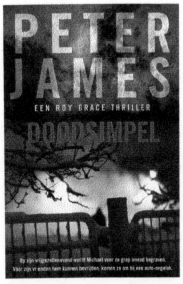

Een macabere grap loopt gruwelijk uit de hand...

Michael Harrison gaat bijna trouwen. Zijn vrienden besluiten hem eens flink te grazen te nemen en verzinnen een sinistere grap. Op zijn vrijgezellenavond voeren ze hem dronken, waarna ze hem achterlaten in een doodskist met een fles whisky en een walkietalkie. Maar wanneer de vrienden wegrijden om hem een paar uur flink te laten zweten, krijgen ze een fataal ongeluk... Niemand weet waar Michael is, ook Michael zelf niet, die langzaam ontwaakt uit zijn roes...

Met nog maar drie dagen te gaan voor de bruiloft, wordt inspecteur Roy Grace ingeschakeld door de bloedmooie en zeer bezorgde verloofde, Ashley Harper. Met maar bar weinig aanknopingspunten moet Grace aan de slag. Zelfs Mark Warren, Michaels beste vriend en zakenpartner, en bij uitstek degene die zou moeten weten waar Michael uithangt, kan hem niet verder helpen. Gaandeweg komt Grace erachter dat meerdere mensen baat zouden kunnen hebben bij de verdwijning van Michael – meer dan iedereen zich realiseert. Want de een zijn dood is de ander zijn brood... doodsimpel...

'James heeft de gave om een buitengewoon onderwerp te verwerken in een roman die zowel onweerstaanbaar leesbaar als zeer geloofwaardig is.'
Robert Goddard

'Peter James kruipt in de huid van zijn overtuigende, menselijke hoofdpersonen en laat hun dagelijkse problemen uitmonden in een geloofwaardige nachtmerrie.' The Independant

'Een huiveringwekkend verhaal over hebzucht, verleiding en verraad.'
Daily Telegraph

Lees ook van Peter James:

De dood voor ogen

Wat zou jij doen als je een cd in de trein zou vinden?

Tom Bryce vindt een cd in de trein en neemt hem mee naar huis. Hij wil de eigenaar ervan opsporen en de cd terugbezorgen. 's Avonds steekt hij het schijfje in de computer en ziet tot zijn ontzetting hoe een nietsvermoedende jonge vrouw live voor de camera wordt vermoord.

Op hetzelfde moment onderzoekt de politie in Brighton, onder leiding van inspecteur Roy Grace, de identiteit van een vrouw wier lichaam zonder hoofd in de duinen gevonden is.

Niet lang nadat Tom de cd heeft bekeken, wordt hij bedreigd. Hij en zijn gezin zijn hun leven niet zeker als hij naar de politie gaat. Maar Tom ziet geen andere uitweg en, gesteund door zijn vrouw Kellie, legt dapper een verklaring af tegenover Roy Grace en zijn rechercheteam. Vanaf dat moment is de moord op de familie Bryce slechts een kwestie van tijd – en een gruwelijke attractie: de moord op Kellie en Tom wordt al aangekondigd op het internet. Ze hebben de dood voor ogen...

'Het verhaal leidt naar een geweldige climax en de spanning van het moment is bijna voelbaar.' *Evening Standard*

'De plot ontvouwt zich voortreffelijk via verschillende korte cliffhangers, waardoor de spanning beangstigend oploopt. Ik was volkomen gegrepen. Dit is een uitmuntende thriller, ten zeerste aanbevolen.' *LoveReading.co.uk*

'James is een fantastisch goede schrijver die zijn lezer gekluisterd houdt met een superieure vertelstijl.' *ReviewingTheEvidence.co.uk*